DE EENPROCENTDOCTRINE

Ron Suskind

De eenprocentdoctrine

Exclusieve onthullingen over

Amerika's strijd tegen terrorisme

vertaald door Peter Diderich

2006
Uitgeverij Contact
Amsterdam/Antwerpen

Opgedragen aan Jack Downey, een held en een vriend,
voor zijn moedig optimisme.

© 2006 Ron Suskind
© 2006 Nederlandse vertaling Peter Diderich
Oorspronkelijke titel *The one percent doctrine. Deep inside America's pursuit of it's enemies since 9/11*
Omslagontwerp Via Vermeulen/ Natascha Frensch
Omslagfoto © Corbis
Foto auteur Nancy Crampton
Vormgeving binnenwerk Zeno
ISBN 90 254 26387
978 90 254 26385
D/2006/0108/927
NUR 686

www.uitgeverijcontact.nl

INHOUD

Als mensen goed geïnformeerd zijn,
zijn ze heel goed in staat zichzelf te besturen.

THOMAS JEFFERSON

INLEIDING

Telkens weer dat 'wat als', daar kun je kapot aan gaan.

Iets over het hoofd gezien. Misschien gewoon geen zin. De ene kant opgegaan terwijl het de andere kant had moeten zijn.

De meeste mensen komen er na verloop van tijd wel overheen. 'We hebben gedaan wat we konden,' zeggen ze, en ze gaan verder.

Maar wat betreft de tragedie van 11 september 2001 is er een speciaal gevoel van spijt blijven hangen bij mensen die daar misschien een andere wending aan hadden kunnen geven.

Het alarmerende memo van 6 augustus 2001 van de Amerikaanse inlichtingendienst CIA aan de president – 'Bin Laden vastbesloten toe te slaan in de VS' – heeft de afgelopen jaren de nodige aandacht gekregen.

Maar in augustus vlogen er ook al analisten van de CIA naar Crawford om de president persoonlijk te informeren, om zijn vakantie te verstoren met directe waarschuwingen.

De analytische sectie van de CIA verkeerde op dat moment in een soort paniektoestand. Andere inlichtingendiensten, waaronder die van de Arabische wereld, luidden de alarmklok. Alle pijlen stonden in het rood. Niets was bekend over plaats of tijd van een aanslag, maar er was iets op til. De president móést het weten.

Rechtstreekse verbale briefings van George W. Bush zijn handelingen van een bijna onschatbaar gewicht in de zaken van de natie, meer nog dan bij andere recente presidenten. Hij is niet echt een boekenwurm, is dat nooit geweest, in weerwil van de herhaalde inspanningen van het Witte Huis, dat graag mag rondbazuinen wat voor serieuze boeken hij af en toe leest. Het is geen president die veel waarde hecht aan het beluisteren van een breed gamma aan stemmen: vaak heeft hij dat duidelijk laten blijken. Zijn kring van werkelijk vertrouwde raadslieden is klein: in vele opzichten kleiner nu hij president is dan toen hij nog gouverneur was. Maar hij kan heel goed luisteren en hij is een uiterst visuele luisteraar. Hij taxeert mensen snel en vaardig, slaat ze zorgvuldig gade, en vertrouwt op zijn eigen ogen. Het is een gave, deze non-verbale scherpzinnigheid waarop hij vertrouwt bij het omgaan met de bijna overweldigende plichten van het presidentsambt: elke dag talloze beslissingen, die stuk voor stuk van groot belang zijn. En dan is er de ontmoedigende berg van problemen waar hij greep op moet krijgen, de eindeloze stroom van politieke deskundigen en deskundige politici, die allemaal op ernstige toon tot hem spreken. Wat doet George W. Bush daarmee? *Hij maakt het persoonlijk.* Hij had misschien niet veel ervaring voordat hij president werd, vooral niet op het gebied van buitenlandse zaken, maar doordat hij kan vertrouwen op dit interpretatievermogen, ziet hij dat niet als een gebrek. De experts die tegenover hem zitten hebben het zware werk, het zware tillen al gedaan, en nu probeert de president te doorgronden hoe 'zeker' ze zijn van wat ze zeggen, ook als hij niet goed op de hoogte is van bepaalde vraagstukken. Maken ze een nerveuze of onzekere indruk? Poseren ze? Waarom denken ze wat ze denken... en wat denken ze van hém? Dat laatste element is erg belangrijk.

De valstrik is natuurlijk dat deze tastbare, zintuiglijke aanwijzingen weliswaar van cruciaal belang kunnen zijn, vooral voor het omgaan met de bij topfunctionarissen bestaande neiging tot poseren, maar dat dat ook vaak níét het geval is. Op bepaalde momenten moet je je richten op wát iemand zegt, niet wie het zegt, of hoe ze het zeggen.

En zo lijkt George W. Bush tijdens een urgente *face-to-face*-briefing door de inlichtingendienst aan het eind van de zomer een verkeerde keuze te hebben gemaakt.

Hij keek de paniekerige CIA-agent doordringend aan.

'Goed hoor,' zei hij. 'Je hebt je nu wel genoeg ingedekt.'

George Tenet en zijn team evacueerden hun kantoren in het hoofdkwartier van de CIA op 11 september 2001 in de loop van de ochtend, maar echt ver gingen ze niet.

Tegenover een spaarzaam met gras begroeid plein waren er nog wat leegstaande ruimtes in de CIA-drukkerij, een onopvallend gebouw van twee verdiepingen op het terrein van het CIA-hoofdkwartier in Langleye, Virginia. Deze produceerde dagelijks de output van een tiental copyshops, waaronder het afgelopen jaar geregeld talrijke briefingboeken over al-Qaida, ofwel 'de stevige basis'. Daar vluchtten ze heen, naar de plek waar de rapporten werden gedrukt.

Tenet, zijn plaatsvervanger John McLaughlin en nog enkele anderen, persten zich in een vergaderzaaltje, een vensterloze witte kubus, en gingen verwoed aan de slag met een batterij telefoons, in een poging de meest recente gegevens, rapporten over de stand van zaken, wat dan ook, binnen te halen. Het was nog vroeg, midden op de dag. Feiten die algauw gemeengoed zouden worden, zelfs vertrouwd voor schoolkinderen, kregen geleidelijk iets meer reliëf. Wáár, dat was duidelijk, net als wanneer en hoe, namelijk zichtbaar voor iedereen die een televisietoestel had. Waaróm – als het inderdaad de islamistische extremisten waren die ze ervan verdachten –, dat was een onbeantwoorde vraag sinds de bomaanslag op het World Trade Center in 1993. De constante groei van jihadistische terreur had een groeiend gevoel van onbehagen teweeggebracht bij de CIA, en uiteindelijk ook in andere sectoren van de overheid. Toch bleven de oorzaken, of een helder strategisch inzicht in wat de vijand bewoog en wat hij wilde, in nevelen gehuld.

Deze dag bracht echter een nieuw helder licht. Om 13.10 stormde een analist het zaaltje in met een paar uitdraaien in zijn hand. Het waren passagierslijsten van de vier vluchten, zojuist naar hem gestuurd door een functionaris van de Federal Aviation Administration, een instelling die de ochtend van de nachtmerrie doorbracht met het lokaliseren en aan de grond krijgen van honderden vliegtuigen die zich op het moment van de eerste aanslag in de lucht bevonden. Het opsturen van passagierslijsten naar de CIA voor een nadere inspectie was een van de eerste pogingen van die dag om alle gegevens op een rijtje te krijgen.

'Twee namen,' zei de analist, een vel papier op de tafel gladstrijkend. 'Deze twee kennen we.' Met zijn allen dromden ze om hem heen en keken ze naar de uitdraai van vlucht 77 van American Airlines, die het Pentagon in vlammen had achtergelaten. Twee gemarkeerde namen sprongen eruit, die van Khalid al-Mihdhar en Nawaf al-Hamzi, mannen die op de diverse interne lijsten voorkwamen als al-Qaida-lid. Met zijn allen tuurden ze naar die namen. Wíé... dat was nu zichtbaar in het genadeloze licht van de geschiedenis.

'Daar heb je het dan,' zei Tenet kalm, als een man die op klaarlichte dag op een herhaaldelijk terugkerende nachtmerrie stuit. 'De bevestiging. Allejezus.' En toen viel er een stilte. Misschien tien seconden. Misschien een minuut.

Twee uur later landde Airforce One op de luchtmachtbasis Offut in Nebraska. Een geschokte George W. Bush riep de topmensen van de Nationale Veiligheidsraad bijeen voor een videoconferentie, de eerste bespreking op hoog niveau sinds de aanslagen. Tenet rapporteerde dat ze de namen van bekende al-Qaida-strijders op de passagierslijst van vlucht 77 van American Airlines hadden aangetroffen, waaronder die van al-Mihdhar. Deze persoon, zo voegde hij eraan toe, was een jaar geleden door de CIA in Maleisië gesignaleerd. Hij had een geldig visum voor de Verenigde Staten en was kennelijk het land in geglipt zonder dat de Amerikaanse inlichtingendienst CIA en de federale recherche FBI daar iets van hadden gemerkt. Bush mompelde iets over de miscommunicatie tussen de twee instanties, kortaf en berispend, maar dat werd geegaliseerd door het verpletterende bewijsmateriaal: al-Qaida. De boosdoener.

Beginpunten zijn altijd moeilijk te bepalen (wanneer heeft iets werkelijk een begin, in de zich steeds opnieuw herhalende reis die wij mensen maken?), maar dichterbij zullen we vermoedelijk niet meer komen. De feiten waren onbetwistbaar. En het kon niet anders of er zou een oorlog, een soort oorlog beginnen.

Wat er op 11 september gebeurde werd in belangrijkheid bijna geevenaard door wat er op 12 september zou gebeuren.

Dat was de dag waarop Amerikanen al hun moed bijeen begonnen te rapen voor een reactie. Het antwoord op de tragedie zou uiteindelijk vormgeven aan het karakter van de natie.

De vertrouwde gezichten van mensen die aan het roer stonden van het schip van staat werden algauw het toonbeeld van een hevige hunkering, een publieke smeekbede dat de president, zijn adviseurs, en de mannen en vrouwen in de top van de regering capabel zouden zijn, en dapper, en opgewassen tegen dit moment. Dit boek gaat zeker over hen, met nieuwe feiten over wat ze deden en waarom ze het deden, wat ze er wel en wat ze er niet van hebben geleerd.

Maar het gaat ook over een groep Amerikanen die tot nu toe grotendeels onzichtbaar is gebleven, toegewijde en deskundige mensen die geen zier geven om hoe ze zich moeten presenteren, hoe het ze het beste hun voordeel kunnen doen met de zorgen van een verontrust Amerikaans publiek of van het Amerikaanse Congres of van een mismoedige mondiale gemeenschap.

Deze mannen en vrouwen zijn het die de strijd daadwerkelijk voeren. Zij hoeven zich alleen maar zorgen te maken over de strijd tegen schimmige wereldwijde legers die uit zijn op vernietiging, en over het winnen van die strijd. Na de grote uitspraken over een nieuw soort oorlog en het uitbannen van het kwaad, zijn zij het die een actieplan moeten opstellen, en uitzoeken waar ze heen moeten en wat ze moeten doen, ook al is er geen kaart, geen kompas, en is de horizon verduisterd. Ze rapporteren hoe de dingen in het echt gaan en kijken dan vaak ongelovig toe hoe het publiek op de hoogte wordt gebracht van geboekte resultaten en nieuwe ontwikkelingen. In een tijd waarin authenticiteit veelal wordt platgewalst door zelfhandhaving, waarin bewijs zo gemakkelijk wordt afgetroefd door beweringen, weten zij precies waar het breekpunt ligt. Dat maakt hen waardevol en gevaarlijk; dat maakt hun stilzwijgen tot een prioriteit voor degenen die een antwoord klaar moeten hebben voor de *vox populi*, de stem des volks, of uiteindelijk voor het nageslacht.

Op dit punt zijn er optische illusies in het spel. De 'notabelen', Bush en Cheney, Rice en Tenet, zijn altijd opvallend, en sterk vergroot beheersen ze onze aandacht. Ze nemen de eer en, indien onvermijdelijk, de schuld op zich van dingen waar ze vaak weinig mee te maken hadden, vertellen ons dat alles goed zal komen, of dat we erg bang moeten zijn, of beide. Ze stralen zelfvertrouwen uit, de sleutel tot hedendaags succes, ook al zijn ze in hun hart afgunstig op degenen van wie hun voorspoed werkelijk afhankelijk is: het handjevol mensen met feeling voor Arabisch, die dag en nacht websites afvissen; de agent die uitvogelt hoe het geld van alleen maar venijnige naar echt gewelddadige lieden stroomt; de spion die een informant vindt die bereid is om te praten en dan die kip met gouden eieren koste wat kost bescherming wil geven; de paratroeper met zijn nachtkijker die de deur van een flat in Karachi intrapt.

Voor de mensen aan de top is de karakteristieke opstelling een nimmer aflatend ongeduld, een ongeduld om handelen en retoriek te rechtvaardigen en de schuld te verzachten waardoor iedereen wordt gekweld die voor 11 september 2001 een machtspositie had en misschien iets anders had kunnen doen. Voor de onder slaap-gebrek gebukt gaande vakmensen, net buiten het zicht – en in veel opzichten even onzichtbaar als hun moorddadige tegenstanders –, is de basisemotie onderdrukte paniek en een tegen beter weten in gekoesterde overtuiging dat er voor ieder probleem een oplossing is.

Als je wilt weten hoe Amerika echt op 11 september 2001 rea-geert, moet je met beide groepen praten, en luisteren naar wat ze tegen elkaar zeggen, een vaak gespannen dialoog tussen enerzijds de mensen die de details uitbroeden en geïmproviseerde actieplan-nen opstellen, de doeners, en anderzijds de mensen, vanaf de presi-dent tot en met lager geplaatste overheidsdienaren, die beoordelen of er vooruitgang wordt geboekt, de resultaten presenteren en dra-gers zijn van het publieke vertrouwen. De vuurproef bestaat voor beide partijen hieruit dat ze onder een bijna ondraaglijke druk met antwoorden moeten komen.

Ga maar eens in hun schoenen staan.

Van boven af gezien is het een dans van een stuitende stuurloos-heid, gefronste wenkbrauwen en passieve werkwoorden. Een dans van rapporten over de ene potentiële dreiging na de andere, waar-van je weet dat de meeste misleidend zijn, maar zonder precies te begrijpen waarom dat ongetwijfeld zo is, of wat je misschien over het hoofd ziet. En dan beleg je opnieuw een bijeenkomst om te pro-beren of je je vragen scherper gefocust kunt krijgen. En al doende besluit je wat nijvere Amerikanen in het partijpolitieke landschap of in een of andere toezichthoudende commissie van het Congres wel en niet moeten weten, dit alles in een tijdperk waarin politico-logen stellen dat het spreken van de waarheid in het openbaar een gevaarlijke praktijk is. En dan is het tijd voor de volgende briefing, de volgende conferentietafel en spinnenwebdiagrammen vol met moeilijk in te korten Arabische namen en ondoorzichtige onder-linge verbindingen. In rustiger tijden kon Bill Clinton nog mop-perend tegen Alan Greenspan opmerken dat zijn lot als president, en het lot van de economie van het land, bepaald zouden worden door beoordelingen op de aandelenmarkt. Nu kan dat lot erdoor worden bepaald of het de man van de bewakingsdienst in een win-kelcentrum in Palo Alto opvalt dat die man in het chique waren-huis Neiman Marcus midden in de zomer een regenjas draagt, en naar gardenia's ruikt, en een rare koffer draagt. En vervolgens zal het lot van de natie dan worden bepaald door het feit of die bewaker de FBI tijdig belt en of iemand opneemt en het gesprek tijdig wordt overgezet naar iemand anders die weet wat het allemaal betekent.

Maar wacht eens even, weet de FBI eigenlijk wel dat de CIA vrij-wel zeker is dat zo'n honderd *suitcasenukes*, of kofferkernwapens, in het verleden geproduceerd door de Sovjets, volkomen onvind-baar zijn? En dat bin Laden samen met de Tsjetsjeense rebellen en een stel terroristische groeperingen waarvan u nog nooit gehoord hebt al jaren alles in het werk stelt om de hand te leggen op zo'n kernwapen? Zouden ze dat eigenlijk moeten weten? Helpt het ei-genlijk wel als de FBI ervan weet? Of de drukke voetganger die je door angst gemakkelijk zo kan laten verstarren dat hij niets meer koopt, of doet, of nooit meer van grootse dingen droomt? Wat God verhoede, want als de mensen en masse met dit soort dingen stop-pen, zal de voortgaande snelle groei van welvaart en vooruitgang sterk afnemen – maar aan de andere kant heeft angst ongetwijfeld een geheel eigen nuttige functie, doordat ze andere emoties over-troeft en verward geklets aanscherpt, en orde schept, en de mensen duidelijk laat zien waar hun serieuze leiders tegenop moeten bok-sen. Waardering, vooral zonder te veel indringende vragen, is iets prachtigs. En daarom zullen we uiteindelijk misschien wat infor-matie prijsgeven, een klein deeltje van dit of dat opbeurende ver-haal, om alle burgers te laten weten dat ze natuurlijk bang moeten zijn, maar niet echt heel erg bang omdat wij, de officieel gekozen leiders en uw vertrouwde vertegenwoordigers, de situatie onder controle hebben.

En terwijl dit wordt besloten, zit aan de andere kant van de vergadertafel een groepje onopvallende strijders die uw subtiel op eigenbelang berustende redeneringen proberen te volgen. U vermoedt dat ze u de hele tijd zitten te taxeren, en vermoedelijk heeft u het bij het rechte eind als u denkt dat dat voor u niet al te gunstig uitpakt. Aan de andere kant staan ze sympathiek tegenover uw eigentijdse dilemma, net zoals u ten opzichte van het hunne, vooral omdat dat van hen wel eens het zwaarste werk kan zijn waarop de rest uiteindelijk rust.

Staande in hun schoenen kun je in feite de zachte zoden voelen van een wisselend landschap. Veranderingen bij iedere stap. Loop een poosje door en je weet genoeg om te beseffen wat je niet weet, of waarvan je niet zeker kunt zijn, maar ook vind je enkele nuttige dingen die wel te verifiëren zijn, namelijk over de manier waarop wereldwijde terreurnetwerken tegenwoordig opereren en hoe ze zich ontwikkelen. Je weet dat de vijand overal en nergens is, zich verstopt, geduldig en slim, en toekijkt hoe jij je verplaatst zodat zij zich in de tegenovergestelde richting kunnen verplaatsen, de verrassende richting, ongemerkt. Je wordt heen en weer geslingerd tussen een onwillig respect voor hun methodes en een moorddadige woede: kon je die koerier maar te pakken krijgen nemen, de celleider, de topluitenant, dan zou je ze mores leren. En dan zou je het doorgeven aan de bevoegde instanties. Al was het maar om weer eens te kunnen slapen, in ieder geval die nacht, omdat je nu zou weten op welk doel de raketten of de zwaarbewapende commandotroepen met hun nachtkijkers moeten mikken. Zo veel vuurkracht, samengetrokken en gereed, en zo weinig doelen om je op te richten. Of zo weinig werkelijk goede aanwijzingen, werkelijk concrete aanwijzingen. Ja, meer dan genoeg ruis, een stortvloed aan hints, die zich opstapelen tot aan het plafond. De helft van je leven breng je door met het najagen van niets, gebakken lucht. Alles begint er verdacht uit te zien: hele groepen mensen met vreemde talen en gewoonten en diep gekoesterde overtuigingen bezorgen je een paniekgevoel, omdat niet echt duidelijk is hoe zij de stap van woede naar razernij maken, en dan de sprong naar geweld, en als één op de honderd, één op de duizend die sprong maakt, dan heb je het over een leger, een gigantisch onzichtbaar en ongeüniformeerd leger dat zich vrijelijk verplaatst over een markt waar je alles kunt vinden en uitproberen, ongelooflijk destructieve rommel, een en al 'klik en koop', met handleidingen erbij die je kunt downloaden. En je hebt je vrouw of man of kinderen, of om wie je ook maar geeft, in geen weken of maanden gezien, en terwijl je nu eens naar links uithaalt en dan weer naar rechts, vraagt iedereen die je tegenkomt, zelfs mensen die beter moesten weten, inclusief je bazen: 'Zijn we veilig, zijn we nog veilig?' En intussen loop je van alles en nog wat mis: de baby in zijn badje, het schooltoneel, de trouwpartijen en de begrafenissen. En diep in de 'oorlog tegen terreur' zoek je naar houvast, naar een vertrouwd kader om de doodernstige waanzin van dit leven te kunnen bevatten, en je beseft dat je dat je tot aan je nek in een wereldwijd potje tikkertje zit, op een speelplaats zo groot als een continent, een spelletje, maar hoe dan ook dodelijk serieus, want de hele pot is voor de winnaar. Het is er verschrikkelijk op die speelplaats. Vooral wanneer het er doodstil is, zoals in de maanden na 11 september 2001, en niemand iets terugzegt als je roept: 'Tikkie! Jij bent 'm', en je alleen maar af en toe iets langs je voelt suizen wanneer je tegenstander zwijgend voorbijgaat, en je draait je om terwijl de beelden van brandende gebouwen en exploderende vliegtuigen achter je gesloten oogleden dansen.

Te midden van hun botsende perspectieven hadden de notabelen en de onzichtbaren van meet af aan ook enkele dingen gemeen: ze wisten zich allen bezield door een intens gevoel van urgentie. Op 12 september legden alle betrokkenen een soort gelofte af. Als overheidsdienaren zwoeren ze plechtig dat ze alles zouden doen wat ze konden om al-Qaida en zijn wereldwijde netwerk van terroristen en aanhangers aan te pakken en te verslaan. Ze beloofden plechtig daar dag en nacht aan te werken. Ze dwongen zichzelf helder en innovatief te denken. Ze zouden nergens voor uit de weg gaan.

Zodra ze wisten waar ze moesten beginnen.

In overheidskringen is een geliefd beeld voor deze begindagen 'de Apollo 13-test', een vergelijking die ook graag gebruikt wordt in managementopleidingen en door mensen die een peptalk moeten houden. Het slaat op een specifiek moment in 1970 toen een luchtfilter van het defecte NASA-ruimtevaartuig, 321.784 kilometer van de aarde, moest worden gerepareerd met wat de astronauten bij de hand hadden. Het team van technici in Houston scharrelde een collectie van alle losse voorwerpen aan boord van het verre ruimtevaartuig bij elkaar: isolatieband, slangen, medische instrumenten. Ze deponeerden alles op een tafel en gingen aan de slag. Ze moesten een handige manier zien te vinden om een vierkant filter in een ronde fitting te krijgen, anders zou de bemanning over enkele uren stikken. De oplossing moest simpel en uitvoerbaar zijn, ze hadden er niets aan als de bemanning haar niet kon uitvoeren. De motor achter dit alles is een mantra die alom bekend is geworden sinds de in 1992 door Ron Howard uitgebrachte film over de missie: 'Falen is geen optie.'

Dit alles gaat ook heel goed op voor de 'oorlog tegen terreur'. Beslissingen genomen in het kielzog van de catastrofe werden gekenmerkt door dezelfde koene improvisatiedrang, dezelfde emotionele gedrevenheid. Dat laatste onderdeel wordt gemakkelijk vergeten: het verlangen om te helpen, op alle mogelijke manieren, was de eerste, zuivere impuls. Instellingen van 's werelds machtigste natie werden gedwongen om gebruik te maken van het eerste het beste waarover ze konden beschikken om een onvoorziene opdracht te lijfte gaan, een nieuwe last op zich te nemen. Om allemaal, stuk voor stuk, een waardevolle weg te vinden voor hun institutionele macht. Soms werkte dit. Vaak ook niet. In crisismomenten werden paden al snel ingeslagen. Falen, of zelfs kleine nederlagen of enige verwarring toegeven, was geen optie. Het Pentagon had een staand leger. De CIA en zijn afluisterende trawanten, van de nationale veiligheidsdienst de NSA (National Security Agency) tot en met de lagere regionen, hadden de informatie, de nachtkijker, om de duisternis mee te doordringen. Justitie had het instrument van de wet en FBI's leger van binnenlandse agenten. Financiën had toegang tot mondiale financiële gegevens… enzovoort, gebouw voor gebouw, overal in de door angst bevangen hoofdstad. Waar ieder pad heen voerde zou grotendeels bepalend zijn voor de komende jaren, het zou bepalen waar wij als natie nu zijn. En waar wij heen gaan.

Al die tijd was er echter onder het gladde oppervlak van perscommuniqués en ambtelijk jargon een groeiend kabaal hoorbaar, veroorzaakt door 'cognitieve dissonantie', die suggestieve uitdrukking voor de 'onwelluidendheid' die je krijgt als onverenigbare ideeën met elkaar botsen, een schrille mix van geluiden die de naar stilte zoekende geest dwingt bestaande overtuigingen te wijzigen of nieuwe te bedenken.

Het enorme federale regeringsapparaat werkt onder stress lang niet zo efficiënt als de geest van een individu. Het heeft protectionistische neigingen, rivaliserende agendapunten, regels voor wie wat doet en wie er voor bepaalde handelingen verantwoording moet afleggen aan de burgerij, de soeverein, de bazen. Het krijgt een heleboel voor elkaar, dat wel, maar vaak wordt dit federale apparaat bepaald door zijn disfuncties. En dat betekent dat het liegt en veinst, en verbergt wat het kan, en soms handelt uit louter zelfbehoud, omdat het zonder uw vertrouwen niets meer is dan een verzameling kantoorruimtes.

Dit is al heel lang het geval. Het is een kwestie van levenskracht die verstrikt raakt in bureaucratieën, iets waarover al velen, van Max Weber tot Stephen R. Covey, hun gedachten hebben laten gaan. En misschien is het iets dat je moet accepteren, iets waar je in kunt berusten. Misschien willen 'gewone' mensen eigenlijk niets weten van de interne disputen en de voortwoekerende onzekerheid, de dissonantie, of willen ze helemaal geen zicht krijgen op de chaos én de helderheid die belichaamd wordt door degenen die zich op de breuklijnen van de geschiedenis bevinden, zowel de notabelen, die ieder actief werkwoord in de gaten houden, als hun felle en vrijmoedige onzichtbare medewerkers die u in de komende bladzijden zult ontmoeten. Misschien is dat wel het laatste waaraan deze gewone mensen behoefte hebben als ze zij aan zij op de muur van de grot jagen op de schaduwen van een vijand die bewapend is met destructieve capaciteit en sektarische zekerheid, met geduld en sluwe besluitkracht, en misschien een tactisch voordeel.

In slaperiger tijden kon je gewoon verder gaan met je leven, je schouders ophalen en zeggen dat er nog hypotheekaflossingen te betalen waren, kinderen die naar school moesten, televisieprogramma's waarnaar gekeken moest worden, en dat zelfs twee eeuwen geleden, helemaal in het begin, sommige *founding fathers* al het idee hadden dat het rumoerige gepeupel buiten de wallen 'de waarheid niet aankon'.

Maar dit zijn geen normale tijden. Kennis is echt macht, en krachtig genoeg om angst uit te bannen. En u hoort toch op zijn minst te weten wat er in hemelsnaam gaande is.

Zo doen Amerikanen dat.

HOOFDSTUK I

Vals alarm

Op 13 september, rond het middaguur, stak een voorbijkomende agent zijn hoofd om de deur van Dennis Lormels kamer. Hij zei dat er iemand van het FBI-kantoor in Omaha had gebeld. Een daar gevestigde grote onderneming, de First Data Corporation, een bedrijf met een enorme capaciteit, wilde op alle mogelijke manieren helpen. Lormel keek met rode ogen op van zijn bureau. 'Oh, dat is de moeite waard,' zei hij, een vermoeide glimlach producerend. 'Dat zou best wel eens heel erg de moeite waard kunnen zijn.'

Lormel was de zoon van een politieagent uit New York, die twintig jaar had gewerkt aan de financiële kant van enkele van de omvangrijkste zaken van het bureau, van corrupte Congresleden in het Abscam-schandaal en beschuldigingen dat Billy Carter zich had laten omkopen door Libiërs, tot en met het schandaal rond the Bank of Credit and Commerce International, de moeder van alle internationale bankfraudes.

First Data is een van 's werelds grootste creditcards verwerkende bedrijven, een onderneming met baten van 6,5 miljard dollar en een wereldwijd bereik. Lormel wist dat er enorme aantallen namen gecheckt moesten worden, te beginnen met de negentien kapers, en dat elke naam verscheidene hits zou opleveren, waarschijnlijk vals alarm, dat vervolgens toch gecheckt zou moeten worden tegen de details van plaats en tijd van ellenlange achtergrondverhalen. Er zouden problemen zijn rond burgerlijke vrijheden: wettelijk gezien vereiste ieder creditcardonderzoek een officiële vergunning. Misschien was daar geen tijd voor; er kon een andere aanslag op til zijn.

Maar Lormel wist iets wat de meeste agenten die slapeloos ronddraafden in het hoofdkwartier van de FBI twee dagen na de aanslagen van 11 september niet wisten: dat First Data niet alléén 's werelds grootste creditcard verwerkende onderneming en een exceptionele bondgenoot was, juist op dit moment. 'In dat bedrijf,' zei hij tegen de jonge agent, 'zit een diamant verborgen.'

Die diamant was een dochter met de naam Western Union, van oudsher een telegraafbedrijf en vele generaties geleden de motor van een technologische revolutie. Hoogtijdagen waren de jaren vijftig van de negentiende eeuw, toen de onderneming het hele noordoosten van de VS begon te voorzien van kabels, waarna in 1861 de eerste transcontinentale kabel werd gelegd. Vijf jaar later brachten deze kabels de handel van de beurs van New York via 'tikkers' naar steden langs de hele oostkust. Het werd bejubeld als een mirakel.

De wereld marcheerde verder. Maar van de tweeëntwintig naties in de Arabische wereld staan er vele nog steeds met een voet in dit recente verleden. Western Union, met zijn baten van bijna 2,7 miljard dollar, is nog steeds een vast adres voor een groot deel van de 300 miljoen ingezetenen van de Arabische wereld. In sommige minder bedeelde delen van de wereld kun je alleen maar geld overmaken op de ouderwetse manier. Je brengt je geld naar het kantoor van de Western Union. Je geeft het daar af. Ze tellen het. En binnen de kortste keren is je geld letterlijk in een flits verzonden naar een van de andere kantoren van het bedrijf.

De zogenaamde 'oorlog tegen terreur' draait om onwaarschijnlijke kronkels, vreemde allianties, om dingen die je meestal het minst verwacht. In feite zijn het dan ook de onverwachte dingen waarmee je een aalgladde vijand, namelijk een global village van moslimterroristen, te snel af kunt zijn. Lormel is een expert op het gebied van financiële misdrijven die praat als een havenarbeider, weet hoe je ruwe spelletjes moet spelen en hij heeft een subtiel vermogen om te denken als zijn prooi: een perfecte figuur voor een tijd die vraagt om innovatie. Gisteravond was hij om etenstijd thuisgekomen nadat hij een groot deel van de dag als een zombie door een hectisch FBI-hoofdkwartier had rondgedwaald. Tegen zijn vrouw Molly zei hij: 'Ik ben achter een heleboel dingen gekomen... we moeten dit grootschalig en geïntegreerd aanpakken, een samenwerkingsverband van de hele overheid, en dan kunnen we ze inpakken, al die schoften. Er zijn tegenwoordig een heleboel dingen die we ons financieel kunnen veroorloven, dingen we vroeger nooit hadden kunnen doen. Als we nu voor een keer maar eens iedereen op één lijn kunnen krijgen.'

Nu, zittend in zijn kantoor, zei Lormel tegen de jonge agent dat hij hem een nummer moest geven voor First Data, en begon hij te peinzen over zijn idee: 'We moeten van dit bedrijf een dodelijk wapen maken.'

Op 13 september, om middernacht, liet George Tenet zich in zijn werkkamer op de zevende verdieping van het hoofdkwartier van de CIA in zijn bureaustoel zakken. Sinds de aanslagen had hij niet meer geslapen en dat was hem aan te zien. Jami Miscik, Tenets onderdirecteur, stak haar hoofd om de deur.

'Klaar om te crashen?'

'Straks misschien,' zei hij. 'Maar lang kan het niet meer duren.'

Miscik, een slanke brunette van in de vijftig, had een warm plekje voor Tenet, die haar in 1996, toen hij nog adjunct-directeur was, had aangesteld als zijn rechterhand, en haar als directeur bevorderd had tot de op een na hoogste positie bij het directoraat inlichtingen DI (Directorate of Intelligence), de thuisbasis van het leger van analisten van de CIA. Ze hadden samen een hoop meegemaakt. Maar niets wat ook maar in de verste verte leek op wat er nog komen zou.

Ze mag George erg graag. Net als blijkbaar iedereen op de zevende verdieping van dit CIA-kantoor, een zeldzaamheid in een oord waar de muren doordrenkt zijn van geheimhouding en van het wantrouwen dat daaraan ontspruit. Te midden van recente DCI's (Directors of Central Intelligence) is hij een uitzondering, met zijn soms wat lomp overkomende openhartigheid en zijn persoonlijke tic die hieruit bestaat dat hij het maar wat moeilijk vindt om kritiek te hebben, op wie dan ook, zelfs als ze het verdienen. De meeste problemen waarin hij verzeild raakt ontstaan doordat hij aardig probeert te zijn, zelfs als hij tegen je schreeuwt.

Ze stapte naar binnen en ging zitten op de leuning van een leunstoel tegenover zijn bureau, een duidelijk tijdelijke opstelling, zodat ze kon wegglippen als hij te moe was, of als er een telefoontje kwam van een verontrust iemand die belangrijker was en graag met hem wilde praten. De hoogste regionen van de overheid waren op dit moment afgeladen vol met zulke verontruste mensen.

Miscik, die in 1983 als economisch analist bij de dienst kwam werken, gaat nu over duizenden analisten die gespecialiseerd zijn in het interpreteren van de *humint* (van *human intelligence*) de via agenten in het veld, clandestiene agenten en buitenlandse bronnen verkregen inlichtingen, en ook van de *sigint* (van *signals intelligence*), de informatie verkregen via het uitgestrekte Amerikaanse afluisternetwerk. Hun doel is om te ontcijferen welke betekenis deze informatie hebben op zogenoemde 'operationele momenten', wat je kunt vertalen met 'wanneer nodig', of in alledaags spraakgebruik: tijdig genoeg om levens te redden. Op dat punt hadden ze gefaald. Ze hadden dingen gemist. Miscik wist dat. Het deed er niet toe dat haar opdracht – of die van hen bij de DI – een opdracht was die in theorie geen grenzen kende: alles weten wat je moet weten als je het moet weten.

'We moeten nieuwe manieren bedenken om dit verhaal uit elkaar te halen en het weer in elkaar te zetten,' zei ze. 'Eens kijken wat er misschien nog meer... wat we misschien over het hoofd hebben gezien.'

Tenet pakte zijn blocnote. 'Oké,' zei hij. 'Waar beginnen we?'

'Met een paar van de meest creatieve mensen die we kunnen vinden een eenheid opzetten van mensen die zich nog nooit met terrorisme hebben beziggehouden,' zei ze. 'Eens kijken wat zij zien als ze kijken naar de dingen die wij te zien hebben gekregen. En eens kijken of ze iets anders zien.'

'Frisse ogen,' zei Tenet, in zijn ogen wrijvend. 'Die kunnen we goed gebruiken.' Ze begonnen namen te noemen, totdat Miscik opstond en vertrok, met de belofte dat ze de volgende ochtend een lijst klaar zou hebben.

Tenet draaide zich om naar het raam en leunde achterover in zijn stoel. Vlak boven de bomenrij die het terrein van het CIA-kantoor omgeeft kon je in de verte vagelijk de lichten zien van Washington, een veranderde stad op zoek naar een beter passend wereldbeeld. Aan een schier eindeloze dag kwam nu gelukkig een eind. Niet dat die niet goed verlopen was. Eigenlijk beter dan hij had durven hopen. Die ochtend had een van Tenets belangrijkste plaatsver-vangers, de harde, theatrale Cofer Black, hoofd van het Counter-terrorist Center van de CIA, een indrukwekkende opvoering ten beste gegeven in de Situation Room van het Witte Huis. Na negen maanden van dagelijkse presidentiële briefings had Tenet zeker ge-weten dat Black de juiste man was om George W. Bush tot actie te prikkelen. En dat bleek te kloppen. De president was zich aan het oriënteren. Nu duidelijk was wie er achter de aanslagen zat, was hij erop gebrand een heldere kijk te hebben op de mogelijke Ameri-kaanse reactie. In het bijzijn van fronsende leden van de Nationale Veiligheidsraad en een verontruste president had Black op en neer drentelend over het tapijt in de Situation Room een plan geschetst dat Tenet en andere topfunctionarissen van de dienst snel in el-kaar hadden gezet: een campagne onder leiding van de CIA, onder-steund door de US Special Forces, die op korte termijn Afghanistan zouden binnenvallen, met gebruikmaking van plaatselijke stam-hoofden en doorgewinterde strijders, en al-Qaida in zijn Afghaan-se schuilplaats een kopje kleiner zouden maken. Er hangt een prijs-kaartje aan, zei Black: Amerikaanse soldaten en CIA-medewerkers zullen sterven. 'Maar,' voegde hij eraan toe, 'er zullen vliegen over de oogballen van de vijand lopen.'

De president, die nu op volle toeren was, knikte alert en verbe-ten. Later zou hij dit een 'keerpunt in mijn denken' noemen, het vaststellen van een plan om Afghanistan binnen te vallen. 's Mid-dags had Bush tijdens een tweede bespreking met de Nationale Vei-ligheidsraad, ook zijn voorlopige goedkeuring gegeven aan ideeën die Tenet had over de toekenning van extra volmachten aan de CIA. Volmachten, zoals Tenet hem zei, 'om de ketenen af te schudden' en echt jacht te kunnen maken op de vijand. Om opgewassen zijn tegen deze situatie zou de dienst meer geld nodig hebben, meer getrainde manschappen, meer speelruimte. Ze moesten een om-vattende strategie hebben. Bush ging akkoord. Nu al, slechts twee dagen na de aanslagen, wilde hij méér: meer details, meer ideeën, meer van alles.

Dit alles maakte dat George Tenet vrijwel zeker wist dat hij niet ontslagen zou worden.

Het was natuurlijk volkomen logisch om over een ander je twijfels te hebben. Een president, iedere leider, heeft iemand nodig aan wie hij op dit soort momenten de schuld kan geven. Als een land te maken krijgt met een verrassingsaanval, zal de persoon die aangewezen is om genoeg te weten om zulke verrassingen te voorkomen – een vizier, een aartshertog, een specifieke generaal, een hoofd van de inlichtingendienst – gewoonlijk het boetekleed moeten aantrekken.

'Natuurlijk wist ik dat we allemaal ontslagen konden worden,' zei Tenets plaatsvervanger John McLaughlin achteraf. 'Maar niemand had tijd genoeg om daarover na te denken. Meestal ging het van: *Go, go, go.* We weten wat ons te doen staat. Laten we een plan opstellen. Voor het geval iemand ons wil ontslaan. Prima! Geven we hem gewoon dat plan als we de deur uit gaan.'

Om te begrijpen wat er de daaropvolgende vier jaar zou gebeuren, is het cruciaal om deze mengeling van onzekerheid en dankbaarheid te begrijpen, dit schuldgevoel van de overlevende, de verbazing van de overlevende, de waardering van de overlevende, en hoe dit verder werd uitgesponnen, vooral vanuit het gezichtspunt van George Tenet.

Het is de sleutel tot een centrale relatie in de oorlog tegen terreur: de dans tussen de twee Georges. Ze vormden van meet af aan een natuurlijk paar, deze twee mannen die van gezelschap hielden, beiden doordouwers, ruwe bonken, no-nonsensetypes, ook al kwamen ze uit totaal andere werelden. Tenet, de zoon van Griekse immigranten en een echte New Yorker, was een selfmade man, een Democraat die opgeklommen was via het Congres. Eerst als stafdirecteur van de inlichtingencommissie van de Senaat, vervolgens naar de Nationale Veiligheidsraad, en halverwege de jaren negentig, nadat hij indruk had gemaakt op Clinton, naar de positie van nummer twee van de CIA. Hij had de permanente behoefte zichzelf te bewijzen, zijn sporen echt te verdienen. Bush was op bijna al die punten zijn tegenpool: hij had wel een eigen stempel gedrukt op de privileges die hij door zijn afkomst had meegekregen, maar was verder als vanzelf in de voetsporen van zijn vader getreden en tot het hoogste ambt van de natie opgeklommen. Toen Tenet na de verkiezingen van 2000 kon aanblijven, werd er in het Witte Huis hier en daar verrast gereageerd. De oude heer had daar een rol in gespeeld, zeiden goed geïnformeerde insiders: hij had zijn zoon verteld dat Tenet een goeie vent was en dat de CIA zich buiten de politiek moest houden, een punt dat kon worden benadrukt door Tenet binnenboord te houden. In theorie allemaal prima, maar laten we maar eens zien hoe een en ander uitpakt in de praktijk, zeiden ze. Laten we eerst maar eens kijken of hij met Bush en Cheney overweg kan. Die dingen kwamen Tenet uiteraard ter ore en elke dag – bij elke officiële plechtigheid en elke ochtendbriefing – probeerde Tenet zijn waarde te bewijzen. Iedere topfunctionaris doet dienst 'naar het de president behaagt'. Voor Tenet, een buitenstaander in de kring van intimi, kreeg die uitdrukking elke ochtend opnieuw een uiterst concreet accent.

En dat was allemaal vóór de tragische gebeurtenissen. Had Bush de CIA-directeur in de nasleep van 11 september ontslagen, dan zou Tenet in een afgrond van bijna onpeilbare kritiek zijn geworpen, het soort kritiek dat levens vermorzelt. De niet voorziene aanslag vroeg om een schuldige, om een oordeel, om eeuwige verdoemenis.

Toen Republikeinse Congresleden Tenet in de dagen na 11 september 2001 attaqueerden, kwam Bush hem snel te hulp. 'We kunnen ons team niet achteraf gaan bekritiseren,' zei de president op 27 september aan boord van Airforce One tegen een groepje boze Congresleden, 'en ik ben ook niet van plan dat te gaan doen. De natie is in oorlog. We moeten het Congres aansporen om de man gewoon met rust te laten. Tenet doet zijn werk goed. En als hij het niet goed doet, geef mij dan de schuld, niet hem.'

Op dat moment zou George Tenet alles doen wat zijn president van hem vroeg. Alles. En dat wist George W. Bush.

Op vrijdag 14 september, toen de president van de Verenigde Staten toestemming van het Congres wenste voor speciale volmachten, kwam zijn team goed voorbereid aan op Capitol Hill.

Nu was het zo dat juristen in overheidsdienst al maanden hadden zitten puzzelen op theoretische mogelijkheden om de presidentiële bevoegdheden uit te breiden. De ideeën waren oorspronkelijk uitgebroed door de vice-president, die er sinds de door hem meegemaakte schokkende dagen van de doodsstrijd van de regering Nixon heilig van overtuigd was dat de uitvoerende macht op gevaarlijke wijze was ingekrompen.

Zowel in het Huis als in de Senaat drongen onderhandelaars van het Witte Huis aan op een zo ruim mogelijke formulering van wettelijke bevoegdheden, inclusief volmachten voor verstrekkende activiteiten op Amerikaans grondgebied.

In de voorgestelde resolutie werd het zo geformuleerd dat de president volmacht kreeg om 'alle noodzakelijke en geëigende vormen van geweld te gebruiken tegen die naties, organisaties, of personen waarvan hij bepaalt dat ze de terroristische aanslagen die plaatsvonden op 11 september 2001 hebben voorbereid, geautoriseerd, begaan, of gesteund, of dergelijke organisaties of personen onderdak hebben verleend, teneinde alle mogelijke toekomstige daden van internationaal terrorisme tegen de Verenigde Staten door zulke naties, organisaties of personen te voorkomen.' Een verregaand mandaat, dat was duidelijk. Enkele minuten voor de stemming had het Witte Huis zelfs nog aangedrongen op méér: voorafgaand aan de woorden 'alle noodzakelijke en geëigende vormen van geweld te gebruiken' wilden ze invoegen 'in de Verenigde Staten', om bij voorbaat goedkeuring te kunnen hechten aan elke betreffende activiteit die de president binnen de VS nodig achtte. Dat werd door senatoren afgeschoten. Dat zou zonder precedent zijn. De resolutie werd in de Senaat aangenomen met 98 stemmen tegen 0, en in het Huis met 420 tegen 1.

Twee dagen later, op zondagochtend 16 september, installeerde vice-president Dick Cheney zich in een veilige blokhut met uitzicht op Camp David, het presidentiële verblijf in de bergen van Maryland, om uit te leggen hoe de president deze buitengewone volmachten zou gaan gebruiken. Cheney, die meer ervaring had in de sector van de uitvoerende macht dan enige andere vice-president in de moderne tijd, wist dat zijn tijd nu gekomen was. De president had enkele korte toespraken gehouden voor de televisie en vervolgens op vrijdagmiddag met een megafoon op het WTC-puin. Nu was het Cheneys beurt om te spreken over de uitvoering van al die dingen, hoe de klus geklaard moest worden: typisch zijn fort. De lampen gingen aan en het was duidelijk dat Tim Russert van het NBC-programma *Meet the Press* vandaag weinig vragen zou stellen. Kijkers wilden de vice-president horen spreken. Al snel kwam Cheney in zijn ritme en ging hij met zijn stentorstem kort door de bocht in grommende uitspraken als 'allemaal dik voor mekaar', 'hebben we u nodig, dan geef ik wel een brul'. Bij het bestrijden van al-Qaida, zei hij, moest de regering 'als het ware de duistere kant verkennen'. Crises lokken openhartigheid uit. Het land verkeerde in een trauma. Tegen zijn natuurlijke neiging in gaf Cheney op de nationale televisie inzage in het draaiboek van de regering. 'Een heleboel van wat er nu moet worden gedaan zal in stilte moeten worden gedaan, zonder enige discussie, gebruikmakend van bronnen en methoden die onze inlichtingendiensten ter beschikking staan, als we willen slagen. Dat is de wereld waarin deze lieden opereren. Daarom zal het voor ons van essentieel belang zijn dat we om ons doel te bereiken in principe ieder middel gebruiken waarover we beschikken.'

Deskundigen die Osama bin Laden goed kennen, geven vaak het advies: 'Luister naar wat hij zegt. Meer hoef je niet te weten. Hij zegt wat hij bedoelt.' In dit ene geval gold dat ook voor de vice-president. In die ene uitspraak gaat zo veel schuil, in zekere zin zo veel meer dan de overmoedige, prikkelende oproepen om 'eindeloze gerechtigheid' te brengen aan onze vijanden overzee en ook, ja ook, aan de verscholen boosdoeners onder ons, die spoedig zouden kennismaken met de furieuze kracht van door recht aangescherpte macht. Niet dat deze ronkende oproepen tot de strijd niet effectief waren. Ze waren misschien eenvoudig niet geschikt voor de uitdaging waar Amerika nu mee werd geconfronteerd. De werkelijke actie, zo zei Cheney, zou niet plaatsvinden met strijdkrachten die oprukten met vliegend vaandel en slaande trom. De werkelijke actie zou plaatsvinden in de schaduw.

Tijdens een speciale bijeenkomst van het kabinet op maandagochtend 17 september verstrekte de president de diverse opdrachten. Na een week van overleg met zijn topfunctionarissen in Camp David was het nu tijd voor actie. Het was hun missie om al-Qaida te verdelgen in zijn Afghaanse schuilplaats en, indien noodzakelijk, het heersende Taliban-regime van het land te vernietigen. De reactie zou in dit geval oud en nieuw met elkaar verbinden, gebruikmaken van mensen van de inlichtingendiensten, luchtstrijdkrachten en een beperkte militaire aanwezigheid. 'De CIA komt als eerste,' zei Bush die ochtend tegen de zeventien topfunctionarissen van de Amerikaanse regering, verzameld rond de kabinettafel, die elk van het ministerie van Buitenlandse Zaken, van Financiën, Energie, Defensie, Justitie een lijst met taken zouden krijgen. De CIA-teams zouden zich onmiddellijk gaan bezighouden met de Afghaanse stammen – ondersteuning bieden, manipuleren, omkopen – en de weg vrijmaken voor de komst van de Amerikaanse Special Forces. Het bombarderen van vastgestelde doelen zou zeer waarschijnlijk spoedig beginnen, hopelijk begin oktober. Vervolgens zou een beperkt aantal Amerikaanse manschappen, een paar duizend, op weg gaan met behulp van een kaart die grotendeels getekend was door CIA-agenten die ervaring hadden met die regio en nu het volle vertrouwen van de president genoten.

Washington was geleidelijk al het dynamische hoofdkwartier van een schimmige strijd geworden: de zogeheten 'oorlog tegen terreur', een uitdrukking die in sommige delen van de wereld wortel schoot in het alledaags spraakgebruik, en in andere niet. Sterk daarop lijkende uitdrukkingen deden al een week na de aanslagen de ronde, voordat president Bush de uiteindelijke uitdrukking gebruikte in zijn beslissende toespraak van 20 september 2001 waarin hij ten overstaan van het gehele verzamelde Congres verklaarde: 'Onze oorlog tegen terreur begint met al-Qaida, maar eindigt daar niet. Hij zal niet eindigen voordat iedere terroristische groepering met een mondiaal bereik is gevonden, tegengehouden en verslagen.'

De betekenis van de uitdrukking ging haar eigen weg, dat wil zeggen dat ze voornamelijk aangaf wat er niet mee bedoeld werd: een soort definitie 'bij verstek'. De woordvoerder van het Witte Huis, Arri Fleischer, stoeide met journalisten tijdens een persconferentie over de voornaamste kwestie, namelijk het gebruik van het woord 'oorlog'.

'Je kunt toch niet de oorlog verklaren aan een individu?' peinsde een van hen hardop.

'Hoe kun je een natie de oorlog verklaren als je niet weet om welke natie het gaat?' vroeg een andere journalist.

'Ik weet niet of we het woord oorlog wel moeten gebruiken,' zei Jacques Chirac, staand naast George W. Bush tijdens een persconferentie vlak na de aanslagen van 11 september, toen de twee landen één blok vormden. 'Maar wat ik wel kan zeggen is dat we nu geconfronteerd worden met een conflict van een volkomen nieuw karakter.'

Diverse onmiddellijke reacties zouden inderdaad van een 'nieuw karakter' zijn. Vooral dat de CIA, een inlichtingendienst, de hoofdrolspeler zou zijn, een soort losjes samengesteld leger met veel verantwoordelijkheden. Te veel. Hoewel de dienst tekortgeschoten was in zijn primaire missie om vooraf te waarschuwen voor de aanslagen van 11 september, was hij meer dan enige andere tak van de Amerikaanse regering klaar voor de nasleep van de aanslagen. Terwijl andere onderdelen van de overheid bestudeerden welke institutionele capaciteiten ze op dit moment konden benutten om Amerika te beschermen en te verdedigen, beschikte de CIA al verscheidene jaren over 'het plan', een strategische analyse van de manier waarop al-Qaida moest worden bestreden. De dienst was hiermee begonnen in 1999, een vol jaar nadat Tenet tegen zijn staf had gezegd dat 'we kosten noch manschappen zullen sparen' bij de bestrijding van deze dreiging die transnationale terroristische groeperingen vormden.

Krachtige woorden. Maar toen de maanden langzamerhand jaren werden hadden ze nog steeds niet veel om te laten zien na al dat gebral. Terwijl ze natuurlijke krap bij kas hadden gezeten en voorstellen voor verhogingen van het budget waren afgewezen, zowel door Clinton als door Bush, en slechts een bescheiden deel van de totale middelen van de CIA uiteindelijke aangewend werd voor maatregelen tegen terrorisme. Er waren op zo veel gebieden zo veel zwakke punten bij de dienst, vooral nadat deze in de jaren negentig bijna een kwart van zijn budget had verloren als onderdeel van het 'vredesdividend' De ondergrondse tak van de dienst was geplunderd. In de Arabische wereld was er vrijwel geen humint meer waar ze over konden beschikken. Tenets strategie om de groeiende terreurdreiging te bestrijden was het opnieuw opbouwen van de hele dienst, een strategie zonder prioriteiten. Alle boten, zo was het idee, moesten tegelijk worden opgehesen, en de CIA was daarmee doende, stap voor stap, met plannen, zo veel plannen.

Enkele van die plannen zouden nu van de ene dag op de andere worden uitgevoerd. Na de kabinetszitting op de ochtend van 17 september tekende Bush een geheim presidentieel besluit dat een verbijsterende uitbreiding van het gezag van de CIA autoriseerde, vooral op het gebied van geheime operaties. De dienst mocht dodelijke maatregelen nemen tegen terroristen, grotendeels zonder toezicht van burgers. De dienst zou ook gebruikmaken van wat in feite een geheime buitenlandse politiek inhield: een kanaal tussen de CIA en buitenlandse inlichtingendiensten dat in theorie altijd open zou staan. De goedkeuring voor extra volmachten was noodzakelijk om de 'Worldwide Attack Matrix' van de grond te krijgen, een in de voorafgaande dagen aan Bush gepresenteerd CIA-plan met gedetailleerde beschrijvingen van operaties tegen terroristen in tachtig landen.

Op 18 september ondertekende Bush een geheim uitvoeringsbesluit waarin direct 800-900 miljoen dollar werd toegekend aan de CIA. Veel van dat geld zou gaan naar de opbouw van de CTIC's (Counterterrorist Intelligence Centers), antiterroristische inlichtingencentrales in landen die tot nu toe niet werden beschouwd als dikke vrienden, of in ieder geval niet als capabele vrienden. In deze oorlog zouden we nieuwe vrienden moeten maken. We zouden zowel in het duister als in het licht moeten lopen.

De CIA was altijd voornamelijk een dienst geweest die informatie verzamelde en doorspeelde: zijn primaire rol sinds de jaren zeventig, toen de onthulling van excessieve heimelijke activiteiten in het Watergate-tijdperk noopten tot het instellen van commissies, tot beperkende maatregelen en de vorming van toezichthoudende instanties binnen het Congres. Nu leidden dwingende omstandigheden als vanzelf tot een transformatie. Ook al vermenigvuldigden zich de eisen die gesteld werden aan de nauwkeurigheid van informatie, toch zou de CIA zich nu snel uitbreiden tot een dienst van geheime en vaak dodelijke acties. Het was een spel van doden of gedood worden, van het zoeken naar individuen of kleine groepjes die zich schuilhielden in diverse culturen, waarvan sommige wel en andere weer niet sympathiseerden met jihadstrijders. Het was man tegen man.

Op de dag dat het presidentieel besluit werd getekend, 18 september, werden de discussies in Langley gevoed door adrenaline en testosteron. Cofer Black kon staat maken op een lange geschiedenis met al-Qaida omdat hij al in 1994 in Khartoem (Sudan) met bin Laden een duel had uitgevochten toen beide mannen teams hadden die elkaar bespioneerden, een spel dat op een gegeven moment escaleerde in autoachtervolgingen en een moordaanslag op Black door bin Laden.

Nu zouden er nieuwe grenzen zijn. Na zijn oppeppende briefings aan het adres van Bush en de Nationale Veiligheidsraad gebruikte Black nu de taal van het middeleeuwse slagveld: ze zouden leden van al-Qaida opsporen en 'hun hoofden op staken spietsen' – iets wat algauw overal binnen de overheid weerklank vond en aanzette tot onverhulde agressie. Binnen de CIA en het Witte Huis kon je horen zeggen dat de hoofden van bin Laden en Zawahiri 'in een doos' mee naar huis zouden worden genomen. In de pas goedgekeurde Worldwide Attack Matrix werd slechts in het voorbijgaan gewag gemaakt van het arresteren en ondervragen van verdachten, onder andere in een korte opmerking dat gevangenen naar verwachting zouden worden doorgegeven aan het Amerikaanse justitiële systeem. 'De missie is zo klaar als een klontje,' zei Black tegen een collega in Langley. 'We lokaliseren de vijand, waar die ook mag zitten, overal op de planeet. We vinden ze en we liquideren ze.'

Dertien kilometer naar het noordoosten, in Arlington, keken zij die speciaal opgeleid waren om te doden, de mannen van het Amerikaanse leger, in 's werelds grootste kantoorgebouw voornamelijk vanaf de zijlijn toe.

Amerika's staande leger, met meer vuurkracht dan ooit tevoren door een vindingrijke mensheid was gecreëerd, zou een ondersteunende rol spelen. Terwijl de CIA een club van doeners werd, maakten de traditionele doeners in het Pentagon zich gereed voor een beperkte, doelgerichte betrokkenheid in Afghanistan, met een verwachte inzet van maximaal rond de 10.000 manschappen, een fractie van de totale strijdmacht, en wachtten ze op verdere instructies.

Dit was vooral een bittere pil voor het civiele leiderschap van

het Pentagon: minister van defensie Donald Rumsfeld, zijn plaatsvervanger Paul Wolfowitz, de staatssecretaris voor beleid Douglas Feith, en hun hoogste, niet tot de staf behorende adviseur, Richard Perle, onderminister van Defensie onder Ronald Reagan en
nu voorzitter van de adviesraad van de president op het gebied van
defensiezaken. Allemaal hadden zij gedurende de jaren van Clinton en de eerste negen maanden van deze regering op twee dingen
aangedrongen: omvorming van het leger tot een slankere, bij de
eenentwintigste-eeuwse eeuw passende hightechstrijdmacht, en
de omverwerping van het regime van Saddam Hussein.

Wat ze ook gemeen hadden was een grondige hekel aan de CIA.
De door hen geuite bedenkingen waren talrijk, een catalogus van
CIA-mislukkingen en dwaze overmoed die van twintig jaar terug
dateerden. Ze hadden de opkomst van het moslimfundamentalisme en van de ayatollah Khomeiny in Iran niet voorzien. Ze hadden
de val van de Sovjet-Unie niet voorzien. Ze hadden de invasie van
Koeweit door Irak in 1991 niet voorzien. Wat betreft de aanslagen
van 11 september werden de door critici aangevoerde bewijzen voor
de incompetentie van de CIA overschaduwd door de herhaaldelijke
waarschuwingen van Tenet en andere topfunctionarissen over de
dreiging die uitging van al-Qaida, te beginnen met de eerste briefing van de aankomende president. Noch Bush noch de ervaren
Cheney hadden gereageerd met een plan van actie: bin Laden was
een probleem zonder pasklare oplossing, een combinatie die vaak
leidt tot inertie binnen de omvangrijke Amerikaanse overheid. In
plaats daarvan was de primaire focus – zoals nationaal veiligheidsadviseur Condoleezza Rice het in januari 2001 tijdens de eerste
bijeenkomst onder Bush van de Nationale Veiligheidsraad formuleerde – gericht op 'hoe Irak de regio destabiliseert', en de omverwerping van het regime van Saddam Hussein. Gedurende lente en
zomer werden er binnen het ministerie van Defensie en van Buitenlandse Zaken tientallen rapporten geproduceerd over een mogelijk invasie van Irak, ook toen de CIA steeds vaker waarschuwde
voor de dreiging die uitging van al-Qaida.

Al-Qaida en Irak waren uiteenlopende eenheden, met uiteenlopende doeleinden, maar op 19 september deed Bush zijn eerste
officiële gooi naar een versmelting van deze twee elementen. Hij

was niet tevreden over een ad-hocgesprekje op 12 september met Richard Clarke, de nationale coördinator voor veiligheid en anti-terrorisme van de NSVC, bij de ingang van de Situation Room. Hij had Clarke gevraagd naar Saddams link met de aanslag. Clarke zei dat er absoluut geen verband was: het was duidelijk al-Qaida, en al-Qaida en Saddam waren natuurlijke vijanden. Nu, tijdens een briefing met George Tenet op de 19 september, probeerden hij en de vice-president de kwestie wat formeler aan te pakken. 'Ik wil weten wat voor links er zijn tussen Saddam en al-Qaida,' zei Bush tegen Tenet. 'De vice-president weet wat dingen die misschien zouden kunnen helpen.' Daarop wendde Bush zich tot Cheney, die de besprekingen bijwoonde via een videoverbinding op een beveiligde locatie.

Het verzamelen van externe inlichtingen werd net als een groot deel van het buitenlandse beleid vanaf de eerste dagen van de regering-Bush toegevoegd aan de portefeuille van de vice-president. De breedte van Cheneys last nam slechts toe na de aanslagen van 11 september. Zijn sectie omvatte een stuk of tien stafleden en adviseurs voor de nationale veiligheid. Een van hen, zo vertelde Cheney aan Tenet, had een melding opgepikt dat een van de vliegtuigkapers, Mohammed Atta, vijf maanden voor de aanslagen in Praag een ontmoeting had gehad met een topfunctionaris van de Irakese veiligheidsdienst. De DCI was verrast. 'We gaan er meteen op af, mijnheer de vice-president.'

Een uur later was Tenet terug in het hoofdkwartier van de CIA, waarna verscheidene topmensen in zijn kantoor bijeenkwamen. Hij vertelde Jim Pavitt, hoofd van het directoraat operaties, over het verzoek. 'Het is een direct verzoek van Cheney en Bush,' zei Tenet toen Pavitt hem sceptisch aankeek. 'We moeten er meteen werk van maken.' Pavitt maakte er inderdaad meteen werk van, want die dag werden er diverse telefoongesprekken gevoerd met het hoofd van de vestiging van de CIA in Praag.

Op 21 september ging de CIA-directeur om acht uur 's morgens met een map onder zijn arm en een topfunctionaris van het directoraat inlichtingen aan zijn zijde het Witte Huis in voor de inlichtingenbriefing van die ochtend. 'Wat heb je vandaag voor me, George?' zei Bush op zijn gebruikelijke losse manier. Tenet kwam onmiddellijk ter zake. 'Ons kantoor in Praag was sceptisch over het bericht. Het snijdt gewoon geen hout.' Hij wees ook op andere beslissende bewijzen, waaronder registraties van creditcardgebruik en van door FBI en CIA, verzamelde telefoontjes waaruit bleek dat Atta de hele betreffende periode waarschijnlijk in North Virginia was geweest, nota bene in een flat, een paar kilometer verwijderd van het hoofdkwartier van de dienst.

Op het videoscherm schudde Cheney twijfelend zijn hoofd.

Twee weken later kreeg het team van stafleden voor nationale veiligheid van de vice-president zijn duplicaat en spiegelbeeld binnen de burelen van de minister van Defensie. De antiterrorisme-eenheid van het Pentagon, genaamd Policy Counter Terrorism Evaluation Group, zou onder leiding staan van Douglas Feith, de staatssecretaris voor beleid, en was bedoeld om op afroep informatie te verstrekken, zowel aan Rumsfeld als aan de staf van de vice-president. Beide kantoren konden met hun stafleden voor nationale veiligheid de ander ondersteunen en een gemeenschappelijk doel nastreven, namelijk dat ze niet uitsluitend CIA-'producten' hoefden te consumeren, in bureaucratenjargon. Die telen we zelf wel, dank u beleefd.

De twee hongerige mannen aan de tafel – de vice-president en de minister van Defensie – hadden al een lange geschiedenis van samenwerking achter de rug.

Donald Rumsfeld was in 1970 toegetreden tot de regering-Nixon. Hij was toen pas vijfendertig en al ex-Congreslid, en als *warlord* van het uitvoerend college van de regering spreidde hij talenten ten toon die zelfs door iemand als Richard Nixon met voorzichtig respect werden gadegeslagen. Rumsfeld had een niet al te belangrijke benoeming als chef van de Dienst voor Economische Ontwikkeling, een erfenis uit de tijd van Johnson, al snel veranderd in een machtsbasis. Zijn kersverse assistent was een onlangs tot de staf van het Witte Huis toegetreden, in Wyoming afgestudeerde doctorandus in de politicologie met een snelle geest en bijna genoeg eervolle vermeldingen voor een doctorstitel. Dat was Dick Cheney.

Wat betreft hun vaardigheden op het gebied van planning en

uitvoering doet zich een instructief ogenblik voor in 1975, toen Rumsfeld stafchef was van Gerald Ford en Cheney diens plaatsvervanger, die er ook toen al mee belast was om zaken rond 'inlichtingen' in de gaten te houden. De twee mannen orkestreerden wat toen het 'bloedbad van Halloween' werd genoemd, een complexe reeks manoeuvres waardoor Rumsfeld minister van Defensie werd en Cheney stafchef, terwijl de toenmalige minister van Buitenlandse Zaken Henry Kissinger beroofd werd van zijn een dubbelrol als adviseur voor nationale veiligheid en vice-president. Nelson Rockefeller kreeg een marginale rol toebedeeld omdat hij in buitenlandse zaken niet conservatief genoeg zou zijn om de krachtige conservatieve vleugel van de partij tevreden te stellen, een vleugel die zij, Rumsfeld en Cheney, wél vertegenwoordigden, zoals ze Ford op overtuigende wijze duidelijk hadden gemaakt. Rockefeller trok zich al spoedig terug als Fords potentiële *running mate* voor de verkiezingen van 1976.

De acties van het duo werden ingegeven door de bekende ijzeren hoofdstedelijke combinatie van ambities en ideeën. Wat het laatste betreft vonden ze dat Kissingers beleid van 'detente' een te softe aanpak van de Sovjets inhield. Dat standpunt bracht het tweetal ook in conflict met de CIA van die tijd. De dienst produceerde namelijk geen rapporten waaruit een groei van de militaire kracht van de Sovjets bleek, maar presenteerde in plaats daarvan een complexe en doorwrochte analyse, vol met behoedzame terzijdes over de grenzen aan de macht van de Sovjet-Unie (die later juist bleken te zijn) en over het algemene probleem van de vaststelling van de werkelijke capaciteit van de tegenstander. En zo was de laatste in de reeks Halloween-gebeurtenissen het aan de kant zetten van CIA-directeur William Colby, naast een plan om de invloed van de CIA op het beleidsvormingsproces te reduceren. Vervolgens vervingen ze Colby door een man die door Rumsfeld als een rivaal werd gezien, iemand die bij een ingekrompen CIA het beste in ballingschap kon worden gestuurd. Dat zou onze gezant in China zijn, George H.W. Bush.

Dat was dertig jaar geleden. Voor Cheney en Rumsfeld begon George W. Bush als een voetnoot: het kind van hun leeftijdgenoot. Bij deze complexe verbindingen tussen machtige mannen is het van belang om de fundamentele menselijke interacties niet over het hoofd te zien, de conventies die mensen goed kennen uit hun eigen leven. Met name: de zoon van een vriend of collega is altijd een zoon die, ten goede of ten kwade, grotendeels gezien wordt tegen de achtergrond van de vader (of de moeder). Voor Cheney is George W. Bush de zoon van de man die hij bewonderde, ondanks hun overtuiging dat de voormalige president geen gehoor had gegeven aan de oproep van de geschiedenis, omdat hij Saddam Hussein niet had geëlimineerd. Voor Rumsfeld was hij de zoon van een man die hij nooit had gezien als zijn gelijke wat betreft intellect of ondernemingslust, wat bewezen werd door het feit dat hij geen gehoor had gegeven aan de oproep van de geschiedenis en Saddam Hussein niet had geëlimineerd. Plaats dit tweetal nu in hun respectievelijke topposities in de regering van die zoon, George W. Bush, een president zonder ervaring op het gebied van de buitenlandse politiek die er gemakshalve flink lang over heeft gedaan om uit zijn vaders schaduw te stappen. Dan heb je een simpele rekensom. Meer nog dan de dynamiek van rivaliserende memo's of vergeten discussies wordt door zulke toevallige verbanden vaak een flinke draai aan het wiel van de geschiedenis gegeven. Daarom zullen geleerden als ze over een jaar of honderd deze cast van actoren in ogenschouw nemen waarschijnlijk zeggen dat Saddam Husseins dagen geteld waren. Per slot van rekening was dit ongeveer de enige zaak waarover ze het met zijn drieën helemaal eens waren en waar ze alle drie heilig in geloofden. Vanuit dit perspectief, namelijk dat iemands persoonlijkheid richting geeft aan het lot – en dat mensen zich aangetrokken voelen tot wat ze gemeen hebben en die, als ze aan de macht komen, dan ook krijgen wat ze begeerden – is het achteraf geen grote verrassing dat de eerste bijeenkomst van de Nationale Veiligheidsraad in januari 2001 over het omverwerpen van het regime van Saddam Hussein ging. En de tweede ook. Het was een kwestie van hóé, niet van óf.

Na de aanslagen van 11 september, toen het staande leger van Amerika en de civiele leiders ervan verwoed en bijna automatisch zochten naar een manier om een bijdrage te leveren, zou het grotendeels een kwestie worden van de dingen op één lijn brengen. Tegen november zou Bush Rumsfeld terzijde nemen en hem zeggen dat hij een gedetailleerd plan moest opstellen voor de militaire invasie van Irak. Het is vrijwel zeker dat Cheney Rumsfeld al had verteld dat het verzoek er aan kwam. Bush vroeg Rumsfeld of hij het aan niemand in de hoogste regionen van de regering wilde vertellen en of hij het verzoek bij topfunctionarissen zo wilde laten overkomen dat het een routinezaak zou lijken. Als dat tweede verzoek zonder voorafgaande strategische informatie van de kant van Cheney zou worden gepresenteerd, zou het een te grote schok zijn. Dit is een van de dingen die Cheney in de loop van dertig jaar talloze malen heeft gedaan: achter de schermen uitermate behendig dingen in scène zetten die er niettemin uitzien als onverwachte gebeurtenissen. Dat zijn ze niet. Ze zijn het bureaucratische equivalent van het *media event*. Terwijl Amerika officieel overstapte op een gedetailleerd plan van actie voor de omverwerping van Saddam Hussein, waren slechts drie mannen werkelijk op de hoogte: Bush, Cheney en Rumsfeld. De reden om een en ander stil te houden ligt voor de hand. Er restte een netelige kwestie: hoe kon je de eliminatie van Saddam Hussein verweven met wat nu de 'oorlog tegen terreur' werd genoemd. Er stonden ons nog meer definities 'bij verstek' te wachten.

Je kunt niet zonder inlichtingen. Dat is een belangrijke les van de aanslagen van 11 september.

De hele regering moest op de tast haar weg zoeken in onbekend terrein; ze werden tot wanhoop gedreven, ze hongerden naar informatie. Er bestond geen enkele duidelijkheid, noch over geschikte doelen in het weidse landschap van Afghanistan, noch over de precieze aard en vermogens van onze terroristische vijanden.

Niet lang nadat de Amerikaanse luchtstrijdkrachten op 7 oktober begonnen waren Afghanistan te bombarderen en Amerikaanse grondtroepen zich overal in de Perzische Golf verzamelden om zich voor te bereiden op een aanval, werden de vs door een westerse inlichtingendienst vergast op een schokkende onthulling. Wat gestalte kreeg had de omtrekken van een nachtmerrie.

Het decor was een kampvuur in Kandahar, een warme nacht in midden augustus, drie weken voor de aanslagen van 11 september. Mannen zaten te eten en thee te drinken. De vlammen wierpen hun licht op Osama bin Laden en zijn enige gelijke, Ayman al-Zawahiri, de Egyptische chirurg die zijn Egyptische Islamitische Jihad Organisatie, met zijn verzameling uitstekend geschoolde tactici, in 1998 had samengevoegd met bin Ladens jihadorganisatie om al-Qaida te vormen. Deze twee mannen – die spoedig voor miljoenen mensen bekende namen zouden zijn, cultfiguren, en voor nog eens miljoenen anderen paria's – waren op dat moment bijna alleen bekend bij terrorisme-experts en trouwe bezoekers van obscure islamistische websites.

Aan de andere kant van het kampvuur, tegenover bin Laden en al-Zawahiri, zaten twee mannen, vermoedelijk Sultan Bashiruddin Mahmood en zijn compagnon, Abdoel Madjid. Mahmood had een sleutelrol gespeeld in Pakistans dertig jaren durende en uiteindelijk met succes bekroonde missie om een kernbom te bouwen. De drijvende kracht achter deze activiteiten was de koppige, onbenaderbare Abdoel Qadier (A.Q.) Khan, die in de jaren tachtig westerse schema's voor de productie van verrijkt uranium had gestolen en de vruchten daarvan had geplukt in de jaren negentig. Maar Mahmoods rol als voorzitter van de commissie voor atoomenergie van zijn land en als dé deskundige op het gebied van de verrijking van uranium leverde hem veel officiële nationale eerbewijzen op. Met die eerbewijzen kreeg hij ook een platform aangereikt, dat hij eind jaren negentig had gebruikt om het idee te bepleiten dat kernwapens naar andere islamitische landen verbreid moesten worden. Hij was in toenemende mate geradicaliseerd en geloofde dat zo'n destructief geschenk een 'einde der tijden'-scenario zou ontketenen en de zegenrijke triomf van de islam. In 1999 zorgden dit soort uitspraken ervoor dat hij van zijn voetstuk werd gestoten. Hij werd opnieuw benoemd, nu in een lagere functie, en trok zich vervolgens gekrenkt terug.

Dat hij op deze manier weer boven water kwam, samenspannend met bin Laden en Zawahiri, was angstaanjagend.

Er moest een heleboel gedaan worden, en snel. De namen van de gesprekspartners lagen vast. Maar met wie was Mahmood op dit moment verbonden? Wat voor stappen ondernam hij? Wat waren bin Laden en Zawahiri van plan, nu ze contact zochten met Pakistaanse kerngeleerden? En, konden we de Pakistani vertellen wat we gevonden hadden, of wat we vermoedden? Er was geen domein waarover de Pakistani geheimzinniger deden dan over hun gekoesterde nucleaire programma, het pronkstuk van een schier onpeilbare nationale trots. Tenet en McLaughlin besloten om het allemaal heel compact en besloten te houden: alle contacten zouden in het begin voornamelijk via het 'inlichtingenkanaal' lopen.

Tenet en Pavitt namen contact op met Bob Grenier, chef van de CIA-vestiging in Islamabad die met de nabije betrokkenheid in Afghanistan aan het uitgroeien was tot een van de grootste kantoren van het CIA-netwerk.

In geheime telegrammen en daaropvolgende telefoongesprekken werd Grenier alles verteld wat bekend was. De vraag: hoeveel informatie kon hij kwijt aan Pakistans geheime dienst de ISI, een organisatie die berucht was om haar meedogenloosheid en leugenachtigheid, en die een bijzonder belangrijke rol had gespeeld in het installeren van het Taliban-regime.

De eerste spionagetest van het tijdperk na 11 september diende zich aan: een duister pad door Pakistan dat naar bin Laden kon voeren, en naar een kernwapen. Maar voordat we ook maar één stap konden zetten, moesten de VS eerst besluiten wie we in dat deel van de wereld werkelijk konden vertrouwen.

'Kom binnen, Brent.'

'Fijn om je weer eens te zien, Dick.'

In oktober zaten de twee mannen tegenover elkaar op een voor beiden uitermate vertrouwde plek: het Witte Huis, waar ze hun meest bevredigende jaren hadden doorgebracht, vaak zij aan zij, als mannen van gewicht.

Ze waren aanwezig geweest bij elkaars aanstelling tot vertrouwd raadsman, met het gezag van mannen die weliswaar niet gekozen waren maar wel sextant en kaart gingen hanteren aan boord van het Amerikaanse schip van staat. En net als oude vrienden overal ter wereld waren ze de laatsten om te zien dat de ander ouder werd, of veranderde, of een nieuwe rol had aangenomen.

Natuurlijk was de wereld veranderd door de aanslagen van 11 september, nog maar een maand geleden, en vandaag was de eerste echte gelegenheid om te bespreken wat er veranderd en wat hetzelfde was gebleven. Dit was iets waar beide mannen al heel lang in gespecialiseerd waren: weloverwogen oordelen, ontdaan van franje en geplaatst binnen de context; een vermogen om doeleinden en strategieën aan elkaar te koppelen, en te weten wat er vervolgens gedaan moest worden.

Of om preciezer te zijn: presidenten adviseren over wat er gedaan moest worden. Scowcroft had dit als nationaal veiligheidsadviseur gedaan voor de eerste president Bush, net als voor Gerald Ford. Onder Richard Nixon was hij plaatsvervangend veiligheidsadviseur van de machtigste mondiale bouwmeester van die tijd, Henry Kissinger, zijn eerste echt belangrijke beschermheer en mentor.

In de dertig jaar dat hij op deze stoelen had gezeten had Scowcroft een bijna ongeëvenaard uitzicht gehad op de wereld zoals die werkelijk is, en inzicht gekregen in de manier waarop de turbulente planeet reageerde op Amerikaanse beginselen en machtsuitoefening.

Hij had een centrale rol gespeeld in diverse experimenten, zoals het aangaan van relaties met China, de detente, de reactie op de val van de Sovjet-Unie, en de Golfoorlog van 1991, bedoeld om Saddam Hussein uit Koeweit te verdrijven. Een pas gekozen George W. Bush benoemde de toen bijna tachtig jaar oude maar nog steeds over onverminderde capaciteiten beschikkende Scowcroft tot hoofd van de Foreign Intelligence Advisory Board, een uit Democraten en Republikeinen bestaande adviesraad van zestien leden. Deze was in 1956 door Dwight Eisenhower ingesteld om presidenten te voorzien van 'een onafhankelijke bron van adviezen over de effectiviteit waarmee de *intelligence community* [het geheel van inlichtingen- en spionagediensten] voorziet in de informatiebehoeften van de natie'.

George W. Bush leunde niet op deze raad. Dat was prima, dat was zijn keuze als president, maar het was niet onrealistisch van Scowcroft dat hij meer had verwacht. Hij was mentor en begeleider geweest van Colin Powell, de huidige minister van Buitenlandse Zaken, en had sterk bijgedragen aan de ontdekking van nationaal veiligheidsadviseur Condoleezza Rice: hij had in 1989 de aandacht op haar gevestigd toen ze nog professor aan de Stanford University was, gespecialiseerd in de macht van de Sovjet-Unie en in

Europese zaken. Stephen Hadley, de plaatsvervangend nationaal veiligheidsadviseur van Rice, was ook een protégé van Scowcroft. Hij had in de jaren negentig een leidinggevende functie bekleed bij Scowcroft Advisors, de adviessalon van de generaal op het gebied van buitenlands beleid.

Maar Brent was vooral de meest vertrouwde raadgever van de eenenveertigste president geweest. De Golfoorlog, het mooiste moment en de blijvende erfenis van Bush senior, was op een rustige manier afgedwongen door Scowcrofts resolute standpunt en zijn vermaning dat Saddam Husseins invasie van Koeweit een schending van het internationale recht inhield die botste met cruciale belangen van de Verenigde Staten. Net zoals Kissinger Nixons mondiale ambities had aangescherpt, zo versterkte Scowcroft de internationalistische impulsen van zijn baas met analytische gestrengheid. Hij zorgde ook voor continuïteit doordat hij bijdroeg aan de vorming van een 'realistische' school van het denken over buitenlandse politiek: een visie waarin Amerikaanse ambities en het daarnaast vaak een hoge vlucht nemende idealisme altijd getemperd diende te worden door zo veel mogelijk pragmatisme en door een adequaat gebruik van machtsmiddelen. En dan was er nog iets: Brent en Bush senior, twee waardige, beschaafde heren, met een afkeer van inspannende pogingen om hun positie te verstevigen, maar onbeweeglijk als ze eenmaal hun hakken in het zand zetten, zijn net zo op elkaar gesteld als mannen van hun generatie dat doorgaans zijn. Scowcroft heeft een appartement in de buurt van het landgoed van de familie Bush in Kennebunkport. Hij en de voormalige president spreken elkaar om de paar dagen.

En dat betekende dat hij al wist wat enkele mensen buiten de familie Bush ook al hadden begrepen, namelijk dat de twee presidenten niet echt op vertrouwelijke voet met elkaar stonden en niet het soort inhoudelijke gesprekken voerden die je zou mogen verwachten van twee mannen die niet alleen hecht verbonden waren door hun bloedverwantschap maar ook door de loop van de geschiedenis. Dit was een pijnlijk gegeven. Scowcroft wist dat het zou kunnen verklaren waarom er niet meer een beroep op hem was gedaan in de eerste tien maanden van zijn presidentschap. Maar hij mocht de jongere Bush wel. De nieuwe president zou gedegen adviezen nodig hebben, net als iedere andere president, alleen zou hij er nog meer nodig hebben. Scowcroft wachtte af. Hij deed alles wat er van hem gevraagd werd, en met zijn gebruikelijke grondigheid.

In dit geval moest hij de capaciteiten van de Amerikaanse inlichtingendiensten taxeren en een rapport schrijven voor de president.

Scowcroft beet zich erin vast met de energie van een jongeman. Hij had verscheidene decennia besteed aan het consumeren van inlichtingen-'producten' en meer dan genoeg rapporten van de CIA en berichten van de NSA geconsumeerd om er de Roosevelt Room mee te kunnen behangen. Er was bijna niemand die beter thuis was in dit onderwerp.

Het rapport dat hij in de nazomer van 2001 produceerde zei dat de Amerikaanse inlichtingendienst eigenlijk zodanig was gestructureerd dat deze voorzag in de behoeften van een tijdperk dat voorbij was. In 1977 werd de CIA opgericht, met een directeur die leiding zou geven aan activiteiten op het gebied van het verzamelen van informatie in het buitenland en tevens rechtstreeks zou rapporteren aan de president. Omstreeks die tijd werd ook het ambt van minister van Defensie (OSD, Office of the Secretary of Defense) gecreëerd, een civiel ambt dat hiërarchisch boven de verschillende militaire geledingen stond en waarvan de bedienaar eveneens rechtstreeks rapporteerde aan de president. Beide rollen waren niet helemaal duidelijk omschreven en rijp voor groei. De verschillende geledingen van de strijdkrachten – landmacht, marine, luchtmacht – waren autonome natiestaten, geregeerd door hun eigen geüniformeerde leiders, waarboven in wankel evenwicht de burgers van het ministerie van Defensie troonden. Toch was dit ministerie een antwoord op iedere institutionele kwestie, tijdens de opkomende Koude Oorlog, de vijfenveertig jaar durende strijd met het Sovjet-imperium, de oorlogen in Korea en Vietnam, en de totstandkoming van rivaliserende sferen van invloed en veiligheid. Het ministerie groeide en consolideerde haar navenant groeiende macht, ondersteund door het geclaimde en gehonoreerde recht op een budget dat meer omvatte dan de economie van minstens acht grote landen.

Intussen, zo schreef Scowcroft in zijn rapport, richtte de CIA zich voornamelijk op één vijand, de Sovjet-Unie. Agenten en analisten waren intussen experts geworden in het spel van zetten en tegenzetten met hun communistische tegenhanger. Het ministerie van Defensie, met zijn identieke gerichtheid op de Sovjet-Unie en een omvang waarbij de CIA al snel in het niet viel, ging zich ook grootschalig bezighouden met het verzamelen van informatie. De nationale veiligheidsdienst NSA (National Security Agency), met in de jaren negentig van de vorige eeuw een geschat jaarlijks budget van bijna 6 miljard dollar, tweemaal dat van de CIA, valt onder het ministerie van Defensie. Hetzelfde geldt voor het merendeel van de overige inlichtingendiensten van de overheid. Waarschijnlijk had het ministerie van Defensie rond 2000 ongeveer 80 procent van het inlichtingenbudget van de natie in handen.

Scowcrofts voornaamste conclusie in zijn rapport was dat de val van de Sovjet-Unie betekende dat een groot deel van de inspanningen van de inlichtingendiensten van de natie – en van de enorme fondsen waarover ze beschikten – geen zinvolle bestemming had. Hij schetste in zijn rapport de behoefte aan informatie die werd opgeroepen door een breed scala aan regionale rivalen, terroristen, ideologische bewegingen en tegenstanders die, in tegenstelling tot de Sovjets, over het algemeen niet uit waren op de vernietiging van Amerika, of daar in ieder geval niet toe in staat waren.

Op die dag in augustus waren Cheney en Scowcroft bijeengekomen in de werkvertrekken van de vice-president om de aanbevelingen te bespreken, zoals het 'schuiven met dozen' waarbij de Director of Central Intelligence (DCI) zou functioneren als hoofd inlichtingendiensten van de natie en het leeuwendeel zou claimen van de zeggenschap over het budget dat nu nog in handen was van de minister van Defensie. De vice-president luisterde voornamelijk en ging blijkbaar akkoord. Het was een hartelijk gesprek.

Na de aanslagen van 11 september werd aan Scowcroft gevraagd of hij zijn rapport wilde wijzigen, rekening houdend met de aanslagen. Toen het herziene rapport klaar was en verwerkt door Cheney, kwam Scowcroft weer terug.

Hij en Cheney installeerden zich en praatten nog wat over de aanslagen van 11 september. Scowcroft vroeg hoe het ging met de president, en met Condi, en of de vice-president zich staande had kunnen houden onder de druk van de afgelopen maand. Het was vreemd om niet iemand te zijn op wie ze een beroep deden op een moment als dit, een moment van crisis. Cheney zei dat het prima met hem ging, en met de president ook. En hij stelde Brents bezorgdheid op prijs.

De aanslagen waren natuurlijk precies het soort moeilijk te analyseren en moeilijk te evalueren dreiging waar ze het in de nazomer over hadden gehad. In het twintig pagina's tellende rapport was niet veel veranderd, zei Brent.

'Grote genade, dat het uit Afghanistan moest komen,' zei Scowcroft, 'uit het meest achterlijke, godverlaten land op de planeet. Daaraan kun je zien hoe weinig we weten over waar de dreiging echt vandaan komt.'

Weten wat we moeten weten wanneer we het moeten weten, zei Scowcroft tegen Cheney, betekende dat er opnieuw moest worden nagedacht over de aard van het inlichtingenwerk. Het verzamelen van informatie was nu uitgesmeerd over een breed scala aan instellingen, en over de inlichtingendiensten van de diverse militaire onderdelen. 'Wat we nodig hebben is een reusachtige research*bibliotheek*,' zei Scowcroft met een oude schoolterm die vervangen is door non-woorden als 'aggregatie' en 'integratie'. Alles zou moeten worden ondergebracht in deze researchbibliotheek, op één plek. Mensen die konden aantonen dat ze geen veiligheidsrisico vormden konden toegang krijgen, en ook zouden ze diverse veiligheidscontroles kunnen invoeren voor specifieke gebieden. Het hele geval zou onder toezicht staan van de CIA en een DCI met nieuwe volmachten. Per slot van rekening is de CIA nog steeds de leidende dienst, de plek waar alles samenkomt, waar de diepgaande analyses worden gepleegd.

Cheney knikte. De omvang en de diversiteit van nieuwe doelen voor het verzamelen en analyseren van informatie was echt ontmoedigend, zei hij. Er was niet, zoals met de Sovjets in 1947, één lange leercurve die je moest doorlopen, er waren er vijftig. Al-Qaida was een complex van verscheidene terroristische organisaties – in Egypte en Saudi-Arabië met name –, maar er waren soortgelijke groepen in een tiental andere landen. Ondernemende staten hielden zich kortelings bezig met het bouwen van vernietigingswapens en keken hoe ver ze konden gaan. Ze dienden als broeikassen voor enghartige nationalistische bewegingen, de natuurlijke tegenhanger van een weids globalisme. Hoe kon je dit alles in het vizier houden zonder je greep erop te verliezen? Door consolidatie en integratie van alle activiteiten op het gebied van informatie verzamelen. 'Het is onze enige kans,' zei Scowcroft, 'of anders zullen we steeds opnieuw voor verrassingen komen te staan.'

Waarop Scowcroft de cirkel rond maakte. 'Dat wil zeggen dat we de dozen zullen moeten verplaatsen,' zei hij in het jargon voor een verregaande reorganisatie.

Cheney was het er niet mee eens. 'Met dozen verplaatsen los je het niet op,' zei hij. 'Dat is nog nooit gelukt.'

'Niet meteen,' bracht Scowcroft er tegenin, 'maar na verloop van tijd komt er beweging in de vaste geboden en dictaten en gaan mensen anders denken.' We moeten nu maatregelen nemen, maar ons wel richten op de lange termijn, zei hij. 'De Sovjets zijn al tien jaar weg. We zijn aangevallen. We lopen behoorlijk achter.'

En zo deden ze de ronde, het in wezen met elkaar eens over wat er moest gebeuren: het massaal neerhalen van muren tussen diensten, het slopen van silo's. Ze bespraken de obstakels waar ze op konden stuiten.

En zo haalde Scowcroft zijn zwaard uit de schede. Hij zei dat hij met Rumsfeld over veranderingen had gesproken, onder andere over het weghalen van de budgettaire autoriteit bij Defensie en het grotendeels doorgeven daarvan aan een vergrote DCI bij de CIA.

'En wat vond die ervan?' vroeg Cheney.

Hoewel Scowcroft aannam dat Rumsfeld hun gesprek had doorgebriefd aan Cheney – er is niets dat Don en Dick niet delen – beantwoordde hij de vraag toch.

'Don verzette zich hevig tegen mijn ideeën,' zei hij alleen maar.

En Dick knikte. En toen wisten ze allebei alles, te veel misschien. Beide mannen konden tientallen mensen noemen die zich in de loop van de jaren tegen Don verzet hadden, soms met uitstekende ideeën, en die nu tot stof gereduceerd waren. Kissinger kwam tegen hem in het geweer. De oude stier Nelson Rockefeller, zelf een vice-president die door Don met hulp van Dick in de jaren zeventig afgebrand was, zei van Rumsfeld vaak dat hij 'te min voor je minachting' was.

'Dick, moet je horen,' zei Scowcroft. 'Mijn voorstellen hebben sterk ontregelende effecten. Dat staat vast. Als jij denkt dat dit daar een slecht moment voor is, vouw ik gewoon mijn tentje op en vertrek ik. Niet dat ik dat wil. Het lijkt mij dat dit iets is wat nu onmiddellijk ter tafel moet komen. Nu is het het juiste moment!' Hij haalde diep adem. 'Maar goed, ik zal me door jou laten leiden...'

Cheney zweeg een ogenblik, en overzag de situatie. Hij koesterde momenteel stoutmoedige strategieën voor het gebruik van Amerikaanse macht: een invasie van Afghanistan als eerste stap, een verandering van regime in Irak als tweede stap. Met zijn geharnaste realisme was Scowcroft niet onder de indruk van de grootse idealen van Paul Wolfowitz, Rumsfelds adjunct, die meende dat de Amerikaanse macht kon worden gebruikt om schurkachtige regimes te vervangen door democratieën die de Verenigde Staten vriendelijk gezind waren, vooral in de instabiele Arabische wereld.

Brent, met zijn bescheiden portefeuille, lag nu op ramkoers met Don Rumsfeld. De man van de eenenveertigste president versus de man van nummer drieënveertig.

'Nee, ga je gang, lever het rapport maar in bij de president,' zei Cheney na een ogenblik. Scowcroft zei dat hij een voorlopige versie zou inleveren, om hun allemaal wat speelruimte te geven. En toen stonden de twee mannen op, de oude vrienden van talloze veldslagen, en ze gaven elkaar een hand.

Wat ging er schuil in die hand, en in die halve glimlach? Hoe voelt het als ze uit elkaar gaan?

Omdat dat het laatste gesprek was dat Brent Scowcroft ooit nog met Dick Cheney zou hebben.

Bob Muellers troepen hadden zich geïnstalleerd in het gigantische verwerkingscentrum van First Data te Omaha. Ze waren diep doorgedrongen in een bedrijf uit de Fortune 500, een plek waar federale agenten nog nooit zo vrijuit hadden rondgestruind als op dit moment, nu ze uitgestrekte databanken van First Data doorploegden. Het bedrijf was goed voor meer dan de helft van het Amerikaanse krediet en had in landen overal ter wereld kredietactiviteiten.

In deze eerste dagen van paniek, en van angst voor een 'tweede golf' van aanslagen, werd die enorme spanwijdte als een deugd gezien. Per slot van rekening was er zoveel te checken, te beginnen met de namen van alle kapers. Elke Atta en Hanjour, overal ter wereld, moest gecheckt en gevolgd worden. Adressen van rekeningen werden naast kredietgegevens gelegd, locaties vergeleken met tijdstippen. Is dit de juiste Atta, of een andere? Als hij de juiste was, kon zijn uitgavenpatroon de ruggengraat vormen voor een duizendtal verwante onderzoekingen, vuurpijlen die een duister pad verlichtten. Je kon het pad van een andere bekende terrorist kruisen, of een financier, of een *safe house*, of een plek waar terroristen geregeld kwamen. Tenminste, het was de bedoeling dat het zo werkte.

Om dit gebeuren en de drijfveren achter de acties, waarvan sommige een inbreuk konden vormen op burgerlijke vrijheden en privacyrechten, te doorgronden, is het goed om te weten op hoe weinig de Amerikaanse activiteiten ter bestrijding van terreur konden bouwen, hoe wanhopig men was. Er was niet één significante humint-bron binnen de gelederen van al-Qaida. Er was geen spoor van al-Qaida-medewerkers of -financiers binnen de Verenigde Staten. Het Atta-team van negentien man was erin geslaagd het land binnen te komen, in het land te opereren, te communiceren met leiders van al-Qaida en de ergste binnenlandse aanslag in de Amerikaanse geschiedenis uit te voeren... en de mensen die het onderzochten wisten nog steeds niet hóé!

Amerikaanse topfunctionarissen bij de uitvoerende macht én bij de inlichtingendiensten waren in feite blind en zaten huiverend te wachten op een 'tweede golf'. Het idee was om eerst handelend op te treden en dan later de logistiek uit te werken. Maar toen medewerkers van de FBI voor het eerst overleg hadden gehad met First Data in de dagen nadat deze onderneming het bureau had gebeld, hadden ze toch het idee gekregen dat er enkele precedenten waren waarop ze konden voortborduren.

Er is een lange geschiedenis van Amerikaanse bedrijven, vaak grote, vooraanstaande ondernemingen, die in het geheim eendrachtig hebben samengewerkt met de overheid van de Verenigde Staten. De eerste in deze stoet was Western Union. Een door Western Union in de jaren zestig van de negentiende eeuw aangekocht bedrijf, de American Telegraph Company, verbood tijdens de Amerikaanse burgeroorlog op verzoek van het toenmalige ministerie van Oorlog berichten in code. Tijdens de Tweede Wereldoorlog stuurden alle Amerikaanse telegraafbedrijven kopieën van internationale telegrammen naar de federale overheid. Het project dat de naam Operation Shamrock ['Klaverblad'] kreeg, werd na de oorlog voortgezet en was onbekend bij het Congres en de meeste medewerkers van de NSA.

Elke dag vertrok er een koerier vanuit het hoofdkwartier van de NSA in Fort Meade, Maryland, die de trein nam naar New York City. Daar zette de beambte alle door drie grote ondernemingen – ITT, RCA Global en Western Union – verzonden internationale telegrams van de vorige dag op een magneetband en nam die mee naar Maryland, zodat analisten ze daar konden bestuderen. Dit grootschalige verzamelen van buitenlandse inlichtingen strekte zich ook uit tot Amerikaanse burgers, en werd stopgezet toen het werd ontdekt. Hetzelfde gebeurde met andere wantoestanden op het gebied van informatiewinning tijdens de onderzoekingen van de CIA door het Congres halverwege de jaren zeventig, in de periode na Watergate. Operatie Shamrock en soortgelijke vormen van misbruik door het afluisteren van Amerikaanse burgers – van wie sommigen tegen de Vietnam-oorlog waren – was de prikkel voor de totstandkoming van een nieuwe wettelijke regeling, de Federal Intelligence Surveillance Act van 1978, en het zogeheten FISA Court. Dit gerechtshof moest op last van het Congres elke vorm van toezicht op Amerikaanse burgers inspecteren en al dan niet goedkeuren. De wet bood nog wel de nodige ruimte, zoals een mogelijkheid om een periode van drie dagen in te lassen waarin afluisteren in noodgevallen nog kon worden geautoriseerd door de president, en dan naderhand weer herzien. De daaropvolgende dertig jaar was het betreffende hof in feite een wassen neus: het behandelde in zijn geschiedenis 19.000 aanvragen en wees er slechts vijf af.

In strategiebesprekingen van het Witte Huis in september en oktober 2001 zochten medewerkers van FBI, CIA en NSA – altijd in overleg met de vice-president – naarstig naar bruikbare instrumenten voor de komende strijd. Die vielen uiteen in twee grote sectoren: de telecommunicatie- en de financiële branche. De twee zouden op elkaar aansluiten, als een ineengevlochten linker- en rechterhand, en zo het fundament vormen voor een gigantische mondiale matrix.

Aan de ene kant was er de NSA, die grote moeite had gedaan om zijn sigint-capaciteit uit te breiden en te perfectioneren in een tijdperk van snel veranderende communicatietechnologie. Rond 2001 voerden Amerikaanse burgers ongeveer 1,2 miljard telefoongesprekken per dag via een kabelverbinding en achthonderd miljoen gesprekken met een mobieltje. Het aantal e-mails was de afgelopen vijf jaar gegroeid met een miljard per jaar. Deze kolkende rivier van geluid en digitale gegevens wordt gekanaliseerd via de gigantische telecommunicatie-'schakelborden' van bedrijven als Global Crossing en AT&T. Toch verwerken centrales in de Verenigde Staten niet alleen het verkeer van dit land. Berichten verplaatsen zich tegenwoordig met onvoorstelbare snelheden over de wereld, op zoek naar de snelste weg naar hun bestemming. Dat wil zeggen dat een gesprek of een e-mail van Frankrijk naar Spanje door Oregon kan gaan, en dat digitale pakketten die door het netwerk flitsen een bundel berichten kunnen vervoeren uit Islamabad en Israël. In dit domein zijn grenzen betekenisloos, en locatie doet er al helemaal niet toe. *Black boxes* van de NSA die in het najaar van 2000 op allerlei telecomverbindingen werden gezet konden telefoongesprekken en e-mails van een groot deel van de planeet opvangen. En die dat ook deden terwijl NSA-computertechnici als razenden werkten om de algoritmes te vervolmaken voor 'zoek en sorteer'-machines om de berichtenstroom te kunnen reguleren. Dit werd althans verklaard ten overstaan van leiders en vertegenwoordigers van beide partijen in de Inlichtingencommissies van Huis en Senaat in oktober 2001 – vier van elke partij, de zogeheten 'bende van acht'.

Volgens rapporten van verscheidene aanwezigen verklaarden overheidsfunctionarissen dat het systeem doorgaans gebruikt werd om bekende of vermoedelijke terroristen, hun aanhang en hun financiers op te sporen. Het systeem kon ook breed opgezette onderzoekingen aan, zoals uitgebreide zoekoperaties naar sleutelwoorden bij diegenen die repten over terroristische operaties en, zoals al gedaan werd, het scannen van alle gesprekken tussen de Verenigde Staten en Afghanistan. Een paar Democratische leden van het Congres uitten enige bezorgdheid over mogelijke inbreuken op burgerrechten, maar goed onderbouwde vragen waren moeilijk te stellen: het programma was zo geheim dat ze zelfs hun staf niet konden raadplegen.

Diezelfde maand tekende Bush een geheim presidentieel besluit waarin de NSA en zijn helpers uit de telecomsector toestemming kregen om verder te gaan met de dingen waar ze al mee waren begonnen, dat wil zeggen door te gaan met het afluisteren van Amerikaanse burgers. Het FISA Court werd genegeerd. In de betreffende wettelijke regeling staat onder andere dat dit hof de 'exclusieve' arbiter zal zijn in kwesties met betrekking tot het binnenlandse toezicht op agenten van 'een buitenlandse macht'. Het zou voor de regering ongetwijfeld logistieke problemen hebben opgeleverd om samen te werken met dit gerechtshof. Daarmee werd in feite toestemming verleend om het berichtenverkeer tussen duizenden Amerikaanse burgers af te luisteren, dat wil zeggen dat ze in de gaten werden gehouden door het 'blinde oog' van de nimmer slapende computers van de NSA, en daarbij ging het soms om gewone gesprekken van burgers met andere burgers. Het was duidelijk dat een klein, maar significant aantal Amerikanen promoveerde naar hogere bewakingscategorieën, gebaseerd op wat ze deden of zeiden. In feite raadpleegde de regering het gerechtshof ook niet over dat kleinere aantal. Volgens een informant uit kringen van de inlichtingendienst die in deze eerste dagen goed op de hoogte was van het programma van de NSA: 'Het idee was dat een gang naar het FISA-hof, of pogingen om de wet van 1978 te veranderen, op een of andere manier aan het licht zou brengen, via lekken of alleen al door de vragen die we zouden moeten beantwoorden, wat de werkelijke mogelijkheden van ons systeem waren. Als je die eerste stap eenmaal hebt genomen, volgt de rest vanzelf, zodat we bijvoorbeeld ook vreesden dat als we tegen de FISA alleen maar zouden praten over de kleinere groep waar we steeds meer belangstelling voor kregen, zij zich verplicht zouden voelen om de lijn van hun juridische onderzoek door te trekken naar het veel grotere domein van onze onderzoekingen op niveau één. Hoe dan ook, we gingen gewoon door.'

Dat was een kant van de mondiale matrix, de kant van wat mensen zeiden of schreven. De andere kant was wat ze deden. Dat betekende voornamelijk wat ze kochten, waar ze het kochten en over het algemeen waar ze het naar toe brachten. Hiervoor leunde de regering voornamelijk op First Data. Convenanten met andere creditcardbedrijven in de Verenigde Staten en elders betekenden dat, net zoals bij de grotere telecomcentrales, allerlei data onmerkbaar kon worden gecombineerd, een wereld van transacties die geen grenzen kende. Western Union had eenzelfde systeem voor het telefoonverkeer waarbij het veelal ging om banken en allerlei financiële instellingen. Om transacties te kunnen autoriseren of traceren hebben grote bedrijven gewoonlijk toegang tot elkaars lokale verwerkingseenheden. Het is allemaal met elkaar verbonden. Je hebt alleen maar een universeel paspoort nodig, zoals de Western Union er een bezit.

Toen deze twee helften, twee rivieren, na de aanslagen van 11 september op elkaar werden aangesloten, zwol de datastroom gevaarlijk aan. Miljoenen berichten van de NSA overspoelden de CIA en de FBI. De CIA sloeg zelf fanatiek aan het schiften, iets wat deze dienst automatisch doet: het zoeken naar dat ene bruikbare goudklompje. De FBI is geen goede sorteerder. Deze instelling is gericht op het verzamelen van bewijsmateriaal om iemand gerechtelijk te kunnen vervolgen. Ieder brokje, ieder druppeltje, wordt bewaard en gekoesterd voor een volgende stap. Een groot deel van de stroom ging via de FBI, waarbij sleutelinformatie direct naar de computers van First Data werd doorgestuurd, FBI's eigen 'in house'-zoekmachine. In de eerste weken na de aanslagen werden duizenden financiële zoekoperaties voltrokken, op basis van de oorspronkelijke hints van de NSA. Die stroomden door naar een subcategorie, en dan weer naar de volgende, met toenemend belang, met hogere prioriteit... en steeds meer moeite voor agenten die zich allereerst haastten om als eerste papier te produceren. Bij de FBI moest iedere actie 'in papier worden verpakt', dat wil zeggen op een bepaalde legaal verdedigbare manier worden gedocumenteerd, zodat je iets had waarmee je zonodig voor de rechter kon verschijnen.

De wettelijke paraplu was de op 26 oktober aangenomen US Patriot Act. Die wet maakte binnen de Verenigde Staten een verregaande uitbreiding van bewaking en toezicht mogelijk, inclusief het doorzoeken van financiële en persoonlijke gegevens, en maatregelen die het mogelijk maakten om activiteiten van burgers te screenen zonder dat ze dat wisten.

Het favoriete mechanisme van de FBI was iets wat ze de 'nationale veiligheidsverklaring' noemden, een wettelijk vijgenblad gecreëerd voor spionage en onderzoek naar terrorisme in de jaren zeventig als een middel om de wetgeving op het gebied van consumentenprivacy te omzeilen. Het gaf de FBI de mogelijkheid om in het geheim klantengegevens van vermeende buitenlandse agenten te bekijken. Door de bank genomen zouden er van jaar tot jaar misschien een paar honderd zijn verstrekt.

Na de aanslagen van 11 september opperden juristen van het departement van Justitie dat de verklaringen op een nieuwe, uitgebreidere manier gebruikt konden worden. Ze stelden vast dat de verklaringen konden worden verstrekt op grond van de simpelste, meest magere verdenking: er was geen echt bewijs nodig. Een NSA-hit was meer dan genoeg. Tientallen topmedewerkers, onder wie speciale agenten, belast met allerlei taken in het veld, konden de verklaringen verstrekken. En dat deden ze dan ook overvloedig, in het tempo van duizenden per maand: ze werden te voorschijn getoverd en gebruikt als waren het papieren zakdoekjes tijdens een griepepidemie.

Niet dat er geen ouderwetse bevelschriften meer bestonden. Die bestonden wel degelijk nog. Duizenden werden er uitgevaardigd, goedgekeurd bij het dozijn door de rechtbank in Omaha. Algauw werd er vlak bij het verwerkingscentrum van het bedrijf een speciale FBI-First Data-faciliteit opgezet, een plek waar agenten en technici van de onderneming konden overleggen en in een respectabele onschendbaarheid de grote computers aanboren, en nog verder, nog dieper konden reiken in het mondiale geldwezen. Omaha bracht een poosje meer bevelschriften voort dan enige andere rechtbank in Amerika.

Wat betreft de fijnere nuances van het toezicht van het Congres op dit enorme project, is een moment in oktober onthullend.

Leden van het Senate Intelligence Committee, de commissie die het inlichtingenwerk in het oog moest houden, gingen hun beveiligde verhoorruimte binnen voor een briefing over de 'oorlog tegen terreur'. Ambtenaren van Justitie, Financiën, CIA en FBI zouden getuigenis afleggen over de 'financiële oorlog'.

Dennis Lormel bleef pratend met een collega achter in de lege galerij hangen. Er was een vertraging: een stemming in de Senaat hield de zaak op. Hij zou als derde of vierde aan de beurt komen. Voor hem kwam een topambtenaar van Financiën, Jim Gurule, hoofd van de financiële toezichthouder OFAC (Office of Foreign Assets Control). Omdat First Data een partner van de FBI was had Lormel enkele medewerkers van de Geheime Dienst die fraude met creditcards behandelden bij First Data laten komen, als een soort vredesaanbod. Per slot van rekening waren zij zeer deskundig in het vissen in het troebele water van misdrijven met creditcards.

Lormel keek met een half oog uit de verte toe toen Gurule zich begon klaar te maken voor zijn verhaal. Er stond al een houten standaard klaar. Gurule haalde een visueel hulpmiddel te voorschijn voor zijn presentatie: een groot schema waarop je kon zien hoe First Data zich overal ter wereld toegang verschafte tot financiële informatie en die ordende.

Lormel haastte zich met zijn meer dan honderd kilo naar hem toe. 'Ben je helemaal belazerd? Haal dat ding hier weg. Jezus, het is niet eens een operatie van Financiën!' Gurule stond perplex. Hij haalde het schema van de standaard en verdween er snel het zaaltje mee uit.

Toezicht van het Congres op geheime activiteiten is een beginsel dat de Verenigde Staten onderscheidt van andere landen. Het is een ideaal dat essentieel is voor een systeem dat werkt met middelen die machtsmisbruik moeten voorkomen: de *checks and balances*, of 'neutraliserende ambities' [*counteracting ambitions*], zoals het door James Madison, een van de ontwerpers van de Amerikaanse grondwet, werd genoemd. Maar in dit geval, en in talloze andere, besloten zij die de oorlog tegen terreur voerden dat die neutralisering een luxe was die ze zich niet konden permitteren.

In de getuigenissen van die dag en in de vele die er nog volgden, noemde niemand de naam First Data.

En zo werd er een gigantische zoek- en confiscatiemachine met een financiële romp en een communicatiehoofd gebouwd, inclusief een ziel, om de ongewone uitdagingen van deze oorlog van man tegen man aan te gaan.

De geschiedenis zal uiteindelijk beoordelen hoe die machine en de mensen die de bouw ervan hebben gestimuleerd – vanaf de president tot aan de lagere echelons – zich verhouden tot de volgende, meer dan twee eeuwen geleden met een ganzenveer geschreven woorden. Het vierde amendement van de *Bill of Rights* van de Amerikaanse grondwet geeft deze verzekering: 'Het recht van het volk op vrijwaring van zijn persoon, huis, papieren en bezittingen, tegen onredelijke huiszoekingen en beslagleggingen zal niet worden geschonden, en geen bevelschriften zullen worden verstrekt tenzij er gegronde redenen voor bestaan die door eed of belofte worden bekrachtigd, en die precies de te onderzoeken plaats beschrijven en de personen of zaken die gevat moeten worden.'

Vaak wordt dit het amendement met de krachtigste bewoordingen genoemd. Je voelt het vuur van de Founders; uit deze felle woorden spreekt een geest van 'ik laat me niet vertrappen'. Per slot van rekening hadden ze net een succesvolle opstand tegen het dominante gezag van Groot-Brittannië achter de rug. Het volk was gewend dat zijn recht werd 'geschonden', in Boston en Philadelphia, Concord en Hoboken, en dat er er niet zoiets bestond als 'vrijwaring van zijn persoon'. De woorden 'gegronde redenen' behoren tot de meest aangehaalde uitdrukkingen in het document: ze bieden een uitermate praktische regulering voor het punt waarop burgers en hun regering kunnen botsen, op basis van de aanname dat redelijke mensen het grotendeels eens zullen zijn over die norm.

Of redelijke mensen het wel of niet eens zullen zijn met bovengenoemde specifieke gang van zaken en met de uitbreiding van het presidentiële gezag die deze met zich meebrengt, zal ongetwijfeld nog jarenlang onderwerp van debat zijn, misschien zelfs zolang de 'oorlog tegen terreur' voortduurt. Wat kunnen we weten, en wat staat er echt vast? In alle hoeken en gaten zoekend veegde deze machine hele stadions met verdachten of domweg pechvogels bij elkaar, en pikte vrijwel niemand op die echt een gevaar was voor Amerika.

HOOFDSTUK 2

Aan verdenkingen voorbij

De 'duistere kant' is een complexe term met wisselende gedaan-
ten: door toon en stembuiging kun je de betekenis ervan veranderen. Toen Cheney een paar dagen na 11 september op de nationale
televisie over de aanslagen sprak, had hij er een berustende toon in
gelegd: dit is wat wij moeten doen, waar wij moeten leven, of u het
nu prettig vindt of niet.

Je hebt echter altijd een keuzemogelijkheid in dit soort zaken, in
de handelingen die uiteindelijk de concrete aard van iets bepalen.
De concrete aard van een individu of een natie.

Het debat over wat 's mensen hogere en lagere engelen zijn is,
zoals we weten, al zo oud als het menselijk bewustzijn zelf. Maar
deze wetenschap veranderde niets aan het feit dat de acute noodzaak om te improviseren in die vruchtbare maanden na 11 september een prikkel was om dit eeuwenoude dilemma nu eens echt van
een andere kant te bekijken. Misschien hadden we iets over het
hoofd gezien... misschien konden we ons toch heel goed overgeven
aan 's mensen grovere impulsen, of konden we degenen die dit al
deden heel goed in de armen sluiten, als een weg naar nobeler doeleinden. Als we het oog altijd maar gericht hielden op het kostbare
einddoel – de zonbeschenen heuvelen van een veilig en gerustge-
steld Amerika –, zouden we altijd de juiste koers kiezen, door ieder
dal.

Een vroegtijdige trip naar de duistere kant begon op half oktober 2005, toen Ben Bonk, al zijn hele werkende leven in dienst van
de CIA, op zijn gemak een herenhuis aan Regent's Park in London
binnenging voor een bijeenkomst die naar hij hoopte enige verse
vruchten zou afwerpen.

Het huis was eigendom van prins Bandar bin Sultan, neef van

de feitelijke heerser over Saudi-Arabië, kroonprins Abdullah, en gedurende achttien jaar ambassadeur in de VS van dit vorstendom. Bandar, 52 jaar oud, is een vertrouweling van beide Bushes, een ontwikkeld man met diepe gronden, maar ook een vrolijk man met een enorme eetlust. Een alwetende waarnemer zou hem recentelijk gesignaleerd kunnen hebben als langs de lijn drentelend toeschouwer bij een voetbalwedstrijd, dinerend en sigaren rokend in de West Wing, en geld overmakend aan een familie die wellicht onopzettelijk steun heeft verleend aan de kapers van 11 september, bijna allemaal Saudi's. Een scherp oog zou een chauffeur ontwaren, die iedere maand op een bepaalde dag voor de Riggs Bank in Washington stopt om een koffer op te halen met 50.000 dollar in contanten, die Bandar uitdeelt aan vrienden, verwanten en medewerkers van de Saudi's in de VS

Hij is ook de man die continu bijzonder doelmatig dingen en nuttige relaties regelt. Vandaag trad hij als bemiddelend gastheer op bij een belangrijke afspraak in zijn huis. Hij verwelkomde Bonk en ging hem voor naar een voorname salon. Daar werd hij opgewacht door een elegante, keurig in het pak gestoken en glimlachende belichaming van de 'duistere kant'.

'Te gek, dat de Spartans gewonnen hebben,' zei Musa Kousa.

Bonk begon te lachen. 'Wat je zegt, we hebben een hele tijd moeten wachten. Sinds Magic.' Ben studeerde in die gloriedagen aan de Michigan State University; hij studeerde af in 1976, een jaar voordat Magic Johnson arriveerde. Kousa, een fanatiek basketbalfan, lag een paar jaar op hem voor: hij was in 1973 begonnen met zijn studie sociologie aan de MSU. Het proefschrift dat hij een paar jaar later inleverde was een blijvertje, van het soort waar professoren een kopie van maken die ze in een lade van hun bureau opbergen. Het was niet zozeer de messcherpe analyse, hoewel het daar niet geheel aan ontbrak in de 209 pagina's met voetnoten. Het was vooral de research. Kousa, geboren in Libië, in Tripoli, als telg van een vooraanstaande familie, had de mogelijkheid gehad om zijn onderwerp te interviewen: Moammar Kaddaffi.

De tijd vliegt, de tijden veranderen. Voor beide mannen was East Lansing, het Spartans Stadion en het groen en wit van de MSU nu heel ver weg.

Bonk reisde bijna twee decennia voor de CIA de wereld rond, met name de Arabische wereld. Hij was korte tijd getrouwd geweest, toen gescheiden – zoals zo veel agenten – en klom snel op in de rangen van de dienst. In 2000 vormde hij als adjunct-directeur van het Counterterrorist Center van de CIA, een mild en bedaard contrast met de flamboyante Cofer Black. Het was de immer betrouwbare en nauwkeurige Bonk die samen met adjunct-directeur John McLaughlin in september 2000, twee maanden voor de verkiezingen, op Bush' ranch kampeerde om de Republikeinse kandidaat zorgzaam op de hoogte te brengen van de nodige staatsgeheimen. Bonk informeerde Bush met een grimmig gezicht dat er de komende vier jaren zeker Amerikanen zouden omkomen bij terroristische daden, voorbereid door bin Laden, of door hem geïnspireerd.

Het meest sprekende voorbeeld van tegen de VS gerichte terreur vóór 11 september was de explosie van een PanAm-straalvliegtuig boven de Schotse plaats Lockerbie in december 1988. Daarbij kwamen 270 mensen om, voornamelijk Amerikanen, onder wie 35 studenten van de Syracuse University.

Bonks mede-Spartan, Musa Kousa, had vrijwel zeker die aanslag helpen voorbereiden.

Dat is althans wat je van iedere inlichtingendienst in het Westen kunt horen. Kousa was na Lansing naar Libië vertrokken om daar voor Kaddaffi te gaan werken. Rond 1980 was hij inmiddels opgeklommen tot hoofd van het Libische gezantschap in Engeland, in feite Libiës ambassadeur in het Verenigd Koninkrijk. In een uitzonderlijk interview met *The Times* vertelde hij de verslaggever dat Libië de IRA steunde en dat twee in Londen woonachtige Libiërs eigenlijk moesten worden geliquideerd. Hij werd terstond het land uitgezet. Kort daarop werden de twee Libiërs dood aangetroffen in hun Londense flat. Andere Libische dissidenten, tegenstanders van Kaddaffi, werden het daaropvolgende jaar overal in Europa uit de weg geruimd.

De Lockerbie-vlucht vond plaats in een tijdperk waarin Kaddaffi eropuit was een belangrijk speler op het wereldtoneel te worden. Net als bij bin Laden was terreur het middel waarmee hij dat wilde verwezenlijken. Halverwege de jaren tachtig noemde Ronald Reagan Kaddaffi de gevaarlijkste man ter wereld. Hij was de dictator van een schurkenstaat. Bij wijze van vergelding voor de door hem beraamde bomaanslag op een Duitse nachtclub voerden de VS in 1986 een bombardement op Libië uit. Bij die aanval kwam Kaddaffi's dochter om het leven en raakten twee van zijn zonen gewond. Aan het land werden uiterst zware, eenzijdige sancties opgelegd. Kousa, die toentertijd plaatsvervangend hoofd van de inlichtingendienst was, werd door de Franse en Britse inlichtingendienst algauw aangemerkt als het brein achter een tweede ramp: het opblazen van een Frans vliegtuig, de UTA 772 boven Niger in 1989. Daarbij vielen 170 dodelijke slachtoffers.

In 1998 vloog George Tenet, die toen net een jaar directeur bij de CIA was, met John McLaughlin naar Jeddah voor een gesprek met Bandar. In de paleisachtige woning van de ambassadeur, door McLaughlin beschreven als 'net Disney World, met vliegende aapjes en gigantische tv-schermen', meldde Bandar dat hij kort geleden nog een praatje had gemaakt met Kaddaffi. 'Ik denk dat hij misschien wel wil praten. Hij is het zat om alleen te zijn.'

Een jaar later glipte Musa Kousa onopvallend Genève binnen. Bonk en hij hadden daar een afspraak. Het werd Bonk duidelijk dat de Libiërs het bij de overgang naar het nieuwe millennium nu echt beu waren om uitgesloten te worden van de wereldgemeenschap. Ze konden hun geprivilegieerde zonen niet naar Amerikaanse universiteiten sturen en ze werden zowat gewurgd door de sancties die een grote schaarste aan van alles en nog wat tot gevolg hadden, van droge goederen tot onmisbare onderdelen voor olieraffinaderijen, die daardoor in veel gevallen onherstelbare schade leden. Bruce Riedel, lid van Clintons NSC, de nationale veiligheidsraad, raakte als beleidsadviseur algauw bij deze kwestie betrokken en begon met besprekingen over het regelen van de Lockerbie-affaire. Dit alles moest onder uiterste geheimhouding worden behandeld. Dat stilzwijgen had een duidelijke reden: families van de Lockerbie-slachtoffers waren al lange tijd georganiseerd in een felle, soms behoorlijk tegendraadse actiegroep die lobbyde voor arrestaties, sancties en alles wat kon bijdragen tot een of andere vorm van gerechtigheid. Het uitlekken van een dialoog met de monsters van Tripoli zou geleid hebben tot een explosie van gewettigde verontwaardiging van de kant van families wier dierbaren hen aankeken

vanaf foto's op nachtkastjes, in amateurfilmpjes en in hun verble-
kende herinneringen.

Maar dat alles vond plaats vóór 11 september. De VS en hun westelijke bondgenoten hadden nu één zeer urgente behoefte: een behoefte aan informatie. Twintig jaar na zijn verstoting uit Engeland
stapte Kousa op Heathrow uit het vliegtuig, waar hij werd begroet
door een delegatie: topfunctionarissen van de diplomatieke dienst
en de inlichtingendienst, zowel van Groot-Brittannië als van de
VS. In zijn armen had hij dossiers met de namens en locaties van
moslimterroristen in Europa, Noord-Afrika en het Midden-Oosten.

En zo gingen ze weer terug – nu een behoorlijk groot gezelschap
– naar Bandars woning op neutrale grond, per adres de Saudi's. Een
maand na 11 september, en drie dagen nadat de VS begonnen waren
met het bombarderen van de Afghaanse schuilplaats van al-Qaida,
waren de bedenkers van de twee afschrikkingscampagnes van de
oorlog tegen terreur – 'stop de terroristen' en 'mondiale ontwapening' – te bezichtigen in Bandars elegante salon. De ochtendbe-
sprekingen tussen Kousa en William Burns, de onderminister van
Buitenlandse Zaken voor het Nabije Oosten, ging over betalingen
aan de Lockerbie-families, over de vraag of de Libiërs zouden toegeven dat ze aansprakelijk waren voor de aanslag, en een *quid pro quo*
met betrekking tot ontwapening. Het was alom bekend dat Libië
chemische massavernietigingswapens bezat, en misschien ook biologische wapens. Kousa, aan wie gezegd werd dat al die dingen
zouden moeten worden opgegeven, was terughoudend maar aandachtig. Zijn land werd bestuurd door één man, en die man moest
met dit alles akkoord gaan.

Het was al laat in de middag toen Musa en Ben ten slotte tijd hadden om nog wat te kletsen over Mateen Cleaves, de belangrijkste
voorhoedespeler in het 2000-team van Michigan State. Over hoe
hij Florida had overheerst in het NCAA-kampioenschap waarmee
de school zijn eerste nationale titel binnenhaalde sinds Magic hen
in 1979 tegen Larry Bird en Indiana State naar de overwinning had
gevoerd.

Ze zaten niet zomaar wat beleefdheden uit te wisselen. Om de
'oorlog tegen terreur' en de droevig stemmende ethische dilem-

ma's van het omgaan met de 'duistere kant' te kunnen begrijpen, moest je aan deze tafel zitten, in het herenhuis van een ambassadeur van het thuisland van vijftien van de negentien kapers van 11 september, en praten met de glimlachende stijlvolle gentleman die naar verluidt een vliegtuig vol met passagiers vermoordde, nog voordat ze de kans kregen hun uitklapbare tafeltjes in te klappen. Er zijn verwanten van die kinderen die in dat vliegtuig zaten die, als ze toevallig deze korte passage lezen, misschien zullen moeten overgeven. Of vloeken. Deze man, Musa Kousa, en zijn baas, lopen in hun nachtmerries rond. Kan zulk gedrag, dit afslachten van onschuldige mensen, ooit vergeven worden? Houdt het feit dat je in staat bent om samen met een vertegenwoordiger van de Amerikaanse regering over basketbal te praten een soort absolutie in? Is iemand die zulke afgrijselijke wandaden pleegt fundamenteel anders dan een generaal die bevel geeft tot een luchtaanval op een dorp of op het huis van een terrorist waar misschien kinderen liggen te slapen?

Maar Amerika was in nood. Er werd een tweede golf aanslagen verwacht en de Amerikaanse inlichtingendienst had een groot gebrek aan bronnen in de Arabische wereld. Ze moesten experts hebben, en expertise kent vele vermommingen.

'Luister, Musa, je kunt Lockerbie niet naast je neerleggen,' zei Ben. We willen het geregeld hebben. Jij wilt het geregeld hebben. We moeten er nu voor zorgen dat dit straks achter de rug is.'

Kousa leek opgelucht: hij had er jaren op gewacht om te horen wat Bonk zojuist had gezegd. De Libiërs waren bereid om te betalen, forse sommen, herstelbetalingen aan de families van hen die omgekomen waren. 'Wij willen het ook achter ons laten, Benny.'

Toen werd Bonk dodelijk serieus. 'Alles is anders geworden na elf september,' zei hij. 'Twee dingen. We kunnen er niet omheen: jullie moeten je vernietigingswapens opgeven. Maar het belangrijkste is dat we hulp nodig zullen hebben bij het bestrijden van de terroristen.'

Ja, Musa begreep het. Hij wist net als een groot deel van de rest van de wereld dat de VS geconfronteerd werden met een formidabele tegenstander in de persoon van bin Laden, en van Zawahiri. En hij had een naam bij de hand voor Bonk, een cadeautje: Ibn al-

Shaikh al-Libi, een Libische functionaris van al-Qaida. 'Hij zou wel eens belangrijk kunnen zijn,' zei Musa. Bonk noteerde de naam. De details die Musa gaf waren vaag, maar hij wist in ieder geval zeker dat deze functionaris ergens in Pakistan zat. Andere namen die hij noemde waren merendeels de namen van moslimfundamentalisten in diverse landen die vijandig stonden tegenover Libië, een regime dat officieel islamitisch was maar door de wahabieten als afvallig en corrupt werd gezien.

Daarna begon Bonk te vissen. Voorzichtig bracht hij de naam van een organisatie naar voren: de Ummah Tameer-E-Nau ('islamitisch reveil'). Deze in Pakistan gevestigde groep begon juist intens de aandacht van de Verenigde Staten te trekken. De UTN omvatte enkele tientallen leden van de geradicaliseerde elite van Pakistan, onder wie ingenieurs, natuurkundigen, scheikundigen, allerlei militairen en leden van de alles en iedereen omvattende geheime politie van het land, de ISI (Inter-Services Intelligence Agency). De activiteiten van de organisatie bleken echter grotendeels humanitair: het verlenen van medische diensten en hulp aan inwoners van Pakistans verarmde buurland Afghanistan. Een van de oprichters van de organisatie was Bashir Mahmood, de nucleair wetenschapper uit Pakistan.

'Ooit van ze gehoord?' vroeg Bonk.

Musa zweeg een ogenblik, alsof hij overwoog wat hij wel of niet kon zeggen. 'Ze benaderden ons,' zei Musa, 'met de vraag of we hun hulp nodig hadden bij het bouwen van een kernbom.' Het voornaamste doel van de groep, voegde hij eraan toe, hoewel dat niet als zodanig naar buiten gebracht, was om nucleaire technologie te verbreiden naar de moslimnaties van de hele wereld.

Bonk, die zeer bedreven was in de kunst van het veinzen, slaagde erin om niet te laten merken hoezeer hij geïnteresseerd was in wat Musa zojuist had gezegd.

Terwijl beleidsmakers in het Witte Huis en het Pentagon rustig de invasie van Irak voorbereidden, was parallel daaraan een ander experiment op het gebied van ontwapening nu officieel begonnen.

In dit geval betekende het een reis naar de duistere kant om kostbare onderdelen uit te wisselen: bruikbare inlichtingen, forse herstelbetalingen, vernietigingswapens en internationale acceptatie.

'We moeten gauw weer eens afspreken,' zei Bonk.
Kousa glimlachte alleen maar.

Bonk keerde terug naar de CIA met deze felbegeerde onthulling. Mahmood werd snel in de juiste context geplaatst, boven aan de troebele UTN, een hulporganisatie en drager van verborgen zaden van vernietiging.

In de zogenoemde oorlog tegen terreur gaat het erom dat je vrienden maakt, en in sommige gevallen onwaarschijnlijke vrienden bij wie je ingangen vindt voor gezamenlijke actie. In het weefsel van allianties en rivaliteiten tussen staten is dit niet zo makkelijk als het misschien wel lijkt. Maar de UTN leek gunstige mogelijkheden te bieden. Het was een transnationale organisatie die zichtbare sporen naliet, ofschoon slechts van charitatieve activiteiten, en die geen officiële overheidssteun genoot. Dat betekende dat iedere staat achter de UTN aan kon gaan, zoals een lichaam een vreemd organisme aanvalt.

Zodra de geheime nucleaire projecten waren ontdekt, namen de Verenigde Staten contact op met de samenwerkende inlichtingendiensten overal ter wereld. De Fransen, de Britten, de Saudi's en de Sudanezen, allemaal begonnen ze te graven. Informatie werd gedeeld via het 'inlichtingenkanaal', een doorgang voor informatie tussen diensten die in theorie altijd open zou staan.

Het netwerk van de UTN strekte zich in feite uit over allerlei Arabische landen. De namen van andere UTN-leden kwamen snel boven water. Die namen werden eveneens doorgegeven aan andere diensten.

En nu hadden ze voldoende bewijsmateriaal om de ISI onder druk te zetten om tot actie over te gaan. Het werd allemaal geregeld via het inlichtingenkanaal. Hoe minder fanfare, hoe beter.

Grenier belde de ISI. Hij gaf ze de nodige informatie over Mahmoods UTN-netwerk.

Agenten van de ISI arresteerden Bashir Mahmood en Abdul Majid op 23 oktober en namen hen mee voor een verhoor. Na het voorbereidende werk van de CIA had de Pakistaanse inlichtingendienst plotseling meer dan genoeg te vragen.

Op woensdag 24 oktober strak een forse, rijzige, voortijdig grijze man zijn witte haardos om de deur van Jim Pavitts werkkamer.

Pavitt, die het hoofd is van het operationele directoraat van de CIA, repte zich om zijn bureau heen om hem te begroeten. 'Rolf! De man die ik zoek.'

Oude vrienden? Strijdmakkers? Natuurlijk, maar Pavitt wilde hem iets verkopen en Rolf Mowatt-Larssen probeerde zelf al weken informatie te verzamelen, in CIA-stijl, over wat de koopwaar was.

Ze kenden elkaar al bijna twintig jaar. Pavitt had als *case officer*, in dit geval als mentor begeleider van andere geheimagenten, carrière gemaakt in Europa en Azië en het tot directeur operaties gebracht. Rolf Mowatt-Larssen, afgestudeerd aan de militaire academie West Point en voormalig paratroeper, had in de loop van zestien jaar zes tournees gemaakt voor de CIA, waarvan tweemaal als chef van het kantoor in Moskou, aan het eind van de jaren tachtig en in de eerste helft van de tumultueuze jaren negentig. Ook was hij ooit de chef geweest van de door lekken als undercover bekend geworden Valerie Plame. Het verbaasde hem eigenlijk dat hij weer terug was op de zevende verdieping. Vier maanden geleden, toen hij juist een jaar als lid van de staf van directeur Tenet achter de rug had, dacht hij nog dat het afgelopen was met zijn dagen in het topmanagement. Hij was klaar om terug te gaan naar het veld en had op zijn zesenveertigste als een van de meest ervaren filiaalhouders in het netwerk gekregen wat hij wilde: het kantoor in Beijing. China: Amerika's opkomende rivaal.

De telefoontjes waren begonnen in de weken na 11 september. Hij en zijn vrouw hadden het erg druk met de CIA-cursus Chinees, en het mobieltje bleef maar rinkelen. Ze wilden hem terug. Er was een klus, een operationele klus, maar anders dan anders. Hij pleegde enkele telefoontjes, kreeg enigszins een beeld van hoe de zaken er dezer dagen voor stonden op de zevende verdieping.

Pavitt hield zijn verkooppaatje. 'Het is de belangrijkste baan die we hebben... het hoofd bieden aan chemische, biologische, radiologische gevaren... jij zult de man zijn... blanco cheque, alles wat je maar wilt... het gaat om niets minder dan het redden van de wereld.'

Mowatt-Larssen luisterde, zoals operationele CIA-mannen leren luisteren, met een halve glimlach en een uitdrukkingsloos gezicht. Hij had het een en ander gecheckt. Het Counterterrorist Center, onder leiding van zijn oude vriend Cofer Black, had bijna duizend mensen in dienst. 'Chem', 'Bio' en 'Rad' hadden er op dit moment vier. Vier mensen voor iets wat, als er een ramp plaatsvond, onze hele manier van leven ingrijpend kon veranderen.

Pavitt ging nog een poosje door, inmiddels op de wijze van een predikant.

'De geschiedenis roept, Rolf! Wil je dit doen? Zúl je dit doen?'

Mowatt-Larssen wachtte even, half omdat hij erover moest nadenken, half omwille van het effect.

'Oké, Jim, ik zal het doen.'

Klaar. En binnen de kortste keren troonde Pavitt Rolf mee en liepen ze met hoge vaart door de gang, op weg naar Tenet.

Ze omhelsden elkaar. Tenet omhelst graag. Hij verwelkomde Rolf terug in de familie. Een familie die getraumatiseerd was omdat een geliefd familielid, Rolf, opeens verdwenen was. Zijn terugkeer op dit belangrijke moment leidde als vanzelf tot onthullingen: iedereen voelde de behoefte om zich tegenover hem nader te verklaren, om uit te leggen wat er veranderd was, wat hetzelfde was gebleven, en om zijn of haar gedachten daarover onder woorden te brengen. Een legendarische medewerker van de buitendienst, teruggeroepen naar de hoogste rangen, moest weer helemaal opnieuw van alles overtuigd worden, van beslissingen die allang van kracht waren.

George Tenet en Rolf Mowatt-Larssen liepen door de gangen. Tenet functioneerde beter als hij mobiel was: hij liep constant door de gangen, bezig met wat gemeenlijk 'George z'n blokje om' werd genoemd. Rolf, een halve kop groter, kuierde soepel mee.

'We kunnen geen kant op,' zei Tenet. 'UBL* heeft nu al een bom, of zal in ieder geval niet rusten voordat hij er eentje heeft.'

Rolf knikte, krabbelde een paar notities op een kleine blocnote, een oude gewoonte. George liep nog een stukje door. 'Mijn intuïtie zegt me dat we diep in de stront zitten,' zei hij.

Dit is ook iets wat Tenet doet: hij denkt hardop, denkt terwijl hij

---

* UBL: Usama bin Laden; in de VS gebruikelijke afkorting voor Osama bin Laden

praat, zoekend en tastend via verbale duiken en sprongen. Dat deed hij keer op keer met Bush. Interne memo's van de regering laten vaak heel goed zien hoe belangrijk de mondelinge briefings van deze president zijn, hoe, zoals een van zulke memo's vermeldt, 'de laatste mondelinge briefing' over een specifiek probleem 'de hele dag door blijft werken'. Tenets manier van pratend denken, ruw en transparant, hielp Bush zien hoe ideeën gestalte krijgen, hoe je bij het onderliggende bewijsmateriaal en bij de conclusies kunt komen. Het was hoorbare kennisvorming. Voor een niet-lezer als Bush was die toegevoegde dimensie zijn redding.

Cheney werd weliswaar geamuseerd door Tenets manier van doen, door zijn vurig enthousiasme, zijn analyses in de vorm van de verhalen die hij vertelde, maar toch had hij ook altijd zo zijn bedenkingen. Ga het allemaal extra goed na, placht hij tegen zijn staf-chef Lewis 'Scooter' Libby te zeggen. Elk woord. De precieze Condi Rice, die soms met haperingen sprak en altijd de temperatuur van het zwemwater eerst controleerde voordat ze erin dook, verfoeide het uit de grond van haar hart. Tenet was de kegelaar die haar altijd op verbale kanonnades vergastte. Tegen haar medewerkers had ze het over 'Tenets ontzettende gezeik'.

Maar terwijl ze daar liepen, zag Rolf dat Tenet over iets aan het peinzen was. Ze bleven staan. Dit is iets waarvoor je even halt houdt.

'Luister, Rolf,' zei Tenet, hem bij zijn arm pakkend. 'Je moet wel fout zitten.'

'Waar heb je het over?'

'Het kan niet anders of soms zit je fout, nietwaar? Het kan echt niet anders met die massavernietigingswapens. Je hebt je nek zo ver uitgestoken in deze MVW-kwestie – je hebt gebeld met de hoge omes, potentiële gevaren gesignaleerd – dat jij degene bent die fout zit... niet ik, niet iemand anders. Je moet ons beschermen, je moet het land op dit punt beschermen... dat wil zeggen, jij moet je nek uitsteken. Luister, als jij je nek té ver uitsteekt en je wordt afgeschoten als de dingen niet goed uitpakken, tja, dan is dat de prijs die je betaalt.'

Rolf keek Tenet aan, knikte, hem aansporend om verder te gaan. 'Hoe bedoel je?'

'Je moet wel fout zitten, niet analytisch fout, maar gewoon met een te ver uitgestoken nek. Weet je, al ons falen is hieraan te wijten dat we niet goed hebben geanticipeerd. Falend inlichtingenwerk is het gevolg van gebrekkig anticiperen. Het komt voort uit alleen maar informatie volgen die je kent en je niet bekommeren om wat je niet kent.'

Hij greep Rolf bij zijn andere bovenarm en kneep erin, hem recht in de ogen kijkend. 'Je moet passie hebben, passie hebben voor wat je niet weet.'

Twee dagen later vroeg Mowatt-Larssen zijn oude vriend Cofer Black om een second opinion over 'passie hebben voor wat je niet weet'. Black begroette hem, een en al zeeroversglimlach en opschepperij, bestudeerd theatraal.

'Jij bent de lul. Ik ben de lul. Allemaal zijn we de lul,' begon Black, verstrooid paperassen over zijn bureau schuivend. 'Elf september is een feit, en nu heb jij dus de rottigste klus, de MVW-klus. Dat win je nooit, geen sprake van. Op den duur gaan we allebei voor de bijl. Als er iets gebeurt, zijn wij de lul. Als er niets gebeurt, zijn wij de lul. Wij krijgen echt nooit de credits, wij krijgen alleen maar de schuld. Wees dus maar niet zo zelfvoldaan en content dat jij deze vreselijk speciale fantastische baan hebt gekregen. Omdat je nu de lul bent, net als ik.'

Ze gingen zitten, zetten een boom op, twee gestaalde CIA-krijgers. Mannen die alles zouden doen wat ze moesten doen, en dat ook vaak hadden gedaan. Mowatt-Larssen was twee keer de Sovjet-Unie uitgegooid – een soort eerbewijs – omdat hij zo dicht langs de rand van het ravijn had gerend. Hij had intensief met de Sovjets geschaakt, met zetten en tegenzetten, had zelfs elke maand het hoofd van de KGB gesproken. Onder het genot van enkele glazen wodka plachten ze 'één vraag' te spelen. Allebei kregen ze een vraag: de ander moest eerlijk antwoorden, of helemaal niet. Geen geliegt. Het was een oefening in het opbouwen van vertrouwen, het taxeren van de vijand, en het was ook de methode waarmee Mowatt-Larssen vele undercoveragenten had gerekruteerd. Black was hetzelfde, charmant en meedogenloos wanneer nodig, maar met een andere recente geschiedenis. Hij was begonnen met islamitische radicalen, nog voor iemand anders zich daarmee bezighield. Hij had bin

Laden opgespoord. Hij was een van CIA's eerste belangrijke uitver-korenen op het slagveld. Bin Ladens overwinning beschouwde hij als een persoonlijke nederlaag, en hij wilde wraak.

Black mocht Mowatt-Larssen erg graag en hij respecteerde hem. Ze hadden het in wezen over de vraag of er een brug was tussen twee tijdperken: enerzijds de periode van na de Tweede Wereldoorlog tot en met de tijd voor 11 september, voornamelijk gedomineerd door een grootschalig biljartspel met de Sovjet-tegenstander, en anderzijds het tijdperk van na 11 september, net iets meer dan een maand oud, waarin ze geconfronteerd werden met een internatio-naal netwerk van suïcidale moslimideologen.

Mowatt-Larssen deed de eerste zet. 'Als je het hebt over onder-vragingen, dan is de vraag: wie stelt de norm vast voor het bewijs dat je nodig hebt om zogeheten "passende actie" te mogen onder-nemen?'

'Wat denk je dat die norm zou moeten zijn?' repliceerde Black.

'Bewijzen,' zei Rolf, 'dat is het sleutelwoord. Omdat een hele-boel mensen worden verdacht van het weten van dingen die ze misschien helemaal niet weten. Als jouw inschattingen van wie wát zou moeten weten niet deugen, zou je uiteindelijk een hele-boel mensen kunnen beschadigen, en een heleboel nieuwe vijan-den maken.'

Black knikte, met een blik of hij nu echt tot op het bot ging. 'Mooi,' zei hij toen. 'Wat dacht je van het geval dat iemand mis-schien iets weet over de verblijfplaats van UBL en over een bom. En dat erachter komen wat hij weet een heleboel levens zou kunnen redden. Wat is dan de norm, makker?' Black priemde met een vin-ger naar Mowatt-Larssen. 'Wat doe je dan?'

Hoewel de oorlog tegen terreur, zoals de Franse president Jacques Chirac had gezegd, een oorlog was van een 'nieuw karakter', was de Amerikaanse invasie van Afghanistan meer een brug, een con-structie bestaande uit nieuwe en oude ideeën, in elkaar gezet in de Apollo-13-stijl, met isolatietape en enige bravoure. Als eerste ar-riveerden de CIA-teams, die meteen de stamhoofden begonnen te bewerken. Het geld stroomde vrijelijk. Oude mujaheddien-krijgs-heren deden mee. De vijand, al-Qaida, was geconcentreerd in één schuilplaats en werd gesteund door het heersende regime van de Taliban, zodat het conventionele model van het ene land dat de soevereine grenzen van het andere land schendt niet van toepassing was.

De Amerikaanse aanwezigheid had een geringe omvang, slechts zo'n driehonderd commando's die met gerichte luchtsteun en samen met Afghaanse manschappen voorgingen in de strijd. Ze stuitten op weinig werkelijk verzet. De hoofdstad Kabul werd prijsgegeven nadat de strijders van de Taliban en al-Qaida naar het woeste gebergte waren gevlucht, waar ze guerrillabases hadden gevestigd. Sommigen vluchtten eenvoudig langs de Pakistaanse grens naar het zuiden.

Op 11 november arresteerden Pakistaanse opsporingsambtenaren met assistentie van CIA-medewerkers in Pakistan de door Musa Kousa aangewezen man, Ibn al-Shaikh al-Libi. Niet direct een hoofdrolspeler, maar in ieder geval was dit de eerste belangrijke arrestatie in de oorlog tegen terreur.

Het nieuws ging van het CIA-kantoor in Pakistan naar Langley, en werd daar op de agenda gezet voor de gebruikelijke bijeenkomst van vijf uur 's middags. Het nieuwe tijdperk was nog pas twee maanden oud, en op dat moment was het aantal deelnemers nog betrekkelijk klein: een tiental topfunctionarissen van de CIA, plus een periodieke bezoeker van Defensie of Buitenlandse Zaken. Tenet was in 1999 met deze bijeenkomsten begonnen, maar het belang ervan werd vooral evident na de aanslagen van 11 september 2001. Per slot van rekening bracht Tenet een groot deel van de dag in Washington door met bijeenkomsten in het Witte Huis of op Capitol Hill of bij andere departementen. Het was voornamelijk zijn rol om de rest van de overheid op de hoogte te brengen van wat de CIA aan het doen was, en waarom.

Beslissingen over wat de CIA eigenlijk moest doen en waarom, werden bewaard voor vijf uur 's middags. Het lukte Tenet bijna altijd om weer op tijd terug te zijn in Virginia. De bijeenkomsten begonnen meestal met een 'gevarenmatrix' van het Counterterrorist Center, het CTC, dat allerhande activiteiten overal ter wereld in de gaten hield. Op dit moment ontving het CTC ongeveer 17.000 informatie-eenheden per week, inclusief de bijna 2500 dagelijkse telegrammen van CIA-vestigingen in het buitenland. Het CTC was veruit de grootste verzamelaar van informatie over terrorisme ter wereld. Coördinatie was een ander probleem. Zelfs met zo'n duizend werknemers kwam er meer binnen dan ze konden onderzoeken of evalueren.

Na de matrix deden ze een rondje. Rolf bracht verslag uit over wapenkwesties rond niet-statelijke actoren. Hank Crumpton, een veteraan met twintig dienstjaren van de ondergrondse sectie van de CIA die aan het hoofd stond van de campagne in Afghanistan, bracht verslag uit van ontwikkelingen in de oorlog. Phil, bijgenaamd 'Nervous' Phil, rapporteerde over de mondiale inlichtingenmatrix die hij beheerde, een grootschalig experiment in het combineren van sigint en data uit het veld, om overal op de planeet terroristen op te kunnen sporen. Tenet noemt dit rapportagerondje zijn CINC (van Commander in Chief, opperbevelhebber)-briefing waarbij hij goed luistert naar dingen die hij eventueel aan de echte CINC kan presenteren tijdens diens briefing, meestal de ochtend daarop.

Toen ze klaar waren met hun verslagen, stak Tenet die dag als eerste van wal. De arrestatie van al-Libi was nog maar het begin. Meer hoogwaardige gevangenen waren onderweg, hoopte men, terwijl tegelijkertijd ook het aantal gevangenen waar ze minder aan hadden snel toenam in Afghanistan. Wat moesten ze daarmee beginnen?

Tenet vertelde van een recent gesprek met Rumsfeld. De twee mannen lunchten om de week samen, beurtelings bij de CIA en bij het ministerie van Defensie, een maaltijd van de catering in de vergaderruimte van een van beide mannen, een weloverwogen arrangement, zoals zoveel in de competitieve relatie tussen de twee diensten. Onlangs was tijdens de lunch de opsluiting van gevangenen ter sprake gekomen. Wat moesten ze doen met de gevangenen die de gezamenlijke troepen, bestaande uit CIA-paramilitairen en commandotroepen van het Amerikaanse leger, op dit moment in Afghanistan begonnen te verzamelen, de buit die het gevolg was van de vlotte overwinningen in het hele land. Sommige gevangenen, doorgaans onfortuinlijke soldaten van de Taliban, werden doorgegeven aan commandanten van de door de VS ondersteunde

Noordelijke Alliantie. Er zouden er nog meer komen, onder andere waardevolle operationele leden van al-Qaida, hoopten ze.

Tenet zei tegen Rumsfeld dat de CIA al tot over zijn oren in de activiteiten zat die buiten het traditionele menu van de dienst vielen, zoals het optrommelen en bevoorraden van manschappen bij de pogingen bin Laden te arresteren of te elimineren, terwijl ze ook nog eens in tientallen andere landen achter terroristen aan zaten.

Rumsfeld was niet onder de indruk. 'Wij gaan ons niet op de gevangenisbusiness storten,' zei hij tegen Tenet. Uiteraard had het gigantische departement van Defensie, met bijna drie miljoen werknemers, zijn eigen gevangenissen, militaire gevangenissen. Maar nee, Rumsfeld en Tenet begrepen allebei dat de opsluiting van terroristen iets heel anders was dan het bijeendrijven van gevangenen na een veldslag, die vlak daarna toch weer zouden worden vrijgelaten. Het was voldoende dat de CIA in Afghanistan voorging in de aanval, met het Pentagon in een ondersteunende rol. Er kon geen sprake van zijn dat het fiere Amerikaanse leger zou worden opgezadeld met de ondankbare baan van terroristencipier voor de CIA.

Toen Tenet dit alles aan zijn team had opgedist, klonken er klaaglijke geluiden van ongeloof.

'We zitten met de gebakken peren,' zei iemand.

'Hier zijn wij niet goed in,' zei een ander.

Een topfunctionaris van de CIA vroeg of iemand misschien iemand kende die te maken had met het Amerikaanse penitentiaire systeem. Die hadden in ieder geval enige ervaring met dit soort dingen.

'Als die aantallen blijven groeien, waar moeten we ze dan in godsnaam laten?' Vroeg A.B. 'Buzzy' Krongard, executive director bij de CIA en voormalig hoofd bij Alex Brown & Sons, een soort hooggeplaatst operationeel bestuurder bij de dienst en de hoogste niet-politieke benoeming. Van verschillende kanten kwamen er suggesties. De gevangenen op schepen op zee zetten? Een of ander niet-gelieerd eiland opzoeken?

En opnieuw kwam de kwestie van het ondervragen aan de orde, deze keer in aanwezigheid van een tiental topfunctionarissen van de CIA. 'Een geslaagd verhoor kan alle belangrijke operationele informatie opleveren die we moeten hebben,' zei Ben Bonk. 'We moeten echt doen wat we kunnen om ze aan de praat te krijgen.' Er werden landen genoemd waar je gevangenen zou kunnen onderbrengen, enkele nauw gelieerde bondgenoten, enkele partners met wie ze liever niet in het openbaar gezien werden.

Zo gingen ze rond in deze bespreking, en in alle vijf uur-besprekingen van de komende weken. Moest de CIA deze faciliteiten runnen, of moest een ander land voor gastheer spelen? Niet duidelijk. Wat waren de normen voor een correct verloop van de verhoren? Tenet liet een waarschuwend geluid horen aan het adres van Scott Mueller, een carrière-advocaat die onlangs in dienst was getreden als algemeen raadsman, en zijn adjunct John Rizzo, van oudsher de juridische leidsman van de dienst. 'Wij hebben leiding nodig van Justitie en het Witte Huis ten aanzien van wat we mogen doen,' zei hij tegen hen. 'We hebben consensus nodig voordat we in actie komen.'

Na een bijeenkomst bleef Ben Bonk met enkele hoofden in de hal hangen, en met een vriend, een hoofd operaties die undercover bleef. 'Wat we ook beslissen,' zei de oudere man, 'zorg ervoor dat we nergens aan beginnen als we niet weten hoe we van plan zijn het af te maken.'

Op 16 november stierf Mohammed Atef, al-Qaida's militaire commandant, tijdens een luchtaanval in Gardez, in de buurt van Kabul. Hij bevond zich met andere al-Qaida-leden in een hotel dat werd opgeblazen. De schade werd aangericht door een delicaat bewapende Predator, een radiografisch bestuurd onbemand vliegtuig. De aarzelingen over de bewapening van Predators die karakteristiek was voor het jaar voorafgaand aan de aanslagen van 11 september, waren nu alleen nog maar een herinnering. De onbemande vliegtuigjes werden vanaf 12 september in een weloverwogen hoog tempo gebouwd en bewapend. Atef, een voormalig Egyptisch politieman, had in 1996 het militaire bevel over al-Qaida op zich genomen. Hij had de aanslagen op de Amerikaanse ambassades in Nairobi en Tanzania in 1998 voorbereid. Hij was binnen al-Qaida een toporganisator, iemand die met geld schoof en beslissingen nam over de toewijzing van middelen en prioriteiten.

Maar bijna even belangrijk als zijn dood was wat er uit puinhopen van het hotel werd opgevist: documenten en kostbare videobanden. Een van die banden bevatte een amateuristisch filmpje van twintig minuten waarop diverse locaties in Singapore te zien waren, onder andere Amerikaanse militaire locaties en het metrostelsel van de stad, die geselecteerd waren als doelwit voor een aanval door de Jemaah Islamiya, al-Qaida's tak in Zuidoost-Azië. Een andere videoband bracht geplande moordaanslagen aan het licht op leiders die binnenkort een Perzische Golf-top zouden bijwonen. Door de band geregeld te laten stoppen, konden rechercheurs opnames van bijna vijftig operationele strijders van al-Qaida isoleren.

De week daarop ging Tenet halverwege de ochtend samen met Hank Crumpton naar het Oval Office. In het veld van CIA-voorlichters uit die periode was de beste speler onbetwist Crumpton: een uit Athens, Georgia, afkomstige veteraan met twintig jaar CIA-ervaring, grotendeels bij de geheime dienst, een masterstitel in internationaal publiek beleid van de Johns Hopkins University en een stroperige zuidelijke tongval. Hij leidde de CIA-campagne vanuit Langley.

De president en de vice-president namen hun gebruikelijke plaats in: Bush in de hoge leunstoel bij de open haard, Cheney in eenzelfde stoel ernaast. Crumpton ging op zijn hurken tussen de leunstoelen in zitten. Zijn vader was landmeter en topograaf, en Crumpton, die ook zelf een echte kaartenfreak was, maakte voor iedere briefing een nieuw gedetailleerd overzicht met de gevechtslocaties en het hele terrein, de namen van de voornaamste handelende personen en pijlen die lieten zien waarheen de actie zich op korte termijn vermoedelijk zou verplaatsen.

Bush en Cheney bogen zich beiden over Crumptons schouder terwijl hij een toelichting gaf op 'het belangrijkste treffen tot dusverre', het gevecht van een paar dagen eerder bij Tarin Kowt, honderd kilometer ten noorden van Kandahar. Crumpton vertelde van een lokaal politicus, Hamid Karzai, die de vijandelijke linies had geïnfiltreerd, zijn stamleden had verzameld in een primitief legertje van ongeveer vijftig man en met de hulp van elf Amerikaanse commando's en goed getimede luchtsteun zevenhonderd Talibanstrijders had verslagen. Bush was onder de indruk. 'Vertel me wat meer over wat die Karzai heeft gedaan,' zei hij.

Dat deed Crumpton: hij noemde Karzai, een Pathaan die het noorden en het zuiden van het land kon verenigen, de 'spil' van zowel de militaire inspanningen als van het streven naar nationale eenheid.

Maar een paar dagen later, eind november, kwam Crumpton terug met een nieuwe kaart en liet hij Bush zien dat het belangrijkste doel van de campagne, het oppakken van bin Laden, ernstig gevaar liep.

Onder het toeziend oog van Cheney liet Crumpton, die zich baseerde op gedetailleerde, urgente berichten van CIA-teams in Afghanistan, aan Bush het gebied rond Tora Bora zien, waar bin Laden en ongeveer duizend strijders zich geïnstalleerd hadden.

Hij wees op het veelvoud aan problemen. De Witte Bergen waar de grotten lagen, zaten vol met tunnels en ontsnappingsroutes, zei Crumpton. Bush vroeg hoe het zat met de passage naar Pakistan. Musharraf had de regering in het kader van een deal die neerkwam op Amerikaanse hulp ter waarde van bijna een miljard dollar verzekerd dat zijn troepen de routes richting Pakistan zouden afgrendelen, wat het meest logische ontsnappingstraject was. Crumpton liet aan de hand van zijn kaart zien dat de grens die tussen de twee landen liep misleidend was, dat het gebied aan de Pakistaanse kant van de grens een wetteloos tribaal gebied was waar Musharraf weinig greep op had. In ieder geval bleek uit satellietfoto's dat de door Musharraf beloofde troepen nog niet gearriveerd waren. Het leek ook niet waarschijnlijk dat ze daar op korte termijn zouden opdagen.

Bovendien, zo voegde Crumpton eraan toe, waren de Afghaanse soldaten 'moe en leden ze kou en zitten veel mannen ver van huis'. Ze hadden ernstige schade opgelopen in de strijd tegen de Taliban-soldaten in het zuiden en 'het lijkt of ze maar weinig interesse kunnen opbrengen voor het oppakken van bin Laden'.

Een paar dagen eerder, op 26 november, had een eenheid van ongeveer 1200 mariniers, veruit de omvangrijkste Amerikaanse eenheid in het land, zich geïnstalleerd in de omgeving van Kandahar, ongeveer vijfhonderd kilometer van Tora Bora. Crumpton, die constant in contact stond met CENTCOM, het commandocentrum in Tampa, Florida, had generaal Tommy Franks de afgelopen week verteld dat leidende CIA-medewerkers in Afghanistan zich ernstig zorgen maakten over het feit dat 'de achterdeur openstond'. Hij drong er bij Franks met grote nadruk op aan dat deze mariniers naar het grottencomplex moest sturen. Franks antwoordde dat het noodgedwongen wachten op de komst van zijn troepen een verlies van dynamiek kon betekenen voor de inspanningen van de CIA om bin Laden op te jagen en klem te zetten, en bovendien was men bang dat mariniers zouden vastlopen in de met sneeuw bedekte bergen.

Tijdens die briefing – waarin duidelijk werd dat het Pentagon de zorgen van de CIA niet aan Bush had overgebracht – ging Crumpton met zijn commentaar verder dan gebruikelijk. Hij zei tegen Bush dat 'we onze prooi kwijt zullen raken als we niet uitkijken', waarop hij nadrukkelijk aanbeval om onmiddellijk de mariniers, of andere troepen in de regio, naar Tora Bora te sturen. Cheney zei niets.

Bush maakte een verraste indruk en drong aan op meer informatie. 'Hoe slecht zijn die Afghaanse strijdkrachten er eigenlijk aan toe? Kunnen die die klus aan?'

'Absoluut niet, meneer de president,' zei Crumpton. 'Absoluut niet.'

Thanksgiving kwam eraan en Tenet voelde zijn frustratie groeien over wat er gebeurde, of niet gebeurde, met de twee Pakistaanse wetenschappers. Hij zei tegen Mowatt-Larssen dat hij resultaten wilde zien. De zaak moest afgehandeld zijn 'binnen een paar dagen'.

'Dit is een noodsituatie,' zei hij. 'Het zou te gek zijn als we hier geen greep op konden krijgen.'

Stukje bij beetje was er meer informatie verzameld over Mahmood en de UTN, ofschoon de Pakistanen slechts een bescheiden rol speelden. Mahmood en Majid waren in hechtenis genomen, toen opeens vrijgelaten en daarna opnieuw aangehouden. Hun familieleden en bevriende Pakistaanse politici drongen aan op hun vrijlating. Mahmood claimde een broze lichamelijke gezondheid. En zo kwamen ze opdraven voor een verhoor met regeringsfunctionarissen, waarna ze 's avonds weer terugkeerden naar huis, naar hun gezin. Het was niet verrassend dat ze niets onthulden. Tenet vond dat het tijd werd om een beroep te doen op de verzamelde krachten van Amerika's *intelligence community*, de gemeenschap van mensen die zich bezighielden met inlichtingenwerk. Het werd tijd om aan een en ander ruchtbaarheid te geven.

Hij nodigde leidinggevende figuren van de inlichtingengemeenschap uit voor urgent overleg in zijn vergaderruimte. Onder de aanwezigen bevonden zich Bob Mueller, directeur van het Federal Bureau of Investigation, gezanten van de Defense Intelligence Agency en luitenant-generaal Mike Hayden, hoofd van de National Security Agency, Amerika's afluisternetwerk, een wereldwijd web met de dichtheid van een atmosferische laag.

'Een nachtmerrie is nu realiteit geworden,' zei Tenet tegen hen. Hij beschreef de bijeenkomst rond het kampvuur, en de deelnemers. Iedereen kon de punten van het plaatje met elkaar verbinden. Hij vertelde hun dat ze steeds meer informatie binnenkregen – de omtrekken waren duidelijk –, maar dat iedereen nodig was om de tussenstukjes te helpen vinden en ze aan elkaar te passen.

De mannen reageerden verbeten. Besloten werd dat iedere dienst zijn voornaamste spelers zou uitlenen aan een gemeenschappelijke operationele groep onder leiding van Mowatt-Larssen, een speciale eenheid die de volgende dag bijeen zou komen. Mike Hayden zei dat hij alle relevante signals intelligence van de laatste tien jaar zou vergaren, sigint over verplaatsingen van uranium en plutonium, diefstal of verlies van materiaal waarmee je bommen kon maken, en de bekende en vermoede intenties van diverse terroristische groeperingen. Hij zou deze de volgende ochtend klaar hebben en tevens zou hij een team van analisten sturen.

Bob Mueller, een voormalig US Attorney (de vertegenwoordiger van de federale regering bij een districtsrechtbank), die één week voor 11 september, nu net een maand geleden, begonnen was als directeur van de FBI, zat er met glazige blik bij. Hij had een vrijwel onuitvoerbare taak. Vind iedere willekeurige terrorist die zich wellicht op Amerikaanse bodem bevindt. Bescherm het vaderland, wat dat ook mag betekenen, en ken de vijand goed genoeg om zijn volgende stap te voorspellen. En dat terwijl hij net als veel andere mensen alleen al de grootste moeite had om de namen van de negentien kapers correct uit te spreken.

'George, hoeveel weegt een van die dingen?' vroeg hij.

Tenet, die al enkele vooraanstaande kerngeleerden had geraadpleegd over het arsenaal aan mogelijke apparaten – eenvoudige versies van wat iemand kon doen met een softbal van plutonium – deed zijn best hem een antwoord te geven.

'Ik bedoel, hoe groot, of klein, zou hij kunnen zijn?' hield Mueller aan. 'Hoe zou je hem kunnen transporteren?' Hij bleef maar vragen.

Na een moment van verbijstering drong het tot iedereen door waar de FBI-directeur, al doende lerend, mee bezig was. Hij wilde zijn leger van rechercheurs vertellen *waar ze naar moesten zoeken.*

De naakte waarheid was dat geen van de aanwezigen dat werkelijk wist.

Vice-president Cheney en Condoleezza Rice zaten op een novembermiddag zachtjes pratend te wachten in de Situation Room, toen Tenet met een rapporteur het vertrek met de mahoniehouten lambriseringen in kwam banjeren.

Dat was Tenets stijl: onvervaard, op het opdringerige af. Condi keek ongeduldig op. George en zij pasten totaal niet bij elkaar: de stoere New Yorker, opgepoetst en presentabel gemaakt door jezuïeten van de Georgetown University en jaren van politieke rijping, naast de succesvolle professor, single op haar zesenveertigste, geamuseerd en koeltjes taxerend, en iedere ochtend weer gehuld in een ander keurig afkledend pakje van Oscar de la Renta.

'Goed, laten we beginnen,' zei ze. 'Ik weet dat we een heleboel te bespreken hebben.'

Tenet knikte. Cheney en Rice hadden regelmatig berichten binnengekregen over de steeds intensievere naspeuringen naar Bashir Mahmood, zijn medewerker Majid en de UTN, de overkoepelende organisatie die de twee mannen steunde. Nu was het tijd om alle bevindingen over het dreigende gevaar te etaleren voor de vicepresident. Tenet begreep heel goed dat Cheney op dit moment verantwoordelijk was voor het leeuwendeel van de buitenlandse politiek van deze regering. Hij zou duidelijk verantwoordelijk zijn voor dit superkritische gebied: massavernietigingswapens.

'Meneer de vice-president, dit is nou waar we allemaal echt bang voor waren,' zei Tenet. 'Dit verandert alles.'

Hij somde de details op. Dat gesprek bij het kampvuur kon een glimp bieden op de gevreesde 'tweede golf', waar iedereen die ook maar een beetje op de hoogte was slapeloze nachten van had. De UTN, de ondersteunende organisatie die Bashir had helpen oprichten, had tentakels in Afghanistan, Pakistan en Saudi-Arabië. Met name de Libische onthulling was zorgwekkend. Hoeveel andere naties hadden een aanbod gekregen van de UTN?

Cheney staarde een ogenblik zwijgend voor zich uit. 'We moeten met dit nieuwe type dreiging omgaan op een manier die we nog niet goed kunnen omschrijven,' zei hij toen bijna bij zichzelf. 'Het gaat om gebeurtenissen met een lage waarschijnlijkheid en een hoge impact, en eerlijk gezegd weet ik niet goed niet hoe we dat soort dingen moeten aanpakken. We zullen er op een heel andere manier naar moeten gaan kijken.'

Tenet gaf zijn rapporteur een teken, waarop die de details verstrekte over de groep vooraanstaande Pakistanen die Mahmood steunden. De Pakistanen hadden nu zes leden van de UTN opgeroepen voor een verhoor. Het was een groep met diverse talenten. Mahmoods specialiteit was het verrijken van uranium. Minstens één ander lid was een techneut met ervaring op het gebied van het ontwerpen en maken van bommen. Maar de verdachten werden vlot behandeld, met respect, en de ondervragingen leverden nauwelijks iets op. De Pakistanen hadden zelfs tests met een leugendetector geprobeerd. De tests werden gebrekkig uitgevoerd; de resultaten gaven blijk van bedrog. Cheney luisterde aandachtig, met een harde blik in zijn ogen, zijn kaken op elkaar geklemd. Toen de rapporteur klaar was, reageerde hij eerst even niet. Maar toen stak hij van wal: hij was klaar met zijn 'heel andere manier van kijken'.

'Als er één procent kans is dat Pakistaanse geleerden al-Qaida helpen met het ontwikkelen of bouwen van een kernwapen, dan moeten we daarop reageren als was het een zekerheid,' zei Cheney. Hij zweeg even om zijn woorden te wegen. 'Het gaat niet om onze analyse, of om het vinden van een doorslaggevend bewijs,' voegde hij eraan toe. 'Het gaat om onze reactie.'

Zoals hij het nu had gezegd, zo bleef het staan: een norm voor actie die gedurende vele komende jaren een kader zou bieden voor onverwachte gebeurtenissen en de reacties van de kant van de regering. De Cheney-doctrine. Ook al is er maar één procent kans dat het onvoorstelbare werkelijkheid wordt, handel dan niettemin alsof dat een zekerheid is. Het gaat niet om 'onze analyse', zoals Cheney zei. Het gaat om 'onze reactie'. Deze doctrine, de éénprocentdoctrine, scheidde wat tot dan toe grotendeels onscheidbaar was geweest bij het bedrijven van de Amerikaanse buitenlandse politiek: analyse en actie. Gerechtvaardigd of niet, op feiten gebaseerd of niet, het gaat om 'onze reactie'. Wat betreft het 'bewijs', werd de lat zo laag gelegd dat het woord zelf vrijwel betekenisloos werd. Als er ook maar één procent kans is dat terroristen een massavernietigingswapen in handen krijgen – en er is al enige tijd een kleine kans dat zoiets zal gebeuren – moeten de Verenigde Staten nu optreden alsof dat een zekerheid is. Het was een uitzonderlijk ruim mandaat. Iedereen bleef een ogenblik zwijgend zitten, herkauwde zijn woorden en tekende voor zichzelf de consequenties uit.

Cheney verbrak de stilte en ging over op de details. 'Kunnen we erop vertrouwen dat de Pakistanen dit volkomen eerlijk zullen spelen?' vroeg hij. De geleerden waren gearresteerd, vrijgelaten, hadden huisarrest opgelegd gekregen, en werden in een soort schemerzone van voorlopig uitstel gehouden. Bashirs familie had geclaimd dat hij ziek was, en anderen, onder wie vooraanstaande leden van de heersende elite van Pakistan, hadden er bij president Musharraf op aangedrongen om de oude geleerde te laten gaan.

'Nee, niet echt,' zei Tenet. 'Ondanks onze druk is het nog steeds een troebele toestand.' Daar was iedereen het mee eens.

'George, je zult er naartoe moeten,' zei Condi met een meelevende glimlach. 'Sorry. Er is geen tweede optie.'

En dat was het dan. Tenet zou onmiddellijk met de voorbereidingen beginnen.

'Jij vertegenwoordigt de president,' zei Cheney met een ernstige blik naar Tenet. 'Jouw woorden zullen de zijne zijn.'

Vanaf 12 september was de voornaamste beleidslijn: vind de terroristen, waar ze ook mogen zijn, en houd ze tegen. Deze richtlijn gaf de stoot tot de militaire inval in Afghanistan – al-Qaida's toevluchtsoord – en de actieplannen van een wat betreft bevoegdheden en mankracht sterk uitgebreide CIA in tachtig landen. Deze beleidslijn was ook de motor achter de USA Patriot Act, de wet die de bevoegdheden van de regering in heel Amerika sterk verruimde. En hij zat ook achter de campagne van Financiën om bij instellingen private financiële gegevens los te weken en die *financial intelligence*, of kortweg *finint*, te gebruiken als een soort 'monetaire informatie'. En ook achter de verwoede pogingen van de FBI om iedereen die ook maar een beetje verdacht leek meteen op te pakken... en pas later vragen te stellen. Het probleem dat 'houd ze tegen' voorafgegaan werd door 'vind ze', dwong iedereen tot het systematisch vergaren van relevante informatie.

Maar er kwam nog een verdere uitbreiding van de Amerikaanse missie aan. Met de onthullingen over bin Laden en het gesprek bij het kampvuur in Kandahar was het actieplan van de regering zo snel uitgebreid dat het nu ook een oude reserve omvatte: ontwapening.

Iedere Amerikaanse regering sinds de Tweede Wereldoorlog had zich zorgen gemaakt over de verbreiding van wapens met een aanwassend destructief vermogen. Deze angst zetten de Verenigde Staten en andere naties ertoe aan een deel van hun soevereiniteit te investeren in internationale overeenkomsten, en zich te verdelen over coalities die elkaar in evenwicht hielden, de NAVO en het Warschaupact. Het concept van wederzijds verzekerde vernietiging had Amerika en de Sovjets lange tijd veroordeeld tot een gezamenlijke dans van conflicten en de uiteindelijke *containment*, of 'indamming'.

Die bipolaire balans, en de ordehandhaving waartoe deze andere natiestaten van alle kanten dwong, was rond 2001 geheel verdwenen. Niets was ervoor in de plaats gekomen. Staten waren uiteraard nog steeds belangrijke eenheden, maar of ze nu klein, middelgroot of groot waren, overal ter wereld vond je nu plekken waar ondernemende staten ongeremd hun grenzen aan het verkennen waren.

Begin 2001 voelden de Amerikaanse beleidsmakers zich grotendeels net zo ongebonden. De eerste maanden van het presidentschap van Bush waren een afwijking van het traditionele Amerikaanse credo van gespierd internationalisme, van leiding geven aan de gemeenschap van naties meestal door middel van overredingskracht en niet door geweld. Een nieuwe missie werd geboren in neoconservatieve denktanks en in de uitspraken van Cheney, Rumsfeld, Wolfowitz, Feith, Perle en anderen in de jaren negentig, toen ze nog een kwijnend bestaan als ballingen leidden. Het kwam er eenvoudig gezegd op neer dat Amerika zich niet moest schamen voor een ongeremd gebruik van zijn macht, nu het ten slotte helemaal alleen stond als enige overgebleven supermacht van de wereld. Mondiale overeenkomsten over van alles, van broeikasgassen tot internationale gerechtshoven, waarvan een groot deel lang geleden door de vs ontworpen en gestimuleerd was, werden nu gezien als hinderlijke belemmeringen, als de draden die Gulliver bonden. Zulke overeenkomsten waren meer iets voor minder belangrijke landen. Die ketenen moesten afgeschud worden, en dat gebeurde dan ook begin 2001 toen de regering Bush aan de macht kwam.

Maar wat ging een ongebonden Gulliver doen? In een memo aan de leiding van de Nationale Veiligheidsraad in de eerste week van het nieuwe bewind deed Rumsfeld zijn best om te kenschetsen waarmee het machtige Amerika nu werd geconfronteerd. Onder de kop 'Hete hangijzers nationaal veiligheidsbeleid – nieuwe gevaren na de Koude Oorlog', schreef hij: 'Door de na de Koude Oorlog ingezette liberalisering van de handel in geavanceerde technologische goederen en diensten hebben ook de armste naties op aarde snel de meest destructieve militaire technologie, ooit ontwikkeld, kunnen verwerven, inclusief nucleaire, chemische en biologische wapens en de bijbehorende verbreidingsmiddelen. Wij kunnen ze daar niet van weerhouden.' Zes bladzijden later, nadat hij had opgemerkt hoe rivalen als 'China, Rusland, Iran, Irak, Noord-Korea of andere landen investeren' in een dergelijk destructiepotentieel, schreef Rumsfeld dat we strategieën moesten ontwikkelen om 'andere naties te ontmoedigen Amerika uit te dagen'. Men richtte zich in die dagen voornamelijk op dreigingen van de kant van nationale staten.

De aanslagen van 11 september 2001 luidden de komst van de niet-statelijke actor in. Het enige onverwachte element was het moment van zijn destructieve debuut, het moment van de alom erkende waarheid. De niet-statelijke, of transnationale, actor had staan wachten in de coulissen. Het primaat van staten en grenzen was in de loop van enkele decennia gestaag geërodeerd en nog sneller nadat het bipolaire VS-Sovjetraamwerk was weggevallen. De nieuwe transnationalisten zoals bin Laden en Zawahiri zeiden in wezen dat de op een staat gebaseerde macht denkbeeldig was, of in ieder geval sterk overdreven. Het duo had in en tussen landen geopereerd waarbij ze duizenden jihadstrijders hadden aangeworven, getraind en georganiseerd in een flexibel, wereldwijd netwerk. Ze hadden aan het Amerikaanse vasteland schade toegebracht op een manier waaraan geen enkele vijandige staat zich ooit had gewaagd. Ze maakten reclame voor destabiliserende ideeën ten overstaan van een wereldwijde achterban. Hun krachtigste argument was dat het oprukken van de globalisering inhield dat grenzen er niet toe deden, en staten nog minder.

Hoewel regeringen nog steeds bijna alle vernietigingswapens van de wereld in handen hadden, en in het algemeen het vermogen om te beslissen wie er in leven zou blijven, en hoe, in de gebieden die zij controleerden, maakte het optreden van bin Laden en de Pakistaanse wetenschappers aan de VS duidelijk hoe urgent het was om het aloude vraagstuk van de ontwapening opnieuw te bezien. Het conventionele idee dat zelfs een schurkenstaat niet suïcidaal genoeg was om massavernietigingswapens te gebruiken tegen de VS of hun bondgenoten leek niet langer een uitgemaakte zaak. Een schurkenstaat zou heimelijk een gruwelijk wapen of een paar pond verrijkt uranium kunnen doorspelen aan een niet-statelijke actor – een 'transnat' – als die staat ervan verzekerd kon zijn dat het land van herkomst van het wapen onvindbaar zou zijn. En waarom niet? Laat de terrorist maar het werk opknappen waaraan een geheime sponsor nooit zelf zijn handen vuil zou maken, maar waarvan deze misschien wel van had gedroomd: Amerika in het stof doen bijten. Cheneys reactie: als er ook maar één procent kans was dat een dergelijke daad zou plaatsvinden, moesten we handelen alsof het een zekerheid was.

En zo, terwijl het Afghaanse toevluchtsoord van de terroristen werd aangevallen en overal rondgekeken werd om de vijand te vinden en te vernietigen, schoot een bijbehorend idee snel wortel: de schurkenstaat was nu nog gevaarlijker, nu er een nieuwe stille vennoot was gevonden.

Immers, met wie zou bin Laden, of een van zijn imitatoren, straks als volgende rond het kampvuur zitten?

De blauwe Airforce 707 vloog op de ochtend van 1 december als een op hol geslagen sproeivliegtuig Islamabad binnen.

Aan boord Tenet, Mowatt-Larssen en een analist die expert was op het gebied van massavernietigingswapens. Allemaal klemden ze zich vast aan hun stoel, Tenet onder het slaken van luide juichkreten.

Leon, de undercover werkende analist, had de afgelopen vijf jaar bij de CIA geleidelijk een speciale afdeling opgebouwd voor CBRN: Chemisch, Biologisch, Radiologisch, Nucleair. Hij had glossy brochures geproduceerd over allerlei bijzonder gevaarlijke wapens en de bijbehorende apparatuur, hoe je ze kon detecteren, wat je moest doen om ze te neutraliseren. Hij was een studieuze boekenwurm, een deskundige op het gebied van problemen die tot voor kort bijna alleen in theorie bestonden.

Intussen was er reden voor paniek bij een klein groepje medewerkers van Pakistans veiligheidsdiensten, omdat Amerikaanse hoogwaardigheidsbekleders in een officieel regeringsvliegtuig nu op het punt stonden te landen, terwijl ze dat pas een dag tevoren hadden gehoord. Ze vlogen gevaarlijk gebied tegemoet. Er waren Amerikaanse troepen in Afghanistan. De strijd woedde in alle hevigheid aan Pakistans grens. Er waren rellen in Karachi. Islamistische radicalen, sommigen in het bezit van op de zwarte markt gekochte Stingers, konden op een kans loeren. President Musharraf had te horen gekregen dat hij vrijwel niemand op de hoogte kon brengen van de bijeenkomst, zelfs niet zijn eigen medewerkers. Het vliegtuig zwenkte, waarna het halsoverkop naar beneden dook, richting Islamabad Airport.

Tenet stapte in iets wat eruitzag als een bestelbusje van de bewakingsdienst. Larssen werd als lokvogel naar de voorste auto, een limousine, gedirigeerd, waarna de gemotoriseerde karavaan zich een weg door Islamabad baande, langs monumenten ter ere van de grote overwinning behaald door de bouw van een kernbom, een gebeuren dat de opmars van de natie naar de hoogste rangen der wereldmachten markeerde, nu als gelijke van het gehate India en als de eerste kernmacht onder de moslimnaties van Zuid-Azië. In een land waar men leeft van zes dollar per dag, was dit iets om trots op te zijn.

De stoet kwam langs de Amerikaanse ambassade, pikte ambassadeur Wendy Chamberlain op en reed verder naar het koninklijk paleis. President Musharraf wachtte de delegatie op in zijn kaki generaalsuniform, en ging hen via de marmeren trap voor naar zijn werkvertrekken. Deze onopvallende, uiterst correcte slanke man van ongeveer één meter zeventig, is het levende bewijs dat lichaamslengte niet van belang is in staatszaken. Net zomin als omvang. Hij is kalm, maar altijd alert, met een vriendelijke lach, wat alles bij elkaar genomen bijzonder misleidend kan zijn. Musharraf kwam na een militaire coup in 1999 aan de macht en had sindsdien met meedogenloze efficiëntie geregeerd. Zijn macht ontleent hij aan het feit dat hij dingen als eerste weet, en dan snel optreedt, vaak hard.

Hij deelde aan zijn gasten zilveren doosjes uit met zijn visitekaartje erin – PERVEZ MUSHARRAF, PRESIDENT VAN PAKISTAN –, waarna ze neerstreken op een canapé en groepjes stoelen. Een zilveren theestel werd naar binnen gebracht, kopjes werden volgeschonken en iedereen knikte minzaam.

In het vliegtuig had het trio de definitieve lijst met eisen nog eens doorgenomen: de dingen die Musharraf moest doen. Ten eerste natuurlijke het overbrengen van het slechte nieuws. Terwijl de Airforce 707 op Islamabad af dook, werden de voornaamste richtlijnen als volgt door Tenet verwoord: 'Er is geen ruimte voor culturele nuances. Dit zijn de dingen die Musharraf moet doen. Het kan ons niet schelen wat hij ervan denkt.'

Maar natuurlijk kon dat ze wel wat schelen. Diep in hun hart. Tenet zette zijn kopje op tafel en vermande zich. Wat hij doet, net als vele anderen met een soortgelijke functie bij de Amerikaanse overheid: hij consumeert een lange lijst van tactieken en doelen en vervolgens zet hij die om in een soort brandstof. Op een teken komt dat allemaal te voorschijn in de vorm van geluid en gebaren en zweetdruppels. Hij maakt het allemaal heel erg persoonlijk.

'We hebben problemen, grote problemen... problemen voor u, problemen voor ons,' begon hij en vertelde het kampvuurverhaal, waar hij intussen al flink op had kunnen oefenen. De intenties van de betrokkenen. Hun capaciteiten. De dreiging... voor alles en iedereen. 'Al-Qaida zegt al jarenlang dat ze een kernbom willen. Nu is die binnen hun bereik. Dat is een onaanvaardbare situatie voor de Verenigde Staten. Onverdraaglijk.'

Musharraf nam ieder woord in zich op, verroerde zich niet, toonde geen enkele emotie.

Toen begon hij te spreken. 'Dit is niet mogelijk, meneer Tenet. Het heeft Pakistan vele jaren en een heleboel geld gekost om de kernbommen te produceren die we nu hebben. Wat u daar zegt, namelijk dat al-Qaida een bom zou kunnen produceren, is echt onaannemelijk.'

'Als het onaannemelijk was, zou de president mij hier niet naartoe hebben gestuurd,' zei Tenet.

'Mijn voornaamste adviseur in dit soort zaken heeft deze dingen met mij besproken, met name of terroristen een bom kunnen maken, en hij zegt mij dat er geen gevaar dreigt.'

Die 'adviseur' is natuurlijk A.Q. Khan, die de afgelopen twee jaar door een compleet CIA-team in de gaten was gehouden en afgeluisterd. Tenet weet dat de adviseur A.Q. Khan is. Musharraf kan ervan uitgaan dat Tenet dit weet, maar hij kan niet weten wat de CIA op dit punt weet: dat A.Q. Khan een wereldwijde onderneming drijft die nucleaire technologie verkoopt aan staten die Amerika vijandig gezind zijn.

Tenet keek naar Mowatt-Larssen. Ze hadden dit verzet verwacht. Musharraf moest worden geschoold in de meest recente denkwijze. In het vliegtuig hadden ze dit onderdeel genoemd: 'Raak hem met de botte bijl.'

Rolf schetste hoe gemakkelijk je op dit moment aan verrijkt uranium of plutonium kon komen, namelijk door diefstal of op de zwarte markt. Ook beschreef hij de laatste ontwerpen voor kleine draagbare bommen, met hun gevarieerde grootte, vorm en vuurkracht. Musharraf luisterde aandachtig, totdat zijn houding na een paar minuten minder defensief werd.

'Zijn er andere staten die misschien grondstoffen voor bom-

84

men hebben, onbeveiligd materiaal dat die de terroristen zouden kunnen bemachtigen?' vroeg hij, een duidelijk teken dat hij de uitgangspunten had geaccepteerd.

Tenet nam het weer over, om een nieuwe reeks voorstellen uit te testen die nu richting gaven aan het Amerikaanse beleid.

'Het gaat steeds meer om de intenties. Daar moeten we ons mee bezighouden, met de vraag of een groep, of natuurlijk ook een staat, echt de wil heeft om een kernwapen te bouwen,' zei Tenet. 'De president is van mening dat we handelend moeten optreden.'

De achterliggende vraag was: tot welke acties omwille van de Verenigde Staten kon je een soevereine natie en haar dictator met enige overreding dwingen, vooral als het ging om een land met krachtige anti-Amerikaanse sentimenten die nog eens werden aangewakkerd door wat de vs meenden te moeten doen aan het bestrijden van moslimterroristen. Het was de post-11-september-vraag, een vraag met ingebouwde contradicties voor een regering die van meet af aan het idee had omhelsd dat internationale overeenkomsten, zoals de Kyoto Protocollen, alleen maar handenbinders waren voor 's werelds enig overgebleven supermacht. Macht was nutteloos als je die niet gebruikte, werd er geredeneerd. Volgens de president moesten de vs 'een kracht ten goede zijn'. Amerikanen concentreerden zich op 'het goede'. Een groot deel van de wereld concentreerde zich op 'een kracht'. Op het gemanipuleerd worden door anderen.

Tenet begon op te sommen wat Amerika nodig had, te beginnen met de onmiddellijke officiële arrestatie van beide mannen. Niet meer vangen en dan weer loslaten. De vs moesten betrokken worden bij de ondervraging van beide mannen en bij tests met de leugendetector. Musharraf ging met tegenzin akkoord, maar zei erbij dat niemand dat mocht weten.

Een van de beschermheren van Bashir Mahmood was een prominent Pakistaans politicus die Musharraf goed kende. Tenet wilde dat deze man ook gearresteerd werd. Musharraf stribbelde tegen: 'Als je bewijzen tegen hem hebt, laat die dan zien. Anders kan ik dit echt niet doen.'

Sommige demarcatielijnen waren onmiddellijk zichtbaar. Musharraf kon helpen: hij zou de geleerden laten arresteren en ze in verzekerde bewaring houden. Maar hij kon zich niet veroorloven veel dingen te doen als dat gezien werd als gedaan op aandringen van de Verenigde Staten. Dat zou hem in zijn eigen land kwetsbaar maken. Deze lijnen zouden de jaren daarop veel van zulke contacten met landen overal in de regio bepalen.

Iedereen stond op. Tenet liet een pakket achter met de lijst van eisen, waaronder de belangrijkste waarmee de Pakistanen zojuist akkoord waren gegaan. Hij en Musharraf omklemden elkaars handen.

'De president wil ervan verzekerd zijn dat u de geleerden van uw land absoluut geen activiteiten ten voordele van bin Laden laat plegen.'

'Die verzekering krijgt u van mij.'

Topmedewerkers van CIA en FBI installeerden zich in het werkvertrek van de vice-president. Condoleezza Rice voegde zich bij hen. Het was half december. De vice-president maakte een opvallend geagiteerde indruk. De afgelopen weken had hij een toeziend oog gehouden op alle belangrijke gebeurtenissen met betrekking tot de Pakistaanse nucleaire dreiging, een rampscenario dat werkelijkheid zou kunnen worden. De Pakistaanse kerngeleerden zaten gevangen en werden ondervraagd. Musharraf onder druk zetten door hem direct verantwoordelijk te maken, leek te werken, want de Pakistaanse president had zich nu echt op Mahmood en zijn aanhangers gestort. De organisatie lag onder vuur en veel leden zaten al in de gevangenis. Bovendien stonden de tests met de leugendetector nu onder leiding van een van de meest vooraanstaande Amerikaanse deskundigen op dit gebied, en ze begonnen resultaten op te leveren. Toen Mahmood, die nu in de cel zat, aan de leugendetector gekoppeld werd liet hij belangrijke details los.

In augustus, rond het kampvuur, hadden hij en Majid met bin Laden en Zawahiri gesproken over de wereldwijde strijd tegen imperialisten en kruisvaarders, over hoe ze allemaal geleid werden door de wil van Allah, en dat de komende maanden tijden van grote veranderingen en opwinding zouden brengen.

Daarna hadden ze het over nucleaire logistiek gehad. Mahmood schetste ontwerpen voor diverse kernbommen, eenvoudig van bouw, mobiel en efficiënt. Bin Laden en Zawahiri bestookten hem met praktische vragen en Mahmood weidde langdurig uit over hoe je uranium kon verrijken – zijn specialiteit – door de aanleg van een complexe cascadeschakeling van hogesnelheidscentrifuges die ruw uranium in gas veranderden, met als eindproduct verrijkt uranium. Het zou honderden miljoenen kosten, zei hij tegen bin Laden, veel meer dan wat de meeste landen of welke terroristennetwerken dan ook konden opbrengen.

Mahmood vertelde zijn ondervragers dat bin Laden hem onaangedaan had onderbroken. 'Wat, als je dat verrijkte uranium al hebt?'

Was het een vraag of een bewering? Dat was niet duidelijk. In beide gevallen zou het antwoord Cheney in zijn bangste vermoedens bevestigen.

Maar de bijeenkomst van vandaag zou een nieuw brok nachtmerrieachtige informatie toevoegen: antrax.

Antrax, de aloude *killer*, was al meer dan twee maanden geleden geïntroduceerd in de Amerikaanse psyche. Op 18 september werden er vier brieven met antrax verzonden naar NBC, de *New York Post* en andere media. De Democratische senatoren Tom Daschle en Patrick Leahy ontvingen op 9 oktober brieven met antrax. De woorden 'Dood aan Amerika, Dood aan Israël, Allah is groot', stonden in brieven gericht aan de Amerikaanse senaat. De natie – het is slechts een paar weken na 11 september – staat perplex. Vijf mensen sterven, 23 anderen zijn geïnfecteerd. De kantoorgebouwen van de Senaat werden gesloten op 17 oktober, nadat 31 medewerkers van het Congres na een test een positieve uitslag kregen. Aanvankelijk werd al-Qaida verdacht, maar half november wezen FBI-rechercheurs naar een binnenlandse bron. Ze dachten dat het misschien een ontevreden wetenschapper was, iemand die ervaring had met antrax, maar iets definitiefs hadden ze nog niet gevonden.

Terwijl de FBI zocht, werd er materiaal uit een al-Qaida-kamp in het Afghaanse Durunda naar Langley gestuurd. Het kamp was in november gebombardeerd door het Amerikaanse leger. De in de puinhopen aangetroffen documenten bleven enkele weken in het bezit van een CIA-analist op Leons afdeling, totdat een vrouw met een bijzondere deskundigheid op het gebied van biologische middelen toevallig op iets stuitte waar ze enorm van schrok. Het waren plannen voor een biologische productiefaciliteit. Er waren gedetailleerde handleidingen voor de verwerking van allerlei biologische middelen. Een en ander was met name gericht op antrax. Zawahiri, zo gaven de documenten aan, stond zelf aan het hoofd van het biologisch project, samen met Mohammed Atef, al-Qaida's militaire commandant en de voornaamste verdeler van fondsen. Hoewel niet duidelijk was of ze al over antrax beschikten, was het al-Qaida-project in ieder geval al een flink eind op streek.

Nadat Cheney hierover was ingelicht, belegde hij onmiddellijk een bijeenkomst met mensen van de FBI, die in hun onderzoek voortdurend op dode punten stuitten, en de mensen van de CIA, die nu een onmiskenbare buitenlandse dreiging signaleerden.

Zoals een deelnemer zich herinnerde: 'Het was een van de hardste no-nonsense-vergaderingen die ik ooit heb bijgewoond.'

De jaren begonnen voor Cheney te tellen, de frustraties met analisten die hem hun zorgvuldig afgewogen inschattingen voorlegden, hun nuanceringen en hun voorbehouden, de ontmoedigende decennia van interne strijd binnen de Federale Kolos. De eenprocentdoctrine bevrijdde hem van dit alles. Je hoefde alleen maar een vermeende vijand, een verdachte, te signaleren en die te grazen te nemen voordat die ons te grazen nam. En als er een link was tussen de antraxbrieven en plannen, of mogelijkerwijs materialen, uit Afghanistan, dan zou dat zelfs betekenen dat de vijand – een bio-commandoteam van al-Qaida – op dit moment opereerde in de Verenigde Staten.

'Ik val met deur in huis,' begon de vice-president. 'Voor deze regering is er geen prioriteit belangrijker dan uit te vinden of er een link is tussen wat er hier gebeurd is en wat we daar aan de weet zijn gekomen over al-Qaida.' Hij zweeg even. 'Ik moet alles weten wat jullie allemaal afzonderlijk weten, en ik moet het nú weten.'

Het FBI-team hield zijn presentatie. De CIA volgde.

Daarna vuurden Cheney en Rice vragen af op beide diensten. Hoe weten we dat? Wat zijn jullie hierna van plan? Achter wie zitten we aan?

Het ging niet om bewijzen: dat was iets voor de langzamere broeders, voor advocaten die hun zaken met bewijsmateriaal probeerden te onderbouwen. Het ging om actie. De eenprocentdoctrine had zijn volgende toepassing gevonden. In de eerste plaats had je al-Qaida, in combinatie met kerngeleerden. Nu leidde Zawahiri een project voor de aanmaak van biologische wapens, terwijl het land tegelijkertijd in paniek verkeerde door de antraxbrieven. Cheney wilde doelwitten. 'Wie treffen we het eerst?' vroeg hij aan de CIA.

Veel hadden ze niet te melden. Er klonken antwoorden in de trant van 'daar maken we meteen werk van'. En er moest natuurlijk nog het nodige gebeuren.

Daarop keek Cheney de twee natuurlijke institutionele vijanden met een verbeten gezicht aan. Hij richtte zich tot de FBI. 'Wat voor buitenlandse connecties jullie in je onderzoek ook tegenkomen, jullie delen ze met die gasten daar. Is dat duidelijk?' De FBI-functionarissen knikten. Ze hielden wijselijk hun mond.

Hij richtte zich tot de CIA. 'En als jullie die gasten daar op wat voor manier dan ook kunnen helpen, doe dat dan ook, en doe niet alleen het minimale. Jullie overschrijden alle grenzen. Jullie vertellen ze alles. Zorg ervoor dat je niks vergeet.'

Hij stond op, daarmee aangevend dat de vergadering afgelopen was, en keek met minachting neer op beide teams. 'Jullie werken voor geen millimeter samen. Ik mag hangen als dat er ooit nog van komt.'

George W. Bush zat in het Oval Office waar hij een groot deel van de dag voortgangsrapporten binnenkreeg. Hij was nu, zoals hij graag mocht zeggen, 'een president in oorlogstijd'. Of hij veranderd was na 11 september, of dat hij bij zichzelf eenvoudig sluimerende kwaliteiten had ontdekt, hij had in ieder geval zijn draai gevonden. Bush had lange tijd genoegen genomen met snelle beslissingen zonder de luxe van voorafgaande of gedetailleerde studie en onderzoek. In zijn eerste negen maanden had dit tot zorgelijke gezichten geleid bij enkele topmedewerkers van hem in het Witte Huis, bij leden van het kabinet en doorgewinterde Congresleden: las hij de dossiers, dacht hij over dingen na? Nu leek een staccatoritme van vlotte besluiten precies wat ze nodig hadden. Er was geen precedent voor de dingen die Amerika waren aangedaan en waarmee het land nu werd geconfronteerd, en dat werkte eigenlijk heel bevrijdend. Het moment vereiste improvisatie, een vereiste dat Bush vrijmaakte. Zijn intuïtie – zijn 'instinct' zoals hij vaak zegt – bleef vrij en onaangetast, naast een onbedwingbare agressiviteit die hij op advies van anderen lang had ingehouden.

Andere topfunctionarissen begrepen algauw wat Tenet al wist toen hij Cofer Black erbij haalde. Adviseurs uit kringen van de legerleiding of de inlichtingendiensten die mensen geliquideerd hadden wisten dat oorlogsverhalen – hoe bloederiger hoe beter – een warm onthaal vonden bij een leider die altijd het meest gefocust was als hij dingen *persoonlijk* kon maken. Tastbaar. Fysiek. De president zelf had een schema gemaakt: de gezichten van de belangrijkste al-Qaida leiders, met een korte biografie, staarden je aan. Als een liquidatie of arrestatie was bevestigd, trok hij een kruis door het gezicht. 'De voortgang markeren,' placht hij dan bij wijze van grapje te zeggen.

In dat opzicht had hij begin december een bijzonder glorieuze dagelijkse presidentiële briefing. Een Afghaanse militaire commandant had CIA-medewerkers verteld dat Zawahiri vermoedelijk omgekomen was bij een luchtaanval in de buurt van de oostelijk gelegen stad Jalalabad.

Tijdens de ochtendbriefing gaf Tenet dit bericht opgewonden aan Bush door. Bush pakte snel een potlood met het presidentiële logo erop, trok een kruis over het brede, vlezige gezicht van de Egyptenaar met de bril, een man die binnen de islamitische jihadistische beweging alleen maar in belangrijkheid werd overtroffen door bin Laden. Er heerste vreugde in het Oval Office.

Bin Laden was zich op dat moment aan het settelen in het hooggelegen grottencomplex van Tora Bora, een labyrint dat de CIA goed kende uit de jaren tachtig, toen ze in hun strijd tegen de Sovjets mujaheddien-strijders hadden ondersteund, en ook bin Laden zelf.

De B-52's hadden eind november de bergen doen schudden met het bommentapijt dat ze legden, bestaande uit gigantische *daisy cutters* van 15.000 pond, 's werelds grootste conventionele bom die een wolk van ammoniumnitraat en aluminium creëert die alles binnen een straal van meer dan vijfhonderd meter doet ontbranden en verast. Maar de sleutel lag niet in het gebruik van geweld, maar in de selectie van de doelen, zoals in een groot deel van de Afghaanse campagne. Een team van vier CIA-medewerkers, ondersteund door een tiental Afghaanse stamleden, beklommen de bergen in de duisternis en installeerden een observatiepost van waaruit ze uitkeken op het grottencomplex. Het was een uitzonderlijk riskante manoeuvre.

Vanuit die uitkijkpost, waar ze niet konden worden gezien – ontdekking zou een snelle en zeker de dood betekend hebben –, konden ze zelf wel alles zien. Ze openden een verbinding met het basiskamp en gaven de belangrijkste coördinaten door aan Amerikaanse bommenwerpers. De bommen begonnen bin Laden en zijn strijdkrachten weg te vagen. Het team begon het berichtenverkeer tussen bin Laden en zijn commandanten af te luisteren en door te geven aan vertalers in het basiskamp. Dit was precies het moment waar de Verenigde Staten onvermoeibaar op af waren gekoerst. Drie maanden nadat hij New York en Washington in lichterlaaie had gezet, hadden ze een desperate bin Laden eindelijk klem.

Maar terwijl het moment van glorie naderde, nam de bezorgdheid in Langley toe. Er kwamen meer oproepen van de CIA om manschappen te sturen om de grotten te omsingelen, een gebied van ongeveer vijfentwintig vierkante kilometer. Een fel debat woedde in de hoogste regionen van de Amerikaanse overheid. Het Witte Huis had in november van Musharraf de garantie gekregen dat het Pakistaanse leger de zuidelijke pas bij de grotten zou afgrendelen. Bush, Cheney en Rumsfeld vonden dat de verzekering van de Pakistaanse leider betrouwbaar was. In feite was het een van de belangrijkste strategisch opstapjes – een bijdrage van het zogeheten beleidsniveau – naar de totale, veel grotere campagne.

Geheime CIA-rapporten die Bush begin december in zijn ochtendbriefing ontving, waarschuwden echter dat 'de achterdeur openstaat' en dat er slechts een gering aantal Pakistaanse legereenheden te zien was, die zich verzameld hadden bij de Pakistaanse grens. Geen van die eenheden was de Afghaanse grens overgestoken naar dit woeste tribale gebied dat Pakistan nooit graag had willen binnengaan. Na aandringen van het Witte Huis zei Musharraf dat de troepenbewegingen traag verliepen, maar dat ze zich geen zorgen hoefden te maken: ze waren onderweg.

Op 15 december liet bin Laden zich op zijn kortegolfradio horen. Hij prees zijn 'uitzonderlijk loyale strijders' – op dat moment ongeveer achthonderd man die zich schuilhielden in het grottencomplex – en zei 'vergeef me' voor het feit dat hij ze mee had gesleurd in een nederlaag. Hij zei dat de strijd tegen de 'kruisvaarders' zou worden voortgezet 'op nieuwe fronten'.

Met een groepje mannen ontsnapte hij te paard naar het noorden. Volgens vertrouwelijke rapporten van de CIA die de dagen daarop binnenkwamen was de groep waarschijnlijk via de noordelijke route naar de provincie Nangarhar, voorbij de Khyberpas en de stad Jalalabad, naar de provincie Konar getrokken.

Die dag en de volgende dag verplaatste een groot deel van de resterende al-Qaida-strijdkrachten van ongeveer achthonderd strijders zich naar het zuiden, richting Pakistan.

Tegen Kerstmis druppelde er nog meer slecht nieuws binnen. Zawahiri was zeer waarschijnlijk ook nog in leven, ofschoon zijn vrouw en kinderen gestorven waren tijdens het bombardement rond de eerste december.

Tenet bracht het slechte nieuws. 'We blijven zoeken, meneer de president,' zei hij. 'Dat kan ik u verzekeren.'

'Leuk is anders,' zei Bush terwijl hij een vlakgom van zijn bureau pakte en het kruis uitgumde, waardoor Zawahiri's gezicht weer duidelijk zichtbaar werd. Opnieuw staarden hij en de dokter elkaar aan, terwijl in het kader ernaast Osama bin Laden toekeek met zijn katachtige glimlach.

Drie maanden na 11 september waren 250 al-Qaida-soldaten gedood of gevangengenomen terwijl er 800 ontsnapt waren, die zich grotendeels verstrooid hadden, inclusief bijna alle leidende figuren van al-Qaida en Mullah Mohammed Omar, de eenogige voorman van het Taliban-regime.

Rond half januari 2002 werden een paar honderd gevangenen die het meest waardevol werden geacht overgebracht naar Camp X-Ray, een geïmproviseerde gevangenis in Guantánamo Bay. Deze zou beheerd worden door het Pentagon, dat tegen zijn zin de CIA halverwege tegemoet gekomen was. De Amerikaanse legerleiding zou verantwoordelijk zijn voor de verwerking van de gewone

Afghaanse gevangenen. De CIA zou verantwoordelijk zijn voor de meest waardevolle gevangenen, die misschien bij een verhoor voor de meest waardevolle 'oogst' konden zorgen.

Natuurlijk hadden ze er op dit moment nog maar één: al-Libi. En ook streden FBI en CIA over wat er met hem moest gebeuren. De FBI stuurde agenten naar Afghanistan met ervaring in het verhoren van al-Qaida-leden die in verband werden gebracht met de bomaanslag op het World Trade Center van 1993. Hun methode bestond uit het verrassen van de verdachten – die voorbereid waren op een barbaarse behandeling door ongelovige beulen – met gunsten in ruil voor informatie. Dat was een succesvolle methode gebleken: er kwamen productieve relaties tot stand. De CIA, die onder druk van het Witte Huis stond om met informatie te komen waar de regering onmiddellijk iets mee kon doen, beweerde dat er niet genoeg tijd was voor zo'n verfijnde aanpak. De discussie breidde zich uit tot Mueller en tot Tenet, en Tenet, die zich rechtstreeks tot Bush en Cheney richtte, won het. Al-Libi werd geboeid en geblinddoekt voor een reis naar Caïro, waar hij werd overgedragen aan Omar Suleiman, hoofd van de Egyptische inlichtingendienst en een vriend van Tenet. Op de startbaan in Afghanistan, vertelde een FBI-agent jaren later aan *Newsweek*, 'loopt de CIA-case officer op hem af en zegt: "Jij gaat naar Caïro, weet je. Voordat je daar bent heb ik je moeder al gevonden en genaaid." Dus die strijd hadden we verloren.' De overwinning van de CIA betekende dat de Egyptenaren, met hun beheersing van de taal, hun kennis van al-Qaida en hun wreedaardige neigingen, het gat opvulden van een Amerikaans verhoorbeleid dat nog in de maak was. De CIA zou een toezichthoudende rol krijgen, vragen kunnen aanleveren en regelmatig rapporten ontvangen over onthullingen en geboekte resultaten.

Ben Bonk had in januari een ontmoeting in Londen met Musa Kousa, een bijeenkomst waarbij prins Bandar opnieuw als gastheer optrad in zijn huis, met uitzicht op Regent's Park. Bonk had een foto van al-Libi bij zich.

'Dat is hem,' zei Kousa. 'Je hebt de juiste man te pakken.'

Op dat moment was bij de Amerikanen de informatie over al-Qaida, de aard van de organisatie en haar activiteiten, nog in een beginfase. In een strijd waarin vrijwel iedere verdachte diverse namen had en zich gemakkelijk en frequent verplaatste tussen landen met open grenzen, was een positieve identificatie bijna onmogelijk.

Dit alles bleef grotendeels onzichtbaar voor het Amerikaanse publiek, dat gericht was op wat het kon zien, op wat gemeten kon worden. Aan Amerikaanse zijde vielen er slechts enkele slachtoffers. Terwijl men hier en daar binnen de regering fluisterend lucht gaf aan de teleurstelling over het feit dat Donald Rumsfeld en generaal Tommy Franks de Amerikaanse troepen geen bevel hadden gegeven om de verschillende ontsnappingsroutes uit Tora Bora af te grendelen, werd het publiek overweldigd door krachtige beelden van de Amerikaanse vlag die wapperde in Kabul en Kandahar, wat een diep verlangen bevredigde. Niet vaak in zijn geschiedenis had Amerika zo hevig naar een overwinning gehunkerd.

Voor velen in de inlichtingen- en militaire gemeenschap was het echter duidelijk het einde van een beginfase. Het gedwongen huwelijk tussen CIA en het ministerie van Defensie – CIA zij aan zij met de Special Forces, informatie gepaard aan kracht – was nu grotendeels voltooid en iedereen ging terug naar zijn eigen gebouw.

Rumsfeld zei tegen een groepje topfunctionarissen van het Pentagon: 'Ik wil nooit meer dat ons leger ergens landt en daar dan de CIA treft.' In een bijeenkomst met de hoogste generaals in 'de tank', de beveiligde vergaderruimte van de verenigde chefs van staven, liet hij zich nog beknopter uit: 'Ieder CIA-succes,' zei hij tegen hen, 'is een Defensie-fiasco.'

De 'oorlog tegen terreur'? Opnieuw: een definitie bij verstek. Het ging niet om Afghanistan, althans niet op de lange termijn. We hadden al-Qaida uit zijn schuilplaats verdreven, een positieve uitkomst, maar nu al met duidelijke trekken van een voorspel.

'We wisten dat ze zouden uitwaaieren naar Pakistan, of Iran, of Somalië, of Sudan, of Syrië, of Jemen. Ze zouden naar Indonesië kunnen gaan. We moesten toen alleen maar uitvissen waar ze heen zouden gaan, als eerste stap,' zei adjunct-directeur McLaughlin achteraf. 'Toen ze eenmaal begonnen uit te zwermen, was dat echt het begin van de oorlog tegen terreur zoals wij die kennen. Een oorlog die we toen nog maar net leerden te voeren, en de oorlog die we nog steeds voeren.'

George W. Bush was klaar om een andere oorlog te voeren.

Op 29 januari betrad de president het podium ten overstaan van het Amerikaanse Congres, van de natie en van de wereld, als de machtigste man van de moderne tijd.

Hij stond aan het hoofd van het Imperium Amerika,'s werelds enige, zij het onwillige pretendent voor de wereldheerschappij, met in diverse peilingen gemeten waarderingscijfers die rond een verbluffende 90 procent bleven hangen.

De Afghaanse onderneming stond nu als een huis en was zeker succesvol in vergelijking met de ruïneuze ervaring van Amerika's gevallen rivaal, de Sovjet-Unie. Ze hadden hun beperkte financiële middelen en 15.000 levens geofferd in de strijd tegen de door de CIA gesteunde mujaheddien, waarna ze zich vernederd hadden teruggetrokken naar het noorden. Amerika maakte niet de fout door te doen wat kennelijk gebruikelijk was, namelijk hun pantserwagens en jonge soldaten met tienduizenden de verraderlijke bergen in sturen. Ze hadden een intelligente oorlog gevoerd, zij het misschien een beetje te slim. Twee doelen waren bereikt, tegen een bescheiden prijs. Al-Qaida, 'de stevige basis', was met geweld uit zijn hoofdkwartier verdreven. Het regime dat de beweging onderdak had verleend was ingestort, de leiders ervan waren naar de bergen gevlucht, waar ze zich bij de geopolitieke onderklasse van 'guerrilla's' hadden gevoegd.

Karl Rove, het alter ego en strategisch onbewuste van de president, zei half januari ten overstaan van politieke hoofdrolspelers tijdens een bijeenkomst van het Republikeinse Nationale Comité in Austin dat de historische publieke waardering voor de manier waarop Bush tot nu toe was opgetreden in de oorlog tegen terreur zich zeker zou vertalen in evenzeer historische winsten bij de tussentijdse verkiezingen van 2002. 'Wij kunnen het land in gaan met dit thema,' zei Rove, 'omdat [de kiezers] erop vertrouwen dat de Republikeinse Partij het beter zal doen als het gaat om het beschermen en versterken van Amerika's militaire macht, en daarmee ook Amerika zal beschermen.'

Een belangrijkere vraag, belangrijker dan iedere peiling toen of sindsdien, was: wat wist de president op dat moment in feite? En was die kennis toereikend om als richtsnoer te kunnen dienen voor veelsoortige historische beslissingen?

Op grond van verschillende geheime CIA-inschattingen wist Bush dat het overmeesteren van vele hoogwaardige doelwitten een nauwelijks haalbare uitdaging was. Bin Laden was ontsnapt uit een gebied rond Tora Bora van ruwweg 25 vierkante kilometer, naar een uitgestrekte, wetteloze tribale regio langs de Pakistaans-Afghaanse grens met een omvang van meer dan 60.000 vierkante kilometer, ongeveer de omvang van Californië. Andere al-Qaida-leiders konden uitgezwermd zijn naar gebieden als Iran of Syrië, Jemen of Sudan, waar de invloed van de Verenigde Staten beperkt was, zei Tenet tegen Bush. Veel gezichten waren nog helemaal onaangeroerd op de kaart die de president elke ochtend in zijn hand had.

Bush was ook op de hoogte van een heleboel gevaren waarvan het publiek weinig benul had. Onder andere van een dreiging die gevormd werd door een potentiële verbinding tussen de Pakistaanse kerngeleerden, hun organisatie, en Osama bin Laden. Onder andere van een dreiging dat al-Qaida mogelijkerwijs onderdak bood aan een productie-eenheid voor biologische wapens. Hij en Cheney waren zich intens bewust van deze dreigende gevaren, evenals van het ontbreken van een duidelijke oplossing.

Intussen had een stil, gestaag offensief binnen de administratie gestaag voortgang gemaakt. De neoconservatieve burgerleiding van het Pentagon had zijn tijd afgewacht terwijl de CIA en een kleine eenheid van de Special Forces het tastbare bewijs leken te hebben geleverd van de lessen in 'militaire transformatie': wat een kleine, doelgerichte 'slimme' strijdmacht kon doen, een test die Donald Rumsfeld al heel lang zelf graag had willen uitvoeren.

Afghanistan was een voorspel voor de top van het Pentagon. Plannen voor de invasie van Irak, officieel begonnen in november, waren diverse keren gerepeteerd.

Er was geen overleg. De Cheney-doctrine had in alle stilte de overhand gekregen. Het ging niet om analyses. Het ging om onze reactie. Brent Scowcroft was niet langer welkom in het Witte Huis. Colin Powell, die tot Scowcrofts school van realisten behoorde, werd gestaag gemarginaliseerd. George H.W. Bush – de enige man op aarde met enige reële ervaring aangaande de dingen die een president moest weten over het sturen van Amerikaanse militairen naar Irak – werd niet geraadpleegd.

Maar dat deed er niet toe. De lessen die de president had geleerd sinds de aanslagen waren geen lessen die onderricht konden worden. Ja, alle Amerikanen hadden het trauma van 11 september ondergaan, maar slechts één man had het ondergaan in de unieke rol van president, leider, beschermer. Niemand zou ooit echt goed kunnen bevatten hoe dat geweest was, wat Bush een exclusief eigen emotioneel domein verschafte. Niemand, behalve misschien Cheney. Er waren problemen gerezen tussen de twee mannen in de eerste negen maanden. Cheney was ervaren; de president was nog aan het leren. In het voorjaar van 2002 vroeg Bush aan Cheney om zich wat meer op de achtergrond te houden tijdens grote bijeenkomsten, om hem, de president, meer ruimte te geven om te kunnen bewegen, om de leiding te kunnen nemen. Bush vroeg aan Cheney om hem geen adviezen meer te geven in overvolle ruimtes. Doe dat maar privé. Cheney deed het.

Nu leek alles wat makkelijker. Ze werkten doelmatiger samen dan ooit tevoren, een linkerhand en een rechterhand, complementair en elkaars ritme volgend. Terwijl de president zich concentreerde op tactiek, op het persoonlijke, en altijd een weg naar actie zocht, doordacht Cheney het brede terrein van de geopolitiek of van mondiale zaken.

En die theorieën zouden een nieuwe richting gaan geven aan Amerikaanse energieën: het primaire doel van de oorlog tegen terreur (vind ze, houd ze tegen) werd nu naadloos verbonden met een tweede traject, een gewaagd secundair idee: het vernederen en ontwapenen van schurkenstaten.

Cheney vond dat de president zich duidelijk moest uitlaten over de oude en nog steeds vigerende wereldorde. Oude waarheden konden alsnog in het gewijzigde landschap gekerfd worden. Staten deden ertoe. Terroristische organisaties, zo werd besloten, konden zich niet gedurende lange periodes handhaven, om uiteindelijk grootschalige operaties uit te voeren, als ze niet de steun van staten hadden. Er moest een antwoord gevonden worden in de dans van geweld en diplomatie van staten onderling waarop de Amerikaanse macht in de loop van een eeuw was opgebouwd en nog steeds berustte. De overduidelijke oproep aan het Taliban-regime van Afghanistan om zijn activiteiten onmiddellijk en definitief te staken was voor het oog van de hele wereld over het voetlicht gebracht. Als een staat willens en wetens aan terroristen 'onderdak verleende', kon deze de consequenties nu bij voorbaat uittekenen en zijn optreden dienovereenkomstig veranderen.

Maar daar hield het niet mee op. Aan de noodzaak om, zoals Rumsfeld het graag noemde, 'naties te ontraden' zich onheus te gedragen, moest actief, krachtig en consistent uitdrukking worden gegeven. Dit was nu het officiële beleid van de Verenigde Staten.

Nadat de leden van het Congres George W. Bush op 29 januari 2002 met een staande ovatie hadden verwelkomd, gaf de president in zijn 'State of the Union'-toespraak onomwonden te kennen wat dit beleid inhield en wie zich daar het meest zorgen om moesten maken.

'Irak blijft zijn agressie jegens Amerika spuien en het terrorisme steunen. Het Iraakse regime is al meer dan tien jaar bezig met het heimelijk ontwikkelen en produceren van antrax, zenuwgas en kernwapens. Dit is een regime dat al gifgas heeft gebruikt om duizenden van zijn eigen burgers te vermoorden, met achterlating van de lichamen van over hun dode kinderen gebogen moeders. Dit is een regime dat ingestemd heeft met internationale inspecties, en daarna de inspecteurs eruit heeft gegooid. Dit is een regime dat iets te verbergen heeft voor de beschaafde wereld.

Staten als deze en hun terroristische bondgenoten,' ging hij verder, 'vormen een as van het kwaad, die zich bewapent om de wereldvrede te bedreigen. Door hun streven naar het bezit van massavernietigingswapens vormen deze regimes een ernstig en groeiend gevaar. Ze zouden deze wapens aan terroristen kunnen verstrekken, waarmee ze hun de middelen in handen geven om hun haat gestalte te geven. Ze zouden onze bondgenoten kunnen aanvallen of proberen de Verenigde Staten te chanteren. In al deze gevallen zou de prijs voor onverschilligheid catastrofaal zijn.'

Enkele topfunctionarissen van het Witte Huis, de CIA, FBI, het ministerie van Justitie, en ook wat mensen met de allerhoogste veiligheids-*clearance* applaudisseerden terwijl de president sprak, wetend wat er achter die woorden zat. Het ging niet alleen over 11 september, niet alleen over een kampvuur in Kandahar en een laboratorium voor biologische wapens in Afghanistan. Het ging ook over een bevrijding, eindelijk, van de trage, geremde, op bewijzen gebaseerde analyse. Er was zeker een kans van één procent dat zulke regimes massavernietigingswapens hadden en dat ze die aan terroristen konden geven. Derhalve moeten wij dus handelen alsof dat een zekerheid is.

'We zullen overleg plegen, maar veel tijd hebben we niet. Ik zal niet werkeloos toezien terwijl het gevaar steeds dichterbij komt. De Verenigde Staten van Amerika zullen niet toestaan dat de gevaarlijkste regimes ter wereld ons bedreigen met de meest destructieve wapens ter wereld.'

En toen kwam de president met iets wat buiten Cheneys dossier viel, iets persoonlijkers dan breed uitgemeten ideologieën. Dit was hij helemaal zelf, ten voeten uit. In een wereld zonder bewijzen zou hij zijn zekerheid putten uit de diepe bron van het geloof.

'Zij die deze benarde tijden hebben doorstaan, zijn erdoor veranderd. We hebben waarheden leren kennen die we nooit zullen betwijfelen: het kwaad is reëel, en het moet bestreden worden.' De menigte barstte in applaus los. 'Voorbij alle verschillen van ras of levensbeschouwing, zijn wij één natie, rouwen wij gezamenlijk en stellen wij ons gezamenlijk tegen gevaren te weer. Diep in het Amerikaanse karakter ligt eergevoel, en dat is krachtiger dan cynisme. En velen hebben opnieuw ontdekt dat zelfs in tragische omstandigheden, ja, met name in tragische omstandigheden, God nabij is.'

De meest vooruitziende en van inzicht getuigende reactie op de toespraak kwam van een man die in het Witte Huis een vlekkeloze reputatie had: de conservatieve columnist Charles Krauthammer.

'Als er een serieus intern debat was binnen de regering over wat er gedaan moet worden aan Irak, dan is dat debat nu voorbij,' schreef hij de volgende dag in *The Washington Post*. 'De toespraak was nog net geen oorlogsverklaring.'

HOOFDSTUK 3

Nood breekt wet

'Heren, we zijn in oorlog.'

Tenet had gevoel voor theater: hij wist wanneer je even moest stoppen om een uitspraak te laten bezinken.

Terwijl de president, de vice-president en het Pentagon zich voorbereidden op de volgende fase, namelijk de invasie en bezetting van Irak, begon Tenet aan de taak van het volledig en definitief uitvechten van de 'oorlog tegen terreur', zoals die oorspronkelijk zo adequaat was omschreven. *Vind ze, houd ze tegen.*

De opzet lag al vast. De CIA deed het offensief, de FBI de defensie. Justitie zou de regels vaststellen, waarvan sommige er waren om geschonden te worden. Hij moest een paar dingen doen die hij liever niet op de voorpagina van een krant zag. Mochten ze daar toch op verschijnen, dan had hij hopelijk een verdedigbare positie.

'Dit,' vervolgde hij, 'is een uitdaging zoals we die nog niet eerder hebben meegemaakt. Het is een uitdaging die een nieuwe richting geeft aan de manier waarop we werken, de manier waarop we denken, de manier waarop we handelen.'

'Het is een uitdaging die nu al diepe sporen kerft in de psyche van mijn land.'

Opnieuw een pauze.

'Dit is geen voorbijgaand verschijnsel. Het is een uitdaging die langer zal bestaan dan iedereen in dit vertrek.'

Iedereen in dit vertrek was chef bij een inlichtingendienst – een uitzonderlijke verzameling van deze lieden, vijfentwintig in totaal – die de 'Engelssprekende volkeren' van de wereld vertegenwoordigden.

Deze aldus aangeduide verwantschap was wijd verbreid door Winston Churchill via toespraken die bedoeld waren om een hechte band met Amerika te kweken toen de Tweede Wereldoorlog op til was. Die verwantschap had decennia lang een samenwerkings-kader geboden voor een groep gelijkgestemde naties: de Verenigde Staten, Canada, Groot-Brittannië, Australië en Nieuw-Zeeland.

Chefs van inlichtingendiensten van deze naties waren enkele decennia onregelmatig en informeel bijeengekomen. Soms kwam de DCI. Vaak niet. Tenet bracht daar verandering in toen hij in 1998 het bij deze positie behorende stokje overnam van John Deutch, die nooit veel trek had gehad in dit soort bijeenkomsten. Er werd een solide systeem van toerbeurten opgezet. En iedereen kwam, onder aanvoering van de top van de Amerikaanse inlichtingenge-meenschap.

Dit jaar was Nieuw-Zeeland aan de beurt om gastheer te spe-len, en een stoet van vliegtuigen, merendeels ongemarkeerde Gulf Streams, streken neer op de luchthaven van Queenstown op de middag en avond van zondag 10 maart.

Op deze bijeenkomst was alles uiteraard heel anders dan anders. Het reeds lang gekoesterde doel van samenwerking en coördinatie – voor een groot deel gericht op aanpassing van de doorgaans har-monieuze samenwerking met betrekking tot sigint aan het groei-ende gemeenschappelijke gebruik van humint – zou nu worden verheven tot een verheven missie. Samenwerking betekende nu zelfbehoud.

En daarom maakte het team dat de wereldwijde oorlog tegen ter-reur zou gaan voeren zich gereed voor een lange dag aan het uit-einde van de aarde in een onopvallend stenen huis op een eiland met meer schapen dan mensen.

'We moeten werken als één geheel,' zei Tenet aan het eind van zijn inleidende praatje. 'Wat betreft de CIA, kan ik jullie dit vertel-len. Er is niets wat we niet zullen doen, niets wat we niet zullen proberen en geen enkel land waarmee we niet zullen onderhande-len om ons doel te bereiken: de vijand tegenhouden. De ketenen, beste vrienden, zijn verbroken.'

Daarna gingen ze aan de slag. Tenet en Pavitt leidden samen met luitenant-generaal Mike Hayden, het hoofd van de nationale veilig-heidsdienst NSA, de bijeenkomst. Ze begonnen met een presenta-tie van het laatste nieuws, hoewel dat voor een groot deel al week in week uit was doorgegeven in een regelmatige reeks alle grenzen overschrijdende berichten: telefoontjes, telegrammen en veilige pakketjes.

Nu waren ze met zijn allen in één ruimte bij elkaar om dit alles door te praten, om nieuwtjes over geboekte resultaten te horen en plannen te maken voor de nabije toekomst. Tenet vertelde hun dat hij het idee had dat ze een vette prooi op zijn nek zaten, een leidende figuur van al-Qaida, Abu Zubaydah. Dat was het eerste waar ze zich op moesten richten. Ja, ze hadden een paar luitenants uit de middelste echelons opgepikt: Ibn al-Shaikh al-Libi, die het al-Qaida-trainingskamp in Khalden, in Afghanistan, had gerund. Een paar anderen, Aboe Faisal en Abdoel Azis, waren in december opgepikt in Afghanistan. Beiden waren het al-Qaida-leden van het middenniveau.

Maar eind februari, nog maar twee weken geleden, was er een nieuwe ontwikkeling geweest, vertelde hij. Milities hadden een Pajero-jeep tegengehouden bij een controlepost in Chapri, een stadje in de buurt van de Afghaanse grens. Het stadje heeft een overwelfde doorgang die toegang geeft tot de traditionele Pakistaanse grens. In de jeep zaten drie bijzonder lange, in boerka's gehulde vrouwen en vier mannen. Het groepje werd gearresteerd en naar Kohat gestuurd om te worden verhoord. Met de vermomde mannen viel niets te beginnen, maar de chauffeur, een Pakistani, bleek omkoopbaar. De passagiers waren op weg naar Faisalabad, de drukke, centraal gelegen fabrieksstad van Pakistan. De chauffeur gaf de naam van zijn contact in Faisalabad, die met de informatie kwam dat Zubaydah in de stad was.

Pavitt zei dat medewerkers van de CIA, versterkt met teams van de Pakistaanse inlichtingendienst, Faisalabad uitkamden en de speurtocht al hadden teruggebracht tot een stuk of tien huizen.

Iedereen in het vertrek kende Zubaydah, een dertigjarige uit Saudi-Arabië afkomstige Palestijn. Hij kwam al bijna twee jaar voor in de sigint, een constante aanwezigheid. Zijn naam werd opgedreund door agenten op alle niveaus, door nieuwe rekruten, door het voetvolk en aspirant-strijders in heel Zuid-Azië en het Midden-Oosten. Het was niet altijd duidelijk wat Zubaydah deed, of wat zijn plaats was in het geheel van de organisatie. Het leek erop dat hij mensen met elkaar in contact bracht.

De sigint had zich onder deze hecht verbonden Engelssprekende bondgenoten door hun inzet en een voortschrijdende technologie in de afgelopen vijftig jaar ontwikkeld tot een steeds strakker en fijnmaziger weefsel. Het systeem, Echelon genaamd, was ontwikkeld tijdens de Tweede Wereldoorlog om radioberichten te onderscheppen, en sindsdien was het met iedere nieuwe stap van de technologische revolutie meegegroeid. Het systeem wordt aangestuurd door de NSA, die over de hele wereld 38.000 medewerkers heeft, vanuit Ford Meade, en daarnaast door de Britten, vanuit het Government Communications Headquarters (GCHQ) in de buurt van Cheltenham. Elke dag vangt het systeem naar schatting drie miljard berichten op die worden verzonden via radio, satellieten, telefoon, fax en e-mail. De onderschepte berichten worden door middel van geautomatiseerde computeranalyse gesorteerd. Het is in de kern één systeem, met gemeenschappelijke satellieten, glasvezelkabels, luisterposten en in telefooncentrales geplaatste apparaten, dat zijn eigen ingebouwde *firewalls* heeft.

Ook al is de technologie razendsnel voortgeschreden, in deze familie van vrijwel identieke democratieën heeft het wettelijk kader van ieder land altijd een solide bescherming van persoonsgegevens geboden. Het komt erop neer dat er een voor al deze regeringen geldend verbod bestaat om haar burgers af te luisteren zonder gegronde redenen en een gerechtelijk bevelschrift, iets wat men in de Verenigde Staten doorgaans realiseerde via het FISA-hof. Waar het bij Echelon primair om draait is dat het lidstaten de mogelijkheid wil geven buitenlanders te bespioneren en dat de firewalls binnen het systeem – die binnenlandse spionage moeten voorkomen – een soort erewoordsysteem zijn, neergelegd in een computercode. Bijna een biljoen jaarlijks verzamelde berichten worden onderzocht, gecategoriseerd en opgeslagen op basis van deze complexe codes. Eminente computertechnici kost het moeite ze te ontcijferen.

Tijdens deze bijeenkomst beschreef Tenet dergelijke beperkingen als onderdeel van 'de ketenen' die op zijn minst losser zouden worden gemaakt, zo niet opgeheven in de praktijk. Waar deze nieuwe tijd om vroeg, zei hij, waren creatieve partnerships. Het is duidelijk dat landen de telefoonlijnen van hun eigen burgers niet mogen afluisteren zonder wettelijke toestemming. Maar er is niets wat landen ervan kan weerhouden om burgers van een ander land af te luisteren en dan uitermate degelijke rapporten in te leveren bij de overheid van die buitenlandse burger. Zolang zo'n rapport maar niet de specifieke ruwe materialen laat zien, namelijk het sigintbericht met naamwoorden en werkwoorden, houd je je in ieder geval aan de letter van de diverse privacywetten.

De geest van de wet... die lappen we aan onze laars. Als het zo is dat nood wet breekt, dan verkeerden de aanwezigen in dit vertrek in zeer hoge nood. 'Wat dit betekende,' zei een chef van een buitenlandse inlichtingendienst een poosje later, 'is dat de privacywetgeving van de leidende democratieën in feite werd omzeild. Het idee was: het is nu oorlog. Dit is waar de situatie nu om vraagt.'

Ze deden een rondje, en allemaal waren ze ervan doordrongen dat informatie in deze oorlog – deze oorlog van man tegen man – even belangrijk was als een kogel in een geweer of een vliegtuig dat bombardementen uitvoerde. In een hoek keek Bob Mueller, de chef van de FBI, zwijgend toe en maakte mentale notities. Terwijl het gesprek op en neer golfde, probeerde hij niet te denken zoals hij zijn hele leven al had gedaan, als een aanklager die aan zijn bewijsvoering bouwt. Hij had al begrepen dat de FBI een brug zou moeten vinden tussen inlichtingen verzamelen en handhaving van de wet.

Hij kwam met een korte *disclaimer*: 'Mijn focus is rechtshandhaving, niet het verzamelen van inlichtingen', en verder zei hij niet veel. 'Ik ben hier als waarnemer,' voegde hij er nog aan toe. Hij had al terrein verloren aan Tenet over de kwestie van de verhoren. Nu was hij van plan om de andere kant op te kijken bij problemen over het gebruik of misbruik van signals intelligence. Zijn taak in de oorlog tegen terreur was om bepaalde dingen níét te doen.

De lunch werd opgediend. Mensen hingen rond in korte broek en poloshirt, makkers in de strijd. Inlichtingendiensten in elke democratie zijn doorgaans van bescheiden omvang en hebben een profiel dat gemengde gevoelens oproept. Dingen als geheime informatie en heimelijke surveillance staan haaks op gekoesterde vrijheden als privacy, het hebben van een afwijkende mening, of een overheid die verantwoording verschuldigd is. Onder de lunch hadden diverse deelnemers het erover hoe merkwaardig het was om samen te werken met landen als Pakistan, een autoritair regime met een interne veiligheidsdienst van een beduidende omvang en met een enorme actieradius. Toch zou dat ook 'in zekere zin in ons voordeel kunnen werken', zoals een chef van een buitenlandse inlichtingendienst tegen zijn Amerikaanse collega zei.

Na de lunch pakte Tenet de draad weer op. 'We zullen moeten samenwerken met anderen zoals we dat nog niet eerder hebben gedaan,' zei hij, waarna hij die anderen een voor een noemde: 'Egypte, Syrië, Rusland – in het bijzonder Rusland –, China, Pakistan, Saudi-Arabië en India.'

Elk land liet instemmende geluiden horen. De Britten konden goed overweg met Pakistan en Algerije. Australië had de nodige invloed in India en Indonesië. Wie had relaties die actief en productief waren? Hoe konden al die relaties gedeeld worden?

'We zullen risico's moet nemen,' zei Tenet bijna verontschuldigend. 'Deze landen zijn nu onze partners, of we dat nou leuk vinden of niet. We zullen oude gewoontes en manieren van denken moeten laten varen.'

Pavitt schetste de details: de vooruitgang wat betreft specifieke innovaties sinds 11 september 2001. Tientallen miljoenen waren er gespendeerd, met nog honderden miljoenen in het vooruitzicht, aan de oprichting van CTIC's (Counterterrorist Intelligence Centers), antiterroristische inlichtingencentrales in een tiental landen die de Verenigde Staten klaarblijkelijk niet echt vriendelijk gezind waren. Het was een delicate dans, waarbij een breekbaar vertrouwen werd opgebouwd bij plaatselijke functionarissen van inlichtingendiensten, dag voor dag, door middel van geschenken zoals helikopters, afluisterapparatuur en kogelvrije vesten, waarmee plaatselijke medewerkers van inlichtingendiensten zich de koning te rijk voelden. De CIA had al specialisten op pad gestuurd om lokale strijdkrachten te trainen in Jemen en Marokko. 'We zullen moeten werken met inlichtingendiensten die niet zullen aarzelen tot het uiterste te gaan om gevangenen aan de praat te krijgen,' zei Pavitt.

Een van de chefs van een buitenlandse inlichtingendienst onderbrak hem met de vraag: 'Hoe kunnen we weten wat we wel of niet moeten vertellen aan sommige van deze buitenlandse diensten. Vooral die diensten die we van oudsher maar moeilijk kunnen vertrouwen.'

'In de meeste gevallen kun je ze gewoon alles vertellen, omdat ze toch al meer weten dan jij,' zei Tenet met verheffing van stem. 'Zonder die gasten en hun hulp, krijgen we nergens ook maar één poot aan de grond, lopen we voor iedereen zichtbaar en halfblind door de Arabische wereld. Op dit punt moeten we vooral begrijpen dat we geen ene moer weten.'

Op 17 maart glipte een met FBI-agenten versterkt team van CIA-medewerkers stilletjes Faisalabad binnen. Deze stad van meer dan 5 miljoen inwoners was ongeveer tweemaal zo groot als Chicago maar bestond in de ogen van de meeste Amerikanen slechts uit een eindeloze massa uitdijende voorsteden die om de paar blokken steeds hetzelfde beeld te zien gaven: een moskee met daaraan vast een school, wat winkels met daarnaast een vuilnisbelt, een groepje solide stenen huizen naast gammele krotten en een open riool, een beeld dat zich duizenden malen herhaalt in de stoffige vlakten van midden-Pakistan. Het gemiddelde inkomen: ruwweg zes dollar per dag. De overheersende religie: een streng orthodoxe vorm van de islam.

De ouders hebben hier net als alle ouders voor hun kinderen zo hun dromen en hun plannen om ze aan een beter leven te helpen. Hun oogappels, vuil en in lompen gehuld, trappen tegen een voetbal of vergaren spullen om hutten te bouwen en lachen, net als alle kinderen, meer dan ze zouden moeten doen.

Een onzichtbaar elektronisch net was gedrapeerd over deze verzameling mensen. Het was gelokaliseerd in het noordwestelijke deel van de stad. Duizenden telefoongesprekken per dag werden gescreend vanuit enkele geselecteerde buurten. De methoden om dit te doen zijn tegenwoordig even gevarieerd als het aanbod in een Nokia-catalogus. Je hebt sensoren die echt alles opvangen: ze worden bevestigd aan hoofdkabels en in telefooncentrales en zoeken de nullen en de enen van het digitale verkeer af op bepaalde combinaties van woorden. Je hebt de onophoudelijk door satellieten en mobiele telefoniestations geproduceerde algoritmen die met gebruikmaking van contactpunten driehoeksmetingen uitvoeren, in sommige gevallen van een satelliet naar de aarde, om de locatie van een beller te spotten. Dan worden er agenten geposteerd tegenover dit huis, met radargeweren die als elektronische stofzuigers alles opzuigen wat er komt uit zo'n safe house... dat niet langer safe is. Deze rivier van 'ruis' wordt langs vertalers in Pakistan geleid en in sommige gevallen in de Verenigde Staten, waar scherpe oren tot taak hebben om een directe hit er onmiddellijk uit te pikken.

De hit komt aan het eind van de maand. Twee telefoontjes naar mysterieuze nummers in Afghanistan, nummers die wel of niet in verband kunnen worden gebracht met bin Laden of, als hij nog leeft, met Zawahiri, komen uit een bepaald huis in Faisalabad.

Op 27 maart marcheerde een groep agenten van de CIA, de FBI en de Pakistaanse inlichtingendienst ISI in kogelvrije vesten het kantoor van de politiechef van Faisalabad in. Ze hadden een paar van zijn agenten nodig voor enkele routine-arrestaties vanwege overtreding van de immigratiewetten. Operaties geheim houden is hier erg moeilijk. De ISI en het Pakistaanse leger zitten vol met sympathisanten van al-Qaida en de Taliban. Bij deze operatie zijn slechts een handjevol mensen, minder dan een tiental, op de hoogte gebracht van de details, onder wie president Musharraf. Onder de 'illegale immigranten' die ze gaan oppakken is er één waar ze bijzondere belangstelling voor hebben, wordt aan de politiechef verteld. Vervolgens delen de agenten foto's uit van een prettig ogende jongeman met donker haar, een ernstig gezicht en een stalen bril. Het is Abu Zubaydah.

In de uren na middernacht werden de teams van de inlichtingendiensten versterkt door meer dan honderd politieagenten, een klein bataljon dat Huize Shabaz omsingelde, een drie verdiepingen hoge, grauwbetonnen villa in een buitenwijk van Faisalabad. Taps en onderschepte e-mails overtuigden de agenten ervan dat Zubaydah in gezelschap kon zijn van een tiental anderen in deze vesting, het huis van een rijke weduwe, dat omgeven werd door een tweeënhalve meter hoge muur, met daarbovenop elektrisch prikkeldraad. Buiten, achter een nabijgelegen huis, discussieerden CIA-agenten met de lokale politiechef over de strategie: als het de bedoeling was Zubaydah levend in handen te krijgen, moesten ze dan het huis omsingelen en zich voorbereiden op een belegering, of het bestormen?

Om drie uur 's nachts werd een besluit genomen. Een Pakistaans commandoteam knipte elektrische leidingen door, beklom de muren, overmeesterde drie slapende bewakers en trapte de voordeur open. Zubaydah en drie anderen gristen Saudische paspoorten en wat contant geld mee en renden de trap op. Op het dak, waar ze geen kant meer uit konden, namen ze een aanloop en sprongen ze over het prikkeldraad heen, een val van ruim zeven meter naar het dak van een naburige villa. De politie wachtte hen op. Er volgde een gevecht waarbij Zubaydah tegen de islamitische agenten schreeuwde: 'Jullie zijn geen moslims!'

'Natuurlijk zijn we dat wel,' antwoordde een van de politiemensen.

'Nee, jullie zijn Amerikáánse moslims,' schreeuwde Zubaydah woest.

Dat was het einde van het gesprek. Een van Zubaydahs assistenten, een Syriër met de naam Abu al-Hasnat, ontfutselde een AK-47 aan een van de agenten en begon te schieten. Zubaydah werd geraakt in een been, zijn maag en lies. Al-Hasnat werd doodgeschoten. Drie agenten raakten gewond. In de loop van de nacht werden in de buurt vijfentwintig vermoedelijke leden van al-Qaida snel opgepakt, van wie ongeveer de helft in Huize Shabaz.

Terwijl Zubaydah onder bewaking in een nabijgelegen ziekenhuis verbleef, maakten de deskundigen 's morgens de balans op van wat zij als de meest kostbare ontdekking van die nacht beschouwden. Een schat bestaande uit computers, diskettes, notitieboekjes en telefoonboeken, ongeveer tienduizend bladzijden bij elkaar. Vervolgens werd een volgeladen bestelwagen halsoverkop naar het vliegveld van Faisalabad gestuurd, waar een vliegtuig van de Amerikaanse luchtmacht al stond te wachten om de schat naar Washington te brengen. Een geweldige vangst... eindelijk.

Het enige dat ze nog moest doen was het perscommuniqué schrijven.

'Kom op, dames, we mogen niet te laat komen. We maken niet elke dag een excursie.'

Dan Coleman keek glimlachend naar de vrouwen terwijl ze langsliepen, twaalf zusters van de gegevensinvoer die in een Bluebird-bus stapten, die nog voor het aanbreken van deze dag in april met ronkende motor voor het hoofdkwartier van de FBI stond.

De dames zijn dol op Dan. Iedereen zou dol op hem zijn. Het is een stevige, dikke man, met een hoge stem en vriendelijke ogen, waar de FBI beslist wel bij vaart. Van tijd tot tijd kunnen ze oplichten, verontwaardigd, Iers hazelnootbruin, maar alleen richting hoger geplaatsten, keurig opgedofte chefs die er verdomd goed uitzien, maar dat is het dan ook wel zo'n beetje.

Dan is 52 jaar oud. Hij is een van de circa twintig ambtenaren in het gigantische Amerikaanse overheidsapparaat die al-Qaida echt kennen, en dat al een hele tijd. Bij de CIA zitten er een paar, maar de meeste toch bij de FBI. Onder hen vormt Dan echter een klasse apart. Hij was de eerste agent van de FBI die halverwege de jaren negentig speciaal op Osama bin Laden werd gezet. Hij hielp met het opzetten van de UBL-afdeling van de FBI. Binnen de FBI staat Coleman bekend als 'de man die Osama bin Laden in Amerika introduceerde'.

Coleman onderzocht de bomaanslag op het World Trade Center van 1993 van alle kanten en ook de processen die daarna gevoerd werden. Hij bereisde de hele wereld, bezocht alle *hot spots*. Hij bestudeerde islamitische fundamentalistische cellen in Brooklyn en New Jersey, jihadstrijders onder de invloed van Shaikh Omar Abdel Rahman, de blinde sjeik, die ooit met Zawahiri streed om de leiding over de Egyptische Islamitische Jihad. In plaats daarvan eindigde Rahman in Amerika, begon voor zichzelf in Jersey City en creëerde een enorme puinhoop. Dan en de mannen van de FBI in New York trokken het net rond deze groep in een gestaag tempo dicht, bronnen afwerkend, arrestaties verrichtend, deals sluitend wanneer het nodig was. Ze bouwden het bewijsmateriaal geleidelijk op, eerst stukje bij beetje, en daarna bij tonnen tegelijk. Dat is waarmee je voor de dag kunt komen in de rechtbank, vooral in een natie die geregeerd wordt door wetten, en niet door mensen. Patrick Fitzgerald behandelde veel van de gevoerde processen. De hele gemeenschap, van Rahman tot en met alle mensen onder hem, zit in de gevangenis. Ze kunnen geen kant op. Een van Dans taken is contact houden met diverse voormalige al-Qaida-informanten zoals Jamal al-Fadl, een aankomend moslimterrorist die gevangen werd genomen, onder federale bescherming werd gesteld en de sterinformant werd van verscheidene processen.

Voor Dan is kennis van deze lange voorgeschiedenis zowel een zegen als een vloek. Hij kan gebeurtenissen oplepelen die teruggaan tot de jaren tachtig van de vorige eeuw, toen bin Laden naar de gunst van westerse beschermheren dong, om zodoende steun te vinden voor het bestrijden van de Sovjets in Afghanistan. Al-Zawahiri werd geradicaliseerd in Egyptische martelkamers. Hij werd gevangengenomen, samen met islamitische radicalen van wie men dacht dat ze iets te maken hadden met de moordaanslag op president Anwar Sadat. Dan en een handvol Amerikaanse agenten zagen de organisatie van het tweetal groeien in vermogens en zelfvertrouwen, met een keten van aanslagen vanaf het midden van de jaren negentig, met de in 1998 in Kenia gepleegde bomaanslagen op ambassades, de bomaanslag op USS Cole in 2000. Ze wisten met wie ze te maken hadden.

Maar nadenken over die dingen, over alles wat ze in die jaren jacht maken op al-Qaida-leden hadden geleerd, botst keihard met de emoties die de aanslagen van 11 september omgeven: de verpletterende schok, het nieuwe ervan. Het geeft voer aan de overtuiging dat dit alles voorkomen had kunnen worden, aan al die 'wat als'-en waar niemand iets van wil weten.

Wat ze in 2002 van Coleman wilden, was dat hij er was, dat hij klaarstond als 'een heel hoog iemand' steun en advies nodig had. Daarom vertrok Dan een paar weken na 11 september 2001 uit South Brunswick, New Jersey, en betrok hij een gehuurde slaapkamer tegenover het FBI-hoofdkwartier in het niet zo nette, moeilijk chic te krijgen deel van de binnenstad van Washington nabij Chinatown. Hij was vierentwintig uur per dag beschikbaar. Er kwamen vragen uit het Witte Huis die via de hiërarchische keten uiteindelijk bij Mueller en zijn assistenten belandden. Dan was weliswaar slechts een eenvoudig rechercheur, geen leidinggevend persoon of iemand met een universitaire graad, een keurig donkerblauw pak, of een dure kapper, maar hij had wel antwoorden. Iets waar veel gebrek aan was.

Op weg naar Virginia kwam het busje over de Memorial Bridge, een statige brug met gouden beelden, de *Arts of War* aan de ene, de *Arts of Peace* aan de andere kant. De brug komt uit op de glooiende heuvels waar het Arlington National Cemetery ligt. Dan belde zijn vrouw Maureen, ook al was het nog vroeg. Zoals getrouwde stellen dat doen, hebben ze het over niets, wat wil zeggen: alles, en daarna over de kinderen. Ze hebben er een paar: drie jongens in de tienerleeftijd en een dochter op Seaton Hall, en dan nog hun oudste, Danny, een US Army Ranger die voor hun gevoel aan de andere kant van de wereld zit, namelijk in Afghanistan. Kijkend naar de rijen witte grafzerken terwijl de Bluebird langs Arlington rijdt, moet hij eraan denken hoe ongerust ze zijn over Danny, en hoe weinig ze weten. 'Moet je horen, Maureen,' zei hij. 'Geen nieuws, goed nieuws.'

Het busje reed het terrein van de CIA op en de dames stapten uit, een twaalftal zwarte Amerikaanse vrouwen die nieuwsgierig om zich heen keken. Een paar werkten al meer dan twintig jaar bij de FBI als secretaresse of als gegevensinvoerspecialist, maar nog nooit hadden ze de zusterdienst en aartsrivaal van de FBI in Langley bezocht.

De animositeit en het wantrouwen tussen CIA en FBI heeft een lange en indrukwekkende geschiedenis die, zoals je medewerkers van beide diensten vaak kunt horen zeggen, getuigt van verschillen die minstens zo groot zijn als de verschillen tussen een kat en een hond. Zelfs in deze vergelijking zien beide partijen wat ze erin willen zien of waar ze behoefte aan hebben. De riedel van de FBI: wij zijn degelijk en serieus, loyaal en toegewijd aan ons werk, terwijl de CIA pietluttig en katachtig is, glibberig en onbetrouwbaar. En dan riposteert de CIA: wij zijn slim, intuïtief en uigerust met scherpe klauwen... we verplaatsen ons alléén, en vaak ongemerkt, maar de klus wordt door ons geklaard, terwijl de FBI vol zit met dommekrachten, ingesteld op slaven en draven.

Maar nu – en daar waren FBI en CIA het over eens – was het een tijd van bijzondere noden die om bijzondere maatregelen vroegen. Het gebrek aan coördinatie tussen de twee diensten werd nu, slechts zes maanden na 11 september 2001, al genoemd als een van de voornaamste manco's die de aanslag mogelijk hadden gemaakt.

Terwijl de president zich verzette tegen oproepen om een uit Democraten en Republikeinen bestaande onderzoekscommissie te creëren – zoals die werd ingesteld na Pearl Harbour en na moordaanslagen op presidenten –, was het interne onderzoek bij de CIA en de FBI al een flink eind gevorderd. Waar het aan schortte, was duidelijk. De CIA gaf de namen van vermoedelijke terroristen niet door aan de FBI. De FBI, die ingesteld was op het vervolgen van misdrijven die reeds gepleegd waren en niet die nog te verwachten waren, zou niet geweten hebben wat ze met die namen hadden moeten beginnen als ze inderdaad waren doorgegeven aan de juiste lokale kantoren.

Maar ook al waren FBI en CIA nu klaar om alles te delen, zoals hun dag en nacht opgedragen was door meer dan de helft van de beleidsmakers in Washington, toch was er nog een 'probleem met het proces': de twee diensten hebben een geheel andere kijk op informatie. De CIA spant zich tot het uiterste in om te kennen wat kenbaar is, en om gefundeerd te raden naar wat niet kenbaar is, en dan verder te gaan. Ongetwijfeld komen ze soms in actie op grond van die informatie, waarbij de huidige, gereviseerde CIA duidelijk veel meer op actie gericht is. Maar hun rol is voornamelijk om de handelende personen te adviseren, de beleidsmakers, te beginnen met de president. Ook de FBI zoekt naar het kenbare, maar altijd met het oog op de bestaansgrond voor alle door hen verzamelde informatie: arrestatie en gerechtelijke vervolging.

Dat betekent dus dat ze hun informatiestromen anders verwerken. De CIA sorteert doorgaans zeer snel, zoekt naar het goud van een veelzeggend inzicht, een sleutelverbinding. De hoeveelheid door hen verzamelde informatie is voor een mens eenvoudig niet te bevatten, als je alles bij elkaar optelt, inclusief de NSA (National Security Agency), de NRO (National Reconaissance Office), die satellietgegevens verwerkt, en de NGA (National Geospatial Agency), die de cartografische en landmeetkundige activiteiten van acht afzonderlijke organisaties van de defensie- en inlichtingengemeenschappen bijeenbrengt en ordent. Sorteren is noodzaak, een overlevingsmechanisme.

De FBI pakt het anders aan: die zien informatie als iets wat hopelijk bewijsmateriaal kan zijn. Ze proberen een zaak in te kaderen met behulp van een rolverdeling, een vermeende misdaad, om de stromen van gegevens in te dammen. Ze creëren uitgestrekte kunstmatige meren van bewijsmateriaal dat moet worden geëvalueerd, geclassificeerd en dan zodanig geordend dat het op zekere dag in de rechtbank in al zijn glans kan worden gepresenteerd.

Coleman is een witte raaf, een FBI-man die even vlot en vaardig kan sorteren als de beste CIA-analist, en dat wat hij vindt kan inpassen in een format dat de FBI zonodig kan gebruiken als bewijsmateriaal. Met andere woorden: 'inlichtingen' ontmoet 'rechtshandhaving' in het hoofd van een grappen makende dikke, astmatische man uit New Jersey. Om de oorlog tegen terreur te winnen heb je namelijk een paar duizend Dan Colemans nodig, georganiseerd in een losse horizontale structuur, zoals de techneuten van Silicon Valley in 1996 deden, gereed om het huwelijk tussen scherpzinnigheid en vindingrijkheid te voltrekken. Dat zal niet gauw lukken.

Wat betreft scherpzinnigheid is de kloof tussen Dan Coleman en een NSA-zoekalgoritme natuurlijk bijna onoverbrugbaar. Wat weer een ander onderdeel is van het probleem in een strijd waarin informatie je wapen is, dat wil zeggen dat je weet hoe een écht klompje goud eruitziet. Al de hele winter hadden FBI-rechercheurs gesprekken gevoerd met Coleman en anderen, zoekend naar achtergronden van diverse cruciale NSA-berichten die in de dagen na 11 september 2001 waren gevonden. Het meest opmerkelijk waren de door de NSA in 2000 verzamelde gesprekken vanuit San Diego met een nummer in Jemen. Het nummer in Jemen was dat van de dochter van een man die, zo vertelde Coleman aan de rechercheurs, 'de oom was van de helft van de gewelddadige jihadstrijders die we in dit land kennen'. Dit nummer, dat Coleman uit zijn hoofd kende door het voortdurende najagen van al-Qaida, was door 11 september-kaper Kahlid al-Mihdhar gebeld terwijl hij zich schuilhield in San Diego. Coleman en andere al-Qaida-specialisten van de FBI hadden er zelfs al in 1998 bij de NSA op aangedrongen om alle gesprekken tussen dit nummer in Jemen en de VS door te geven aan het bureau, iets wat de NSA nooit had gedaan.

'Voor ons,' zei Coleman, 'is iedereen die dat nummer in Jemen belt een topverdachte met stip.'

Het dilemma zat niet alleen in het delen van informatie, iets wat CIA en NSA zelden deden: het was ook het delen en verbreiden van de genuanceerde inzichten die slechts een paar mensen in het gigantische Amerikaanse overheidsapparaat door ervaring en onderzoek hadden opgebouwd. Of in de woorden van Coleman: 'Er is een grotere sprong voor nodig dan je zou denken, voordat informatie kennis wordt, en dan wijsheid. Zoals de technologen zeggen, is er geen gemakkelijke weg waarlangs je voor dat probleem een werkbare oplossing kunt vinden: je kunt iemands brein niet repliceren, en bovendien kan één persoon slechts een beperkte hoeveelheid materiaal overzien.'

In dit geval een persoon ondersteund door twaalf dames van de gegevensinvoer. Het uitstapje van deze ochtend was onderdeel van een tussen de dienst en het bureau afgesproken programma.

De Zubaydah-buit was gearriveerd. De CIA was alles al aan het doornemen. Dan mocht er als een van de eersten naar kijken. Om er daarna samen met zijn team een compacte meeneemkopie van te maken en dat weer over te dragen aan de FBI.

Je zou denken dat dat allemaal wel wat makkelijker kon. Maar zoals met veel andere dingen binnen de overheid, was dit een lapmiddel voor een van de vele gebrekkige bureaucratische processen. Het probleem was dat de CIA, als voornaamste sector die een 'oorlog tegen terreur' voerde, geen databank wilde of kon creëren – en het hoe dan ook gewoon niet deed – die gemakkelijk kon worden gedeeld met een grote club van andere federale diensten. Er was een systeem dat een zogenaamd 'breed platform' bood voor een gemakkelijke toegang, met toegangscodes en brede toepassingen. Het is het systeem van het Pentagon, een code met de naam 'Harmony', waar andere diensten ook gebruik van kunnen maken. De CIA deed niet mee.

Dan en de dames gingen zitten en namen de computerbestanden uit Zubaydahs safe house in Faisalabad door, de notitieboekjes, de velletjes met neergekrabbelde ideeën en namen. Een deel was waardevol. Namen. Telefoonnummers. Contacten. Allemaal werden ze stuk voor stuk nagelopen. Allemaal stuk voor stuk ijzersterke aanwijzingen, en misschien wel van goud. Dan en zijn team zouden alles verwerken, compleet met index, op de voor de

FBI gebruikelijke nauwkeurige en reproduceerbare manier. Daarna kon hij het diskette voor diskette mee terugnemen naar het bureau en het verzenden naar de juiste spelers binnen de FBI. In de oorlog tegen terreur is het verzenden van de juiste informatie naar het juiste adres even belangrijk als het laden van wapens met munitie.

Toen zag Dan het lot uit de loterij: Zubaydahs dagboek. Het was uitgebreid, ging meer dan drie jaar terug, een kronkelpad door Zubaydahs leven. Hij was geboren in een buitenwijk van Riyad, maar bracht zijn tienerjaren door op de West Bank. In 1987, op zijn zestiende, ging hij bij het Palestijnse verzet. Ten slotte vertrok hij in de laatste dagen van de oorlog met de Sovjets naar Afghanistan. Ergens in deze periode, en waarschijnlijk in Afghanistan, liep hij een ernstige hoofdwond op. Dan had niet veel aandacht geschonken aan het verhaal van die hoofdwond – dat hij al een jaar eerder had gehoord –, totdat hij het 'uiterst geheime' dagboek las, vertaald door een CIA-team in de eerste paar dagen nadat Huize Shabaz was uitgemest.

In dit dagboek schreef Zubaydah met de stem van drie mensen over zijn ondernemingen: Hani 1, Hani 2 en Hani 3. Hani 1 was nog een jongen, tien jaar jonger dan de jeugdige Zubaydah zelf. Hani 2 had dezelfde leeftijd als Zubaydah en Hani 3 was tien jaar ouder. Zubaydah gaf zijn indrukken weer van talloze dagen, alles bij elkaar enkele jaren, van ontmoetingen met potentiële rekruten en zijn reacties op gebeurtenissen en nieuwsberichten, vanuit die drie perspectieven. Elke Hani had een eigen stem en persoonlijkheid. Wat er werd waargenomen door drie paar ogen was intussen vaak allerminst interessant: wat mensen aten, of droegen, of triviale dingen die ze zeiden... de ene bladzijde na de andere. Zubaydah was een man van de logistiek, een regelaar, voornamelijk wat betreft een pietepeuterige verzameling persoonlijke zaken, zoals de man op de zaak die je moest hebben als er wat was met de ziektekostenverzekering, of zoals de mensen van de personeelsafdeling. Er zat bijna niets 'operationeels' in zijn dossier. Dat werd geregeld door het managementteam. Daar hoorde hij niet bij.

Even teleurstellend als de dingen die wél in het dagboek stonden, waren de dingen waarvan Colemans geoefende oog bemerkte dat ze er níét in stonden. De CIA had al heel lang het vermoeden dat de alom aanwezige Zubaydah betrokken was bij de bomaanslagen op Amerikaanse ambassades in Afrika in 1998. Hij zocht in Zubaydahs dagboek naar bijbehorende trefwoorden in de zomer van 1998. Niets… niets dan kletspraat.

Voor mensen op het hoogste niveau van inlichtingen en beleid, zou het voorjaar een moment zijn waarop nieuwe lessen over de oorlog tegen terreur werden geleerd, waarvan enkele behoorlijk verontrustend waren.

De waarderingscijfers voor de president stonden in april nog op een historische hoogte, een blauwe lucht met slechts een klein wolkje van publieke bevreemding: geen van de topleiders van al-Qaida, met name bin Laden en Zawahiri, of Mullah Omar, de Taliban-leider, was gevangengenomen of gedood.

Dit leidde van hoog tot laag tot uitspraken waarin werd gesuggereerd dat het oppakken van bin Laden of Zawahiri nu ook weer niet zo belangrijk was, te beginnen met een lang betoog over dit onderwerp door president Bush tijdens een van zijn zeldzame solo-persconferenties op 13 maart. 'We hebben niet veel van hem gehoord,' zei hij over bin Laden. 'En ik zou niet per se willen volhouden dat hij echt het middelpunt is van een bepaalde commandostructuur. En, nogmaals, ik weet niet waar hij is. Ik zal herhalen wat ik al eerder heb gezegd. Ik maak me echt niet zo veel zorgen over hem.'

Maar uit notulen van de dagelijkse presidentiële briefings in deze periode blijkt dat Bush bijna iedere ochtend naar bin Laden en Zawahiri vroeg, en vaak een paar keer per dag. Een CIA-functionaris, die goed op de hoogte was van wat er omging tussen de dienst en het Witte Huis, merkte op: 'Bush werd door beiden geobsedeerd.'

Evenzo stond voor iedereen met de juiste mate van betrokkenheid en de juiste betrouwbaarheidsverklaring ook onomstotelijk vast wat er gebeurd was in Tora Bora: het advies van de CIA was in de wind geslagen en zowel de civiele als de militaire leiding van het Amerikaanse leger hadden een vreselijke misrekening gemaakt, waardoor bin Laden had kunnen ontsnappen.

Op 17 april publiceerde *The Washington Post* het eerste voorlopige rapport waarin erop werd gewezen dat het Amerikaanse leger een omsingeling van de grotten bij Tora Bora achterwege had gelaten, maar dat met die stap wel had kunnen worden voorkomen dat bin Laden gevlucht was. De volgende dag bestreed Donald Rumsfeld die stelling tijdens een persconferentie met de woorden: 'Ik was niet op de hoogte van enig bewijs dat hij op dat moment in Tora Bora was, of Tora Bora op dat moment had verlaten, en ik weet niet eens waar hij op dit moment is'.

Dat was ook niet waar.

Maar wanneer iets met een dergelijke uitzonderlijke nieuwswaarde deels of geheel moet worden verhuld met de steeds ruimer wordende betiteling 'geheim', dan heeft het Witte Huis een uitgebreide voorraad creatieve opties tot zijn beschikking.

Dit Witte Huis was in feite perfect afgestemd op het benutten van zulke handige opties. De innovaties van het Witte Huis op het gebied van 'berichtendiscipline' gingen terug tot ver voor de aanslagen van september 2001. President Bush en zijn team experimenteerden voor het eerst met nieuwe ideeën over hoe ze greep konden houden op de berichtgeving vanuit het Witte Huis, en eigenlijk van de hele regering.

Het systeem werkt met diverse samenhangende mechanismen. Om te voorkomen dat er anoniem werd gelekt (de traditionele methode voor ambtenaren om informatie door te geven aan de pers en via de media aan het publiek en anderen binnen de regering, inclusief de president) verstrekte het Bush-team regeringsmobieltjes aan een groot aantal functionarissen, die verplicht werden om ze te gebruiken. Op deze manier kon het regeringsteam inkomende en uitgaande gesprekken van vaste telefoons in kantoren én van mobiele telefoons laten registreren. Bovendien werden er strikte orders uitgevaardigd, met boetes die konden oplopen tot onmiddellijk ontslag, dat niemand zonder toestemming met een lid van de pers mocht spreken, iets wat gewoonlijk in handen was van de communicatieafdeling van het Witte Huis.

Karen Hughes, die aan het hoofd van die afdeling stond en iedere morgen een bespreking had met haar team van tientallen mediamedewerkers uit het hele overheidsapparaat, was ervan overtuigd dat de *mainstream*-pers gedomineerd werd door politieke tegenstanders en dat deze lieden zich in ieder geval sterk aangetrokken voelden tot 'conflictstof'. Haar idee was om de grote dagbladen, tijdschriften en televisienetwerken zo veel mogelijk te negeren, ook al waren die er in de loop van de decennia allemaal aan gewend geraakt om geregeld ontmoetingen te hebben met de zittende president. Afgelopen, uit. Hun toegang tot informatie zou beperkt zijn en zorgvuldig worden bewaakt. Bovendien zou de president veel minder individuele persconferenties geven dan Bill Clinton of de eerste Bush hadden gedaan, respectievelijk een derde en een vijfde van de door hen gehouden persconferenties. Het doel was om president Bush weg te houden van impromptucontacten met goedgeïnformeerde vragenstellers, wat nooit een van zijn sterkste kanten was geweest.

Moeilijke vragen konden echter ook bij de bron gesmoord worden: ze werden geleidelijk ingeperkt door een steeds ruimer wordende norm voor wat 'geheim' heette. Het initiatief was een lievelingsproject van de vice-president, die er al heel lang van overtuigd was dat al te kritische blikken van de kant van het publiek en het Congres de uitvoerende macht van de president verzwakten. Onder zijn leiding werden er tweemaal zo veel documenten als geheim aangemerkt als bij de vorige regering.

Al met al had deze afschrikkingsstrategie die ervoor moest zorgen dat boodschappen van de regering ongehinderd konden doorstromen, in de loop van 2001 geleidelijk aan effectiviteit ingeboet. De waarderingscijfers voor president Bush zweefden ergens onder in de 50, wat zo vroeg in een eerste termijn onder de norm voor een hedendaagse president was. Hij kreeg kritiek dat hij overdreven dominant was en afstandelijk, en dat hij niet opgewassen was tegen de eisen die dit ambt aan hem stelden.

Dat alles werd weggevaagd door de aanslagen van 11 september 2001. President Bush reageerde met een reeks spontane acties en briljant opgebouwde toespraken, wat een heilzaam tonicum was voor een natie die zich in tijden van crisis als vanzelf achter een leider schaarde. Hoewel er veel veranderd was, bleef de basis van de oorspronkelijke strategie van controle over de communicatie intact. Binnen dat kader konden ze nu gemakkelijk krachtige patriottische oproepen tot de strijd laten horen, in de trant van 'met zijn allen staan wij pal'. De presidentiële waarderingscijfers stegen snel. Het publiek en het Congres legden zich met weinig werkelijk verzet neer bij een status waarin hun alleen verteld werd wat ze 'echt moesten weten', en wat dat was werd exclusief bepaald door het Witte Huis.

Terwijl de weinige uitverkorenen in het Huis of de Senaat die lid waren van de commissies die toezicht hielden op de inlichtingendiensten, deze kolkende rivier van geheime informatie konden bekijken, werden de meest gevoelige materialen alleen getoond aan de twee hoogste leden – een van elke partij – van beide commissies. En er was veel dat zij zelfs niet te zien kregen.

Kortom, de aanslagen van 11 september lieten toe dat men zich instelde op het benutten van nieuwe mogelijkheden. Het resultaat: een krachtig gezag, als in oorlogstijd, werd toegekend aan hen die het schip van staat bestuurden. Een laatste, gebruikelijke controle in oorlogstijd – aantoonbare bewijzen van troepenbewegingen of incidenten, divisies die op pad gaan met correspondenten die berichten doorbellen – bestond ook niet meer toen de bemoeienissen met Afghanistan eenmaal geëindigd waren. In de weidse, diffuse oorlog tegen terreur, waarbij zich zoveel afspeelt in de schaduw, zonder enige transparantie en met slechts een oppervlakkig overzicht, kon de regering alles zeggen wat ze wilde. Dat was een schitterend inzicht uit deze periode. De regering kon elke willekeurige realiteit creëren die toevallig goed van pas kwam.

Allerlei soorten berichten konden eindelijk onaangetast en onkwetsbaar voor kritiek overeind blijven, een soort triomf, de vervulling van een diepe wens, waardoor principes van *informed consent* en af te leggen verantwoording gemakkelijk konden worden weggevaagd.

Het beginsel van verantwoording was in feite ingekrompen tot een enkele standaard: voorkom aanvallen op het Amerikaanse vasteland. Zolang er niet zulke aanvallen werden gedaan, deed de rest er niet zoveel toe.

Wat had dit alles bijvoorbeeld voor effect nu Zubaydah in de gevangenis zat? Dat had als effect dat de president 'in oorlogstijd' zich nu vrij voelde om met gebruik van veel retoriek te zeggen wat volgens hem eindelijk eens gezegd moest worden.

Wat Bush dan ook deed, voor het eerst op 9 april 2002 tijdens een toespraak in het Hyatt Greenwich Regency Hotel: 'Onlangs kregen we een zekere Abu Zubaydah te pakken. Hij is een van de belangrijkste figuren die dood en verderf beramen en plannen voor de Verenigde Staten. Hij beraamt en plant niet meer. Hij is waar hij thuishoort,' zei president Bush onder onstuimige bijval van een zaal vol donateurs van de Republikeinse Partij. Daarna stapte hij snel over op een breder, meer staatkundig getint thema. 'De geschiedenis heeft ons opgeroepen tot actie, en deze natie geeft daar gehoor aan. U moet goed begrijpen hoe ik daar tegenaan kijk, en wat wij denken. We moeten handelend optreden omwille van de kleintjes. We moeten de wereld en deze beschaving zoals wij die kennen uit handen houden van deze slechte mensen. Dat moeten we gewoon doen. En dat houdt ook in dat we ervoor moeten zorgen dat enkele van de ergste leiders van de wereld die 's werelds ergste wapens graag in bezit zouden hebben niet onder een hoedje gaan spelen met gezichtsloze moorddadige organisaties van het type al-Qaida. We zijn het aan de toekomst van dit land verplicht het voortouw te nemen van een coalitie tegen naties die dit soort slechtheid tentoonspreiden en tegelijkertijd ongelooflijk slechte wapens verlangen.'

Deze boodschap, en de aanduiding van Zubaydah met 'hoofd operaties', een vermeende 'nummer drie' naast bin Laden en Zawahiri, zou voor de president, de vice-president, nationaal veiligheidsadviseur Condoleezza Rice en anderen een trommel zijn die ze in april en de daaropvolgende maanden onophoudelijk zouden roeren.

Intussen zaten Dan Coleman en andere goed geïnformeerde leden van de stam van al-Qaida-jagers bij de CIA in Zubaydahs uiterst geheime dagboeken te lezen, en ze schudden het hoofd.

'Die vent is gek, gegarandeerd een gespleten persoonlijkheid,' zei Coleman tegen een topambtenaar van de FBI, nadat hij een paar dagen de Zubaydah-buit had bestudeerd. 'Daarom laten ze hem over de hele wereld vliegen en overal *meets and greets* doen. Daarom gebruikten mensen zijn naam in allerlei telefoongesprekken en e-mails. Hij was net een soort reisagent, de man die de vluchten voor je boekt. Je kunt aan wat hij schrijft zien wat voor last al die logistieke zaken voor hem zijn: families van medewerkers, vrouwen en kinderen in en uit landen zien te krijgen. Hij wist heel weinig van de echte operaties, of van strategie. Hij was vervangbaar, weet je, de man die je begroet... Joe Louis die op zijn oude dag handen staat te schudden in de lobby van Caesar's Palace.'

Deze mening deed de ronde onder de topmensen van de CIA en werd uiteraard doorgebriefd aan de president en de vice-president. Terwijl Bush in het openbaar repte over de stuitende slechtheid van Zubaydah kwam, zoals zo vaak, zijn persoonlijke teleurstelling terecht op het hoofd van Tenet, de man wiens baan hij had gered.

'Ik heb gezegd dat hij belangrijk was,' zei Bush tijdens een van hun dagelijkse gesprekken tegen Tenet. 'Je laat me op dit punt toch niet mijn gezicht verliezen, toch?'

'Nee, meneer de president.'

Terug in Langley hoorde Tenet ondergeschikten uit over wat ze konden doen om Zubaydah aan de praat te krijgen. Zijn letsel was ernstig, maar hij was van een ziekenhuis in de buurt van Faisalabad overgebracht naar verschillende locaties in midden-Pakistan. De CIA vond een paar van Amerika's beste medische specialisten, CIA-agenten doken op in hun praktijk en algauw zaten ze in een vliegtuig naar Pakistan.

'Hij heeft de geweldigste medische aandacht op de planeet gekregen,' zei een CIA-medewerker. 'We hebben hem een uitstekende gezondheid bezorgd, dus kunnen we nu wel beginnen met hem te martelen.'

Tenets maandenlange druk op zijn juridische team en hun druk op het adviesorgaan van het Witte Huis zorgde voor een kettingreactie van juridische respons. Terwijl gevangenen Camp X-Ray in Guantánamo binnenstroomden, hadden het Witte Huis en het ministerie van Justitie al enkele voorlopige richtlijnen voor de ondervraging van gevangenen vastgesteld. Het meest opmerkelijk was een eind januari 2002 opgesteld memo van Al Gonzales, adviseur van het Witte Huis, waarin werd gesteld dat de Geneefse Conventies met betrekking tot krijgsgevangenen niet golden voor de VS wat betreft de behandeling van gedetineerden die gevangengenomen waren in Afghanistan.

De eerste toepassing zou echter het geval Zubaydah zijn. De combinatie van krachten was allerminst optimaal: de waarde van zijn gevangenneming was al sterk overdreven ten overstaan van het Amerikaanse publiek, en Zubaydah wilde niet praten. Tenet drong bij zijn staf van de CIA aan op een verrassing, een doorbraak, die hij dan zou kunnen doorspelen aan Bush: bewijsmateriaal dat post facto de publieke uitspraken van de president zou ondersteunen. Het was een patroon dat de komende jaren vele malen zou worden herhaald.

Voor medewerkers van de CIA én voor functionarissen werkzaam bij het zogeheten 'beleidsapparaat' binnen de overheid, hadden dit soort momenten een subtiel eroderend effect. Iedereen in de hoogste geledingen van de CIA begreep de Cheney-doctrine, en hoe deze uitdrukking gaf aan ongeduld met het trage bewijsvormingsproces wanneer je geconfronteerd werd met de keiharde dwang om tot actie over te gaan. Maar dat betrof voornamelijk de interne discussies over waarom of hoe er moest worden gehandeld. Misleiding van het publiek zonder enige duidelijke reden leek eigenzinnig en egoïstisch.

En een valstrik.

'Een heleboel aanwezigen rolden alleen maar met hun ogen toen we het commentaar van het Witte Huis hoorden. Ik bedoel, Bush en Cheney wisten wat wij over Zubaydah wisten. De man had psychologische problemen. Hij was in zekere zin vervangbaar. Het is net of je iemand die de eigen reisafdeling van een groot bedrijf runt de chef operaties noemt,' zei een topfunctionaris van de CIA die deelnam aan de bijeenkomst van vijf uur 's middags, waarop de kwestie van Zubaydah ter sprake kwam. 'Een heleboel mensen dachten: waarom moest de president ons in godsnaam in zo'n netelig parket brengen?'

Wat ze algauw zouden merken was dat dit de managementstijl van de president was. Zoals hij zelf graag zei was het een manier om mensen ertoe aan te zetten 'dingen te doen waarvan ze dachten dat ze er niet toe in staat waren'.

'Ons al herkend?' vroeg Khalid Shaikh Mohammed, al-Qaida's échte chef operaties, en lachte.

Yosri Fouda, de belangrijkste correspondent van Al Jazeera, stond perplex toen Ramzi bin al-Shibh vervolgens zijn hand naar hem uitstak.

Het was 19 april. Fouda, wiens blinddoek net verwijderd was, knipperde met de ogen, zijn ongeloof onderdrukkend toen hij de twee mannen en het appartement met de kale muren opnam: het safe house van al-Qaida in Karachi.

Fouda kende de lenige glimlachende man die hem een hand gaf wel degelijk. Bin al-Shibh prijkte sinds het afgelopen najaar overal ter wereld op affiches met gezochte personen, nadat men de berichten die hij via Western Union naar Zacarias Moussaoui had verzonden had ontdekt. Hij werd op een of andere manier onverbrekelijk verbonden geacht met de kapers van 11 september, waarschijnlijk als betaalmeester.

Wat betreft Khalid Shaikh Mohammed duurde het even voordat Fouda zijn gezicht kon plaatsen. Voor hen die gewelddadige jihadstrijders nauwgezet volgden – zoals Fouda, die sterverslaggever was voor *Top Secret*, een programma van Al-Jazeera, dat de laatste tijd veel documentaires had gedaan over moslimterroristen –, stond Mohammed bekend als een van de vele vermoedelijk actieve leden van al-Qaida. Jaren geleden had de FBI ontdekt dat hij de oom, en helper, was van Ramzi Ahmed Yousef, een van mannen die in de gevangenis zat voor de bomaanslag op het World Trade Center van 1993. Mohammed was aangeklaagd voor een plan uit 1995 om in de Filipijnen Amerikaanse vliegtuigen neer te laten storten in de oceaan, een plan dat nooit gerealiseerd werd. De Amerikaans regering loofde een beloning uit van vijf miljoen dollar voor informatie die kon leiden tot zijn arrestatie en publiceerde een foto van een jongeman met hertenogen en een baard. De man tegenover Fouda droeg geen baard, en hij was gezet. Maar de ogen waren hetzelfde.

'Ze zeggen dat jullie terroristen zijn,' begon Fouda. Bin al-Shibh glimlachte en deed een stap achteruit.

'Ze hebben gelijk,' antwoordde Mohammed resoluut en zakelijk. 'Dat is wat we doen voor de kost.'

Twee weken van cryptische berichten en ontmoetingen met duistere tussenpersonen waren nodig geweest om Fouda de reis van zesduizend kilometer van het Londense bureau van Al-Jazeera naar dit appartement te laten maken. De reis was begonnen met iemand die hem begin april in Londen op zijn mobiele telefoon had gebeld. De man aan de andere kant wilde weten of Al-Jazeera nog wat deed in verband met de verjaardag van 11 september 2001 en vroeg Fouda om het nummer van een veilige faxlijn. Een paar dagen later arriveerde er een fax van drie bladzijden, waarin enkele specifieke suggesties werden gedaan voor een driedelige documentaire om de aanslagen te herdenken: waar die documentaire over zou kunnen gaan, cruciale feiten die over het hoofd waren gezien en een lijst van bereidwillige deskundigen op het gebied van 11 september 2001 en de effecten ervan met wie Fouda misschien zou willen spreken. Meer over dat laatste punt arriveerde een poosje later: instructies om een vliegtuig naar Islamabad te nemen en daar een gesprek te hebben dat volgens zijn contact 'top secret' zou zijn. Fouda vertelde aan een vriend enkele details over wat hem was overkomen – hij bezwoer hem zijn mond te houden – en schreef een coverstory voor zijn werkgever (hij was bezig met het volgende deel van een project met de naam 'De weg naar Camp X-Ray'). Daarna ging hij op weg naar Islamabad. Daar kreeg hij instructies om naar Karachi te reizen en een kamer te nemen in het Regents Plaza Hotel, waar een zorgelijke man van middelbare leeftijd hem opzocht in zijn hotelkamer en hem wat meer details gaf over wat hem te wachten stond. Hij zei dat 'Shaikh Abu Abdullah' – een andere naam voor bin Laden – springlevend was en geregeld naar Al-Jazeera keek, vaak op videobanden met opnames van de uitzendingen die hij wilde zien. Bin Laden, zei de contactpersoon, 'zei ons dat we Robert Fisk [schrijver en journalist voor *The Independent*] naar Oum-Abdullah [bin Ladens vrouw] moesten brengen en Yosri Fouda naar de broeders.'

Zo gebeurde het dat Fouda de volgende avond samen met Khalid Shaikh Mohammed en Ramzi bin al-Shibh en een paar van hun medewerkers in een schuilplaats de gebeden deed.

Naarmate de avond vorderde vond er een steeds intensievere, vreemde dans plaats van beleefdheden en onderhandelingen, thee en harde eisen. Al-Qaida zou zorgen voor camera en tapes; Fouda zou nooit hun verblijfplaats onthullen of vertellen hoe hun uiterlijk verschilde van de enkele bestaande foto's van iedere man. Hij moest op een koran zweren dat hij zich met al deze voorwaarden akkoord verklaarde. Er werd hem gezegd dat hij opnieuw geblinddoekt zou worden voor een rit rechtstreeks naar de luchthaven als hij klaar was.

Het was tijd om los te branden. Maar eerst moest Mohammed, die duidelijk de baas was, verduidelijken waarom Fouda hier naartoe was gebracht, ogenschijnlijk vanwege een programma in verband met de herdenking van 11 september 2001.

'Ik ben het hoofd van het militaire comité van al-Qaida en Ramzi is de coördinator van de operatie 'Holy Tuesday',' zei Khalid Shaikh Mohammed. 'En ja, wij hebben het gedaan.'

Op dat moment beschikte een verslaggever van Al-Jazeera over onschatbaarder informatie dan de verzamelde strijdkrachten van 's werelds grootste mogendheid en haar bondgenoten.

Welkom in de oorlog tegen terreur. De informatie, invloedrijke informatie, wordt nu even democratisch – horizontaal en lukraak –uitgedeeld via het internet. Iedereen kan meespelen.

Fouda liet zich met gonzend hoofd in zijn slaapzak glijden. Er wachtte hem een rusteloze nacht.

Op woensdag 24 april staakte het keukenpersoneel van het Intercontinental Hotel in Houston abrupt zijn werkzaamheden om een surrealistisch tafereel in ogenschouw te nemen: met een hoog opgetild been vanwege een onlangs in zijn knie geïmplanteerde shunt vloog Dick Cheney in een gemotoriseerde rolstoel als een stormram op een keukendeur af.

'Doe die deur open!' schreeuwde iemand.

En dat deed iemand godzijdank, terwijl Cheney verder vloog en een scherpe bocht naar links maakte, naar de besloten banketzaal, met zijn rubberen wielen piepend over het parket.

Het was al laat in de middag, terwijl er nog zoveel te doen was, zo veel voorbereidselen, en er zoveel op het spel stond. Kroonprins Abdullah, de feitelijke leider van Saudi-Arabië, was gearriveerd. De volgende dag zou de lijkbleke Saudische heerser met Bush in Crawford een ontmoeting hebben die gezien werd als een 'directe krachtmeting' tussen de islamitische wereld en het Westen.

Dit was het voorafgaande diner met Cheney en Rumsfeld die hiernaartoe waren gekomen om de Saudische gasten aan te horen en in een milde stemming te brengen voor de grote bijeenkomst van morgen op de ranch.

De relaties tussen het vorstendom Saudi-Arabië en de Verenigde

Staten lagen aan flarden. De Saudi's zaten zich al meer dan een jaar ingehouden te ergeren, nadat begin 2001 duidelijk was geworden dat deze regering veel minder geneigd was de traditionele Amerikaanse rol van neutrale bemiddelaar in het Israëlisch-Palestijnse conflict te vervullen. De president had tijdens de eerste bijeenkomst met de top van de Nationale Veiligheidsraad NSC duidelijk gesteld dat Clinton zich aan het eind van zijn termijn had vergaloppeerd, dat hij zich te ver voorover had gebogen richting Yasser Arafat – die vervolgens de vruchtbare onderhandelingen van Camp David op het allerlaatste moment had afgebroken – en dat 'wij ons weer opnieuw over Israël zullen buigen'. Powell, die op die dag vlak naast hem zat in de Situation Room, zei dat een dergelijke stap dertig jaar Amerikaans beleid op zijn kop zou zetten en dat het de nieuwe premier, Ariel Sharon, en het Israëlisch leger het idee zou kunnen geven dat ze nu wel hun gang konden gaan, wat een ramp zou zijn voor de Palestijnen. Bush' antwoord: 'Soms kan eenzijdig machtsvertoon de dingen echt verduidelijken.'

Abdullah was misschien niet op de hoogte van alle details van die beleidswijziging, maar hij en de rest van de Arabische wereld hadden het resultaat gezien, een situatie die iedere maand slechter werd voor de Palestijnen.

En maand na maand nam zijn woede toe. Bij iedere regering zou dit consternatie teweeg hebben gebracht. Sinds de val van de Sovjet-Unie blijft de rusteloze haat-liefderelatie tussen de Verenigde Staten en Saudi-Arabië uiteraard de voornaamste diplomatieke dialoog van de planeet. De Verenigde Staten zijn voor 15 procent van hun olie-import afhankelijk van Saudi-Arabië en zitten sinds een ontmoeting tussen koning Fad en Franklin Roosevelt in 1945 vast aan een akkoord dat Faust zou doen kreunen: wij zullen jullie beschermen, Saudische koninklijke familie, zolang de olie stroomt... en wat jullie met al die miljarden doen, dat kan ons niet verdommen.

Het is een arrangement dat zich heeft ontwikkeld tot een soort mondiaal toneelspel, met duizelingwekkende verwikkelingen. De Saudische koninklijke familie baande zich een weg naar diepgewortelde macht door grenzeloze rijkdom te combineren met omhelzing van het moslimfundamentalisme, hun persoonlijke pact met de duivel. De afgelopen veertig jaar hebben ze een groeiend deel van hun oliewinsten doorgesluisd naar radicale geestelijken in Saudi-Arabië (naast de imams in andere Arabische landen en enkele landen in Zuidoost-Azië) om uitgestrekte godsdienstige koninkrijkjes te bouwen en te leiden, met rijk gedecoreerde moskeeën en scholen en legers met kindsoldaten, getraind voor een leven van fanatiek geloof. Die Saudische geestelijken ondersteunden op hun beurt de Saudi's als bewakers van de heilige plaatsen, Mekka en Medina, en ze keken schijnheilig de andere kant op terwijl de koninklijke familie – nu rond de 25.000 personen sterk – tegenstanders onderdrukte en nieuwe hoogten van hedendaagse consumptie verkende, met Gulf Streams, gouden paleizen en universitaire graden.

Deze vreemde rondedans van westerse olieslokoppen, Saudische prinsen en boze imams werd met een overmaat aan aandacht geleid door een opeenvolging van hedendaagse Amerikaanse presidenten.

En bijzonder behendig door Bush senior. Saudi-Arabië, reeds lang de voornaamste militaire basis voor Amerikaanse strijdkrachten in de regio, was het podium voor de Golfoorlog van 1991 die de angel haalde uit het regime van Saddam Hussein, de tegenstander van veel olieoligarchieën. Die landen waren dankbaar. De olieprijzen bleven stabiel in de jaren negentig. Imams bouwden hun moskeeën. Toen George W. Bush zijn ambt van president had neergelegd, bleef hij zijn relatie met de Saudi's onderhouden, ten gerieve van zichzelf en zijn bedrijf, de Carlyle Group, zoals een tuinman een stel zeldzame orchideeën verzorgt. Daarom was het op die dinsdag logisch dat de voormalige president de feestelijkheden van die week inluidde met een lunch in zíjn woning in de buitenwijken van Houston. Bandar en prins Saud al-Faisal, de Saudische minister van Buitenlandse Zaken kwamen, Barbara was er, en Bandars vrouw, de elegante prinses Haifa. En ze bespraken al hun problemen: hoe de wereld zeven maanden geleden veranderd was op een manier waar Gibbon of Shakespeare versteld van zou hebben gestaan. En ze schudden er het hoofd over dat bin Laden en zijn hielenlikkers zo snel hadden kunnen opklimmen en zo hard hadden kunnen toeslaan, met als gevolg dat alle betrokkenen in het stof hadden moeten bijten.

Bandar begreep echter dat dit een speciale gelegenheid was, omdat de voormalige president ook was ingeschakeld, en dat hij jammer genoeg minder snel te horen zou krijgen hoe de huidige president over bepaalde dingen dacht. Hij kende beide mannen goed, en al heel lang. Hij wist al veel eerder dan de best geïnformeerde Amerikaan dat de verstandhouding tussen de twee presidenten koel en afstandelijk was, zelfs niet wat je mocht verwachten van een vader en een zoon. Dat de zoon de vader niet raadpleegde, ook al was deze waarschijnlijk de meest waardevolle adviseur die de moderne geschiedenis te bieden had, en dat deze bijeenkomst een bijzondere gelegenheid was, tegen de zin van de drieënveertigste president door Cheney georganiseerd als een gelegenheid voor bezwerende retoriek, een gouden kans om de Saudi's te herinneren aan hun oude banden met de Bushes en Amerika.

Het gesprek over strategie tussen Bush senior en de Saudische prinsen was melancholisch getint, het ging grotendeels over een wereld die weggespoeld was door 11 september 2001, over de nieuwe generatie die nu aan het roer stond. Privé was de huidige president tekeergegaan tegen zijn vaders allianties en zijn fouten. Leven en leiding geven in reactie op zijn naamgenoot was voor hem een vast patroon. Zo zei Bush junior bij wijze van verdediging van een voorkeursbehandeling van Israël tegen een oude rot op het gebied van de buitenlandse politiek: 'Ik ga geen steun geven aan mijn vader en al zijn Arabische maatjes!'

Bandar en Bush senior wisten beiden dat de ontmoeting in Crawford niet van een leien dakje zou gaan. Als alles goed ging, wilde de delegatie nog een paar dagen in Texas blijven en vrijdags een bezoek brengen aan de George H.W. Bush Presidential Library in College Station. Als het niet goed ging, dan was Abdullah van plan direct terug te keren naar een top van Arabische leiders om hun het slechte nieuws mee te delen.

'Ik hoop je vrijdag te zien,' zei de voormalige president.

'Ik ook,' zei Bandar.

Het diner van de avond daarop, met Cheney, verliep minder goed nu de boze kroonprins erbij was. Die avond blies Abdullah stoom af, terwijl Cheney luisterde en knikte. Hij wist uit diverse rapporten van het ministerie van Buitenlandse Zaken en uit samenvattingen van de inlichtingendienst dat de Saudi's zó in hun wiek geschoten waren over het Amerikaanse Midden-Oostenbeleid dat ze bereid waren Arabische landen voor te gaan in het gebruik van olie als wapen tegen de Verenigde Staten, wat gelijk stond aan een oorlogsverklaring. Abdullah zei dat hij gekomen was om de kritiek van de hele Arabische Liga naar voren te brengen. De Liga had in maart een bijeenkomst had gehad waaraan Yasser Arafat niet kon deelnemen omdat Sharon hem geïsoleerd en gegijzeld had in zijn hoofdkwartier in Ramallah. Na een reeks Palestijnse bomaanslagen waren op 29 maart Israëlische tanks en gevechtshelikopters op de West Bank neergestreken. 'Het is kinderen tegen tanks,' zei Abdullah, ziedend omdat Bush Sharon evengoed 'een man van vrede' had genoemd.

'Hoe kon hij dat doen?' vroeg Abdullah ongelovig, geen antwoord verwachtend van Cheney die het sowieso voor kennisgeving aannam. Bijgestaan door generaal Richard B. Myers, voorzitter van de verenigde chefs van staven, probeerde Rumsfeld van onderwerp te veranderen door Abdullah te vertellen dat het Amerikaanse leger nu veel krachtiger was dan tijdens de Golfoorlog. Myers liet de hoogtepunten van de Amerikaanse overwinning in Afghanistan de revue passeren.

'Maar bin Laden is ontsnapt,' zei Abdullah nors.

'Ja, ja, dat is waar, maar het net om hem heen wordt steeds strakker aangetrokken,' zei Cheney, wat hem een sceptische blik van Abdullah opleverde.

En eindelijk zat het er op. De vice-president werd opgewacht door een helikopter die hem naar Crawford zou brengen. Zichtbaar opgelucht reed hij in zijn rolstoel rond, liet Scooter Libby komen en haastte zich naar de uitgang.

Nu was het donderdag. Bush trommelde met de punt van zijn schoen op de oprijlaan en keek nerveus op zijn horloge. Iets verder, op veilige afstand, wachtte een kluwen van journalisten en fotografen in een van die vreemde momenten van gedwongen intimiteit die onderdeel zijn van het leven van een president. Bush wachtte. Zij wachtten, keken hoe hij wachtte. Is het belangrijk dat je een president die een hekel heeft aan wachten laat wachten? Het kon niets betekenen, of alles.

Abdullah zat voor in een bus die voortsnelde over de prairie van Texas – de kop van een luxe karavaan van bussen die hij gekocht had voor de bijeenkomst van vandaag – en rookte met de chauffeur een sigaret. Achterin zaten Powell, Bandar, Saud en de Amerikaanse ambassadeur in Saudi-Arabië, Bob Jordan. Powell en Bandar, vlotte causeurs, mannen van de wereld die zich overal op hun gemak voelden, wisselden verhalen uit. Hartelijk en joviaal. Hoe gaat-ie vandaag? Hun schertsende toon drukte uit: 'Niets aan de hand. Alles z'n gangetje.'

Maar dat was zeker niet het geval. Abdullah had Bush junior nog nooit ontmoet en was niet onder de indruk van wat hij al eens uit de verte had gezien.

Nu was de afstand tussen hen niet meer dan honderd meter. Bush stond helemaal alleen op de oprijlaan van een bescheiden woning op een uitgestrekte grasvlakte. Abdullah verontschuldigde zich dat hij te laat was. 'Geen probleem, helemaal geen probleem,' zei Bush, nadat hij toch zeker tien minuten op wacht had moeten staan.

Er wachtte al een flink gezelschap in de overvolle studeerkamer van het huis: Condi, Harriet Miers, Andy Card, de vice-president op krukken, en Scooter Libby die, zoals een gast later zei, 'erbij was om Cheneys been vast te houden'. Voordat er een woord gezegd was, kwam Abdullah aanzetten met een filmpje dat hij wilde laten zien. De lichten gingen uit in de studeerkamer van de president en een kwartier keken ze naar de door Abdullah meegenomen video van de rotzooi op de West Bank, van in Amerika gefabriceerde tanks, bloedende en dode kinderen, gillende moeders.

Daarna drentelden ze zonder iets te zeggen naar de grote beglaasde waranda, om over te gaan tot het ventileren van vijandigheden.

De Saudi's hadden specifieke eisen. Abdullah had kort geleden zijn eigen vredesplan gepresenteerd: een oplossing met twee staten, namelijk een erkenning van Israël door de Arabische wereld. Verder een kansloos idee over de terugkeer naar de grenzen van 1967, waarbij Jeruzalem de zetel zou worden van een nieuwe Arabische staat, en een hele horde dingen die hij verwachtte ten aanzien van de crisis op de West Bank. De nu diep in de 'oorlog tegen terreur' verwikkelde vs hadden zo hun eigen problemen. Hoewel vijftien van de negentien kapers – en bin Laden – uit Saudi-Arabië kwamen, was het koninkrijk weinig coöperatief: de vs kregen geen toestemming om de families van de kapers te ondervragen en ze werden ernstig belemmerd in hun pogingen meer aan de weet te komen over de financiering van het terrorisme via trajecten in het doolhof van liefdadige organisaties en informele financiële netwerken, of *hawala's*. Maar eerst begonnen de Saudi's met hun lijst, een lange lijst met onder andere de eis dat de Amerikanen zich distantieerden van Sharon en met bepaalde gewenste activiteiten ter ondersteuning van de Palestijnen.

Bush luisterde, maar niet echt. Dit was niet de plek waar hij wilde zijn. Hij wachtte op het juiste moment. 'Laten we een stukje gaan rijden,' zei hij na een paar minuten tegen Abdullah. 'Alleen wij met zijn tweetjes. Ik zal je de ranch laten zien.'

En daar gingen ze, midden in een zin, op weg naar Bush' pick-up, met achterlating van een batterij verblufte adviseurs, merendeels bevangen door de 'monarchieblues' zoals iemand het naderhand noemde. Hij doelde daarmee, zoals hij zei, op het besef dat 'het ideaal van een representatief regeringsstelsel op dit soort momenten wijkt voor een gevoel dat er eigenlijk niet veel veranderd is sinds de tijden dat buitenlandse zaken de zaken van koningen waren, en dat het feit of ze het al dan niet goed met elkaar konden vinden bepalend was voor het lot van hele naties.'

Hobbelend in de cabine van de Chevy pick-up – Bush keurig in het pak en met stropdas in verband met het bezoek van een buitenlands staatshoofd, Abdullah in een tweed colbert over zijn lange gewaad – leken deze leiders het prima met elkaar te kunnen vinden. Bush vindt dit heerlijk: zijn ranch van 65.000 ha laten zien, met de pick-up dwars door de Texaanse bosjes rijden, op het laatste moment besluitend welk pad hij zal nemen, waar hij als eerste heen zal gaan en waarheen het laatst. Er zijn zeventien verschillende boomsoorten. Hij wees ze aan, vertelde Abdullah van zijn liefde voor het landleven, zijn verlangen naar vrede. Ze stopten en praatten met elkaar op een van Bush' favoriete plekjes. Ze zagen een kalkoen in het wild.

Na ongeveer een uur waren ze weer terug voor de lunch. En iedereen ging zitten aan een lange tafel op de beglaasde waranda: Colin, Condi, Andy Card, Cheney, Bandar, Bush, Saud, Abdullah en Jordan. Bush vroeg aan Abdullah of hij een gebed mocht uitspreken. Abdullah knikte, en Bush bad, en daarna aten ze biefstuk van de haas en aardappelsalade, met brownies en ijs toe.

Zijn lippen afvegend veerde Abdullah overeind toen de brownies van tafel waren gehaald, alsof hij even vergeten was waarom hij eigenlijk hierheen was gekomen, net als Bandar en Saud. Ze hadden acht punten op hun lijst. Ze hadden presentjes nodig, iets om mee terug te nemen naar de roerige Golf, iets wat de Arabische wereld zou kalmeren. Ging Bush zijn woorden gestalte geven met daden? Stond hij aan de kant van Sharon of was Amerika nog steeds geïnteresseerd in het steunen van zijn Arabische vrienden? Was Amerika nog wel de neutrale bemiddelaar van de regio?

Maar het gesprek wilde niet vlotten. De Saudi's wilden dat er druk zou worden uitgeoefend op Sharon om Arafat te bevrijden uit zijn gevangenschap in Ramallah. Saud noemde enkele mogelijke stappen die de VS zouden kunnen ondernemen. Bush staarde hen uitdrukkingsloos aan. Ze werkten de hele lijst af. Soms knikte de president, alsof hij vond dat iets redelijk klonk, maar verder gaf hij weinig respons.

Nadat er zo een uur verstreken was, maakten de lichtelijk aangeslagen ogende Saudi's aanstalten om te vertrekken. Het is net alsof Bush nooit het naar het Witte Huis verzonden eisenpakket had gelezen dat bedoeld was als voorbereiding op deze bijeenkomst: een compact document, slechts enkele bladzijden, waarin de verlangens van de Saudi's worden opgesomd, gevolgd door een aantal opties die de president in overweging zou kunnen nemen. Na de bijeenkomst vroegen enkele aanwezige leden van het Amerikaanse team zich af waarom de president geen idee leek te hebben van wat de Saudi's beoogden, en waarom hij niet geprobeerd had in te gaan op hun vragen, of concessies van hen los te krijgen met betrekking tot de oorlog tegen terreur. Er was in de oorlog tegen terreur geen belangrijker vorm van overleg denkbaar dan een informeel gesprek met de Saudi's. Verscheidene aanwezigen gingen na wat er precies gebeurd was.

Ze stelden vast dat het eisenpakket van de Saudi's op het kantoor van Dick Cheney terechtgekomen was. De president had het nooit gekregen, had het nooit gelezen. Bij wat misschien wel de belangrijkste en meest controversiële bijeenkomst op het gebied van de buitenlandse politiek van zijn presidentschap was geweest, was George W. Bush niet op de hoogte van wat de Saudi's met hun reis naar Crawford hoopten te bereiken.

Maar kroonprins Abdullah had wel iets geleerd. Hij had zijn eerste contact met George W. Bush gehad: diepgaand, emotioneel, inhoudelijk diffuus en op vertrouwen gebaseerd. Hij vertrok in opperste verwarring, maar merkwaardig geroerd... door hun gezamenlijke ritje in de pick-up, door de dingen waarvan Bush hield, dingen die hij hem tijdens de rit duidelijk had gemaakt: dat hij zo ontzettend graag wilde samenwerken, en vrede brengen in het Midden-Oosten. En ook door het intense gebed voor de lunch en door de manier waarop Bush bij het afscheid stevig zijn handen had vastgepakt, een onverhulde boodschap van verlangen. 'Ik heb tranen in mijn ogen, meneer de president.'

'Ik ook,' zei Bush. 'Ik ook.'

Zubaydahs verwondingen – schotwonden in been, lies en buik – waren eind april en begin mei met succes behandeld door de beste Amerikaanse artsen. Die zorgden ervoor dat hij herstelde van een inwendige bloeding, een botfractuur en orgaanletsel.

Half mei was hij gestabiliseerd en dus gereed. Een buitengewoon moment in de oorlog tegen terreur stond op het punt van aanbreken. Na maanden van interdepartementaal overleg over de detentie, ondervraging en vervolging van gevangenen in de 'oorlog tegen terreur' – alsmede van discussies over de vraag welke 'debriefing'-technieken het beste zouden werken voor al-Qaida – zouden de VS een mentaal gestoorde man martelen, en opspringen en schreeuwen bij ieder woord dat hij uitbracht.

De acht maanden durende episode die hieraan voorafging is in wezen een verhaal van resoluut proactief handelen, omslaand in paniekerig reactief handelen. Het was de periode van na 11 september 2001, waarin allerlei rechtskundige theorieën van stal werden gehaald om ruimte te kunnen creëren voor de nodig geachte 'flexibiliteit'.

In het najaar van 2001 hadden juristen van CIA, FBI, Justitie en het bureau van de adviesraad van het Witte Huis al pogingen gedaan om via overleg een hanteerbaar kader te ontwerpen voor een allerminst zekere toekomst: er stond hun een periode te wachten waarin de vs krijgsgevangenen zouden herbergen, misschien wel een heleboel.

De vragen waren van het soort dat juristen bijna nooit hoeven te stellen, zelfs niet in seminars over ethiek op de universiteit. Mag je een vermeend lid van al-Qaida doden als hij eenmaal in verzekerde bewaring is genomen? Nee, was het algemene oordeel, want dat zou een te grove schending van het internationale recht zijn. Niet dat er niet over werd gesproken. Iedereen was het erover eens dat je gevangenen zo lang mogelijk moest vasthouden, omdat ze te veel waarde hadden als bron van informatie en misschien ook te gevaarlijk waren om vrij te laten. Het doel van juristen in het hele overheidsapparaat was om de wettelijke parameters zo ruim te nemen dat ze keuzemogelijkheden hadden, prerogatieven en een maximale flexibiliteit. Wie kon zeggen wat de toekomst zou brengen?

Een door CIA en het ministerie van Justitie in september 2001 gestelde vraag – moeten deze gevangenen de gang door het Amerikaanse strafrechtstelsel maken? – werd door Bush op 13 november bij de ondertekening van een uitvoeringsbesluit beantwoord met de volgende verklaring: 'Gezien het gevaar voor de veiligheid van de Verenigde Staten en de aard van het internationale terrorisme [...] ga ik akkoord met paragraaf 836 van titel 10, United States Code, dat het niet praktisch uitvoerbaar is om in militaire commissies die onder dit besluit vallen de rechtsbeginselen en de regels voor bewijsvoering toe te passen die gemeenlijk worden erkend bij de berechting van misdrijven door districtsrechtbanken in de Verenigde Staten.' De gevangenen zouden worden berecht door militaire rechtbanken.

Dat zou zeker de nodige speelruimte geven. Het verloop van zulke processen was vaak niet echt planmatig; een belangrijke rol speelden militaire oordelen over de waarde van het vasthouden of verhoren van een gevangene. En als een krijgsgevangene een zogenoemde *enemy alien* was – dat wil zeggen geen Amerikaans staatsburger –, dan zou het hem of haar vrijwel zeker niet lukken om een kanshebbende *habeas corpus*-petitie in te dienen bij Amerikaanse federale rechtbanken.

De daarmee samenhangende vraag over de bejegening van gevangenen als ze in verzekerde bewaring zaten, werd eind 2001 een urgent vraagstuk. Er waren al een paar uiterst waardevolle krijgsgevangenen opgepakt, maar in januari 2002 begonnen er allerlei soorten gevangenen, meestal uit de lagere rangen van al-Qaida of soldaten van de Taliban, te arriveren in Guantánamo Bay. In een memo van 9 januari 2002, opgesteld door John Yoo – een adjunct-onderminister van Justitie die gezorgd had voor de nodige juridische analyses die de expansieve kijk van de vice-president op de bevoorrechting van de uitvoerende macht konden ondersteunen – werd bevestigd dat de Geneefse Conventies met betrekking tot krijgsgevangenen niet golden voor al-Qaida of de Taliban. Hij en zijn medeauteur Robert J. Dellahunt redeneerden dat al-Qaida geen staat is en daarom geen partij met betrekking tot de internationale oorlogsverdragen. Evenmin waren de Taliban zo 'vervlochten' met al-Qaida dat die twee niet van elkaar te onderscheiden waren. Het memo vervolgde met de opmerking dat de president niet gebonden werd door het internationale recht, omdat dit in de Amerikaanse grondwet niet formeel erkend wordt, en dat de resolutie van 14 september de president hoe dan ook 'een zeer ruime bevoegdheid gaf met betrekking tot het huidige conflict'.

Dit memo zorgde voor veel beroering onder juristen in overheidsdienst: van de kant van het ministerie van Buitenlandse Zaken kwam het scherpe verwijt dat een dergelijke analyse een 'ernstige vertekening' inhield. De president was het er niet mee eens. Op 18 januari stelde hij zich expliciet op het standpunt van de 'zeer ruime bevoegdheid', namelijk dat de Geneefse Conventies niet van toepassing waren, een beperkende voorwaarde die hij doorgaf aan het Pentagon. Dit leidde tot een bezorgde reactie van de kant van Collin Powell, de meest ervaren militair onder de topmedewerkers van de president. De Geneefse Conventies boden bescherming aan alle soldaten, dat wil zeggen aan alle soorten soldaten, stelde Powell. Als we die bepalingen overboord gooiden, zouden we schade toebrengen aan onze eigen mannen en een kostbare positie van morele rechtschapenheid prijsgeven.

De president deed een beroep op zijn Witte Huis-adviseur, Alberto Gonzales, zijn vertrouwde juridische helper sinds zijn dagen als gouverneur van Texas, om het geautoriseerde beleid op dit punt aan Powell uit te leggen.

'Zoals u zelf hebt gezegd,' schreef Gonzales aan Bush,'is de oorlog tegen terreur een nieuw soort oorlog. Het is niet de traditionele botsing tussen zich aan het oorlogsrecht houdende naties, die de achtergrond ervan [van de Geneefse Conventie III over de behandeling van krijgsgevangenen] vormde. De aard van de nieuwe oorlog zet een hoge prijs op andere factoren, zoals het vermogen om snel informatie te verkrijgen van gevangenengenomen terroristen en hun opdrachtgevers, teneinde verdere misdrijven tegen Amerikaanse burgers te voorkomen, en ook op de noodzaak om terroristen te berechten voor oorlogsmisdaden als het lafhartig liquideren van burgers. Naar mijn mening heeft dit nieuwe paradigma ervoor gezorgd dat de strikte grenzen die de Geneefse Conventies stellen aan het ondervragen van vijandelijke gevangenen nu achterhaald zijn en dat enkele voorzieningen in dit verdrag een bizar karakter hebben gekregen, zoals de voorwaarde dat een gevangengenomen vijand toestemming krijgt voor dingen zoals voorrechten op het gebied van voeding en kleding, voorschotten op de maandelijkse betaling, sportkleding en wetenschappelijke instrumenten.'

Tegelijkertijd ontstond er een gelijksoortige discussie over de tactiek, namelijk over de vraag wat er werkte in de praktijk. De strijd om al-Libi, gewonnen door de CIA toen de gevangene werd 'overgedragen' aan de martelkamers van Caïro, maakte geen eind aan het debat.

Die bleef woeden tussen Langley en het FBI-hoofdkantoor in Washington waar de agenten van het bureau, en vooral de agenten die ervaring hadden met het ondervragen van al-Qaida-leden, Zubaydah onder handen wilden nemen, ook al waren ze ervan overtuigd dat hij psychisch behoorlijk labiel was.

'Die gasten zijn bezig met een levenslange samenzwering,' zei Dan Coleman, die ervaring had met bijna alle stergetuigen van de door de FBI in de jaren negentig geïnitieerde gerechtelijke vervolgingen. 'De CIA wil alles in vijf minuten. Dat is niet mogelijk en het is improductief. Wat je in dat geval krijgt zijn gevangenen en cipiers die inspelen op elkaars verwachtingen, die in feite een rol spelen, en dat levert je alleen maar een heleboel troep op, geen informatie waar je wat aan hebt.'

Binnen de FBI dachten Mueller en zijn medewerkers er ingespannen over na of toegang tot de meest waardevolle verdachten – als die moest worden gekocht door afbreuk te doen aan de normen voor 'debriefing' van de FBI – die prijs wel waard was. 'Als ontdekt wordt dat de FBI zich bedient van onwettige methoden,' zei Mueller tegen een van zijn hoogste medewerkers, 'dan zal dat ons jarenlang in iedere rechtszaal blijven achtervolgen.'

Wat betreft het onderliggende vraagstuk van effectiviteit, van het bepalen wat er werkte, kon de FBI munitie aandragen als ondersteuning voor zijn kritiek op de ruwe, ongeduldige technieken van de CIA. Zo circuleerden onder FBI-agenten exemplaren van een trainingshandboek dat in november was gevonden in de ruïnes van de versterkte schuilplaats van Mohammed Atef in Kandahar. Daarin werd rekruten verteld dat ze, als ze gevangen werden genomen, te maken zouden krijgen met martelingen, verminkingen en een zekere dood.

Ondervragers van de FBI wisten echter uit ervaring dat gevangenen geen respect en goed gekozen gunsten verwachtten. Al eerder hadden Coleman en FBI-ondervragers gevangenen – zoals Wadi el Hage, een hoofdrolspeler bij de bomaanslagen op de ambassades van 1998, of Jamal al-Fadl, een naaste medewerker van bin Laden en Zawahiri die in een kroongetuige veranderde – met succes gepaaid met porno, Chinees eten en in één geval een operatie voor de vrouw van een gevangene. De agenten waren erbij toen de dankbare echtgenote tegen haar man zei: 'En nu vertel je ze alles wat ze maar willen weten.' Wat hij deed.

De tegendraadse reactie van de CIA was er echter een die veel aanhangers had in het leger van mensen die zich deskundige waanden op het gebied van ondervragingen in de Amerikaanse regering, van het Oval Office tot en met lagere niveaus van het overheidsapparaat. Niemand had tijd voor het opbouwen van 'relaties', een uitermate vies woord voor hen die al-Qaida strijders zagen als het vleesgeworden kwaad. In de discussie tussen Mowatt-Larssen en Cofer Black helden de ongeduldige institutionele energieën van de

Amerikaanse overheid sterk over naar Blacks standpunt: doe alles, en snel.

Nu de keuzes waren gemaakt, en Zubaydah inmiddels was hersteld, was in mei 2002 het moment aangebroken voor een grensverkenning.

Volgens CIA-bronnen werd Zubaydah bewerkt met een techniek waarbij de gevangene een handdoek over zijn gezicht krijgt waar van boven water op wordt gegoten, waardoor de gevangene het gevoel krijgt dat hij verdrinkt. Hij werd geslagen, maar niet zo hard dat zijn letsel erger werd. Hij werd herhaaldelijk bedreigd en op de hoogte gebracht van zijn onvermijdelijk naderende dood. Medicijnen werden hem onthouden. Hij werd gebombardeerd met oorverdovende, continue geluiden en felle lichten. Verzwakt als hij was door ernstig letsel, was hij veel meer aan de genade van zijn ondervragers overgeleverd dan een gewone gevangene.

Onder deze dwang vertelde Zubaydah dat grote winkelcentra het doelwit waren van al-Qaida. Die informatie ging in een oogwenk de wereld rond. Agenten van de FBI, van de geheime dienst, de douane en verscheidene verwante instellingen omsingelden samen met de plaatselijke politie vele winkelcentra. Zubaydah zei dat banken – ja, banken – prioriteit hadden. FBI-agenten gingen politieagenten voor in een race om kordons te leggen rond banken en ze aldus te beveiligen. En ook supermarkten: al-Qaida was van plan drukbezochte supermarkten op te blazen, een paar tegelijk. De mensen zouden ophouden met boodschappen doen. De nationale economie zou instorten. En dan had je nog de waterleidingen: ook een mikpunt. Kerncentrales: uiteraard. En flatgebouwen.

Duizenden mannen en vrouwen in uniform haastten zich in paniek naar al die verschillende doelwitten. Natuurlijk, als je een en ander vermenigvuldigde met tien, dan waren er nooit genoeg ambtenaren in Amerika om de supermarkten te omsingelen en beveiligen. Of de banken. Maar ze probeerden het. De FBI hield over het algemeen zijn diverse alarmeringen geheim. Maar keer op keer werden de media op de hoogte gebracht, en dat was geen verrassing met al die duizenden betrokkenen.

Iedere morgen werd de president van informatie voorzien. Om

acht uur 's morgens door Tenet en zijn medewerkers. Om 8.30 u arriveerde Mueller met zijn team. 'Eerst spelen we offensief, en dan defensief,' zei de president op een ochtend, toen ze klaar waren met de briefing. Dit aan de sport ontleende beeld, een stijlfiguur waarvan zowel Bush en Tenet, beiden enthousiaste sportliefhebbers, zich graag bedienden, bleek het goed te doen. Het sneed hout. Bij de voornaamste missie van de oorlog tegen terreur, namelijk 'vind ze, houd ze tegen', waren er eigenlijk maar twee ploegen in het spel. De meeste andere spelers binnen de overheid hadden een ondersteunende rol. Justitie stelde de regels vast, hoewel niet verwacht werd dat er op korte termijn sprake zou zijn van concrete gerechtelijke vervolgingen. Een breed scala aan diensten, van Immigratie en Naturalisatie tot Douane en Luchtvaartinspectie, was betrokken bij de bewaking van de binnenlandse veiligheid, min of meer onder toezicht van de voormalige gouverneur van Pennsylvania Tom Ridge. Maar het was een rommelig ad-hocinitiatief, dat bovendien nog geen eigen onderdak had als departement. Het Pentagon was aan het opruimen in Afghanistan en maakte zich gereed voor Irak.

De hoofdrolspelers, CIA en FBI, werden ingepast in de rol en het ritme dat ze jarenlang grotendeels zouden aanhouden. De CIA luidde de alarmklok; de FBI rende woest rondkijkend naar buiten: een hond aan wie een geur is gegeven, maar niet veel meer. Waar moesten ze beginnen te snuffelen? Geen idee. Begin met *overal*.

Zubaydah zei dat al-Qaida bijna in staat was een primitieve kernbom te bouwen. Dit zorgde voor schokgolven door het hele regeringsapparaat. Maar het kon niet bevestigd worden.

Een beproefde wijsheid luidt: alleen informatie die onafhankelijk kan worden bevestigd is van waarde. De ondervragers die met de ene vage waarschuwing na de andere voor de dag waren gekomen, zetten Zubaydah onder druk om met verifieerbare dingen te komen. Ze hadden een concreet persoon, een collega nodig. De gevangene gaf hun die niet.

Toen kwam er een kleine doorbraak. Een CIA-ondervrager die volgens bronnen, die het project in de gaten hielden, goed thuis was in de nuances van de Koran, slaagde erin dieper door te dringen in Zubaydahs psyche. Het al-Qaida-lid geloofde in een bepaalde vorm van predestinatie, dat dingen om voorbestemde redenen gebeuren. De ondervrager borduurde hierop voort, vrijelijk gebruikmakend van teksten uit de Koran. Zubaydah geloofde dat het een bepaalde bedoeling had gehad dat hij de aanslagen in Faisalabad had overleefd, terwijl verscheidene collega's van hem wel waren omgekomen. Hij was ervan overtuigd dat die bedoeling er in de volheid der tijden uit bestond dat hij zijn overweldigers enige samenwerking moest aanbieden, iets wat een dode man niet kon.

En dat deed hij. Hij kwam voor de dag met één naam: Jose Padilla.

Padilla kwam oorspronkelijk uit Brooklyn en was als kleine jongen naar Chicago verhuisd. Hij kwam uiteindelijk terecht in Zuid-Florida, waar hij zich liet bekeren tot de islam. Hij verliet de VS, ging naar Egypte, en ging in 2000 naar het kamp in Khalden, waar hij een training onderging bij Mohammed Atef, toentertijd de militaire leider van al-Qaida, die in november 2001 in Afghanistan werd geliquideerd. Padilla trok de grens over, naar Faisalabad, en sprak met Zubaydah over enkele van zijn onwaarschijnlijke ideeën. Hij wilde een kleine kernbom bouwen en die in Amerika tot ontploffing brengen. Padilla was op dit gebied niet echt geloofwaardig – zelfs in de meest elementaire zaken had hij geen opleiding genoten –, maar hij werd door Zubaydah wel gestimuleerd om zich aan andere projecten te wijden. Daarna werd hij doorgestuurd naar een echte veldcommandant om te bespreken wat er mogelijk was.

De codenaam voor die commandant was Mukhtar, Arabisch voor 'het brein'. De naam Mukhtar was de afgelopen twee jaar vele malen opgedoken in de sigint van de NSA, onder andere ook in enkele belangrijke onderschepte berichten die in verband werden gebracht met 11 september 2001. Na enige aarzeling zei Zubaydah dat Mukhtars echte naam Khalid Shaikh Mohammed was.

Dit was de grootste doorbraak in de ondervraging. Wat betreft Padilla werd aan Zubaydah duidelijk gemaakt dat deze onthulling niets te betekenen had, tenzij hij opgepakt werd. De gevangene vertelde zijn ondervragers hoe hij gevonden kon worden, en enkele dagen later werd Padilla gesignaleerd in Pakistan. Agenten volgden hem. Hij was op weg naar Amerika. Op 8 mei stapte Padilla uit een vliegtuig op O'Hare Airport in Chicago. FBI-agenten wachtten hem bij de uitgang op.

Op de zevende verdieping van het CIA-hoofdkantoor waren de meeste deelnemers tevreden dat ze de juiste keuze hadden gemaakt door gevangenen als Zubaydah niet door het Amerikaanse justitiële systeem te laten verwerken.

'Stel je voor dat hij een advocaat had gehad,' zei John McLaughlin tijdens een van de gebruikelijke besprekingen om vijf uur 's middags, waarbij de bescheiden onthullingen van Zubaydah ter sprake kwamen. 'Dat zou echt een sof zijn geworden. We zouden nooit geweten hebben wat we niet aan de weet waren gekomen.'

Voor het hete hangijzer van de verhoren was Zubaydah een eerste test, met resultaten die nu bestudeerd konden worden. Het leek alsof de FBI en diegenen binnen de CIA die voorstander waren van een softer ondervragingsmodel het bij het rechte eind hadden. Dat type van traditionele subtiele 'debriefing' scheen te hebben gewerkt. Maar wat betreft 'extreme methoden', en hun waarde of gebreken, was er nu een tegenvoorbeeld voorhanden. 'Werkte het,' zei een hoge functionaris bij het Pentagon, 'omdat hij eerst werd gemarteld? Dat is het probleem. Als je eenmaal deze weg hebt genomen, en alles uitprobeert, dan is het moeilijk om te weten wat er precies gewerkt heeft.'

Geleidelijk begon de informatiemachine op te bloeien en enkele vruchten af te werpen. De vage omtrekken van al-Qaida begonnen vorm aan te nemen. In Langley was een geliefde metafoor die van een puzzel. Een hele grote puzzel. Natuurlijk was het een puzzel die je in elkaar zette zonder het plaatje op de doos te zien of te weten hoe groot hij was. De eerste stap, zei John McLaughlin tegen de topmanagers, was om 'randstukjes' te vinden. Op die manier werk je al aan een omlijsting. De omlijsting stelt grenzen, en brengt je vervolgens naar binnen toe.

Het was duidelijk dat de gigantische terroristenvangmachine, bestaande uit NSA, First Data, de telecompartners en diverse financiële deskundigen, input van hoge kwaliteit nodig had om te kunnen presteren. Anders zouden ze alleen maar in het wilde weg dingen ontrafelen en links en rechts veel schade aanrichten. Bij de NSA gaven de in Huize Shabaz gevonden telefoonnummers en e-mailaddressen opheldering over een bijzonder waardevolle verzameling telegrammen. Alle vanaf 2000 overal ter wereld vergaarde sigint met het trefwoord 'Mukhtar' kon opnieuw worden ondergebracht bij de bekende identiteit van Khalid Shaikh Mohammed.

De uit Zubaydahs appartement meegenomen telefoonnummers, computers, cd's en e-mailadressen begonnen nu, een maand na zijn arrestatie, het een en ander op te leveren. Dit was geen rotzooi, zoals bij zo veel andere onderzoekingen van First Data. Deze input van hogere kwaliteit werd daarna ingevoerd in grote Cray-supercomputers bij de NSA, waarna een groot deel daarvan de wortels vormde van een 'surveillanceboom', compleet met stam, takken, twijgjes en knoppen. Elke knop groeide binnen enkele seconden uit tot een nieuwe boom.

De voornaamste resultaten werden dan doorgegeven aan de mensen van de CIA die in het souterrain de meest veelbelovende links koppelden aan de bijpassende stroomstootjes in het wereldwijde financiële systeem. Hier maakten CIA's matrixkampioen 'Nervous Phil' en zijn voornamelijk uit vrouwen bestaande team van verbindingsspecialisten lange dagen. Ze sliepen op rustbanken. Nervous Phil begreep net als zijn vriend Dennis Lormel bij de FBI dat de sleutel lag in het omdraaien van het inefficiënte proces van grootschalige zoektochten naar woorden, of het 'runnen' van creditcards langs een lijst met iedereen die een Arabische achternaam had en een vrachtwagen had gehuurd. Dat was wat je noemt het verkeerde eind van de verrekijker gebruiken. Het nalopen van de pulsen op een specifiek 'hotte' creditcard, of bankrekening, of telefoonlijn, kon echter hier en nu toegang geven tot een wereldwijd patroon. Dit was menselijk vernuft, versterkt door technologie. Etiketteer het monster, de terroristen, en kijk waar ze heen gaan. Pak ze niet op. Volg ze. Twee potentiële verdachten in dezelfde brasserie in Wembley? Zorg dat er een CIA-agent in de buurt is. Drie verdachte mannen die dezelfde bank in München als façade gebruiken? Zoek het moederbedrijf. Begin spinnenwebben te weven, de zijden draden die op projectieschermen of flapoverbord laten zien wie er verbonden is met wie.

Het was een spel met een kritieke massa, met een gestage maar trage voortgang. Het landschap begint pas vorm aan te nemen als er voldoende hits zijn, voldoende lichtpunten om een duidelijke dichtheid van verbindingslijnen zichtbaar te maken, een dichtheid die terroristenbroeinesten onthult.

Intussen verbond men gestaag het ene puntje met het andere. Een gevangene in Guantánamo Bay, Juma al-Dosari, een inwoner van Bahrain van ergens achter in de twintig, was onderworpen aan een verhoor dat enkele onthullingen had opgeleverd. Al-Dosari was tegelijk met een groot aantal anderen in het najaar opgepakt in Afghanistan. Het kostte Amerikaanse opsporingsambtenaren enkele maanden om erachter te komen dat hij mensen rekruteerde voor al-Qaida en dat hij al een jaar eerder in Amerika was geweest, namelijk in april 2001. Tijdens de ondervraging onthulde 'Juma' dat hij contact had gehad met een groep mannen in Lackawanna, een stad in westelijk New York met een grote Jemenitische gemeenschap, en dat hij geprobeerd had ze te rekruteren.

Een van de mannen uit New York had zelfs al eerder de aandacht getrokken van de FBI, niet lang na Juma's bezoek in het voorjaar. In een anonieme brief die het bureau had ontvangen werd gemeld dat een groep mannen uit Lackawanna naar Afghanistan was vertrokken om 'bin Laden op te zoeken en met hem te trainen'. Kort na ontvangst van deze brief keerde een van de mannen terug uit Afghanistan en werd ondervraagd door de FBI in Buffalo. De verklaringen van de man leken plausibel: hij was stabiel, ontwikkeld, getrouwd, had een paar kinderen, en de FBI had zijn dossier opgeborgen en beperkte zich verder tot een periodieke check op hem en zijn landgenoten in de gemeenschap te Lackawanna. Maar al-Dosari's verhoor leverde een alias op van een andere man uit Lackawanna die nu in het buitenland verbleef: Kamal Derwish. Derwish was geboren in Buffalo, keerde als jongen met zijn familie terug naar Jemen en ging in 1998, na een kort verblijf in Saudi-Arabië, als man van vijfentwintig weer terug naar de omgeving van Buffalo. Hij was de geestelijk leider van de groep mannen uit Lackawanna en had hen in mei 2001 naar het al-Farooq-trainingskamp in Afghanistan gebracht.

Nu ze zijn schuilnaam kenden, konden Amerikaanse sigint-operators de contacten lokaliseren die hij had gehad met Saad bin Laden, Osama's zoon, en met Tawfiq bin Attash, een van de planners van de bomaanslag op de USS Cole in 2000. Ze ontdekten ook dat hij in Afghanistan een wapentraining voor gevorderden had

gevolgd en halverwege de jaren negentig in Bosnië met moslimre-
bellen mee had gevochten.

Alarmklokken begonnen te luiden. Derwish was gevaarlijk,
was nauw verbonden met de man die bij al-Qaida de operationele
beslissingen nam. Als geestelijk leider en charismatisch voorman
was hij geknipt voor de rol van leider van een cel. Conclusie: de cel
van Derwish kon alleen maar bestaan uit de mannen van Lackawanna.

Op 17 mei werd deze informatie doorgegeven aan FBI's Radical
Islamic Task Force en vervolgens aan het kantoor in Buffalo. Na
maanden van vragen van Bush aan Mueller – 'Zijn er terroristen-
cellen in Amerika?' – had de FBI-directeur eindelijk zijn antwoord
paraat. Ja, meneer de president, we denken dat we een cel hebben
gevonden in, u raadt het nooit, in Lackawanna, New York, een door
armoede en werkloosheid geteisterde stad aan de rand van het Erie-
meer.

Intussen was Zubaydah nog steeds aan het praten... misschien was
het onzin, misschien niet. Je kon het eigenlijk niet goed zeggen. De
Brooklyn Bridge is een doelwit, vertelde hij zijn ondervragers. Net
als het Vrijheidsbeeld. Ja, allebei.

De FBI probeerde de informatie binnenboord te houden. Maar
het nieuws werd intern gelekt naar de New Yorkse politie, die zijn
eigen antiterrorismeafdeling had.

Eind mei werd de stad in een toestand van hoogste paraatheid
gebracht.

Vice-president Dick Cheney verdedigde de recente alarmsignalen. 'We hebben nu een groot aantal mensen in bewaring, gedetineerden,' zei Cheney in het CNN-programma *Larry King Live*, 'en
doordat we periodiek ditzelfde proces doormaken komen we meer
aan de weet over de mogelijkheid van toekomstige aanslagen. En
op basis van dat soort rapportage zijn we erg op onze hoede, alar-
meren we mensen als we denken dat er reden is om bezorgd te zijn
over een bepaald subject of doelwit.'

Donald Rumsfeld verscheen op 21 mei voor een subcommissie
van het toezichthoudende Senate Appropriations Committee om
over de militaire begroting te praten. Het meest opmerkelijk was

een korte uiteenzetting die hij gaf over 'de dreiging'.

'Als we gewoon de feiten onder ogen zien,' zei hij, 'dan moeten we erkennen dat terroristennetwerken betrekkingen onderhouden met terroristische staten die massavernietigingswapens hebben en dat ze daar onvermijdelijk de hand op zullen leggen en geen seconde zullen aarzelen die te gebruiken. Dat is de wereld waarin wij leven.'

Daarna vertelde hij hoe terroristen verbonden waren met Iran, Irak, Syrië, Libië, Noord-Korea en 'een of twee andere' landen, die allemaal massavernietigingswapens aan het ontwikkelen waren. Terroristen, zo zei hij, waren uit op het verkrijgen van nucleaire, chemische en biologische wapens, en daar zouden ze uiteindelijk in slagen, wat de VS ook deden om dat te verhinderen. 'We gaan een tijd tegemoet waarin we zullen moeten leven met beperkte of helemaal geen voorafgaande waarschuwingen,' voegde hij eraan toe. Hij zei dat er al-Qaida-terroristen in de Verenigde Staten waren, 'en die zijn heel goed getraind'.

Verklaringen als deze, die de regering al enkele maanden afscheidde, hadden het verwachte effect. Uit een peiling van CBS, die vlak voor Rumsfelds verklaring en de in New York afgegeven alarmsignalen bekend werd gemaakt, bleek dat 33 procent van de ondervraagden van mening was dat een nieuwe terroristisch aanslag 'zeer waarschijnlijk' was. Een week daarvoor was slechts 25 procent die mening toegedaan.

Terwijl het gevarieerde scala aan alarmsignalen en cryptische boodschappen van publieke figuren de ongerustheid bij het grote publiek aanwakkerden, laaide diep in de regering en in de hoogste beveiligingsregionen het vuur van de angst hoog op.

Rumsfelds laatste verklaring over 'zeer goed getrainde' terroristen in de VS was een directe verwijzing naar de uiterst geheime informatie over Lackawanna, die enkele maanden lang niet openbaar werd gemaakt. Zijn uitspraken over verbindingen tussen terroristen en schurkenstaten, of staten als Pakistan die oncontroleerbare elementen herbergden, vertoonden de sporen van herhaaldelijke, vaak dringende berichten over het Kandahar-kampvuur en het antraxspoor.

Wat betreft het eerste item was er vooruitgang geboekt. President

Musharraf was krachtig opgetreden tegen de Pakistaanse kerngeleerden en de UTN, de organisatie die ze vertegenwoordigden. Uit
recente ondervragingen van Sultan Bashiruddin Mahmood, en
onderzoek met behulp van een leugendetector door de CIA, bleek
dat de geleerden niet daadwerkelijk radiologische materialen hadden verstrekt aan bin Laden. De leugendetectoren bevestigden niet
alleen het verhaal over de kampvuurbijeenkomst, maar leverden
ook bijzonder nuttige aanwijzingen op die agenten van de Pakistaanse inlichtingendienst de weg wezen naar leden en aanhangers van de UTN, inclusief verscheidene personen die informanten
in de VS financierden. Vooral nadat de Amerikanen hun ongenoegen kenbaar hadden gemaakt over het feit dat Pakistaanse troepen
niet, zoals beloofd, assistentie hadden verleend bij het hermetisch
afsluiten van ontsnappingsroutes vanuit Tora Bora, was Musharraf bijzonder krachtig opgetreden tegen de UTN. Aan het eind van
het voorjaar van 2002 zaten veel leden van de organisatie al in de
gevangenis en had Bashir Mahmood, nog steeds een alom bekend
geleerde in Pakistan, permanent huisarrest.

Het antraxprobleem was ingewikkelder. Er schenen meer laboratoria en hoeveelheden in het spel te zijn dan men oorspronkelijk had gedacht. Rolf Mowatt-Larssen joeg op spoken, reisde naar
Pakistan, Afghanistan, Indonesië. Wat betreft de radiologische,
chemische of biologische middelen waar terroristen de hand op
zouden kunnen leggen, was het volgens de vice-president geen
kwestie van óf, maar van wannéér.

Al deze berichten sterkten Rumsfeld steeds meer in de overtuiging dat Amerika's pogingen om de verbreiding van vernietigingswapens tegen te gaan en ze uit handen van terroristen te houden
vruchteloos zouden blijven. Die vermeende vruchteloosheid werd
de motor achter de plannen voor een invasie van Irak... zo spoedig
mogelijk.

Cheneys ideeën over het effect dat 'onze reactie' zou hebben, ongeacht de inhoud van de bewijzen, kwamen aan bod in een informeel overleg met de militaire NAVO-chefs dat Rumsfeld op 6 juni
had in Brussel. Volgens een schets van zijn speech, zei de minister
tegen zijn gehoor dat 'een absoluut bewijs geen allereerste voorwaarde kan zijn om handelend op te mogen treden'

Volgens mensen die in deze periode deelnamen aan briefings van de Nationale Veiligheidsraad over de Perzische Golf was het voornaamste motief voor een invasie van Irak, dat men Saddam Hussein tot voorbeeld wilde maken, om duidelijk te laten wat er met je gebeurde als je het waagde massavernietigingswapens in bezit te hebben, of hoe dan ook het gezag van de VS te ondermijnen.

Tijdens bijeenkomsten in het Oval Office noemde de president Irak vaak een *game changer*, een factor die tot veranderingen leidt. Meer in het bijzonder luidde de theorie dat de VS met een krachtig optreden tegen Saddam Hussein de bestaande regels van geopolitieke analyse en actie konden veranderen ten bate van talloze andere landen.

Niettemin spoorden berichten over bin Laden en de Pakistaanse geleerden, of over al-Zawahiri en zijn antraxproject niet echt goed met deze ideeën. Het ging hier om 'non-statelijke actoren' die contact hadden met twee freelance wetenschappers over projecten van eigen bodem.

Dat slechte contact had als gevolg dat er nog grotere druk ontstond om de link tussen Saddam en al-Qaida te bewijzen. Eerdere door de CIA uitgesproken twijfels over een verband tussen die twee werden voor kennisgeving aangenomen en grotendeels genegeerd door de vice-president, door Don Rumsfeld, en door hun respectievelijke staven.

Per slot van rekening waren hun eigen inlichtingeneenheden hard aan het werk. Plaatsvervangend minister van Defensie Paul Wolfowitz had tegen het eind van het voorjaar van 2002 een arsenaal aan diverse visuele hulpmiddelen die hij meenam naar besprekingen op hoog niveau, onder andere schema's van potentiële verbindingen van Iraakse functionarissen met Mohammed Atta en andere leden van al-Qaida.

Een onderwerp dat voorwerp van diepgaande analyse was voor de inlichtingendienst van onderminister van Defensie Douglas Feith in het Pentagon, met steun van Cheneys staf, was hoe snel je na de aanslagen van 11 september 2001 de straten van Bagdad zag volstromen met opgetogen demonstranten. In de ene briefing na de andere dwarrelden de vragen rond, gebaseerd op wat er te zien was op diverse Arabische satellietzenders: kon een dergelijke uitbarsting, compleet met borden, wel spontaan zijn? Zo niet, hoe lang hadden ze dan nodig om zoiets te plannen en op touw te zetten? Hield dat niet in dat Saddam Hussein van tevoren van de aanslagen had geweten?

Vervolgens stelde de CIA een team samen dat de antwoorden opdelfde, ze presenteerde en daarna voor nieuwe versies zorgde. Geen enkele openlijke druk. Alleen een voortdurende herhaling.

'Wat duidelijk bleek,' zei het hoofd van de DI, Jami Miscik, 'is dat sommige vragen steeds opnieuw gesteld werden... alsof het antwoord ook steeds anders zou zijn, ook al was er geen enkele reden voor die verandering – als was het het eerste het beste nieuwe brokje informatie dat net binnengekomen was.'

De CIA was gefixeerd op dat wat het op actie gerichte Witte Huis zag als de oude, op de realiteit gebaseerde wereld: het domein van mensen als Scowcroft of Powell. De CIA-analisten konden met hun verstand misschien wel bevatten hoe gewaagd de dingen waren die het Witte Huis suggereerde en die de Cheney-doctrine nadrukkelijk bevestigde, maar de CIA kon het niet opbrengen om in die geest te handelen. Althans nu nog niet.

HOOFDSTUK 4

Zawahiri's hoofd

De digitale wekker begon op 8 juni om halftwee 's nachts te zoemen. Dan Coleman gaf hem een klets om hem tot zwijgen te brengen. Dit was geen tijdstip om ver van huis halfwakker naar het stucplafond van het huurappartement te liggen staren. Geen tijdstip om wakker te zijn, waar dan ook.

Hij kwam kreunend overeind, schoot zijn spijkerbroek aan en een

Seton Hall-sweatshirt dat hij bij iedere gelegenheid droeg (zijn dochter was tweedejaarsstudent, vandaar...). Een paar minuten later reed hij de garage uit in zijn Oldsmobile Intrigue 2000, pikzwart, het typische FBI-model. De straten waren stil en verlaten maar de hoofdstad was zoals altijd feestelijk verlicht: de monumenten, de Mall, het Witte Huis. Opeens moest hij denken aan Londen tijdens de Blitzkrieg, toen de elektriciteit geregeld werd afgesloten. Hoorden al die lichten wel aan te zijn midden in de nacht, vroeg hij zich af. Is er echt iemand die de stad beschermt in de kwetsbare vroege ochtenduren?

Nu de wegen nog open lagen kon hij naar de Beltway 495 racen, de randweg die Washington omgeeft, en dan via de tolweg, de Dulles Toll Road, naar de luchthaven van Virginia. Het was een goed moment om na te denken, en terwijl het duistere landschap voorbij vloog dacht hij aan zijn vrouw en kinderen in New Jersey, aan zijn astma die weer opspeelde, en aan zijn oudste zoon Danny in Afghanistan, die als Army Ranger geparachuteerd was in Kandahar. In een brief die Danny hem die week nog had gestuurd had hij verteld dat alles best goed ging, dat er niet veel meer te doen was. Die brief deed hem zo veel deugd.

De laatste keer dat hij Danny had gezien was eind januari, toen hij een kort verlof had en ze een partijtje voor hem hadden georga-niseerd. Vlak voor de feestdagen hadden ze gehoord dat hij thuis zou komen en Maureen had erop gestaan dat ze alle lichtjes zo zou-den laten, en de kousen voor de cadeaus, en ze hadden de kerstboom wel honderd keer water gegeven om te voorkomen dat hij opeens zou gaan uitvallen. Als hij kwam, zou het net Kerstmis zijn. En dat was het ook geweest. Zeker weten. Maureen had hem afgehaald van het vliegveld. Dan was als een gek van Washington naar huis gereden om op tijd te zijn voor het feestje. Het was heerlijk, de jon-gen niet in uniform... zodra hij thuis was trok hij het zo snel mo-gelijk uit, en hij zag er zo geweldig goed uit, glimlachend, een en al nuchterheid en luchtigheid over de schokkende dingen die hij had gedaan: niks bijzonders, pa. En hoe gaat het met jou? Net als Dans eigen vader, die geen politieagent kon worden omdat hij gewond was geraakt in de Tweede Wereldoorlog, of Dans grootvader, een politieagent die zich er nooit echt op voor liet staan hoe dapper hij wel was. Je had een erecode: je deed wat je moest doen.

Er zijn altijd een paar mensen die door een speling van het lot, en vaak ook gewoon door domme pech, uiteindelijk meer dan de normale portie van een bepaald geweldig historisch moment mee-maken. In alle tijden is er een overvloed aan voorbeelden: bijvoor-beeld de boer uit Manassas, Virginia, die van zijn verwoeste huis in 1861 vertrok naar het stillere plaatsje Appomattox, waarna de documenten voor de overgave na afloop van de oorlog bij hem in de salon werden getekend. Of de Hawaïaanse senator Daniël Inouye, die in de Tweede Wereldoorlog dienst nam in het leger in een tijd dat Japanse Amerikanen naar interneringskampen werden gede-porteerd, en die toen in Europa een eremedaille verdiende met het befaamde 'alles of niets'-regiment van Japans-Amerikaanse solda-ten.

Dan is op een wat stillere manier ook een van die mensen: 11 sep-tember hangt met al zijn ingeslopen effecten nog altijd rond zijn bonkige gestalte. Natuurlijk was hij erbij geweest en had hij zich vanuit het hoofdkwartier van de FBI met een paar collega's daar-naartoe gehaast toen de torens instortten. Ze deden wat ze konden, verzorgden zwetend de gewonden en schreeuwden en huilden die dag, en nog dagen daarna. Daarna reed hij in de zwarte Oldsmobile naar huis, naar Maureen, en ze keken elkaar aan, wetend dat Danny als Army Ranger naar Afghanistan moest en dat hij als een van de eersten aan de beurt zou zijn. Dat was, hoe je het ook bekeek, een bijzonder gevaarlijke opdracht. Maureen zei wat ze allebei dachten: 'Het is niet voldoende dat jullie de aanslag niet hebben kunnen tegenhouden. Nu zal onze zoon worden omgebracht.'

Aan dit alles dacht Dan, aan wat Maureen had gezegd, en toen aan het partijtje met Kerstmis, en toen weer aan Maureen, twee herinneringen die op elkaar pasten als pot en deksel... en toen kwamen de lichten van Dulles Airport in zicht. De in 1962 op een stuk niemandsland in de heuvels van Virginia aangelegde luchthaven ligt er alleen en verlaten bij, om twee uur 's nachts uitsluitend ten eigen behoeve verlicht. Dan liet de grote publieke terminal links liggen, reed naar de loods voor privévliegtuigen – General Aviation –, en stapte uit zijn grote Oldsmobile, de juninacht in.

In de hal van de kleine terminal stonden twee mannen te wachten. De ene was een luitenant-kolonel, een grote vent die Dan niet kende. De tweede was iemand die hij van na de aanslagen van 11 september kende, genaamd Steve, voorheen maatschappelijk werker en nu inlichtingenofficier bij Delta Force. Ze waren net met een vliegtuig uit Afghanistan gekomen.

'Steve!' riep Dan. Ze kletsten enkele kostbare minuten, waarbij Steve Dan vertelde wat Dan hoopte te horen, namelijk dat hij naar Danny had geïnformeerd en dat het uitstekend met hem ging. De geheimhoudingsregels zijn wat dit betreft streng. Veel soldaten van de Special Forces kunnen zelfs hun geliefden niet schrijven wat hun locatie of de aard van hun missie is, maar Steve paste de regels een beetje aan voor grote Dan, zijn gewaardeerde strijdmakker.

'Het is een fantastische knul, hoor ik,' zei Steven, en Dan knikte, en hij lachte: 'Wat je zegt, dat hoor ik ook vaak.'

Toen was het tijd om aan de slag te gaan.

'Tja, het heeft een paar maanden geduurd, maar hier hebben we het dan.' Steven stak zijn hand in een sporttas aan zijn voeten en haalde er een legergroene ronde doos uit van metaal uit, ongeveer zo groot als een hoedendoos, met daarop in gele letters US GOVERNMENT.

Hij gaf hem aan Coleman. Binnenin rolde iets heen en weer.

Dan keek hem aan. 'Dus hier zit het in?'

'Voor zover ik weet wel,' zei Steven.

Zawahiri's hoofd.

Hoe komt het hoofd hier terecht, hier op Dulles Airport? Zoals met alles is het vinden van een beginpunt een kwestie van hoe diep je wilt graven.

De echte diepe gravers zouden kunnen beginnen in het jaar 610 na Christus, toen een koopman van middelbare leeftijd, Mohammed ibn Abdallah ibn Abd al-Muttalib, zich terugtrok in een grot in de buurt van Mekka om te bidden en te mediteren, en bezoek kreeg van de engel Gabriël. De engel gaf Mohammed opdracht om een lange reeks door God gezonden verzen in zijn geheugen te prenten en ze te reciteren, passages die uiteindelijk de kern van de Koran zouden vormen.

Toen Mohammed tweeëntwintig jaar later stierf, had hij talrijke tegenstanders overwonnen en een nieuwe monotheïstische godsdienst gesticht die vele leringen van zowel christendom als jodendom belichaamde en die in zijn ogen de opvolger of het complement van deze godsdiensten was.

Dat nieuwe geloof zou de hoeksteen worden van een rijk dat zich in de loop van de twee daaropvolgende eeuwen vanuit Mekka verbreidde en uiteindelijk een groot deel van het Iberisch schiereiland, Centraal- en Zuid-Azië, Afrika en delen van Zuidoost-Azië omvatte.

Een kenmerkend element van die periode van groei was de *ijtihad*, of de kritische interpretatie van religieuze leringen gericht op het vinden van toepassingen in je eigen leven en je eigen omstandigheden. Geleerden op het Arabische schiereiland die deze praktijk al voor de komst van Mohammed hadden omhelsd, propageerden na zijn dood een concept van ijtihad waardoor uiteenlopende volkeren met diverse tradities onder de paraplu van de islam een thuis konden vinden.

Maar het stichten van een rijk eist harde keuzes, en machthebbers hebben de onbedwingbare neiging tot consolidatie van hun overwinningen. Tweehonderd jaar later, halverwege de negende eeuw, waren er inmiddels vier belangrijke denkrichtingen ontstaan, die elk een eigen vaststaande verzameling antwoorden boden op onopgeloste kwesties in de Koran, de Soenna en diverse andere islamitische teksten. Rond die tijd waren de 'poorten van de ijtihad' inmiddels gesloten. De glans van het zogenoemde gouden tijdperk van de islam verbleekte en veel van de in de 'wieg van de beschaving' gelegen landen die deze theologie hadden omhelsd zouden vanaf dat moment langzaam en gestaag wegkwijnen. Maar de strijd binnen de godsdienst over het recht op ijtihad, dus op uiteenlopende interpretaties van de eerste leringen, zou nog een millennium woeden tussen en binnen de twee belangrijkste kampen van de religie, de soennieten en sjiieten.

Dit bereikte nagenoeg een hoogtepunt met de opkomst van het wahabisme in het begin van de negentiende eeuw. Deze islamitische stroming was gebaseerd op de overtuiging van de stichter, Mohammed ibn Abd al-Wahhab, dat bepaalde vroege strenge voorschriften van de islam in essentie konden worden benut voor een revival van deze godsdienst in de moderne tijd. Wahhab en zijn volgelingen geloofden dat 'de poorten' geopend moesten worden, zodat ze de ruimte zouden krijgen voor het belijden van een fel fundamentalisme, gebaseerd op talrijke letterlijke interpretaties. De familie van de Saudi's, die in de loop van de negentiende en begin twintigste eeuw al vechtend heer en meester werden over Arabië, voelde zich sterk aangetrokken tot deze tak van de islam.

Zo ook een gevarieerde groep van jonge hoogopgeleide Arabieren, die tegen het eind van de twintigste eeuw in toenemende mate ontmoedigd raakten door hun gebrek aan mogelijkheden, en die ontevreden waren over het leven onder de 'modernistische' Arabische regimes, die vaak onderdrukkend waren en geleid werden door monarchisten.

Het duwen en trekken tussen de modernisten en de fundamentalisten zou de woelige recente geschiedenis bepalen van Iran, Afghanistan, Irak, Saudi-Arabië, Pakistan, Egypte, Jordanië – vrijwel ieder islamitisch land. Het was een zich voortslepende strijd die in veel landen werd gevoerd tegen de glibberige achtergrond van Amerikaanse strategische belangen, die vaak met olie verband hielden. Onder de talloze goed opgeleide, geprivilegieerde en ontevreden jongemannen van dit laatste tijdperk was een Egyptische chirurg, Ayman al-Zawahiri, die flirtte met het fundamentalisme en met de politiek, totdat hij in 1981 mee werd gesleurd door de arrestatiegolven na de moordaanslag op Anwar Sadat. Zawahiri werd in Egyptische gevangenissen gemarteld, waardoor hij radicaliseerde. Toen hij vrijkwam werd hij leider van de Egyptische Islamitische Jihad, een groep die uiteindelijk fuseerde met de groep rond bin Laden, en zo al-Qaida vormde.

De briljante en keiharde Zawahiri hielp zijn jongere partner focussen en radicaliseren en leverde als bijdrage aan hun gemeenschappelijke inspanningen een breed scala aan zeer bruikbare deskundigen – technici, wetenschappers, computerspecialisten – uit de gelederen van ontwikkelde Egyptenaren. In vlak na 11 september opgepikte sigint noemden al-Qaida-leden de aanslagen 'het plan van de dokter'. Voor mensen die al-Zawahiri hadden gevolgd kwam dit niet als een verrassing. Hij was bin Ladens Cheney, de oudere man die ervoor zorgde dat ideeën ook daadwerkelijk werden uitgevoerd. Algauw werd de dokter iemand die net zo hard gezocht werd als bin Laden zelf: hij werd de ster van pamfletten die overal boven Afghanistan uitgestrooid werden zodra de oorlog begonnen was, met de belofte van een 'beloning van 25 miljoen dollar voor informatie', leidend tot zijn dood of aanhouding.

Constant kwamen er berichten over de dood van Zawahiri binnen, minstens veertig eind 2001 en begin 2002. Elk bericht veroorzaakte een golf van hoopvolle verwachting in het Witte Huis, bij de CIA en bij hen die ook maar een klein beetje op de hoogte waren. Alle verwachtingen op basis van die berichten gingen bij nader onderzoek in rook op.

Maar dit bericht was anders. Een delegatie van Afghaanse stamhoofden zei dat ze een definitief bewijs hadden. Zawahiri was vermoord in december, een tijdstip dat overeenkwam met veel van die berichten. Hij was begraven in een wadi, een rivierbedding, die vlak daarna ondergesneeuwd was. De Amerikaanse militaire inlichtingendienst, die samenwerkte met de Canadese Special Forces, zei dat ze uiteraard een onomstotelijk bewijs nodig hadden voordat ze die 25 miljoen dollar weggaven. Geen probleem, zeiden de stamhoofden. Als in het voorjaar de dooi inviel, kon het lijk worden opgegraven. En zo gebeurde het.

En zo kwam het dat een kaakloos hoofd uiteindelijk in een metalen doos belandde die Steven, de maatschappelijk werker die noodgedwongen overgestapt was op het inlichtingenwerk, in de vlezige handen drukte van Dan Coleman, telg van een lange lijn van stoere Ierse New Yorkers.

'Bedankt,' zei Dan, hoewel dat niet helemaal op zijn plaats leek.

Daarna liepen de twee mannen samen met de derde agent, die vooral had toegekeken, naar een ruimte daarnaast.

'Laten we maar eens kijken,' zei Dan.

Hij wipte met enige moeite het deksel eraf, stak zijn hand in de koele, vochtige duisternis, drukte zijn vingers door een laag rivierklei en tilde de schedel eruit, met nog een stukje resterende huid rond de kruin.

Hij voelde aan als een bocciabal. Hij hield de schedel rechtop in zijn handpalm, zoals Hamlet deed met die van Yorick. De drie mannen keken er waarderend naar en zagen het alle drie op hetzelfde moment: in het midden van het voorhoofd vertoonde de schedel een kneuzing. Het was onmiskenbaar: de plaats waar Zawahiri een blauwe plek had gehad, een teken van vroomheid, van nederigheid, van talloze uren van buigingen, zijn hoofd gedrukt tegen steen, beton, hout of gewoon aarde, wanneer hij zijn leven overgaf aan de wil van Allah.

'Ik weet het niet,' zei Dan schouderophalend. 'Hij lijkt er wel sterk op.'

Ze knikten. Absoluut.

Een ogenblik later deed Dan, met de doos onder zijn arm, de kofferbak van de zwarte Oldsmobile open. Het was een auto waarvan de kofferbak met een dun laagje stof, een soort wit poeder bedekt was, net als het leer van de achterbank en de vloermatten en de verchroomde sierrand rond de radio. Na 11 september had Dan nooit echt tijd gehad om de auto schoon, echt grondig schoon te maken.

En zo werd het uit een Afghaanse rivierbedding afkomstige hoofd nu neergelegd in deze gemotoriseerde urn op wielen, *made in America.*

Toen hij wegreed van Dulles Airport voelde Dan zich lichtelijk opgelaten. Het gaf een raar gevoel om dat idiote ding achterin te hebben. Dit was geheim, zelfs uiterst geheim. Hij had strikte orders om er met niemand over te praten, niet eens met de mensen die een top-*clearance* hadden. Maar allejezus, stel je voor dat hij werd aangehouden en de auto werd doorzocht? Hoe moest hij die schedel in de kofferbak verklaren?

Hij drukte de radioknop in. Wipte van het ene station naar het andere. Niets. Daarna pakte hij de tape met het boek waar hij kort geleden nog naar had zitten luisteren: Colleen McCoulloughs *Caesar: A Novel*, een deel uit haar serie 'Masters of Rome'. Net als een heleboel andere agenten had hij in de loop van de jaren zo vaak noodgedwongen zitten niksen in zijn auto dat hij tijd genoeg had gehad om zichzelf te ontwikkelen en zich aan zijn interesses te wijden. Hij hield van boeken over de Romeinen. Net als veel andere mensen zag hij parallellen tussen hen en ons. Maar wat hem het meest interesseerde was hoe de Romeinen hun macht hadden gebruikt: ze hadden duidelijk de gevaren van de uitoefening ervan gezien.

Hij luisterde naar de band terwijl de auto met hoge snelheid naar de hoofdstad van het land reed, met het hoofd van onze vijand in de kofferbak.

In het gigantische betonnen hoofdkwartier van de FBI aan Ninth Street, een locatie ingeklemd tussen Congres en 1600 Pennsylvania, brandde op de derde verdieping nog gedempt licht in het laboratorium waar het bewijsmateriaal werd onderzocht. Een forensisch patholoog moest het hoofd in ontvangst nemen en het boeken als bewijsmateriaal, en het was niet makkelijk iemand te vinden die daar om drie uur 's nachts wilde komen opdraven. De persoon die hij had gebeld was specialist in begraven stoffelijke resten. Ze was ook een alleenstaande moeder die een paar jaar tevoren een baby, een meisje, uit Rusland had geadopteerd. Dan wist dat hij op zijn tenen naar binnen moest lopen. De patholoog, Missy, gebaarde naar links en legde een vinger op haar lippen. Het meisje, dat nu acht jaar oud was, lag in een diepe slaap op de bank.

'Wat heb je daar?' fluisterde ze.

'Een hoofd,' zei Dan schouderophalend. 'We zoeken een bijpassend DNA.' Het was typisch zo'n gesprek waarin veel werd weggelaten. Want mensen als Dan, als zovelen in dienst van de Amerikaanse overheid, moesten zich in het contact met collega's beperken tot het 'hoogstnoodzakelijke'. Ze weten alleen maar wat ze moeten weten. Geen woord meer.

Missy deed de doos open en stak haar gehandschoende handen erin. 'Ik vind hier niet direct veel voor ons doel.' Het doel was een mitochondriaal-DNA-test waarmee je het DNA van een specifiek individu kunt identificeren door vergelijking van een weefselproef met een 'match'. Ze hield de schedel omhoog en bekeek hem van dichtbij als een aandachtig turende tandarts.

'Misschien zit er wat weefsel in een van de tanden.'

Ze legde het hoofd op een steriele onderlegger, pakte een formulier en keek Dan vragend aan. 'Waaronder moet ik het boeken?'

'265ANY-25939,' zei hij, en ze krabbelde de cijfers en letters neer.

Ze keek hem vol verwachting aan. 'Het dossier van Osama bin Laden?' Dan knikte met een uitdrukkingsloos gezicht. Ze gaf hem een ontvangstbewijs.

Er viel een stilte waarin het vreemde van de situatie opeens extra reliëf kreeg: Dan, Missy en Zawahiri's hoofd en een klein meisje op de bank.

'Ik hoop dat het degene is, wie dan ook, wie jij hoopt dat het is,' fluisterde Missy toen. En het hoofd, een artefact, een talisman van de oorlog tegen terreur, werd in een bewijsmateriaalkluisje geplaatst, geruisloos om een slapend kind niet wakker te maken.

Een paar dagen later boorde een forensisch specialist van de FBI een gat in de schedel om bij de achterste kies te kunnen komen. Daar zat een stukje bruikbaar weefsel. Nu hadden ze hun proefmonster.

Nu kon de DNA-analyse beginnen.

De CIA werd erbij gehaald en die kwam in actie. Met niet-gematcht DNA kon je geslacht en leeftijd bepalen, maar voor een specifieke identiteit hadden ze een DNA-match nodig met een familielid. Zawahiri's broer Mohammed zat in de gevangenis in Caïro. Een operationeel manager van de CIA belde een chef bij de Egyptische inlichtingendienst.

Hij legde de situatie uit.

De Egyptenaar luisterde. 'Dat is geen probleem,' zei hij. 'We pakken zijn broer, hakken zijn arm af en sturen die naar jullie toe.'

'Nee, alsjeblieft!' stamelde de man van de FBI. 'Nee, alleen maar een buisje met bloed. Een buisje met bloed is het enige wat we nodig hebben.'

De Egyptenaar zuchtte. 'Prima. Wat je maar wilt. Jullie willen bloed. Dan sturen we jullie bloed.'

Yosri Fouda reisde als een vluchteling, als een man die te veel wist.

Dat klopte aardig. Half april had hij in het appartement in Karachi twee heel bijzondere dagen doorgebracht met Khalid Shaikh Mohammed, bin al-Shibh en de anderen, pratend over de Koran, biddend, en discussiërend over 11 september.

KSM vertelde Fouda dat de voorbereidingen voor 'heilige dinsdag', tweeënhalf jaar voor de aanslagen, begonnen waren. Hij zei: 'Toen we het over doelwitten hadden, waren we eerst van plan een aantal kerncentrales te treffen, maar we besloten dat niet te doen omdat we bang waren dat de zaak uit de hand zou lopen.'

KSM zei dat besloten was om kerninstallaties 'voorlopig' met rust te laten.

De uit Koeweit afkomstige Khalid Shaikh Mohammed was duidelijk de operationele chef van al-Qaida, de tactische veldcommandant, naast de meer abstracte en in hoger sferen verkerende bin Laden en de strategisch denkende Zawahiri. Hij zei tegen Fouda dat er een lange stoet van door hem gerekruteerde martelaren was waaruit hij kon kiezen, en dat het er zoveel waren dat de organisatie een zogenaamd 'departement van martelaren' had, bestemd voor aanslagen op 'ongelovigen en zionisten'.

Op een gegeven moment had zijn collega bin al-Shibh aan Fouda een koffer laten zien met zijn 'souvenirs uit Hamburg': tientallen voorwerpen, variërend van Boeingbrochures en luchtvaarthandboeken tot leerboeken van de Engelse taal en cd-roms met vluchtsimulaties. Bin al-Shibh was in feite uitgekozen als de twintigste kaper, niet Moussaoui, die van de lijst was gehaald omdat hij onbetrouwbaar werd gevonden. Maar de Verenigde Staten kon hij niet in omdat hij op verscheidene 'no-fly'-lijsten stond. Hij was jong, elegant en goed opgeleid, op een vreemde manier goed passend bij de wereldwijze, snel denkende Fouda, en hij reciteerde een huiveringwekkend gebed voor zijn gast: 'Onze woorden zullen dood blijven, als bruiden gemaakt van was, stil en zonder hart. Alleen wanneer we voor hen sterven zullen zij verrijzen en onder ons leven.'

Uiteindelijk interviewde Fouda beide mannen langdurig, bleef een tweede nacht, en werd toen geblinddoekt voor zijn vertrek. KSM verzekerde de correspondent dat ze hem de bandjes zo snel mogelijk zouden doen toekomen.

Maar dat gebeurde niet. Fouda wachtte, nam de tijd om na te denken over wat er gebeurd was, en werkte rustig verder aan het project door bin al-Shibhs route door Hamburg te traceren. Hij nam in Caïro deel aan een seminar met de titel 'Media en terrorisme' en vloog daarna naar Beiroet voor interviews met de familie van Ziad Jarrah, de piloot van vlucht 93 van United Airlines die neergestort was boven het platteland van Pennsylvania. Begin juni had hij de opnames van de interviews nog steeds niet ontvangen, maar wel kreeg hij diverse raadselachtige boodschappen over aflevering van de banden in ruil voor cash. Intussen vertelde hij niemand wat hij in Karachi had meegemaakt.

Het hoofdkwartier van Al-Jazeera te Doha, in Katar, ziet er op het eerste gezicht van binnen en van buiten uit als een passende bakermat voor CNN of elke willekeurige westerse televisiemaatschappij. Toch is deze omroep op een subtiele manier anders: het bedient zijn publiek anders en kent andere dilemma's, en hoewel dit station een buitengewoon grote invloed heeft op de vorming van Arabische opinies, is het ook een enorm experiment rond de vraag of de idealen van een vrije pers wortel kunnen schieten in dit vaak ongastvrije deel van de wereld.

Toen het station in 1996 in bedrijf werd genomen als het lievelingsproject van de nieuwe emir van Katar, Shaikh Hamad bin Khalifa al-Thani, die zojuist in een coup zonder bloedvergieten de macht had overgenomen van zijn bejaarde vader, werd dit door het Westen toegejuicht als een grote sprong voorwaarts.

Het idee van een groot pan-Arabisch station werd als eerste omhelsd door de BBC, die in 1994 samen met een Saudi-Arabisch station een Arabischtalig programma had gelanceerd, een activiteit die in 1996 werd gestaakt.

De emir profiteerde van dat gat in de markt en trok een groot aantal goed opgeleide Arabisch sprekende journalisten aan die aan dit experiment van de BBC hadden deelgenomen. Zijn station groeide snel en gaf een impuls aan al-Thani's meer omvattende missie: het olieproducerende Katar, een piepklein landje met ook nog eens aardgasvoorraden van 14 biljoen kubieke meter, in het Zwitserland van de Arabische wereld veranderen. Het zou een welvarende, neutrale en stabiele natie zijn. Met een bruto binnenlands product van 26.000 dollar per hoofd staat het land op gelijke voet met de meeste westerse democratieën. De bevolking is voor 95 procent moslim, maar wel divers, dat wil zeggen dat bijna de helft van de burgers zich als Pakistaan, Indiër of Iraniër beschouwt. Niet dat er geen krachtige fundamentalistische moslimgemeenschap bestaat, en dat er geen tekenen van radicalisme zijn onder de bevolking van 900.000 zielen. De emir, een telg van de familie al-Thani die sinds de helft van de negentiende eeuw heerst over Katar, houdt vaardig het midden tussen de traditionele theocratie en modernere vormen van macht en prestige. Dat leidt tot merkwaardige tegenspraken, te weten: de emir schrijft alleen de wet voor in een land waar 89 procent van de bevolking kan lezen en schrijven, een land met gezondheidszorg voor allen, en een satelliettelevisiestation.

Aanvankelijk was Al-Jazeera echt een novum, vooral in een regio waar bijna alle televisiestations door de staat worden gecontroleerd en de overheden gewend waren dat hun boodschappen altijd vol respect werden doorgegeven.

Bijna onmiddellijk ontstonden er complicaties. Het station bekritiseerde zijn eigen regering, een daad waarmee het in 2000 de lof van het Amerikaanse ministerie van Buitenlandse Zaken oogstte. Na een onthullend verhaal over Jordanië werd het bureau in Amman gesloten en riep Jordanië zijn ambassadeur terug uit Doha. De evenzeer verontwaardigde Saudi's legden het station een desastreus reclameverbod op. Als reactie op weinig flatterende reportages van Al Jazeera deden nog zes andere landen hetzelfde. Het kabelkanaal ontving in de loop van de tijd vierhonderd brieven met officiële klachten.

Hoewel de Verenigde Staten vaak het onderwerp waren van scherpe reportages in de actualiteitenprogramma's van het station en er in de praatprogramma's bijtende antiwesterse commentaren te horen waren, waren deze nadelen gering in vergelijking met de voordelen die het bestaan van een onafhankelijke mediabron in de Arabische wereld opleverde.

Toen de oorlog in Afghanistan begon werd die rekensom, net als zo veel andere dingen die de Amerikaanse buitenlandse politiek bepalen, opnieuw geëvalueerd. Als niet betrokken partij met sympathie voor zijn moslimpubliek, bracht Al-Jazeera intensief verslag uit van de schade die veroorzaakt werd door de Amerikaanse bombardementen op Afghanistan. De beelden dreven Amerikaanse beleidsmakers tot razernij en waren voor Colin Powell aanleiding de emir tijdens zijn bezoek aan de Verenigde Staten van begin oktober aan te moedigen om het station aan banden te leggen. Al-Thani reageerde met een preek over gekoesterde vrijheden: 'Het parlementaire leven vereist dat je vrije en geloofwaardige media hebt, en dat is wat wij proberen te verwezenlijken.'

Het station bood niet alleen ruimte aan afgrijselijke foto's, zoals die van de verbrande lijken van in Jalalabad omgekomen Afghaanse kinderen, maar het werd ook gezien als een podium voor bin Laden, die in 1998 voor het eerst op dit net verscheen. Slechts een paar uur nadat Amerikaanse vliegtuigen begin oktober begonnen waren met het bombarderen van het land, zag een wereldwijd publiek Osama bin Laden met een kalasjnikov naast zich voor zijn schuilplaats zitten, waar hij de strijd typeerde als een oorlog tussen de islam en het Westen. 'Amerika,' zei hij, 'zal nooit zekerheid en veiligheid smaken als wij geen zekerheid en veiligheid smaken in onze landen.'

Meer uitspraken van bin Laden zouden volgen. Banden werden rechtstreeks afgeleverd op het Afghaanse hoofdkwartier van Al-Jazeera in Kabul. Condoleezza Rice klaagde dat al-Qaida gecodeerde berichten verzond naar actieve leden en financiers en ze drong er bij Amerikaanse omroepen op aan om tapes van al-Qaida niet uit te zenden zonder een zorgvuldige voorafgaande screening.

De frustratie ging echter dieper. Bin Laden en al-Qaida toonden aan dat niet-statelijke actoren ook een soort communicatiemacht in stelling konden brengen. De aantrekkingskracht van bin Laden, glimlachend gezeten voor de grot waar hij zich schuilhield, of in fraai Arabisch sprekend over de uitdaging waarmee de Amerikaanse Goliath moslims heden ten dage confronteert, was een overweldigend goede show, een overweldigend goed verhaal. Eén man en zijn primitieve legertje stelden een woedend imperium aan de kaak. De Verenigde Staten, die er prat op schenen te gaan dat hun mondiale mediamacht hun overweldigende militaire kracht evenaarde, hadden opnieuw het nakijken.

Rond begin november werd Al-Jazeera al gezien als belangenbehartiger van bin Laden. De president, die met al-Thani had gesproken toen de emir op 4 oktober op bezoek was, richtte zich tot Tenet.

Iedereen wist dat Tenet en de emir op goede voet met elkaar stonden. Tenet had Katar vele malen bezocht sinds hij directeur was geworden bij de CIA. De emir, een twee meter lange reus met een gewicht van ver boven de honderd kilo, gehuld in met goudbrokaat afgezette gewaden en met sandalen aan zijn voeten, kon het uitstekend met Tenet vinden. Ze namen elkaar in de maling. Ze smeedden plannen. Ze spaarden elkaar niet.

Dit was uiteraard onderdeel van de methode-Tenet. Hij had in de loop van de jaren geleidelijk het vertrouwen gewonnen van leiders van de Arabische naties, een vertrouwen dat in de eerste maanden na 11 september terecht werd gezien als een van de meest kostbare hulpbronnen van de Verenigde Staten.

'Hoe zat het ook alweer? Moest je niet een heleboel kikkers gekust hebben voordat je een prins vond?' zei de algemeen directeur van de CIA Buzzy Krongard, verwijzend naar Tenets gevarieerde verzameling van relaties, met Abdullah van Saudi-Arabië, de emir van Katar, president Musharraf enzovoort. 'George heeft een heleboel kikkers gekust.'

Tenet was als het ware het prototype van de handelsreiziger die alles placht te doen wat nodig was om een klant te winnen: hem fêteren, de hele nacht opblijven onder het genot van vele glazen whisky, hem kaarten sturen met de feestdagen. Voor veel Arabische leiders werd hij een informeel adviseur die hun raad gaf over hun beslommeringen in een complexe wereld.

In dit geval wist Tenet dat al-Thani klem zat tussen zijn verplichtingen ten opzichte van de Verenigde Staten en een instabiele

Arabische wereld. Leiders van de diverse Arabische staten, zijn gelijken, ergerden zich aan het feit dat ze de afgelopen jaren zo ruw behandeld waren door Al-Jazeera en bij al-Thani geen troost hadden kunnen vinden.

Hoe kon al-Thani de Verenigde Staten aan een betere weergave in de media helpen? Tenet drong er bij hem op aan om de televisiemaatschappij aan banden te leggen. De emir verklaarde dat Arabische leiders ook geregeld bij hem klaagden. Of je het nu bekeek vanuit het standpunt van zijn Arabische broeders of vanuit dat van de Verenigde Staten, de sleutel was, zo zei de emir, een harde en onontkoombare regel, namelijk dat je nooit betrokken moest raken in problemen rond verslaggeving in de media. Hij kon echt niets doen.

De mensen van de CIA zagen hun opties wat ruimer. Eind oktober en begin november werden er gesprekken gevoerd over wat ze zouden kunnen doen.

Zoals Krongard zei: 'Het ging om iets fundamenteels met betrekking tot de Arabische wereld dat je de jaren daarop keer op keer zou horen. Praat met ze op een manier die ze begrijpen.'

Op 13 november, op die de hectische dag waarop Kabul in handen viel van de Noordelijke Alliantie, wat gevierd werd in de straten van de stad, vaagde een Amerikaanse raket het kantoor van Al-Jazeera weg. Journalisten van Al-Jazeera die de val van de stad versloegen, stonden buiten op straat.

'Iedereen kent dit kantoor, ook de Amerikaanse piloten kenden de locatie van het kantoor,' zei de directeur van Al-Jazeera, Mohammed Jasim al-Ali. 'Ze weten dat we hiervandaan uitzenden.'

Dat alles was volkomen juist.

Binnen de CIA en in het Witte Huis heerste voldoening over het feit dat de boodschap aan het adres van Al-Jazeera overgekomen was.

Op de ochtend van 14 juni 2002 was de grootste primeur voor Al-Jazeera dat ze het gebouw in gingen. Fouda, gewapend met notities en onthullingen, hoewel nog steeds zonder de hem beloofde banden, had het idee dat hij nu eindelijk eens rapport moest uitbrengen aan een van zijn bazen.

Nog die dag beschreef hij tijdens een lunch met Mohammed Jasim al-Ali, een van de directeuren van Al-Jazeera, in de elegante Diplomatic Club aan de boulevard in Doha de lange keten van gebeurtenissen, verwikkelingen en contacten. 'Dit kan echt niet!' riep al-Ali met wijd opengesperde ogen. Hij zei dat hij en Fouda het hogerop moesten zoeken en alles moesten vertellen aan de vicevoorzitter van het satellietkanaal. Wat ze die middag deden.

De volgende ochtend hadden ze een gesprek met de voorzitter van Al-Jazeera, Shaikh Hamad bin Thamer al-Thani, een neef van de emir. Een halfuur lang beschreef Fouda wat hij ontdekt had, totdat de oudere man hem onderbrak met zijn vragen. 'De banden! Wanneer krijg je die?' Fouda deed zijn verhaal. 'Hoeveel mensen weten tot nu toe hiervan?' Fouda antwoordde dat alleen de mensen in deze ruimte ervan wisten. 'Hou het stil, en neem geen risico's,' zei Shaikh Hamad. 'Mocht je speciale voorzieningen nodig hebben voor je veiligheid, laat het me dan even weten.'

Hamad vroeg naar Khalid Shaikh Mohammed. Twee weken eerder had FBI-chef Bob Mueller een persconferentie gegeven waarin hij officieel bekendmaakte dat KSM het meesterbrein was achter 11 september, de belangrijkste onthulling op basis van de ondervraging van Zubaydah. Foto's en profielen van de terrorist hadden de media overspoeld, waardoor KSM werd verheven tot de status van internationaal crimineel, en van volksheld in een groot deel van de moslimwereld.

Niemand had al maanden iets van bin Laden of Zawahiri gehoord en KSM vulde die leegte op. Ramzi bin al-Shibh, het enige lid van de Hamburgse cel die nog op vrije voeten was, werd nu in zijn juiste context geplaatst, namelijk naast KSM. Een interview met hen? Het was de grootste primeur in de geschiedenis van Al-Jazeera.

Fouda en zijn chefs spraken de rest van die dag op fluistertoon met elkaar. Ze hadden nog drie maanden tot de herdenking van 11 september en de geplande vertoning van Fouda's documentaire. Er moest veel werk worden gedaan. De correspondent zou een heleboel zelf doen met een handbediende camera. Iedereen die aan het project werkte zou afgeschermd worden. Het moest volstrekt geheim gehouden worden. Over dat laatste punt was iedereen het eens.

George Tenet kwam de vergaderruimte binnen waar om vijf uur de gebruikelijke bijeenkomst werd gehouden met een gezicht alsof hij op het punt van ontploffen stond.

'Ik ben de eerste vandaag,' zei hij toen iedereen zich geïnstalleerd had. Daarmee gooide hij het gebruikelijke protocol om van eerst de gevarenmatrix van de CTC en dan de diverse rapporten.

'Vandaag doen we het helemaal anders,' zei George. 'Wat ik vandaag heb, is het enige wat echt de moeite waard is.'

Het was 15 juni. De aanwezigen gingen er eens goed voor zitten.

'Zoals jullie weten hebben we zo onze geschillen gehad met mijn vriend de emir,' zei Tenet. 'Maar vandaag heeft hij ons een zeer verrassend cadeau gegeven.'

Daarna vertelde hij alles, tot in details, en duidelijk met veel plezier. Het verhaal van Fouda's ontmoeting met de top van Al Jazeera in een flat in Karachi, inclusief de vermoedelijke ligging van het gebouw en wie zich daarin bevonden, de aard van wat KSM en Ramzi onthuld hadden, inclusief operationele initiatieven zoals al-Qaida's oorspronkelijke plannen om een Amerikaanse kerncentrale te treffen. Fouda wist redelijk goed waar het appartement zich moest bevinden en op welke verdieping hij was geweest. Tenet besloot met zijn gebruikelijke blijk van waardering: 'Met andere woorden, die vuile rat heeft het overleefd!'

De condities werden besproken in Tenets telefoongesprek met de emir over hoe de CIA zou omgaan met de informatie, zei een van de aanwezigen. Niemand, zelfs niet de directie van Al-Jazeera, wist dat de emir dat telefoontje had gepleegd.

Een ogenblik heerste er een uitgelaten stemming in de vergaderruimte. Zoals een CIA-chef die erbij was later zei: 'Dit was het persoonlijke verslag van George en hij vond het heerlijk dat hij het zo uitgebreid over het voetlicht kon brengen. En wij vonden het allemaal heerlijk dat hij dat kon doen, want het was zo'n beetje de beste informatie die we tot dan toe hadden kunnen scoren.'

Wat ook telde was dat Tenet niet al zijn hele leven bij de CIA werkte, dat hij niet getraind was in de methoden van het vergaren van geheime informatie. Hij was een politicus, een stafchef van Capitol Hill die op het juiste moment boven was komen drijven, die indruk had gemaakt op de Bill Clinton en opgeklommen was naar de top.

De bijeenkomst ging verder, en er werden enkele vragen gesteld. Deed de emir dit om de Saudi's te overtroeven, zijn rivalen die enkele jaren eerder kennelijk geprobeerd hadden hem te vermoorden en die geen gehoor gaven aan een heleboel verlangens en eisen van de Verenigde Staten? Probeerde hij een wit voetje te halen, ondanks de verwoesting van het kantoor van zijn station in Kabul, of misschien juist daaróm? Had machtsvertoon in dit geval het gewenste resultaat opgeleverd? Zij die geloofden in het primaat van geweld zeiden ja.

CTC kwam met de gevarenrapportage. Hank gaf informatie over Afghanistan, Rolf over initiatieven op het gebied van massavernietigingswapens, Nervous Phil over de mondiale matrix. Daarna kwam er een eind aan de bijeenkomst en begon iedereen opgewonden afspraken te maken in verband met het cadeau van de emir. De NSA zou beginnen met het afsluiten van bepaalde gebieden van Karachi. De chefs van hun filiaal in Pakistan moesten een nieuwe strategie voor het verzamelen van humint opzetten. De grootschalige activiteiten van de CTC konden nu gebundeld worden tot een gecoördineerde inspanning, gericht op de stad. De ondervragers van Zubaydah kregen een nieuw wapen, het vermogen om Zubaydah te verrassen met onverwachte kennis: dat ze de verblijfplaats kenden van 'Mukhtar' en ook van bin al-Shibh. Waardoor ze nu konden gaan kijken of hun gevangene misschien per ongeluk enkele leemtes zou opvullen. Zo kom je aan de beste informatie: een ondervraagde laat iets los waarvan hij denkt dat zijn ondervragers het al weten.

'Niemand slaapt,' zei Tenet terwijl hij aanstalten maakte om te vertrekken. 'We trekken het net steeds strakker aan.'

De Situation Room, die rechthoekige ruimte met zijn houten lambriseringen en *drop down*-schermen in het souterrain van het Witte Huis, steekt sinds kort het Oval Office naar de kroon als meest beschreven vertrek van de Amerikaanse regering. In een van de vreemde wendingen, eigen aan dit mediatijdperk, heeft dit kleine stukje met tapijt bedekt onroerend goed de fantasie van het publiek gegrepen. De massa's kijken toe, uur na uur, terwijl acteurs in een replica van deze ruimte hun dramatische rollen spelen, of ze zien beelden van de echte spelers die pontificaal in hun vertrouwde omgeving zetelen. Het lijkt of daar zoveel omgaat, wanneer de president samenkomt met de NSC, zijn nationale veiligheidsraad, in deze dagen van dreiging en gevaar.

Maar over het algemeen wordt er hier weinig gedaan. Iedere kabinetssecretaris kan u dat vertellen. Bijeenkomsten in de Situation Room zijn vaak voor de show, een plek om te oreren, een gelegenheid voor de president om verscheidene door zijn belangrijkste departementen geconstrueerde suggesties aan te horen en dan enkele vragen te stellen. Op dit niveau wordt bijna alles beslist voordat de bijeenkomst begint, of in een tête-á-tête na afloop in de gang.

Voor probleemoplossingen en actieplannen, zullen bezorgde overheidsdienaren vaak de Situation Room links laten liggen en zich begeven naar de kleine vergaderruimte daarnaast, een plek waar het echte werk wordt gedaan.

Vanaf eind oktober 2001 waren een stuk of vijf mannen iedere woensdag om halfnegen 's morgens bijeengekomen in dit vertrek, koffiekopjes in de hand, voor een van de meest geheime en productieve beraadslagingen van de Amerikaanse overheid. Het was een gemêleerd gezelschap, losjes geleid door de algemeen raadsman van het ministerie van Financiën, David Aufhauser, een beschaafd jurist uit Washington die de algehele 'financiële oorlog' van de overheid coördineerde. Aanwezigen waren verder vertegenwoordigers van de NSC, de CIA, de NSA en het Witte Huis. Anderen kwamen geregeld langs. Elke week was het hun taak om nieuw licht te werpen op mondiale geldstromen en te bedenken hoe die stromen tegen al-Qaida konden worden gebruikt.

Een van de eerste opdrachten die de president tijdens zijn speciale kabinetsbijeenkomst op 17 september had gegeven, was dat Amerika een 'financiële oorlog' tegen de terreur moest voeren. Ambtenaren van Financiën begonnen onmiddellijk ieder tegoed dat ze konden vinden te bevriezen, voldoende voor de president om al de week daarop in de Rose Garden een retorische uitdaging te stellen. 'Deze morgen begon een belangrijke stap voorwaarts in onze oorlog tegen terreur met één pennenstreek,' zei hij op 24 september. Hij onthulde een lijst met 27 items: 13 van terrorisme verdachte groeperingen, 11 individuen en 3 liefdadige instellingen waarvan de Verenigde Staten de tegoeden hadden bevroren of zouden bevriezen. 'Vandaag hebben we een harde klap toegediend aan de financiële fundamenten van het wereldwijde terreurnetwerk.'

Niet echt. Het was eenvoudig de lancering van wat Aufhauser en anderen de 'Rose Garden-strategie' noemden: het regelmatig afgeven van officiële verklaringen dat de tegoeden van organisaties en individuen met Arabische namen bevroren waren.

Het idee van de president was om de terroristen uit te hongeren, om hun financiële bevoorradingslijnen af te snijden. 'Als wij deze netwerken blokkeren,' zei Bush op een andere persconferentie op 7 november in een nieuw hoofdkwartier van de financiële oorlog, of FINCEN, in Vienna, Virginia, 'verstoren we het werk van de moordenaars.'

Iedere verklaring vergrootte de druk om met resultaten te komen. Eind oktober had Aufhauser een beroep gedaan op zo'n veertig vertegenwoordigers van diverse diensten om een top-10 van potentiële terreurfinanciers samen te stellen. Daarna kwamen ze met hun lijsten bijeen in een grote vergaderzaal op het ministerie van Financiën. Op verscheidene lijsten kwam de naam Pacha Wazir voor. Wazir was een spilfiguur in vage financiële zaken vanuit de Verenigde Arabische Emiraten, de financiële openluchtbazaar van de Arabische wereld. Hij runde een keten van hawala's, *storefront*-banken en kantoren waar je telegrafisch geld kon overmaken in heel Zuid-Azië en Europa. In de loop van de daaropvolgende weken, toen iedereen zijn gegevens aan elkaar koppelde, werd het duidelijk dat hij de belangrijkste financiële tussenpersoon was voor Osama bin Laden.

Omstreeks die tijd vroeg Aufhauser aan Dennis Lormel of hij ook wilde deelnemen aan de selecte woensdagbijeenkomsten, ook al waren ze werkzaam op enigszins verschillende gebieden. Aufhauser en zijn collega's probeerden de stroom van fondsen richting terroristen in te dammen, en aldus de plechtige gelofte van de president voor een 'financiële oorlog' gestand te doen. Lormel probeerde geld als informatie te gebruiken waarmee hij terroristische operaties kon vinden en stopzetten.

Maar hun belangen en die van hun departementen begonnen uiteen te lopen. Wazir was te waardevol, besloot de woensdaggroep, om domweg zijn tegoeden te bevriezen en dan victorie te kraaien. Ze haalden zijn naam van een lijst met te bevriezen tegoeden en inbeslagnames die de president tijdens een plechtigheid in het ministerie van Financiën op 11 december bekend zou maken.

Intussen waren de FBI en zijn patroon, het ministerie van Justitie, nog steeds niet met een belangrijke vervolging op de proppen gekomen. Wazir zou de eerste zijn.

Begin 2002 had Lormel diep in de Verenigde Arabische Emiraten, in de kleine rijke Golfstaat die het middelpunt is van de Arabische bankwereld, een FBI-team geïnstalleerd. Het was geen verrassing dat telegrafische transacties, inclusief de 109.000 dollar die via de VAE naar Citibank en naar Chase gingen en uiteindelijk naar de kapers van 11 september, uit Dubai afkomstig waren. De belangrijkste bankiers van de VAE besloten dat samenwerking zonder ruchtbaarheid de beste weg zou zijn en dat Lormel en zijn team in hun land hun instructeurs zouden zijn op het gebied van accountantsonderzoek en de regels van het internationale bankieren. In Washington doorploegden juristen van het departement van Justitie het bestaande strafrecht op het gebied van het witwassen van geld, en iedere week vroeg Aufhauser aan Lormel hoe het stond met de gerechtelijke vervolging. 'Het komt eraan, David,' zei Lormel. 'Rustig aan maar. Het komt eraan.'

Intussen kwam de woensdaggroep er met het naderen van het voorjaar geleidelijk achter dat de president misschien iets verkeerds gezegd had. Volgens diverse interne schattingen van de Amerikaanse overheid kwam ongeveer tweederde van het geld voor islamitische terroristische activiteiten oorspronkelijk uit Saudi-Arabië. Stopzetting van de stroom van beschikbare financiën naar terroristen, om 'het werk van de moordenaars te verstoren', zoals de president had gezegd, zou het soort samenwerking inhouden die de Saudi's niet wilden of niet konden bieden. Dat was altijd het dilemma met de Saudi's: intenties versus wat ze werkelijk vermochten. Hoge ambtenaren van het Saudische departement van Financiën vertelden hun collega's van het Amerikaanse ministerie van Financiën vlakweg dat er geen geld van Saudische origine was dat het terrorisme ondersteunde. Ze zeiden dat ze geen enkele vorm van hulp konden bieden.

Privé noemde de president het 'ons probleem met de Saudi's'. In het voorjaar van 2002 reisde een stroom van delegaties van het ministerie van Buitenlandse Zaken, Financiën, de CIA en de NSC naar Riad om druk uit te oefenen. De Saudi's begonnen iets toe te geven, een heel klein beetje. Een lijst van overeenkomsten, verdragen en gemeenschappelijke Saudisch-Amerikaanse *task forces* begon geleidelijk vorm aan te nemen, drijvend op intentieverklaringen over oprechte verlangens met betrekking tot gemeenschappelijke doelen en liters thee uit zilveren kannen.

Toen gebeurden er twee dingen. Ten eerste beseften de Amerikanen dat intenties of oprechte verlangens misschien niet genoeg waren. Een land als Saudi-Arabië, waar het ontbrak aan accountantsonderzoeken en tradities van financiële transparantie en waar zo veel geld verstopt zat in de doolhofachtige rekeningen van bijna 25.000 leden van de koninklijke familie, beschikte waarschijnlijk niet over de instrumenten, de zogeheten 'financiële handvatten', om een flink deel van de kapitaalstromen van het land na te sporen. Begin 2002 en halverwege dat jaar vonden er inbeslagnames van bezittingen plaats in het koninkrijk. Maar zelfs het bereiken van de bronnen, als dat al mogelijk was, was slechts een eerste stap. Het geld begon vaak 'schoon', als onderdeel van de stroom ter ondersteuning van liefdadige instellingen en de fundamentele behoeften van arme inwoners van het koninkrijk, of van Sudan of Bahrein. Daarna werd de stroom 'vuil', stroomafwaarts gaande, van rekening naar rekening, van persoon naar persoon. Als het eenmaal in handen kwam van een potentiële terrorist, was het een smal vuil stroompje. Terroristen kunnen 'operationeel' zijn voor hele geringe bedragen. De kapingsactie van 11 september had in totaal slechts 500.000 dollar gekost voor training, reiskosten en overige uitgaven. Intussen stromen er miljarden door de zwarte markt van de wereld. Alles wat een terrorist hoeft te doen is een emmer te laten zakken in die kolkende, giftige rivier.

Maar er was hulp op komst. Door het ministerie van Financiën en CIA gestarte initiatieven maakten het veel makkelijker om geldstromen te volgen op hun route door rekeningen over de hele wereld. Internationale bankverdragen, in combinatie met een betere doelomschrijving en het belang dat landen erbij hadden om niet te worden aangemerkt als steunpilaren van het terrorisme, of ze de VS nu vriendelijk of niet vriendelijk gezind waren, droegen ertoe bij dat een specifieke samenwerking van de kant van, bijvoorbeeld, de Saudi's minder belangrijk werd.

Voor de mensen die de grillige mechanismen van de bureaucratie kenden was het nu de subtiele opdracht om voort te gaan op de ingeslagen weg, tegoeden te bevriezen overeenkomstig de uitspraken van de president, lippendienst te bewijzen aan hoge functionarissen, en intussen in stilte iets heel anders te doen.

Geld, begrepen ze nu allemaal, was grotendeels een vorm van informatie. De oorsprong van valutatransacties was van ondergeschikt belang. Het geldspoor zou dienen als een soort hybride, een humint waar je iets mee kon doen, een kostbare zeldzaamheid, maar over het algemeen beter dan sigint, die een van de CIA-chefs 'humint zonder context' placht te noemen. Met behulp van het geldspoor, wat we finint zouden kunnen noemen, konden ze de spelers, de plaats en misschien zelfs de bedoelingen identificeren.

Op een ochtend in juni 2002 liet de woensdagochtendgroep zich met een kop koffie in hun stoelen neer.

'Dennis, waar zijn we in hemelsnaam met Wazir?' vroeg Aufhauser bijna smekend. 'Hebben we nou een bewijsbare zaak of niet?'

Lormel haalde diep adem. Een delegatie van de FBI was net terug uit de VAE. De belangrijkste bankiers van het land hadden eindelijk beloofd samen te werken op een manier die ongekend was in de Arabische wereld. Het scheelde niet veel of Amerikaanse ambtenaren konden zich nu daadwerkelijk nestelen in het financiële systeem van het land, de nexus van een zo groot deel van de kapitaalstroom in de Arabische wereld. De FBI-delegatie was gekomen met verlanglijstjes uit alle sectoren van de overheid, inclusief wensen betreffende enkele opmerkelijke financiële sporen in verbinding met de negentien kapers. Als financieel centrum waren de VAE er als de kippen bij om het soort accountantsonderzoeken en fraudepreventie te plegen die indruk zouden maken op een financiële instellingen in de eerste wereld, in de VS, in Europa en Japan. Ze wilden leren. Wat Lormel en zijn team aan de weet kwamen was dat Wazir verantwoordelijk was voor het verhandelen van activa voor het verbijsterende bedrag van 67 miljoen dollar voor al-Qaida in slechts twee jaar.

Ten tweede was duidelijk geworden dat Wazir, ondanks zijn cruciale rol in de financiering van al-Qaida, onder de Amerikaanse wetgeving bijna onmogelijk gerechtelijk te vervolgen zou zijn. Er waren te weinig sporen die rechtstreeks door Amerika en Amerikaanse financiële instellingen liepen. Het enige dat Lormel bij elkaar kon scharrelen waren wat overtredingen van de wettelijke regelingen op het gebied van het witwassen van geld, en wat kleinere misdrijven. Dit was zeker niet genoeg om Wazir op te pakken en hem voor berechting over te brengen naar de VS.

Na maanden van onderzoek naar Wazir en een uiteindelijke download van de sleutelinformatie voor de VAE, was dit een bittere pil om te slikken.

'Natuurlijk hebben we een bewijsbare zaak,' vertelde Lormel aan Aufhauser en de groep. 'Alleen een verdomd moeilijke zaak. Binnen het kader van de Amerikaanse wetgeving zal het heel moeilijk worden om kerels als Wazir een proces aan te doen. Als we al zijn activiteiten wereldwijd mee mochten rekenen, dan lag het anders, maar met de Amerikaanse wetgeving zoals die nu is komen we niet veel verder.'

Lormel gaf een overzicht van de juridische details. 'Ik vind het echt vreselijk om dit te moeten zeggen,' besloot hij, 'maar we zullen nooit de gerechtelijke vervolgingen krijgen die wij op grond van deze financiële dingen wensen.'

Tegenover hem zat Nervous Phil.

'Je mag hem hebben, Phil,' zei Dennis.

Phil glimlachte. 'Ons plan wat betreft Wazir,' zei hij op zijn kortaffe en haperende manier, 'is dat we eigenaar van hem worden.'

Een uur later belde Lormel op het hoofdkwartier van de FBI zijn voornaamste FBI-agent in Dubai, het Hong Kong van de Arabische wereld, een stad wiens hunkerende commerciële ziel geen enkel land toebehoort behalve het land van het verlangen.

Hij had slecht nieuws.

'Houd je gedeisd wat betreft Wazir,' zei Lormel tegen Tim, zijn belangrijkste agent.

'Ik begrijp het niet,' antwoordde Tim ongelovig. 'Waarom?'

Lormel werd heen en weer geslingerd. Het was niet genoeg dat hij zijn meest waardevolle doelwit moest overdragen aan een rivaliserende dienst. De overdracht zelf was geheim.

'Sorry, dat mag ik niet zeggen. Hou je maar gewoon gedeisd.'

Eind mei had de NSA een cadeautje voor de CIA, en Mike Hayden was aan de telefoon om het te bezorgen. Ze hadden een van de meest waardevolle brokken informatie uit de periode na 11 september.

Het was een bericht van een hulpje van bin Laden. Het hoofd van al-Qaida had geen gsm of een satelliettelefoon gebruikt sinds 1998. Hij was heel voorzichtig. Een kring van assistenten, onder het niveau van een Zawahiri of KSM, brachten boodschappen voor hem over. De VS hadden een paar van die helpers opgespoord. Ze voerden telefoongesprekken, of verstuurden e-mails, in naam van bin Laden.

Een van die berichten was doorgegeven aan een mysterieuze figuur in Saudi-Arabië die in de sigint bekendstond onder diverse aliassen. Het meest fascinerende alias: 'Snel Zwaard'. Twee dingen waren duidelijk. Osama bin Laden scheen nog in leven te zijn en leiding te geven vanuit een of andere locatie in de tribale regio langs de Pakistaans-Afghaanse grens. En Snel Zwaard was al-Qaida's vertegenwoordiger op het Arabische schiereiland. Zijn aanwezigheid scheen merkbaar te zijn op diverse plaatsen tegelijk in het koninkrijk, waar hij leiding gaf aan diverse cellen met boze tegenstanders van het regime. De instructies van de top van al-Qaida: richt je operationele focus op het omverwerpen van de Saudi-Arabische regering.

De wetteloosheid van het Saudische regime was een favoriet onderwerp van bin Laden. Zijn droom was dat dit regime, samen met regimes in Egypte, Jordanië en andere landen in de hele regio, zou worden omvergeworpen en dat hij dan zelf zou heersen over een hersteld moslimrijk, een kalifaat dat zich uitstrekte van Teheran tot Caïro, van de Perzische Golf tot de Atlantische oceaan. Maar dit bericht ging niet over grootse visies en verheven dromen. Het was een actieplan dat ging over wie er moesten worden gedood en welke doelen er moesten worden getroffen.

Dood met name leden van de koninklijke familie, en ruïneer de olievelden.

Het idee om de Saudische olievelden, 's werelds grootste oliereserve, te saboteren, raakt rechtstreeks de kern van de ongemakkelijke wederkerige afhankelijkheid van de olieproducerende landen van de Golf en hun begerige klanten in de geïndustrialiseerde wereld. Van alle Amerikaanse olie komt 15 procent uit Saudi-Arabië. Het strategisch belang en de helderheid van bin Ladens dictaat was onmiddellijk duidelijk voor Amerikaanse beleidsmakers. Zijn doel was nooit het onhoudbare idee geweest om met Amerika een blijvende strijd aan te gaan. Het was de bedoeling om de VS zover te krijgen dat ze hun handen aftrokken van diverse, door Saudi-Arabië aangevoerde Arabische regimes, waardoor ze kwetsbaar zouden worden voor opstanden.

En er was nog iets anders dat de NSA had opgepikt: opinies van Saudische geestelijken – die enorm veel respect genoten bij een groot aantal volgelingen –, namelijk dat massavernietigingswapens gebruikt konden worden tegen ongelovigen of afvallige moslims, leden van de Saudische koninklijke familie incluis.

Tenet en Mowatt-Larssen brachten Cheney tijdens een briefing op de hoogte. Daarna gingen ze op bezoek bij prins Bandar.

De ambassadeur had weer vaste voet aan de grond gekregen sinds de woelige herfstdagen toen hij geregeld op de televisie verschenen was om uitdrukking te geven aan zijn verontrusting, en zelfs woede. De Saudi's en de Amerikaanse regering hadden nu herhaaldelijk in het openbaar te kennen gegeven dat ze bondgenoten waren, goede vrienden die samenwerkten in de oorlog tegen terreur. De kroonprins had in Crawford een goede band met Bush gekregen, en Amerikaanse beleidsmakers haastten zich in de dagen en weken na de bijeenkomst om te reageren op enkele eisen van de Saudi's. Ze oefenden druk uit op Israël om Arafat de gelegenheid te geven zijn complex te verlaten. Een belegering door Israëli's van de Geboortekerk in Bethlehem werd beëindigd. Meer uitspraken, zoals dat Sharon een 'man van vrede' was, waren niet te verwachten. Abdullah had iets, zij het niet veel, om mee terug te nemen naar de Arabische wereld.

Bandar verwelkomde de delegatie, bestaande uit Tenet en een klein groepje assistenten, die zojuist aangekomen was bij zijn riante woning in het noorden van Virginia.

Ze omhelsden elkaar. Tenet is een echte omhelzer. Hij en Bandar hebben talloze uren doorgebracht waarin ze vertrouwen hebben opgebouwd, een specialiteit van Tenet. Met zijn immer aanwezige adjudant, Riyad Massoud, met zijn notitieblok bij de hand, nam Bandar hen mee naar het zitje in zijn bibliotheek.

Na enkele hartelijke beleefdheden kwam Tenet ter zake. Hij boog zich voorover, met een bezorgde uitdrukking op zijn brede gezicht. 'Slecht nieuws,' zei Tenet. 'Bin Laden is van focus veranderd. Nu is het de beurt aan jou. Het gaat om Saudi-Arabië.'

Bandar verstrakte. 'Whisky?'

Hij haalde scotch. En ze dronken Johnnie Walker Blue Label terwijl Tenet het slechte nieuws bracht. Hij beschreef de informatie die ze hadden gekregen, het contact van de top van al-Qaida met hun vertegenwoordiger in het koninkrijk. De koninklijke familie werd nu op de korrel genomen. De olievelden werden verkend met het oog op een aanslag.

'Kunnen we het telegram zien?' vroeg Bandar.

'Kan niet,' zei Tenet. Maar ik zal je alles vertellen wat je moet weten.'

Het was begin van een geheime verschuiving in de betrekkingen tussen de VS en Saudi-Arabië waarbij de Saudi's als het ware van de zijlijn het veld op moesten worden getrokken. Dat kwam niet door Bush' merkwaardige ontmoeting met Abdullah, noch door de stroom van Amerikaanse hoogwaardigheidsbekleders die zich naar Rihad hadden gerept om de Saudi's aan te sporen de Amerikanen de gelegenheid te geven de families van de terroristen te ondervragen, of op zijn minst rekeningen te openen waardoor ze terreurfinanciers op het spoor zouden kunnen komen.

Het was angst waardoor de Saudi's werden gedreven. Activiteiten van al-Qaida waren erop gericht om de delicate en over het algemeen niet-gewelddadige balans van angst en sympathie, het verbond van vroomheid en geld tussen prinsen en geestelijken, te verstoren. De olievelden, de kern en de basis van deze balans, waren het doelwit. Het Huis van Saud lag onder vuur. Het geweld strekte zich nu ten slotte ook uit tot het koninkrijk.

Bandar staarde verbeten voor zich uit. Hij schonk een tweede glas in. 'Waar beginnen we?'

De voor de hand liggende vraag voor topfunctionarissen in iedere regering is niet precies die vermaarde Watergate-vraag, maar wel iets wat dicht in de buurt komt: wat moet de president weten en wanneer moet hij het weten?

Presidenten laten dit probleem gewoonlijk over aan hun hoogste stafleden. 'Zorg ervoor dat ik weet wat ik moet weten,' blaffen ze, veelal flink gefrustreerd. Per slot van rekening zijn er gewoon te veel dingen die ze moeten weten en zullen ze op een gegeven moment ook nog eens moeten gaan slapen.

Rond de zomer van 2002 werd duidelijk dat George W. Bush zijn eigen stempel zou drukken op deze gang van zaken, zoals hij al zo vaak had gedaan in zijn aanpak van de eigenaardigheden van de 'oorlog tegen terreur'.

Ten eerste is het merkwaardig dat een flink deel van een gigantisch overheidsapparaat, met een jaarlijks budget van 2 biljoen dollar, zich gericht bezighoudt met het zoeken naar een handjevol mannen. We hebben dit al een paar keer eerder gedaan, bijvoorbeeld toen Woodrow Wilson het Amerikaanse leger achter Pancho Villa en zijn primitieve legertje aan stuurde. Maar de omstandigheden van deze tijd na 11 september kunnen inhouden dat we dit regelmatig moeten gaan doen. Ook voor individuen verkrijgbare vernietigingswapens zullen daarvoor zorgen. Ze maken een klein, vurig groepje mensen even bedreigend als een invasieleger.

In die geest liet George W. Bush zich begin juni uit in een toespraak op de Amerikaanse militaire academie West Point, New York.

'Een groot deel van de afgelopen eeuw,' zei hij, 'berustte de Amerikaanse defensie op koudeoorlogdoctrines van afschrikking en indamming. In sommige gevallen zijn die strategieën nog steeds van toepassing. Maar nieuwe gevaren vragen ook om een nieuwe manier van denken. Afschrikking, de belofte van grootschalige vergelding tegenover naties, betekent niets tegen schimmige terreurnetwerken zonder natie of burgers om te verdedigen. Indamming is niet mogelijk als onevenwichtige dictators met massavernietigingswapens die wapens met raketten kunnen lanceren of ze in het geheim verstrekken aan terroristische bondgenoten. Wij kunnen Amerika en onze vrienden niet verdedigen door er het beste van te hopen. We kunnen geen geloof hechten aan de woorden van landen die plechtig non-proliferatieverdragen ondertekenen en die vervolgens systematisch verbreken. Als we wachten totdat dreigende gevaren zich als zodanig manifesteren, zullen we te lang gewacht hebben,' oreerde Bush onder donderend applaus van de cadetten die zich verzameld hadden op het football-veld van West Point.

'Zeker, ook binnenlandse defensie en raketdefensie zijn onder-deel van een krachtige beveiliging, en ze zijn essentiële priorite-ten voor Amerika. Toch zal de oorlog tegen terreur niet gewonnen worden door een defensieve opstelling. We moeten de strijd naar de vijand brengen, zijn plannen verstoren, en de ergste dreigin-gen onder ogen zien voordat ze zich manifesteren. In de wereld die wij binnen zijn gegaan, is de enige weg naar veiligheid de weg van handelend optreden. En deze natie zal handelend optreden. Onze veiligheid zal de allerbeste informatie vereisen, die dreigin-gen onthult die verborgen zijn in grotten en groeien in laboratoria. Onze veiligheid zal vereisen dat binnenlandse diensten als de FBI worden gemoderniseerd, zodat ze klaar zijn om handelend op te treden, en snel, tegen dreigende gevaren. Onze veiligheid zal een transformatie vereisen van het leger dat u zult leiden, een leger dat gereed moet zijn om van het ene moment op het andere toe te slaan in iedere duistere uithoek van de wereld. En ook zal onze veilig-heid vereisen dat alle Amerikanen toekomstgericht en vastbera-den zijn, dat we klaar zijn om handelend op te treden uit voorzorg, om onze vrijheid te verdedigen, en ons leven.'

De woorden 'uit voorzorg' waren zeer zorgvuldig gekozen: ge-woonlijk wordt aangenomen dat deze manier van spreken inhoudt dat je beschikt over bewijzen, zowel met betrekking tot de midde-len als de intentie, zoals raketten in Cuba, een slechts honderdvijf-tig kilometer van de kust van Florida verwijderd regime dat dui-delijk blijk had gegeven van zijn vijandige bedoelingen jegens de vs. Maar velen die de toespraak hadden gehoord, hadden de indruk dat die woorden heel dicht in de buurt kwamen van een veel breder concept: preventie. Preventie betekende dat moest worden voor-komen dat naties met een anti-Amerikaanse houding een vernieti-gend potentieel verwierven.

In publieke uitspraken in de weken en maanden daarna distanti-eerden verschillende regeringsfunctionarissen zich van zo'n uitgebreid mandaat, en het woord 'preventie' namen ze al helemaal niet in de mond. Maar in werkelijkheid was een preventiepolitiek het uitvloeisel van de meer omvattende Cheney-doctrine, waarbij een kans van één procent op een catastrofe moet worden behandeld 'als een zekerheid', en waarbij de eis van degelijk bewijsmateriaal met betrekking tot intenties of capaciteiten, een te hoge drempel is. Het is een doctrine die in een wezen neerkomt op preventie gebaseerd op verdenking.

Ook rekening houdend met de basale capaciteiten van 's werelds machtigste natie lijkt dit een enorme hap. Wat kost het bijvoorbeeld, in termen van mankracht en vuurkracht, en misschien in termen van bloed, om jacht te maken op honderd kansen van 'één procent'? En wat dacht u van duizend van die kansen? Of tienduizend?

En hoe past de president in een dergelijke dagelijkse activiteit? Zijn tijdsbesteding is niet louter een zaak van persoonlijke voorkeuren: hij vertegenwoordigt alle mensen en hij wordt gekozen om de belangrijkste binnenlandse en buitenlandse problemen aan te pakken.

En dat was de reden waarom topmanagers zowel bij de CIA als bij de FBI zich vaak afvroegen of het verstandig was dat een president zich zo verdiepte in de details van talloze initiatieven en onderzoekingen, waarvan vele op niets uitliepen.

Het is algemeen bekend dat George W. Bush elke ochtend om halfzes opstaat, wat gymnastiek doet, zijn vrouw een kop koffie brengt, doorgaans een godsdienstige tekst leest, de bijbel of een korte preek, en rond half acht achter zijn bureau zit.

Vandaag zag hij bijna meteen het team van Tenet, om acht uur, en daarna het team van Mueller, waartoe ook minister van Justitie John Ashcroft behoorde, en Tom Ridge.

'Wat weten we van Snel Zwaard?' vroeg hij aan Tenet.

'Niets meer dan gisteren,' zei Tenet, 'maar we spitten onze Saudische bronnen door... en uit sigint blijkt... ik hoop morgen meer te weten.'

Een vraag van de president is niet zomaar een vraag. Het vinden van het juiste antwoord kan brede lagen van de overheid bezighouden, zelfs als het niet de allerbelangrijkste kwestie is voor hen die op de hoogte zijn en betrokken zijn bij de dagelijkse strijd. Maar, maakt het feit dat de president een antwoord wil het tot het belangrijkste vraagstuk?

'Tja, in zekere zin is alsof je te maken hebt met een case officer van de CIA in training, maar dan met de absolute macht,' zei een topfunctionaris van de CIA. 'Dat kan voor een hoop verwarring zorgen.'

Volgens veel medewerkers van de uitvoerende macht en de inlichtingendiensten die Bush van informatie hebben voorzien, is hij meer geïnteresseerd 'in mensen die dingen doen, de uitvoerders, dan in mensen die alleen maar over dingen denken', zoals een routinier het formuleerde. 'Cheney is meer geïnteresseerd in het laatste, stelt bredere, meer theoretische vragen. De president wil weten hoe het op de werkvloer toegaat.'

En in de chaos van de strijd zelf maakt Bush het tot iets persoonlijks. Hij vraagt naar details van arrestaties, wil weten 'wie van onze mannen echt de klus klaarde'. Vaak wilde hij hen ontmoeten. Hij was erop gefixeerd hoe je Zubaydah zover zou kunnen krijgen dat hij ons de waarheid zou vertellen. 'Hebben sommige van die harde methodes echt effect?' vroeg hij aan iemand tijdens een briefing. En aan iemand anders: 'Hoe dwingt bin Laden loyaliteit af?'

Natuurlijk is er in de betrekkingen tussen mannen die voor het merendeel de goede strijd strijden ruimte voor jovialiteit. 'Dus als blijkt dat het Zawahiri's hoofd is, dan hoop ik dat jullie het hierheen brengen,' zei hij half in scherts tijdens een briefing.

Ook vroeg hij in deze periode Mueller de oren van het hoofd over Lackawanna. 'Luister, zijn die gasten gevaarlijk of niet?' vroeg Bush tijdens een briefing lichtelijk wanhopig aan Mueller. 'Waarom kunnen we daar eigenlijk niet achterkomen? Het lijkt vaak net of we aan het blindvliegen zijn.'

Toen hij nog officier van justitie was vond Bob Mueller het altijd prettig om als eerste op kantoor te zijn, om halfzes 's morgens. Mensen hadden dat wel in de gaten, maar ze vonden dit toch wel een beetje te veel van het goede was, en gingen verder zoals ze gewend waren.

Maar in de conformistische cultuur van de FBI worden gewoontes van de chef doorgegeven als waren het dossiers met bewijsmateriaal. Mensen begonnen binnen te druppelen om vijf uur 's morgens, sommigen zelfs om halfvijf.

Het was niet zomaar het idee van de typische FBI-man of-vrouw die zich graag houdt aan vaststaande codes voor gedrag, kleding en uiterlijk, hoewel dat fenomeen zich in ruime mate voordeed.

In die periode had het meer met ijver te maken. Het hoogste cijfer voor ijver was het voornaamste doel van de FBI in de zomer van 2002, als een leerling die les na les in verwarring achterblijft, maar de leraar om extra huiswerk vraagt.

Sinds 11 september waren in de VS bijna tweeduizend jongemannen van Arabische afkomst in hechtenis genomen en in diverse instellingen geplaatst, of het land uit gezet. Het was het klassieke logistieke probleem van rommel bewaren of rommel wegdoen. De te bewaren rommel? Dat was bijvoorbeeld iedereen die boodschappen had gedaan in een winkel in het noorden van Virginia die gefrequenteerd werd door Mohammed Atta. En ook al die Amerikanen met een veel voorkomende Arabische naam als Khan. En dan was er nog de stortvloed van meldingen van 'verdachte activiteiten', soms meer dan duizend per dag, van een angstige, overgevoelige natie.

Het was zoals het was voor Oost-Europeanen in het begin van de jaren twintig van de vorige eeuw, dagen van angst dat de sinds kort in opkomst zijnde bolsjewieken vaste grond aan de voeten zouden krijgen in hun landstreken. Of de Japanse Amerikanen na Pearl Harbor... Alleen was er in onze tijd sprake van veronderstelde schuld bij Arabische Amerikanen. Als een man van Arabische herkomst was, deed iedere vorm van onregelmatig of onverklaarbaar gedrag het alarm afgegaan. Bijvoorbeeld: een auto, gehuurd vóór 11 september en daarna niet prompt teruggebracht. Drie mannen die een gehuurd busje wél prompt terugbrachten maar 'nerveus leken'. Een man die zijn werkgever vertelde dat hij gediplomeerd piloot was en sparen wilde om een straalvliegtuig te leren besturen, zodat hij bij een luchtvaartmaatschappij kon gaan werken. Een andere man die alleen maar een creditcard van American Airlines gebruikte.

Dit zijn allemaal voorbeelden van mannen van Arabische afkomst die in de negen maanden na de aanslagen opgepakt werden en in Brooklyn of New Jersey in de gevangenissen werden gegooid, of in andere instellingen terechtkwamen. Velen werden opgepakt via die uiterst betrouwbare valstrik: de creditcardregistratie, met adres, telefoonnummer, leeftijd en daarachter nog andere relevante data, een elektronische identiteit, met specifieke feitelijke gegevens die in hun alledaagse concreetheid dwingender en sprekender waren dan enig verward, met een zwaar accent gehouden verhaal in de nor. Ondersteund door berichten van de NSA was Omaha als een energiecentrale die een elektrische stroom door het hele strafrechtelijke netwerk joeg, het pad verlichtte voor agenten en officieren van justitie, en tegelijkertijd het hele systeem een schok bezorgde.

Tegen de zomer was duidelijk dat de verhouding tussen arrestaties en vervolging schever zou zijn dan ooit tevoren in de geschiedenis van de FBI. Er zouden vrijwel geen vervolgingen plaatsvinden. Zoals met zo veel andere dingen in de 'oorlog tegen terreur', was de afwijking naar beneden gericht. Voor de FBI was de vaste standaard de immigratiedienst INS: als het verdacht was, zet ze dan gewoon uit.

Nu in Lackawanna de eerste potentiële cel was gesignaleerd, bevond de FBI zich opnieuw op vrijwel onbekend terrein. Moesten ze de mannen gewoon voor alle zekerheid bij elkaar vegen in de gevangenis, het principe dat tot nu toe de leidraad was geweest voor hun willekeurige acties? Of moesten ze ze alleen maar streng in de gaten houden, om uit te zoeken hoe gevaarlijk ze in werkelijkheid waren? Het laatste betekende dat ze het risico liepen dat ze uit de netten van de FBI konden wegglippen en ernstige schade konden aanrichten, als ging het om een echte cel die uit was op geweld.

Mueller koos voor het laatste en voor volledige supervisie van boven af. Dat zou belangrijk zijn als er iets misging. En heel anders dan bij de duizenden snel geautoriseerde en nauwelijks 'in papier verpakte' gerechtelijke onderzoeken van de afgelopen negen maanden, bewoog de FBI zich nu omzichtig richting FISA-hof om zijn surveillancevolmachten te krijgen. Per slot van rekening waren die mannen Amerikaanse staatsburgers. Deze keer zouden ze het volgens het boekje doen.

Op een plakkerig warme morgen aan het eind van de zomer begon het FBI-hoofdkwartier bij zonsopgang vol te lopen. Het was nog steeds een mannenwereld hier, met die zee van donkerblauwe pakken, al dat keurig geknipte haar – wat trouwens voor de hand lag met een eigen kapperszaak op de vierde verdieping.

De eerste melding van de dag kwam gewoonlijk van het FBI-kantoor in Buffalo, waarna er nog eentje kwam op de helft van de middag. Vijfentwintig antiterrorismeagenten en een CIA-contingent werden samengeperst in wat eens een slaperige westelijke buitenpost van de staat New York was.

Voor vandaag, 12 augustus, had Mueller de voornaamste agenten die zich met de zaak bezighielden vanuit Buffalo naar zijn kantoor in Washington laten komen.

En zo kregen Ed Needham en Dave Britten de gelegenheid hun hart te luchten in zijn vergaderruimte. Het probleem: de president was zo ontzettend gefocust op dit geval en hij wilde antwoorden en resultaten. Soms gebeurt dat niet in surveillancesituaties, hoe graag je het ook wilt.

FBI-agenten waren over heel Lackawanna uitgezwermd, een hechte gemeenschap die snel een buitenstaander, iedere buitenstaander herkent. In dit geval zagen inwoners overal agenten in neutrale personenauto's. Een van hen vertelde later aan een plaatselijke verslaggever dat iedereen wist dat ze uit Washington kwamen. Hoe? Agenten die ergens in hun auto aan het posten waren, lazen *The Washington Post*.

De mannen van Lackawanna 'wisten vermoedelijk dat we er waren,' zei Needham tegen Mueller. 'Als je wilt dat ze zich op hun gemak voelen en misschien doen wat ze anders ook zouden hebben gedaan, dan moet je het wat losser aanpakken.'

Mueller liet zich uit over alle hete hangijzers, al die dingen die met elkaar botsten. Als de FBI uit is op het verzamelen van informatie, moet je je als agent op de achtergrond houden: geef de verdachten wat speelruimte, laat ze misschien zelfs op reis gaan, kijk waar ze heen gaan. Als het doel vervolging is, pak ze dan op en begin je bewijzen te verzamelen. Als je niet genoeg bewijzen hebt, maar bang bent voor wat ze zouden kunnen doen, houd dan de druk op de ketel: doe onderzoek bij wijze van preventie.

'Blijf erbovenop zitten, blijf in de buurt,' zei Mueller tegen Needham. 'We kunnen ons niet permitteren dat ze wegglippen en iets doen.'

Dat is natuurlijk het punt waarop de onophoudelijke vragen van de president roet in het eten gooien. Over ieder detail verslag uitbrengen aan de top creëert een afkeer van risico's – de kritiek achteraf en de overgevoeligheid die ontstaat door het constante commentaar van je superieuren. Het verandert uiterst deskundige mensen die grote sectoren van de overheid besturen in het prototype van de laaggeplaatste manager die zich hevig zorgen maakt over een vernietigend verslag dat hij aan de baas moet uitbrengen.

'Maar,' zoals een topmedewerker van de inlichtingendienst het formuleerde, 'je wilt het liever niet verkeerd doen, zodat er doden vallen, en dat is dé nachtmerrie. Dus rapporteer je alles naar boven toe.'

En dat wil zeggen dat informatie, zowel solide als minder solide, zijn weg vindt naar het Oval Office, alleen maar voor alle zekerheid. De president golft mee met de dagelijkse briefings, waarschuwingen, langetermijninitiatieven, een slingerende weg vol bochten. De hele zomer hoopte Bush net als ieder ander dat de DNA-test van Zawahiri's hoofd goed zou uitpakken. Per slot van rekening was er in de daaropvolgende maanden geen spoor van Zawahiri gevonden: geen sigint en ook geen meldingen uit de eerste hand dat hij nog leefde. Een CIA-analist vroeg zich tijdens een bijeenkomst hardop af of het idee dat de president had, namelijk dat Zawahiri wel eens dood kon zijn, misschien op een subtiele manier 'aanleiding was voor de president om te denken dat de klus tegen al-Qaida nu zo'n beetje afgerond was, en dat het tijd werd om naar Irak te verhuizen'. Uiteindelijk bleek het DNA niet te kloppen: een zwarte dag voor het Oval Office. De schedel die zulke hoge verwachtingen had gewekt, van de president tot ver onder hem, werd naar een FBI-magazijn op Staten Island gebracht.

Tegen het eind van de zomer werd de hand gelegd op verscheidene e-mails van Mukhtar al-Bakri, een van de mannen uit Lackawanna die uit Buffalo was vertrokken en teruggekeerd was naar het Midden-Oosten. In de e-mail had hij het over een komend huwelijk. In het verleden was het woord 'huwelijk' als code voor een aanslag gebruikt, en CIA-analisten luidden de alarmklok, wat snel hoorbaar was in het Witte Huis. Zoals bij andere alarmtoestanden zijn er uren van paniek op het hoogste niveau, er worden briefings georganiseerd, en publiekelijke waarschuwingen overwogen. Het ministerie van Justitie vergadert met het Pentagon om te zien of de mannen van Lackawanna onmiddellijk moeten worden aangemerkt als 'vijandelijke combattanten'. De president wordt op de hoogte gebracht. In dit milieu wordt iedere crisis onmiddellijk een crisis voor de president, de case officer in opleiding, die naar men aanneemt de leiding heeft over elke *case*, overal. De opperbevelhebber wordt een man die een achtbaan berijdt op Ritalin.

Niemand checkte dit met het FBI-kantoor: zij wisten dat al-Bakri zich in werkelijkheid voorbereidde op zijn huwelijk.

Op 8 september publiceerde de Londense *Sunday Times* het interview van Yosri Fouda met Khalid Shaikh Mohammed en begon Al-Jazeera korte reportages uit te zenden over de onthullingen, terwijl Fouda's complete documentaire zou worden uitgezonden op 12 september.

Intussen omsingelden Pakistaanse politieagenten en medewerkers van de CIA het flatgebouw. Men had het bijna een maand scherp in de gaten gehouden. De timing was onderdeel van de afspraak tussen Tenet en de emir. Als ze het appartement zouden bestormen voordat Fouda's verhaal naar buiten was gebracht, zouden commentatoren kunnen denken dat de CIA getipt was door de televisiemaatschappij. Nu zou de enige beschuldiging kunnen luiden dat de documentaire zelf de CIA kon hebben geholpen om erachter te komen waar de kapers van 11 september zich schuilhielden.

Op 11 september trapten politieagenten bij verscheidene flats om drie uur 's ochtends de deur in. In een bevonden zich vrouw en kinderen van KSM. De terrorist zelf was nergens te vinden. In een ander appartement zat bin al-Shibh met zes andere mannen. Hier werd onmiddellijk en fel verzet geboden, alles in een reflex. Een man gooide een granaat naar de politie, en die explodeerde; een andere man werd neergeschoten terwijl hij een tas met granaten en wapens erin probeerde te pakken. Terwijl de politie drie mannen overmeesterde, begonnen bin al-Shibh en nog twee anderen te schieten en met granaten te gooien. De autoriteiten waren niet voorbereid op dit verzet en zij trokken zich terug met hun gevangenen en vier gewonde agenten.

In de uren daarna vuurde de politiekogels en traangas en granaten op het appartement af. Bin al-Shibh en zijn twee overgebleven metgezellen verroerden zich niet. De politie voelde zich gedwongen om weer naar binnen te gaan, maar was bang. Getuigen vertelden *The New York Times* dat de politiemannen zachtjes gebeden prevelden toen ze weer de trap op liepen.

De drie resterende terroristen hadden zich teruggetrokken in een keuken zonder vensters. Ze schoten met een geweer op de politie in de gang en toen ze bevel kregen om zich over te geven schreeuwden ze alleen maar: 'Schoften!' Een man hield het niet meer en maakte zich los uit de veilige beschutting van de keuken. Hij werd onmiddellijk doodgeschoten.

Bin al-Shibh vocht tot het einde. Hij graaide nog naar een pistool van een van de agenten. Terwijl hij geboeid werd schreeuwde hij naar de politie: 'Jullie gaan allemaal naar de hel!'

Later op de dag, meer dan tweeduizend kilometer verder naar het zuidwesten, arresteerde de politie van Bahrein Mukhtar al-Bakri. Op zijn trouwdag.

Het bevel voor de arrestatie was gegeven door de president en de vice-president, ondanks enig verzet van zowel CIA als FBI.

Nadat hij bijna vier maanden in het noorden van de staat New York op de hoogte was gehouden van de situatie, gaf Bush dit bevel tijdens zijn voorbereidingen van een toespraak tot de Verenigde Naties op 12 september, waarin hij een pleidooi zou houden voor een invasie van Irak. De dag tevoren, op 10 september, had hij het bevel gegeven tot terreuralarm in de hele VS.

Dit kan allemaal zijn ingegeven door de rekensom: 'verdenking plus tijdstip is gelijk aan arrestatie'. De directe aanzet tot onmiddellijke actie was mogelijk de e-mail over de bruiloft, plus een andere mail die Bakri naar Lackawanna had gestuurd over het opdienen van een 'grote maaltijd' (ook een term op de lijst van uitdrukkingen die verdenkingen oproepen bij de CIA). Het kan ook – zoals sommige bronnen binnen de FBI en de CIA sindsdien hebben gezegd – een van die momenten zijn geweest waarop de president en de vice-president gebruikmaakten van hun uitgebreide, creatieve prerogatieven in de oorlog tegen terreur. Namelijk om te doen wat ze wilden, wanneer ze dat wilden, en om welke reden dan ook.

De CIA kreeg het bevel de politie in Bahrein te bellen, die al-Bakri had opgepikt in de hoofdstad Manama, en de FBI stuurde iemand om hem te ondervragen, een man die toevallig de eerste islamitische FBI-agent was.

Bakri bleek meer weg te hebben van een bangelijke jongeman van 23 jaar oud dan een geharde jihadstrijder, klaar voor het martelaarschap. Het jaar daarvoor was hij min of meer bij toeval in een trainingskamp van al-Qaida terechtgekomen, waarna hij er vanaf probeerde te komen door aan bin Laden te vertellen dat zijn ouders zich zorgen over hem maakten.

De volgende dag vertelde hij zijn ondervrager in Bahrein hoe hij een training had ondergaan in al-Farooq, het al-Qaida-kamp in Pakistan, samen met zes vrienden uit Lackawanna. Hij beschreef hoe ze kennis hadden gemaakt met bin Laden en hoe ze hadden leren schieten met kalasjnikovs. Hij gaf hun namen op: Jaber Elbaneh, 23, Sahim Alwam, 29, Yahya Goba, 25, Faysal Galab, 26, Shafal Mosed, 24, en Yasen Taheir, 24.

Het waren gerespecteerde leden van de Jemenitische gemeenschap in hun Amerikaanse woonplaats. Galab was voor een deel eigenaar van een plaatselijk benzinestation. Taheir was de 'vriendelijkste' van zijn jaar op de high school, en op de universiteit was hij aanvoerder van het voetbalteam geweest. Ze hielden allemaal van voetbal en ze speelden in de plaatselijke competitie. Op 13 en 14 september zouden ze object van een gerechtelijk verbod worden. Elbaneh was niet in het land: hij was niet meer teruggekeerd nadat hij een jaar eerder was vertrokken voor een bezoek aan het kamp. De andere vijf, die met hun dagelijkse dingen bezig waren, werden snel gearresteerd. Samen met Bakri, die al in voorarrest zat, zouden ze spoedig wijd en zijd bekendstaan als de 'Lackawanna Zes'.

In de dagen die volgden op de toespraak op 12 september tot de Verenigde Naties, waarin de president officieel de knuppel in het hoenderhok had gegooid door Irak te verbinden met de bredere en alomtegenwoordige dreiging van terreur, zorgden de arrestaties van de mannen uit Lackawanna voor koppen in de kranten en waren allerlei regeringsfunctionarissen het middelpunt van veel publieke aandacht.

Uiteindelijk werd de vier maanden durende strijd van de FBI om een helder zicht te krijgen op deze groep en deze eerste vermeende terreurcel degelijk en verstandig aan te pakken, besloten met een enkele vraag van Bush. 'Kunnen jullie mij garanderen dat deze gasten niet iets zullen gaan doen?' had de president aan Bob Mueller en zijn team gevraagd toen de herdenking van 11 september naderde. Het antwoord van het bureau luidde, zoals de antiterrorismespecialist van de FBI Dale Watson een jaar later aan *The New York Times* vertelde, dat 'wij er voor misschien wel 99 procent zeker van zijn dat we ervoor kunnen zorgen dat deze gasten niet iets doen, mochten ze van plan zijn iets te doen.' Het antwoord van de president, dat Watson parafraseerde, was: 'Gezien de regels waaraan wij ons in die tijd hadden te houden, is dat niet acceptabel. Dus was er een bewust besluit genomen in de trant van "Die moeten hier weg."'

De 'regels' waarover hij het hier heeft waren natuurlijk opgesteld door de vice-president. De FBI had zojuist een inleiding over de Cheney-doctrine gehad.

Er was een dringend telefoontje voor Dennis Lormel uit Dubai.

Het was de laatste week van september. Zijn assistent haalde hem uit een vergadering. Tim, zijn belangrijkste agent uit de VAE, was aan de telefoon, stamelend: 'Wazir is hier en hij wil met ons praten!'

'Hè? Neem je me in de maling?'

Tim probeerde hem snel pratend de voornaamste feiten duidelijk te maken. Korte versie: de centrale bank van de VAE deed zijn werk al te goed. Ze waren op eigen houtje aan de slag gegaan en hadden Wazirs tegoeden bevroren. Dat was nog maar het begin. Toen Wazir zag dat zijn miljoenen bevroren waren, belde hij verontwaardigd de centrale bank. Het hoofd van de centrale bank vertelde Wazir dat er een FBI-onderzoek naar hem gaande was.

Als de koele klant die hij was, gaf Wazir beschaafd lucht aan zijn woede. 'Zijn er FBI-agenten in het land?' vroeg hij aan de bankier.

Die zei ja, die zijn hier, midden in Dubai. 'Mooi, dan wil ik ze spreken. Ik zal ze alles uitleggen,' zei Wazir. 'Ik ben ervan overtuigd dat het gewoon een vergissing is.'

De bankiers van de VAE, trots op hun vangst, belden het FBI-team. Nadat Tim de verbinding had verbroken belde hij Dennis.

'Dat is duidelijk,' zei Lormel tegen zijn paniekerige assistent. 'Gewoon niets doen.'

Hij toetste het nummer van Langley in.

'Wazir is in de emiraten,' zei Dennis.

'Nee, hoor,' zei Nervous Phil. 'Hij zit in Pakistan. We hebben hem te pakken in Pakistan.'

'Geloof me nou maar, Phil. Hij belt mijn mensen. De centrale bank heeft zijn tegoeden bevroren. Hij wil met mijn mensen praten om de dingen recht te zetten.'

'O, shit.'

Het kostte Phil enkele minuten om tot bedaren te komen. Vanaf het midden van de zomer was hij bezig geweest met de voorbereidingen van een van de meest gewaagde initiatieven die de CIA ooit had gelanceerd. Wazir was daar het middelpunt van. Nu moest hij 'operationeel worden' in de tijd die de FBI kon winnen door de transacties van de financiële man te vertragen zonder hem verdacht te maken.

'Zegt tegen je mannen dat ze niets moeten doen!' riep Phil. 'Alleen maar vertragen. Ik zal je wel zeggen hoe lang we nodig hebben.'

De CIA moest snel optreden. De pech die ze hadden: de VAE, die barst van het contante geld, heeft een van de meest geavanceerde grenscontrolesystemen van de Arabische wereld, geheel elektronisch, geheel gecentraliseerd. Het systeem waarvan zowel de CIA als de FBI gebruikmaakten om te kunnen weten wie er het land in en uit gingen was er de vorige week mee opgehouden. Wazir was vanuit Pakistan ongemerkt de VAE in geglipt.

De volgende ochtend verliet een gezette financier van de Emiraten in zijn witte gewaad, vest, compleet met schedelkapje en keurig bijgeknipte baard zijn riante woning in Dubai. Hij ging naar het centrum voor een ontmoeting met de FBI. Op zijn oprit werd hij verwelkomd door een team agenten van de CIA. Hij ging mee zonder zich te verzetten.

Al snel gebeurden er twee dingen: zijn tegoeden werden onmiddellijk ontdooid en hij werd voor verhoor meegenomen naar een gebouw ergens in de Emiraten.

In kringen van de CIA werd verwacht dat dit een succesvolle ondervraging zou zijn. De werelds ingestelde Wazir was geen wahabiet. Hij was een opportunist. Maar in termen van een succesvolle CIA-ondervraging bleek Wazir geen beter subject dan bin al-Shibh. Ze moesten alles weten over zijn activiteiten. Hij vertelde ze niets.

Gefrustreerd arresteerde, een CIA-team in Duitsland Wazirs broer, zijn partner in een uitgebreid netwerk van hawala's. Die zou wel praten. Dat deed hij niet. Dagen gingen voorbij. Niets.

Phil had meer verwacht, maar op zijn gebruikelijke pietluttige wijze bereidde hij zich voor op het ergste, iets wat niet altijd gebeurt bij de CIA.

Stap twee.

Een CIA-team in Karachi keek toe toen twee mannen Wazirs storefront-bank in de drukke binnenstad sloten. Beide mannen werden op weg naar huis in een passerende auto getrokken, een snelle, bijna onzichtbare manoeuvre. Ze werden naar een safe house van de CIA in Karachi gebracht. De agenten moesten snel handelen. Ze hadden maar één nacht voor hun werk. Er werd een aanbod gedaan. Het duo kon samenwerken met de CIA en financiële compensatie krijgen. Beide mannen weigerden. Ze werden net als Wazir en zijn broer overgebracht naar een 'zwarte locatie' van de CIA.

Stap drie.

De volgende ochtend ging de storefront-bank op het gebruikelijke uur open. De nieuwe eigenaren, CIA-agenten van Pakistaanse afkomst, in de afgelopen maanden speciaal getraind door de CIA, hadden hun verhaal klaar. Ze waren verre familie van Wazir. Ze vielen een poosje voor hem in, want de andere mannen moesten weg voor een afspraak met Pacha, ergens in de VAE. Een of andere ziekte in de familie.

Waarop ze klanten begonnen te ontvangen: een uitzonderlijk riskant staaltje van *method acting*.

In de loop van de komende maanden zouden tientallen belangrijke arrestaties plaatsvinden in Pakistan en elders, omdat de CIA zijn intrek had genomen in een bedrijf van al-Qaida.

Geheimhouding is niet zomaar een methode. Het is een manier van kijken naar menselijke interactie. Als genoeg mensen allemaal volgens de dictaten van geheimhouding leven, kan het een cultuur worden die de lucht ioniseert. In de oorlog tegen terreur, een oorlog die grotendeels wordt gevoerd door kleine teams die in het geheim opereren, vaak met weinig overzicht biedende informatie, vind je overal 'informatielussen'. De ene lus brengt de andere voort. Wie is op de hoogte? Wie niet?

De regering van de vs zat op dit moment, een jaar na 11 september, opgesloten in een verbijsterend scala aan informatielussen. Mensen namen deel aan vergaderingen, niet in staat om te zeggen wat ze wisten. Ze spraken elkaar na afloop van een vergadering in de gang en gaven dan te kennen: 'Ik ben niet bevoegd om iets te zeggen', onzeker over een mogelijk veiligheidsrisico dat een oude collega misschien vormde. Je moest het zekere voor het onzekere nemen. Zo min mogelijk zeggen. Beperk je bemoeienissen naar buiten toe, vooral als het gaat om contacten met beleidsambtenaren of politieke benoemingen, tot een minimum. Het probleem: deze mentaliteit is juist de sleutel tot succes binnen het Amerikaanse overheidsapparaat.

Op 6 oktober liep Dennis Lormel Bruce Gephardt, adjunct-directeur van de FBI, tegen het lijf. Hij viel de volgende ochtend in voor Mueller en zou de presidentiële briefing over de operatie Wazir doen. Het was geen FBI-operatie, in ieder geval nu niet meer. Maar bijna een jaar lang had de FBI geprobeerd bewijzen tegen Wazir te verzamelen, met inzet van veel mankracht en middelen. Nu een en ander officieel werd overgedragen aan de CIA, werd het meteen een actieve kwestie, rijp voor een presidentiële briefing.

'Waarom heb ik hier niets over gehoord?' vroeg Gephardt. 'Het lijkt wel of niemand er iets over heeft gehoord.'

Lormel haalde onschuldig zijn schouders op. De woensdagochtendbijeenkomsten in de werkruimte van de Situation Room waren vertrouwelijk. Voor 'onzichtbaren' als Lormel, deskundigen die de hele dag bij de strijd betrokken waren, elke dag, was de sleutel tot succes om zo min mogelijk hoge omes, zo min mogelijk publieke figuren of belangrijke spelers aan informatie te helpen. Hoge beleidsambtenaren, of politieke benoemingen, die deelnamen aan

gewichtige besprekingen van chefs van departementen, of die onderministers en kabinetsecretarissen bij hun voornaam noemden,
werden ervoor betaald om zich met van alles en nog wat te bemoei-
en. Die mensen moesten in de ogen van vele *onzichtbaren* alleen te
horen krijgen wat ze hoorden te weten. Uiteraard was dat besluit
genomen door degenen die wél op de hoogte waren van bepaalde
'geheimen'. Gephardt was meer dan zes maanden na de lancering
van het Wazir-initiatief nog steeds niet op de hoogte, omdat 'die
verdomde Gephardt dat helemaal niet hoefde te weten', zoals Lormel naderhand peinzend opmerkte.

HOOFDSTUK 5

Gevechtsklaar

In de zomer en het najaar van 2002 laaide er een uniek debat op in de hoogste regionen van de Amerikaanse overheid. Dat was grotendeels onzichtbaar voor het publiek, en dat zou het ook blijven, maar de effecten ervan zouden nog jarenlang merkbaar zijn. Het ging over een oud en ingewikkeld begrip, namelijk 'bewijs'.

'Bewijs' is een woord dat op veel manieren gebruikt wordt, maar de eerste, ook in het alledaagse taalgebruik gehanteerde definitie is altijd hetzelfde. *Webster's Dictionary* geeft zoals gewoonlijk een bruikbare beknopte omschrijving met: 'Gegevens waarop een conclusie of oordeel kan worden gebaseerd.'

Dat was een schaars goed in de 'oorlog tegen terreur'.

Er was uiteraard een hechte keten van bewijzen die de kapers van 11 september verbond met al-Qaida, en deze organisatie met haar gastheer, de Taliban. Op grond daarvan werd in Afghanistan een oorlog gevoerd, een oorlog gebaseerd op een 'conclusie of oordeel' dat alom werd ondersteund door de internationale gemeenschap.

Daarna werd concreet bewijsmateriaal steeds schaarser. Een van de voornaamste onderdelen van de Cheney-doctrine was acties en interventies in stilte los te koppelen van dergelijke geaccepteerde bewijsnormen. En dat was bijzonder effectief.

Verdenking, zowel binnen Amerika als erbuiten, werd de drempelwaarde voor actief ingrijpen.

De spanningen die hierdoor werden gecreëerd in een natie die geregeerd werd door wetten en niet door mensen, zouden daarna gestaag blijven toenemen, terwijl Amerikaanse burgers werden gearresteerd of afgeluisterd en immigranten opgepakt en uitgezet, spanningen die scheuren veroorzaakten in het fundament van vaststaande grondbeginselen van de natie. Of er nu wel of niet een wettelijke 'papieren basis' was voor zulke activiteiten was bijna een technisch detail: lang gekoesterde regels omtrent de benodigde bewijzen en de bijbehorende norm van 'gegronde redenen' werden aan de kant gezet. Niet dat het werken met een versimpelde norm aanwijsbare resultaten opleverde. Ondanks Lackawanna was er na een jaar van verwoede activiteit van de kant van de FBI, met ondersteuning van CIA en NSA, nog steeds geen spoor van enige actieve al-Qaida-cel in de VS. Geavanceerde technologie en vernuftige ideeën, met alle bijbehorende hoge kosten, hadden geen vruchten afgeworpen.

Op het buitenlandse front waren vermoedens meer dan genoeg om aan te zetten tot actie. Maar ook daar werden in de loop van de zomer en het najaar harde lessen geleerd over de risico's van acties op basis van weinig meer dan verdenkingen.

Zawahiri's hoofd, dat zulke hoge verwachtingen had gewekt in het Witte Huis en zelfs bijgedragen had aan de analyse dat het tijd was voor het volgende stadium van de 'oorlog tegen terreur', namelijk een invasie van Irak, bleek alleen maar de schedel te zijn van een onfortuinlijke Afghaan met een litteken van het vele bidden. Het probleem is dat je zo afhankelijk bent van schamele en vaak immateriële gegevens dat het niet-substantiële een onevenredig groot gewicht krijgt. Als de president iets vermoedt en er begrijpelijkerwijs naar hunkert dat dat wordt geverifieerd, creëert de daarmee gepaard gaande hoopvolle verwachting op zich al een effect op de besluitvorming: 'Dat kan heel goed inhouden…, en dat zou ertoe kunnen leiden…, of uiteindelijk zou het kunnen betekenen dat…' Hele constructies, opgebouwd in kostbare presidentiële tijd, kunnen als een nietszeggend kaartenhuis in elkaar storten.

De arrestatie van Ramzi bin al-Shibh bracht een bijbehorende reeks lessen met zich mee, in dit geval over de uiteindelijke werkelijke waarde van een massa feiten zonder context. De arrestatie was een overwinning, in zoverre de glibberige, spraakzame al-Qaidaluitenant niet langer zijn destructieve activiteiten kon ontplooien. Maar in de weken na zijn arrestatie werd duidelijk dat zijn verhoor misschien wel niets zou opleveren. Alles werd geprobeerd; men deed alsof men hem ging verdrinken, hij werd van zijn slaap beroofd, bedreigd met de dood, betrokken in verwarde gesprekken over de Koran, maar niets hielp. De grootste waarde van de arrestatie lag in de telefoonnummers, de hard drives en de gevarieerde digitale bewijsstukken die meegenomen waren uit het safe house in Karachi. Net zoals bij Zubaydah werden ook deze harde bewijzen bij de CIA ingevoerd in de modellen van Nervous Phil om de wereldwijde matrix van meer informatie te voorzien, nieuwe aanwijzingen te creëren en nieuwe verdachten. Alle beetjes hielpen. Een adres. Een alias. Een man die misschien iets wist, iemand kende, geïsoleerde brokjes informatie waar ze tevreden mee waren, die voldoende waren om nieuwe lijnen van verdenking te creëren.

De diamant was in dit geval een gastenboek. Er was er een in het appartement in Karachi. Bezoekers tekenden het en schreven er ook het nummer van hun paspoort in, misschien vanwege een door al-Qaida gehanteerde methode om hun leden te registreren. De nummers van de paspoorten werden snel doorgegeven aan gelieerde inlichtingendiensten overal ter wereld, met enkele belangrijke uitzonderingen. Drie namen en paspoortnummers werden doorgegeven aan medewerkers van Tenet, Rice en de vice-president, voor een speciale behandeling. Het waren de namen van de twee zonen van bin Laden en van zijn vrouw, alle drie in het bezit van versgedrukte Sudanese paspoorten.

De paspoorten waren verstrekt in de maanden na 11 september, lang nadat de president zijn edict had gepresenteerd van 'óf je bent voor ons óf je bent voor de terroristen', het edict dat het omverwerpen van het Taliban-regime in Afghanistan rechtvaardigde. De paspoorten waren verstrekt door medewerkers van de Sudanese ambassade in Islamabad, een van Sudans grootste buitenlandse vestigingen, met een directe verbinding met Khartoem.

Dit waren welsprekende feiten, maar hoe hoog zou zelfs deze ontdekking stijgen op de ladder van het bewijsmateriaal, bewijsmateriaal dat kon leiden tot een 'conclusie of oordeel'? Hoe kon de ambassade begin 2002 paspoorten hebben verstrekt aan bin Ladens vrouw en zijn zonen zonder dat de Sudanese leiders dat wisten?

Dat was de vraag van de president toen Tenet deze onthulling half september na de arrestatie van bin al-Shibh presenteerde. Wat betekent het? Toen de Sudanese regering werd geconfronteerd met deze feiten toonde ze zich verbaasd en zei ze dat ambtenaren omgekocht moesten zijn. Ze zouden het tot op de bodem uitzoeken. Ze startten hun eigen speurtocht naar bewijzen. Sudan was op dat moment één van de naties aan de 'duistere kant', die samengewerkt hadden met de VS. Was de ontdekking van het gastenboek aanwijzing voor iets dat haaks stond op die samenwerking, een indicatie dat de Sudanezen met beide kanten meededen, dat ze met de ene hand bin Laden hielpen en met de andere de VS? Of was er iets erger aan de hand? De ontdekking zorgde bij Amerikaanse functionarissen in ieder geval voor een nieuwe uitbarsting van argwaan ten aanzien van de Sudanese intenties. Khartoem gaf heel diplomatiek blijk van zijn goede bedoelingen door nog daadkrachtiger mee te werken met verscheidene CIA-initiatieven.

Per slot van rekening moesten er zaken worden gedaan. De Sudanezen hadden iets te bieden wat we beslist niet konden weigeren, namelijk nog meer feiten, bescheiden maar bruikbare feiten zoals het gastenboek, feiten die niet leidden tot conclusies of een oordeel.

In feite was het richtsnoer voor de oorlog tegen terreur niet veel meer dan 'het principe van de verdenking van strafbaarheid', zoals een voormalige chef van de inlichtingendienst het noemde.' Het gebeurde allemaal in de schaduw, dus werd er niet over gediscussieerd. We opereerden fanatiek in een grotendeels bewijsvrije omgeving. Maar het hele concept was dat je je door een gebrek aan harde bewijzen niet moest laten weerhouden. Het ging om actie. Continue actie.'

Op hetzelfde moment, van halverwege de zomer tot in het najaar, werd er een meer publiek experiment in het toepassen van Amerika's gewaagde nieuwe actiedoctrine uitgevoerd.

De toespraak over 'preventie' die de president in juni op West Point had gehouden, was een poging om een nieuwe reeks internationale regels vast te leggen, ook al werd de voornaamste regel nooit uitgesproken, namelijk dat de VS een kans van één procent dat een land massavernietigingswapens aan een terrorist zou verstrekken, zou behandelen als 'een zekerheid' en daardoor gedwongen zou zijn handelend op te treden. Zo'n onthulling zou zeker de stoot hebben gegeven tot veel meer discussie over Irak.

Terwijl de CIA en de NSA jacht maakten op terroristen, hielden militairen plannenmakers zich de hele zomer van 2002 bezig met het verfijnen en beter afstemmen van hun plannen voor een invasie van Irak. De hete hangijzers van die invasie werden de kern van tactische conflicten. Cheney, Rumsfeld en hun ondersteunende teams hadden aangedrongen op een invasie op ieder willekeurig door Amerika te kiezen moment, en zich beziggehouden met specifieke voorbereidingen. Colin Powell, die niet tot de kring van vertrouwelingen van de president behoorde, maakte zijn tegengestelde standpunt kenbaar in augustus, toen hij erin slaagde een gesprek met Bush te hebben en uitdrukking gaf aan zijn bezorgdheid over de gevaren die de 'porseleinkast' die Irak was met zich meebracht: 'Breek je wat, dan is het opeens van jou en moet je betalen.' Een van de belangrijkste punten die Powell aan Bush duidelijk maakte, was dat de VS geen verandering van regime, wat de reden daarvoor ook mocht zijn, konden behappen zonder internationale steun. We zouden de hulpmiddelen, de diverse vaardigheden en de legitimering van de internationale gemeenschap nodig hebben. Het was een tactische bespreking, meer over het hoe dan over het waarom. Bush kwam erdoor tot de overtuiging dat hij de internationale gemeenschap met 'bewijzen en argumenten' voor de oorlog moest bewerken om hun medewerking te kunnen afdwingen.

Bent Scowcroft, net als Powell lid van de oude garde van Republikeinse pragmatici, viel hem in de week daarna bij in *The Wall Street Journal*. Onder de kop 'Val Saddam niet aan', gaf hij in zijn column van 15 augustus te kennen dat zo'n invasie vereiste dat de VS een strategie van 'we gaan er álléén voor' hanteerde, en dat dat zou 'resulteren in een ernstige verzwakking van de internationale samenwerking met ons tegen het terrorisme. En vergis je niet, we kunnen die oorlog domweg niet winnen zonder enthousiaste internationale samenwerking, vooral op het terrein van de inlichtingendiensten.'

Op de dag dat de column verscheen, verbleef de president vanwege zijn jaarlijkse zomervakantie in Crawford. De volgende dag ging hij er tijdens een NSC-overleg via een beveiligde videoverbinding mee akkoord om de maand daarop een toespraak voor de Verenigde Naties te houden.

Maar eerst zou Cheney, de bouwmeester van de regering, het kader voor de discussie vastleggen. In een toespraak op 26 augustus in Nashville, Tennessee, weidde hij ten overstaan van de Veterans of Foreign Wars uitvoerig uit over de gevaren van dubbelzinnigheid. 'De gekozen leiders van dit land hebben een verantwoordelijkheid om alle beschikbare opties te overwegen, en dat doen wij dan ook,' zei hij. 'Wat we niet moeten doen in de confrontatie met een dodelijk gevaar is ons overgeven aan wishful thinking of oogkleppen opzetten. We zullen niet domweg de andere kant op kijken, er het beste van hopen en het oplossen van de kwestie aan een toekomstige regering overlaten. Zoals president Bush zei: "We hebben geen tijd genoeg." Inzetbare massavernietigingswapens in de handen van een terroristennetwerk of een moordlustige dictator, of van beiden, vormt een onvoorstelbaar ernstige bedreiging. De risico's van passiviteit zijn veel groter dan het risico van activiteit.'

Cheney liet zich op dat moment krachtig uit over dingen waar hij echt in geloofde. 'Preventief ingrijpen', dus het geval waarin de vs een duidelijk waarneembare op handen zijnde aanval moesten voorkomen, zou in Cheneys ogen een heel grote uitzondering blijven. Een land met destructieve bedoelingen zou daar volgens de Cheney nooit ruchtbaarheid aan geven. Bewijzen zou je niet in handen krijgen, zeker niet op 'operationele momenten'. Een geëigend concept was dan 'preventie', het gebruik van geweld tegen ieder land dat destructieve bedoelingen had. Wat neerkwam op een geopolitieke strategie die grotendeels was gebaseerd op veronderstelling. Op deze manier was preventie eenvoudig een laatste alinea die werd toegevoegd aan de eenprocentdoctrine, in dit geval een leidraad voor het handelen van de eenzame supermacht die als staat tegenover een andere staat stond. Hij was het oneens met Powell dat internationale steun tactisch belangrijk was: zowel hij als Rumsfeld geloofden dat de vs zo nodig Irak in hun eentje aankonden en dat ze beter af zouden zijn zonder de storende invloed van de internationale gemeenschap. De vice-president moest zijn inspanningen nu richten op het besluit van de president om ten overstaan van de vn 'argumenten en bewijzen aan te voeren' voor de noodzaak van een oorlog.

Een van de stappen die hij zette was dat hij 'verdenking', de waterige brandstof waar de geheime oorlog tegen terreur op draaide, herdefinieerde als 'bewijs', in overeenstemming met de zware eisen die het internationale debat stelde.

'Het Iraakse regime is in feite druk bezig geweest met het versterken van zijn vermogen op het gebied van chemische en biologische middelen, en ook gaan ze door met het nucleaire programma waar ze al zo veel jaar geleden aan begonnen zijn,' zei hij in zijn toespraak.

Hij bevond zich op dun ijs. Anderen zouden spoedig volgen.

Jami Miscik, adjunct-directeur belast met de leiding van het directoraat inlichtingen DI (Directorate of Intelligence), herinnert zich nog dat ze luisterde naar de toespraak van de vice-president. Die kreeg behoorlijk veel publiciteit vanwege de uitspraken over Saddam en zijn kernwapens, de eerste keer dat dit zo stellig werd beweerd. Cheney had zijn toespraak niet eerst naar de CIA gestuurd, zoals de president altijd deed. Ze zorgde snel voor een exemplaar van de tekst.

'Hij zei dat Saddam zijn kernprogramma aan het uitbouwen was. Onze reactie was: "Waar heeft hij dat nou weer vandaan? Heeft hij een informatiebron waar wij niets van weten?"'

Deze verwarring was het luidruchtige, roerige broertje van de stomme verbijstering na de overdrijvingen rond de arrestatie van Zubaydah. Dat geval hadden ze echter makkelijk onder de pet kunnen houden: Zubaydahs beperkte rol binnen al-Qaida en zijn klaarblijkelijke geestelijke gestoordheid waren nauwelijks bekend, en het was sowieso uiterst geheime informatie.

Dat de vice-president in het licht van de schijnwerpers zulke dingen zei over Saddam Hussein én over kernwapens veroorzaakte veel meer onrust.

Op diverse afdelingen van de CIA ging het alarm af. Een reden voor dit alarm was dat de dienst zo te horen duidelijk buiten openbare beslissingen op het hoogste niveau werd gehouden. Analisten begonnen onmiddellijk informatie te verzamelen over wat er binnen de CIA bekend was omtrent Saddam Hussein en kernwapens. De afdeling Irak was binnen het directoraat inlichtingen niet hun sterkste zijde. De CIA had maar weinig betrouwbare humint-hulp-bronnen in Irak; Saddam Hussein overlegde slechts met een hele kleine kring van vertrouwelingen. Hoewel de CIA in februari een presidentieel bevel had gekregen om zich te concentreren op Irak, had de staf geen harde bewijzen voor massavernietigingswapens gevonden.

CIA-analisten begonnen meer vragen te stellen over de gebieden die men meestal zag als alleen maar lastig, en ondergeschikt aan het hoofddoel van het vinden en tegenhouden van terroristen. Ze richtten zich sterker op 'Curveball', een codenaam voor een Iraakse informant van Duitse agenten die gedetailleerde uitspraken deed over Iraks projecten op het gebied van massavernietigingswapens. Ook werd aan topfunctionarissen van de CIA verslag uitgebracht van een reis naar Niger in februari 2002 door een voormalige am-bassadeur in Gabon, Joseph Wilson, die de uit het kantoor van de vice-president afkomstige geruchten moest checken dat Saddam Hussein geprobeerd had uraniumconcentraat, of *yellowcake*, uit de Franse mijnen van dit land te kopen. Het was een zeer ingewik-keld verhaal over Nigeriaanse documenten die verkocht waren aan agenten in Italië, wat erop wees dat Saddam Hussein eropuit was om het ruwe, poreuze uranium aan te schaffen. Saddam had al een wel-bekende voorraad uraniumconcentraat die in de gaten werd gehou-den door VN-inspecteurs. De verwerking van dit materiaal tot een verrijkte toestand, geschikt voor wapens, was een moeizaam, bijna onuitvoerbaar project. Hoe dan ook, waarom zou hij meer nodig hebben dan de vijfhonderd ton die hij nog niet had aangeraakt?

Intussen steeg de temperatuur binnen de hele regering. Cheney en Rumsfeld vochten met Powell over wat Bush moest zeggen in zijn toespraak voor de VN. Powell drong er bij de president op aan dat hij niet alleen Saddam Hussein moest bekritiseren en de dicta-tor koppelen aan de bredere oorlog tegen terreur, maar dat hij ook moest vragen om een nieuwe VN-resolutie ter ondersteuning van het optreden tegen de Iraakse leider. Cheney en Rumsfeld verzet-ten zich hevig tegen dit idee. Voor Cheney was zelfs het 'aanvoe-ren van argumenten en bewijzen' idioot. Om toestemming vragen was nog erger.

Terwijl ze hierover ruzieden, in de wetenschap dat de VN-toespraak van de president al over een paar dagen een feit zou zijn, liet Rice zich op CNN zien, met een geïmproviseerd betoog. 'Het probleem is dat er altijd enige onzekerheid zal blijven bestaan over de snelheid waarmee hij kernwapens in handen kan krijgen,' zei zij. 'Maar wij willen niet dat het rokende pistool een paddenstoelwolk zal zijn.'

Die uitspraken veroorzaakten hevige schokgolven. Rice kreeg als kritiek te horen dat ze angst zaaide, dat ze suggereerde dat er bewijzen waren dat Saddam Hussein zo'n kernwapen zou hebben. Discussies over de bewijslast schoten echter hun doel voorbij: de indirecte redenering van Rice was dat de VS handelend moesten optreden of ze nu wel of niet een 'rokend pistool' vonden. Ze liet een scherpe kant van het feitelijke Amerikaanse beleid zien: verbreking van het verband tussen op feiten gebaseerde analyse en een krachtige respons; handelend optreden op grond van ieder willekeurig vaag vermoeden was nu passend... om veilig te zijn, om zeker te zijn, om een tegenstander te grazen te nemen voordat hij zijn vermogens kon ontplooien, zodat ook anderen wisten dat ze het niet in hun hoofd moesten halen om die weg te bewandelen.

Niettemin verwijderde het debat zich steeds meer van deze diepere vraagstukken rond het onzichtbare Amerikaanse tactiekboekje, een wedstrijdplan gebouwd op de onuitgesproken conclusie dat 'bewijs' een onredelijke drempel was, en dat die er uiteindelijk niet toe deed. In plaats daarvan golfden de argumenten op en neer rond het bewijs voor de aanwezigheid van vernietigingswapens, of het ontbreken daarvan.

Een paar dagen later sprak Bush de VN toe, waarbij hij Saddam Husseins kwalijke daden en misdrijven vermeldde en benadrukte dat als de VN niet handelend optrad deze organisatie als institutie irrelevant zou worden. Na gesprekken met de Britse premier Tony Blair en een aantal geselecteerde buitenlandse leiders had hij besloten dat hij in zijn toespraak om een nieuwe resolutie zou verzoeken. Maar die passage, de belangrijkste passage, ook al was het er een waar Cheney en anderen zich tegen hadden verzet, was op mysterieuze wijze uit de tekst verdwenen. Bush merkte dat en improviseerde deze sleutelpassage halverwege zijn voordracht, zij het wat onhandig.

En zo, om internationale acceptatie en medewerking te verkrijgen, zouden de vs nu de 'bewijzen en argumenten aanvoeren' voor een oorlog gebaseerd op het geverifieerde gegeven dat Saddam Hussein massavernietigingswapens bezat.

Maar voor iedereen in de kleine kring rond de president was echter ook duidelijk dat het een exercitie zonder veel overtuiging zou zijn, een exercitie 'voor de show', omdat de Amerikaanse regering nu al de vaste richtlijn hanteerde dat verdenking een toereikende drempelwaarde was om over te gaan tot preventieve actie.

Het is niet duidelijk of Colin Powell kan worden gezien als iemand die zodanig bij deze kleine kring behoorde dat hij dit kon weten.

Tenet wist het natuurlijk wel, omdat hij aanwezig was geweest bij het doorbraakmoment van Cheney, bijna een jaar eerder. Maar terwijl de door de Amerikaanse regering verlaten normen voor bewijsmateriaal nu onderwerp van discussie zouden worden op internationale forums, moest de CIA-directeur nu standhouden op de breuklijn tussen de oude wereld van het bewijs en een nieuwe tijd van actie.

In deze periode George Tenet zijn betekende dat je de penibele toestand ervoer van een bliksemafleider in een opkomende storm.

Een normale dag begon met de briefing van de president, gevolgd door een verklaring van het Congres, een gesprek met Rice of Cheney, misschien met een aantal leidende figuren uit de Senaat, het nalopen van teksten voor komende toespraken van de president, de NSA-gegevens van die dag, opnieuw vergaderingen 'in de stad', dat wil zeggen in het Witte Huis, daarna lunchen met de Rumsfeld, dan 's middags weer een vergaderingen in Langley, bekroond met de informatieve bijeenkomst van vijf uur, die een van de meest populaire evenementen in Washington was geworden, zodat veel diensten en ook het Witte Huis vaak vertegenwoordigers stuurden. Op veel dagen stroomden er zo'n zestig mensen Tenets betrekkelijk kleine vergaderruimte binnen, zodat ze twee rijen dik langs de muur stonden.

Zo ging het althans als hij niet in het buitenland zat, wat ongeveer eens in de drie dagen het geval was. Hij was misschien wel de enige man in de regering die kroonprins Abdullah in zijn borst mocht porren, Musharraf op zijn rug kon slaan, of in het gezelschap kon verkeren van de hoofden van de inlichtingendiensten van beide mannen, zonder dat beide leiders ook maar één actief werkwoord meer te horen kregen dan ze hoefden te weten.

Het kon haast niet anders, of ergens moest het mis gaan. En dat gebeurde ook. Stukje bij beetje. Tenets rol herbergde een duivels dilemma. Informatie was de zuurstof van de oorlog tegen terreur, en de CIA droeg de last van het verzamelen en analyseren daarvan, en van operaties met een omvang die beter paste bij een doorgewinterde, goed gecoördineerde inlichtingenautoriteit die tien keer zo groot was. Maar de dienst was niet doorgewinterd in de gecompliceerde bestrijding van terrorisme en de proliferatie van wapens, en evenmin goed gecoördineerd. Tenet zelf was niet een echte goede manager. Hij was goed in klauteren, krabbelen, duiken en wegduiken, de hele dag, elke dag, een man die kon koeioneren en marchanderen en die zonodig zijn volume opschroefde. Het laatste deed zich vooral voor als het ging over belangrijke vragen zoals wat ze moesten doen, wanneer en waarom, waarop hij luid placht te roepen: 'Wat is godbetert het volgende agendapunt?'

Maar de dienst klauterde en krabbelde achter hem aan, soms losse eindjes achterlatend, veters die niet vastgemaakt waren.

Toen de president eenmaal zijn toespraak had gehouden en het doel van een nieuwe VN-resolutie duidelijk kenbaar was gemaakt, was voor een groot deel van de Amerikaanse overheid meteen al de krachtige onderstroom naar een oorlog in Irak voelbaar. Scowcroft had voorspeld dat een invasie de aandacht van de buitenlandse politiek en de inlichtingengemeenschappen zou afleiden van de strijd tegen het terrorisme, maar dat gebeurde nu al, dag in dag uit, lang voordat de troepen zich gevechtsklaar maakten.

Deze spanning tussen rivaliserende prioriteiten kon worden gevoeld binnen elk gebouw op het CIA-terrein in Langley. Dé prioriteit van de dienst was nog steeds het voeren van de oorlog tegen terreur, de activiteiten op basis van het 'vind ze, houd ze tegen', een missie die maakte dat het directoraat inlichtingen voortjoeg op een staccato ritme dat het nog niet eerder had meegemaakt. De analisten waren dag en nacht geconcentreerd bezig met onderzoek van steeds weer nieuwe informatie over dreigende gevaren, met een snelle evaluatie van verplaatsingen van terroristen in delen van de wereld waarin de VS slechts over schaarse informatiebronnen beschikte, en het plaatsen van bepaalde via sigint en finint opgepikte gegevens in een werkbaar kader. Het focus was nu meer het focus van een dienst die opereerde 'in oorlogstijd'. Deze verandering, die begonnen was in de uren na de aanslagen van 11 september 2001, was een schok voor het directoraat inlichtingen dat van oudsher het grootste deel van zijn middelen bestemde voor retrospectieve analyse, het bestuderen van gebeurtenissen nadat ze gebeurd waren en het vervolgens schilderen van complexe analytische portretten van diverse naties en regio's van de wereld.

Vreemd genoeg zou een beroep op de dienst worden gedaan om meer van het laatste te doen – eigenlijk een stap terug – met betrekking tot Irak. De uitdaging was een zorgvuldige en snelle evaluatie van de elf jaren die verstreken waren sinds het einde van de Golfoorlog van 1991, met het accent op het wapenarsenaal van Saddam Hussein.

Op 1 oktober werd een negentig bladzijden tellende *National Intelligence Estimate* over Irak en zijn wapens ingeleverd bij het Witte Huis, een combinatie van analyses van de gehele inlichtingengemeenschap, zoals in al deze rapporten het geval was. Omdat het ging om een uitermate beladen onderwerp en elke gemiddelde Amerikaanse middelbare scholier kon weten wat precies de oorlogsverlangens van de president waren, was het uiteindelijk een gigantische hutspot geworden, een ratjetoe van alles wat men in de keukenkastjes had kunnen vinden. Met zijn compacte tekst en vele voetnoten bestrijkt het rapport vrijwel het complete terrein, met gedetailleerde uiteenzettingen over Saddam Husseins mobiele wapenlaboratoria en hoe het kon dat zijn aluminiumbuizen ideaal waren voor de verwerking van uranium, tot en met de verklaring op pagina 24 dat 'Irak ook krachtige pogingen begon te doen om uraniumerts en uraniumconcentraat te verwerven'. Elk punt ging ook vergezeld van een aantal redelijke, afwijkende meningen.

Historisch gezien zou een rapport met een dergelijk gewicht, betrekking hebbend op wat al bekend stond als de kern van een internationaal 'pleidooi voor oorlog', zorgvuldig moeten worden bestudeerd door een president, zodat deze als opperbevelhebber zowel de verantwoording zou dragen voor publiekelijke uitspraken als voor onderliggende analyses over de noodzaak van een oorlog.

Maar tijdens het presidentschap van Bush waren er in stilte nieuwe concepten ontwikkeld met betrekking tot de presidentiële verantwoordelijkheid, veranderingen die grotendeels werden bedacht en ingesteld door de vice-president.

Cheney had al ten tijde van president Ford geëxperimenteerd met het concept van het weghouden van bepaalde vraagstukken voor de voornaamste verantwoordelijke, een omgekeerde gang van zaken die goed werkte voordat het mediatijdperk presidenten verplichtte om enorm veel tijd al pratend in de schijnwerpers te staan. Volgens ambtsbekleders uit diverse Republikeinse regeringen houdt Cheneys visie in dat presidenten in essentie een veiligheidsgarantie nodig hebben als ze publiekelijk in het nauw worden gedreven door een weinig opportune onthulling over de activiteiten van de Amerikaanse regering. Ze moeten kunnen zeggen dat ze geen weet hadden van het incident, zonder dat ze verstrikt raken in leugens. Liegen kan gevaarlijk zijn voor een president. Per slot van rekening is vertrouwen een kostbaar element, omdat daarop de geloofwaardigheid van een president berust en in zekere zin ook zijn macht.

Het denken over dit vraagstuk was in veel opzichten een strategische reactie van Cheney en anderen op het Watergate-schandaal waarbij Richard Nixons op de band op genomen uitspraak over de *stonewalling*, of obstructie, van het onderzoek naar de inbraken in Watergate inhield dat hij op dat punt niet kon liegen over wat hij wist. Daardoor belandde hij in het vaarwater van het schenden van wetten met betrekking tot obstructie van het recht. Hij was verantwoordelijk en dat betekende het eind van zijn presidentschap.

Volgens verscheidene voormalige functionarissen uit de regering Nixon, onder wie Cheney, waren de inbraken en soortgelijke acties niet het probleem. Het probleem was dat de president 'beschermd had moeten worden' tegen kennis van dergelijke activiteiten.

De president kan volgens deze redenering zelfs in het algemeen zeggen dat hij blij zou zijn als er iets zou gebeuren, en zijn ondergeschikten dergelijke wensen laten uitvoeren, en tegelijkertijd gebruik blijven maken van wat gedurende de regering Reagan 'plausibele ontkenbaarheid' heette. Dat was wat Ronald Reagan in feite deed toen hij zijn adviseurs vertelde dat het hem niets zou uitmaken als ze een weg wisten te vinden om een verbod van het Congres op hulp aan de anticommunistische contrarebellen in Nicaragua te omzeilen. En zo kon hij nadien in een op videotape opgenomen gesprek verklaren dat hij geen flauw idee had van wat ze in werkelijkheid deden.

Voor sommige presidenten, zoals de eerste president Bush, werkte dit niet. Hij wilde alles weten wat van belang was voor het nemen van beslissingen, zodat hij geen fouten zou maken. Presidenten houden over het algemeen niet van verrassingen, of van ongevraagd sterk gereduceerde informatie. Het idee dat ze niet alle details te horen krijgen, alleen om hun verantwoordelijkheid te verkleinen, of het gebruik maken van ambtelijke rookgordijnen als afweer tegen de grotere transparantie van het mediatijdperk, stuit hen tegen de borst.

Onder deze nieuwe president, George W. Bush, was Cheney in staat om zijn beschermingsstrategie op een bijzonder proactieve wijze vorm te geven. Doordat bepaalde informatie buiten het bereik van Bush werd gehouden, waarbij een groot deel eveneens werd verhuld door het label 'geheim', kon de president, wiens woorden stuk voor stuk de wereld rondgaan, diverse strategieën onderschrijven door alles te zeggen wat maar nodig was. Hij kon in wezen gebruik maken van de 'ontkenbaarheid' van zijn eigen uitspraken.

Of Cheneys innovaties pasklaar gemaakt werden voor de natuurlijke neigingen van Bush, of andersom, is vrijwel irrelevant. Alles paste uitstekend. In dit strategisch zijn model zou het lezen van de hele *National Intelligence Estimate* voor Bush problemen opleveren: het zou de retoriek van de president aan banden kunnen leggen, terwijl dat het belangrijkste wapen was in de opmars naar de oorlog. Hij zou te veel weten.

Als op een of andere manier de inhoud van dit rapport zou worden onthuld, kon het Witte Huis zeggen dat het rapport te veelomvattend was en dat Bush alleen de samenvatting van één pagina had gelezen. Die samenvatting zorgde echter voor twee problemen: ten eerste de uitspraak dat enerzijds 'de meeste diensten oordelen' dat de aluminiumbuizen 'verband hielden met de activiteit van uraniumverrijking', maar dat anderzijds de inlichtingensectie van het departement van Energie en ook het bureau voor inlichtingen en onderzoek van het ministerie van Buitenlandse Zaken 'van mening zijn dat het waarschijnlijk is dat de buizen bestemd zijn voor conventionele wapens'. Ten tweede het feit dat er helemaal geen melding werd gemaakt van het uraniumconcentraat, of *yellowcake*. Dat maakte geen deel uit van de 'belangrijkste bevindingen' die in het kort werden opgesomd in de samenvatting. Deze was dus te mager om verschil te maken. Nu de CIA zich verzette tegen bevestiging van de beschuldigingen dat Mohammed Atta in Praag een ontmoeting had gehad met enkele Irakezen, waren de aluminiumbuizen en het uraniumconcentraat de meest in het oog springende punten van de 'bewijsvoering'.

Met betrekking tot dat laatste punt had de CIA half september de Britten al gewaarschuwd dat soortgelijke beweringen van MI6 over het uraniumconcentraat onderzocht waren door de Amerikaanse inlichtingendiensten en aantoonbaar suspect waren gebleken.

Ook nog in september zei Tenet tegen Bush en Cheney dat de departementen van Buitenlandse Zaken en van Energie het idee hadden dat de aluminiumbuizen zeer waarschijnlijk bestemd waren voor de bouw van conventionele raketten en dat sommige CIA-analisten het daarmee eens waren.

Al deze analyses en al deze gegevens maakten dat de CIA keer op keer botste met het Witte Huis. In de ogen van Cheney en zijn medewerkers en de burgerleiding van het Pentagon bleek het voornaamste obstakel voor de oorlog de CIA te zijn, nu Bush besloten had om publiekelijk met 'bewijzen en argumenten' voor die oorlog te komen. Het was een klassiek voorbeeld van een organisatorische disfunctie. Terwijl de operationele tak van de CIA wist dat hun mensen vaak zouden moeten optreden op basis van niet veel meer dan vermoedens, kon het directoraat inlichtingen niet echt bevatten dat van hen hetzelfde verwacht werd. Maar veel anderen in het overheidsapparaat, van economische analisten bij Financiën tot deskundigen op het gebied van het broeikasprobleem, of dat van het welzijn van kinderen, beseften in het najaar van 2002 al dat het niet hun taak was bij te dragen aan beleidsvorming, maar aan de bevestiging van bestaand beleid.

'We begrepen dat de overheid meer ideologisch gedreven werd en dat analisten over de hele linie werden genegeerd, inclusief de teams van Buitenlandse Zaken en soms zelfs die van Defensie,' zei een leidinggevend medewerker van het directoraat inlichtingen. 'Alleen dachten we dat zoiets niet van toepassing was als we een oorlog gingen voeren, dat er in dat geval sprake was van andere normen dan bijvoorbeeld voor het begrotingsbeleid of belastingverlagingen. Onze taak is het om de president te vertellen wat waar is, zodat hij solide beslissingen kan nemen als er levens op het spel staan. Dat is wat wij doen. Als je dat veronachtzaamt, dan zeg je eigenlijk dat je geen CIA nodig hebt.'

In zaken betreffende de aanloop naar de oorlog, was dat het inderdaad wat het Witte Huis zei. Dit leverde voor Tenet een stel botsende loyaliteiten op, ten opzichte van de president die hem na 11 september had kunnen ontslaan, maar het niet deed, en ten opzichte van zijn analisten die hij op institutionele en emotionele gronden wenste te verdedigen.

Op vijf oktober zat Tenet aan zijn bureau – wat zelden voorkwam – te lezen in een versie van een toespraak die de president over twee dagen zou houden in Cincinnati, met de claim dat Saddam Husseins 'regime betrapt is op pogingen tot de aankoop van' uranium in Niger.

De CIA scheidde onmiddellijk een memo af, gericht aan de plaatsvervangend nationaal veiligheidsadviseur Stephen Hadley en aan de schrijver van de presidentiële toespraken, Mike Gerson, dat die uitspraak niet klopte. In een tweede brief, die de volgende dag werd verzonden, deze keer ook aan Rice, werd eraan toegevoegd dat het bewijsmateriaal wat betreft Niger zwak was en dat al dit soort aankopen in ieder geval niet echt belangrijk konden zijn omdat Saddam Hussein al een grote voorraad uraniumconcentraat had die hij niet tot iets bruikbaars kon verwerken.

Dat was niet echt genoeg om Tenet het zekere gevoel te geven dat de passage zou worden geschrapt. Hij wist wat de achterliggende filosofie was: bewijzen, losjes gedefinieerd, werden alleen erbij gehaald ten behoeve van actie. In dit geval om de wereldgemeenschap te overtuigen van wat die te horen moest krijgen. Hij belde Hadley pas op 6 oktober, de dag voor de toespraak. De vraag was niet, zo begreep Tenet, of de beschuldiging met betrekking tot Niger klopte of niet klopte: het was de vraag of kon worden aangetoond dat de claim van de president die afkomstig was van geclassificeerd materiaal, onjuist was.

Hadley verzette zich. Dit was een bijzonder belangrijke claim in hun pleidooi voor een oorlog. Tenet wist hoe hij zijn antwoord moest formuleren, hij wist dat hij het in politieke termen moest hullen: 'Steve,' zei hij, 'het laatste wat jij wilt is dat de president hier persoonlijk voor instaat. Dat weet jij net zo goed als ik.'

De passage verdween. Maar dat is slechts één overwinning.

Twee weken later liep Tenet de grote gehoorzaal in van het Hart Senate Office Building. Er waren alleen nog maar staanplaatsen in de feesttent bij de door de televisie opgenomen hoorzittingen van de Joint House and Senate Select Intelligence Committees over de aanslagen van 11 september, de zogenoemde JIC-hoorzittingen. Met als voorzitters Bob Graham, Florida's Democratische veteraan in de Senaat, en Porter Goss, een Republikeins Congreslid uit Florida dat ooit nog *case officer* was geweest bij de CIA, konden de getuigen uitermate scherpe vragen verwachten. Graham, die het eind van zijn loopbaan in de Senaat naderde, en zich voorbereidde op een gooi naar een kandidatuur voor het presidentschap, was prikkelbaar, gedroeg zich alsof hij zich misleid voelde door sommige getuigen, alsof ze het land misleid hadden. En intussen gedroeg Goss zich alsof hij zojuist een intermezzo als directeur van de CIA achter de rug had.

Vandaag was een grote dag: Tenet, luitenant-generaal Mike Hayden – het hoofd van de NSA – en Bob Mueller zouden allen plaatsnemen achter de tafel om hun verhaal te doen en vragen te beantwoorden.

Tenet had er al ontelbare uren onder de hete lampen van Capitol Hill op zitten. Zijn gezicht was inmiddels het gezicht van de inlichtingengemeenschap geworden, van alle vijftien afzonderlijke diensten, en van de rampzalige misser dat ze niet geweten hadden wat Amerika tijdig had moeten weten.

Hij had drie dagen aan zijn toespraak gewerkt. Voor hem was het, zoals hij tegen een collega zei, 'mijn manifest'.

Nadat Tenet de eed had afgelegd, zei Graham dat hij 'onze paneldeelnemers ging vragen of ze hun uitspraken zouden kunnen samenvatten tot ongeveer tien minuten, zodat we de tijd voor het stellen van vragen zo goed mogelijk kunnen benutten.'

'Meneer de voorzitter, bedankt. Ik krijg dit niet in tien minuten voor elkaar,' antwoordde Tenet. 'Ik zal proberen het zo snel mogelijk te doen, maar we hebben een heleboel te zeggen en we zullen dat zo vlug doen als we kunnen, en ik dank u voor uw toegeeflijkheid in dat opzicht.' En daar ging hij.

'Op 11 september werden bijna drieduizend onschuldigen door meedogenloze terreurdaden van hun leven beroofd. Voor de mannen en vrouwen van de Amerikaanse inlichtingendiensten wordt het verdriet dat wij voelen, het verdriet dat wij delen met zo vele anderen, alleen maar versterkt door het besef dat we zo ontzettend hard geprobeerd hebben, zonder succes, om deze aanval te voorkomen.'

Zijn Queens-accent en zijn no-nonsense houding, zoals je die mag verwachten van een echte misdaadbestrijder, doet het goed op de televisie. Een nuttige gave als je bedenkt dat hij met de heersende veronderstelling van incompetentie bij de inlichtingengemeenschap op veel directe of indirecte weerstand kan stuiten. Hij doorloopt de hele lange spanningsboog die voorafgaat aan 11 september, de fouten die gemaakt zijn en laat zien hoe 'het proces' inmiddels is verbeterd.

Graham onderbreekt hem na tien minuten.

En tien minuten later opnieuw, als Tenet beschrijft hoe CIA-agenten 'niet de implicaties zagen van de informatie over al-Hamzi en Mihdhar die ze in hun dossiers hadden. In de loop van augustus...'

Graham: 'Mr. Tenet, nu is het 21 minuten.'

Tenet: 'Tja, meneer, ik wil alleen maar zeggen dat ik hier een jaar op heb zitten wachten. Ik heb nog ongeveer twintig minuten. Ik zou toch graag zien dit wordt geboekstaafd. Het is belangrijk. Het is contextueel, het is feitelijk, en ik zou graag verder willen gaan!'

Senator Orrin Hatch, de Republikein uit Utah, kwam Tenet te hulp. 'Meneer de voorzitter, ik zou graag het hele verhaal willen horen.'

Senator Dianne Feinstein, Democraat uit Californie, voegde eraan toe: 'Ik ook.'

Juichkreten klonken op bij de CIA, waar mensen zich verzameld hadden om naar de hoorzittingen te kijken. Hetzelfde gebeurde in een zaal bij de FBI 25 kilometer van de gehoorzaal.

Op geen enkel moment in de recente geschiedenis was er zó'n brandend verlangen geweest naar het opleggen van schuld, naar het vinden van de schrale troost van het identificeren van hen die het fout hadden gedaan en om hen te berechten. Daar was het Congres op gericht, en het Witte Huis op zijn manier ook. De CIA en de FBI stonden haaks daarop.

Graham leunde achterover en Tenet, die graag even gejuich had laten horen, ging energiek verder, op weg naar het eind van zijn zorgvuldig geschreven toespraak. Daarna, en na vijftien minuten van vragen, was er een pauze. Tenet voelde zich uitgelaten. Hij had zijn zegje gedaan, had laten zien dat de CIA, ondanks zijn fouten, opgewassen was tegen de huidige taak.

Hij stond op terwijl de andere aanwezigen begonnen te kletsen en zich uitrekten, en verzamelde zijn notities die naast de microfoon lagen.

Een vrouw kwam op hem af. Dame van middelbare leeftijd. Onopvallend. Bruin haar. Hij boog zich intuïtief naar haar toe, keek of hij haar misschien kende.

Ze bleef staan, vlak bij hem, en keek hem met waterige ogen aan. 'Jij hebt mijn man vermoord.'

Het eerste weekend van november 2002 was een moment van opkomende voldoening voor George W. Bush.

Hij was een maand het hele land door getrokken omwille van Republikeinse kandidaten, een inspanning die nu vruchten leek af te werpen. De zaterdag voor de *midterm*-verkiezingen van die dinsdag vertoonden de peilingen door de Republikeinse peiler Matthew Dowd een forse opleving voor de Republikeinen. De traditie dat de partij van een president tijdens zijn eerste termijn zetels verloor in de verkiezingen die halverwege die termijn werden gehouden, een traditie die opmerkelijk consistent is, zou worden omgekeerd.

Te midden van het rumoer en het gejacht van het politieke seizoen leek een simpele en voor Amerikanen zeer persoonlijke vaststelling alle andere dingen in de schaduw te stellen: we zijn niet opnieuw aangevallen.

Als succes in zijn zuiverste vorm hierop neerkomt dat resultaten de verwachtingen overtreffen, dan was er nu een wijdverbreide zucht van opluchting, of van dank, dat de verwachting van meer onheil op Amerikaanse bodem niet was ingelost.

Wat wist de redelijk goed geïnformeerde Amerikaan? Dat Richard Reid, de Engelsman met de schoenbom, was tegengehouden door heldhaftige stewards en passagiers. Dat de knappe en ernstige Danny Pearl van *The Wall Street Journal,* op gruwelijke wijze aan zijn eind was gekomen, wat een bewijs was voor de barbaarsheid van onze vijanden. Dat vijanden onder ons op een kans loerden, zoals Jose Padilla en de cel in Lackawanna, waarvan de vermeende verraderlijke activiteiten overal rondgebazuind werden, hoewel het ondersteunend bewijs uiterst mager was. Veiligheidsalarm met een kleurencode was voer voor cabaretiers, maar het liet ook iets zien van een nijvere geest van we-doen-wat-we-kunnen, de ijver van een overheid die geconfronteerd wordt met reële gevaren en piekert over wat het publiek nu echt moet weten. Is het verbreiden van angst niet een soort nederlaag? Is het beter om te weten wat er gaande is, of kun je het beter niet weten? Deze vragen waren onbeantwoord.

In andere landen werd de dreiging intussen gezien als reëel en immer aanwezig, ook al was die diffuus en ongrijpbaar. Hoewel bin Ladens aanwezigheid en activiteiten onderwerp van speculatie bleven, was al-Zawahiri weer opgedoken op een dag in oktober toen Amerikaanse mariniers aangevallen werden in Koeweit. Hij was te zien op Al Jazeera, en verzekerde de wereld dat er in de toekomst aanvallen zouden plaatsvinden op de Verenigde Staten, op hun economie en hun bondgenoten. 'Ik beloof jullie,' zei hij, 'dat de moslimjeugd zich aan het voorbereiden is op dat wat jullie harten met afgrijzen zal vervullen.'

Maar in Amerika: niets, of nog niets. En als dit al enige vage troost betekende voor het grote publiek, had het totaal niets geruststellends voor degenen die bij de strijd betrokken waren. De afwezigheid van een nieuwe aanval op de Verenigde Staten, zo namen zij aan, kon te danken zijn aan een aantal strategische beslissingen van al-Qaida. Die zouden dan berusten op het idee dat de door 11 september gecreëerde angst als het ware een echo-effect zou hebben, totdat er in plaats hiervan een nieuwe aanslag zou komen, een aanslag waarvan de schaal ook nu weer een bewijs zou zijn van de capaciteiten en intenties van al-Qaida. Al-Qaida was in die redenering niet van plan om ook maar iets te doen, totdat het de aanslagen op het World Trade Center en het Pentagon kon overtreffen met iets wat nog veel verwoestender was, iets wat een spanningsboog zou geven van een toenemende en verschrikkelijke verwachting van wat er daarna zou komen. Die bange verwachting, versterkt door de verstrijkende tijd, zou duren tot de volgende aanslag enzovoort. Het is een strategie van 'special events'. Het doel is om te laten zien dat een oorlog tegen terroristen eindeloos, vruchteloos is, en escaleerde, om Amerikanen het besef bij te brengen dat ze tevreden zouden kunnen leven zonder dat de VS corrupte Midden-Oosterse regimes steunen, of soldaten hebben op het Arabische schiereiland.

Mensen zullen van alles en nog wat doen om een eind aan angst te maken, dus is het creëren van angst het doel van terrorist.

Maar angst staat ook centraal in het Amerikaanse arsenaal.

Op de ochtend van 3 november, terwijl de president tuurde naar de cijfers van een peiling die een geweldige opleving voorspelden, zat George Tenet na een lange doorwaakte nacht koffie te drinken bij de CIA.

Hij zou nog uren alert moeten blijven.

Een groepje sigint-operatoren, inclusief mensen van de NSA en de Amerikaanse surveillancesatellieten, vergaderde met Tenet in het Counterterrorist Center, samen met nog enkele CIA-medewerkers.

Op een breed scherm voor hen flitste een korrelige, verbleekte video van een jeep die door een kaal stuk van de Ma'rib-woestijn in Jemen reed. Volgens de Jemenitische veiligheidsdiensten en Amerikaanse sigint zat in het voertuig Qaid Salim Sinan al-Harethi, die bekendstond als 'Abu Ali', een van de verdachten die de aanslag op de USS Cole hadden voorbereid. Harethi had zes metgezellen bij zich, vermoedelijk allemaal al-Qaida-strijders, die te zien waren door de lens van een Amerikaanse Predator, die opgestegen was in het naburige piepkleine landje Djibouti. Terwijl de jeep over een afgelegen stuk van de autoweg reed, kletste een van de passagiers over de telefoon met een al-Qaida-soldaat die in Amerikaanse hechtenis zat. Dat wist de passagier in de jeep natuurlijk niet. Hij dacht dat de man in de buurt was en dat hij de zich verplaatsende jeep probeerde te lokaliseren voor een rendez-vous. 'We zijn vlakbij,' zei hij. 'Kun je ons zien? We zitten hier vlak bij je.'

Het was bijna op de dag af veertien maanden geleden sinds Tenet had deelgenomen aan een NSC-vergadering over antiterrorisme, op 4 september 2001, en aan het groepje had verteld: 'Het is belangrijk voor ons dat we bespreken of we willen dat de DCI zo'n soort wapen gebruikt. Ik zeg niet dat ik ervoor of ertegen ben, alleen maar dat het de aard van wat de DCI doet, verandert. Hiermee steken we een grens over die we nog niet waren overgestoken.' De groep had die dag beëindigd zonder een besluit te nemen.

Na 11 september was er geen bijeenkomst meer nodig om de zaak nog verder te bespreken. Iedereen deed alles wat in zijn of haar vermogen lag, in de hoop dat iets zou werken.

De bewapende Predator werkte in ieder geval. Tenet gaf het bevel en een geleid projectiel spoot gillend uit het onbemande vliegtuig en vaagde de jeep weg. Zeven mannen, onder wie Harethi, kwamen om. Een van de doden, zoals de CIA spoedig ontdekte, was Kamal Derwish, de inspiratiebron en leidsman van de mannen uit Lackawanna, een van 's werelds meest gezochte personen, voornamelijk omdat hij kon verklaren of de 'Lackawanna Zes' nou een al-Qaida-cel was, uit op vernietiging, of een half dozijn in verwarring verkerende vrienden uit Buffalo, die de hele zaak volkomen boven het hoofd gegroeid was. De *communis opinio* neigde al sterk naar het laatste, ondanks de stoere taal van perscommuniqués uit Washington. Het enige potentiële contrapunt was nu een verkoold lijk in de Jemenitische woestijn.

De actie zat Tenet dwars, maar bracht de president in een jubel-stemming, vooral vanwege de schok die dit moest betekenen voor al-Qaida, gezien de daaropvolgende sigint-meldingen en de van ontzag vervulde reacties van leiders van belangrijke Arabische naties.

'We praten met ze op een manier die ze kunnen begrijpen,' zei Bush tegen een topadviseur, een frase die hij vaak herhaalde. 'Dit soort krachtsvertoon verandert de wedstrijd.'

Bush elke ochtend op de hoogte brengen van alle bloederige details, waardoor hij in staat werd gesteld zich als het ware 'gevechts-klaar te maken', was nu onderdeel van de CIA-routine. Tenet nam allerlei informanten mee: op sommige leek Bush meer te reageren dan op andere. De meeste presidenten ontvangen tijdens hun ochtendlijke inlichtingenbriefings analisten. De details van een operatie worden beschreven en daarna neemt de analist het patroon door van wat het betekent voor een staat, een regio, voor de Amerikaanse strategie. Bush sprak beslist een heleboel analisten, maar hij heeft het meeste op met uitvoerende mensen, bijna allemaal mannen die betrokken zijn bij de strijd, face-to-face, van man tot man.

Allerlei mensen die Bush van informatie komen voorzien, tot met de hoogste directeuren en chefs van departementen, voelen Bush' kriebels, zijn ongeduld, en gaan mee in zijn cadans. Ze beginnen allemaal te praten als mensen die machines bedienen, ongeacht wat er wordt gerapporteerd. Dit zijn de mannen die doorgaans geen ervaring hebben met de verkwikkende effecten – nederig makend, opbeurend, merkwaardig geruststellend – van militaire actie. De enkelen bij wie dit wel het geval is, zoals Powell, of zijn plaatsvervanger Rich Armitage, strijken deze in oorlogstijd prikkelende ongelijkheden glad door mee te doen aan de stoere taal waarvan ze uit ervaring weten dat deze in feite hol is.

Een joviale sfeer, onder aanvoering van de chef, bezielt het vertrek en in sommige gevallen de actie die eruit voortkomt.

Neem een willekeurige dag uit deze periode. Toen Tenet en zijn team op een ochtend klaar waren, kwam Bruce Gephardt, adjunct-directeur bij de FBI, binnen als invaller voor Mueller, die weg moest.

Het was een ochtend – en een daaraan voorafgaande avond – van groot alarm geweest bij de FBI.

Gephardt nam alles onderdeel voor onderdeel door op de nauwkeurige en grondige FBI-manier. De FBI had een rapport ontvangen over een groep mannen van 'uit het Midden-Oosten' in Kansas. Ze wilden contant betalen, zei Gephardt tegen Bush en de vijf andere mannen die aan de briefing deelnamen. 'Contant geld voor een grote opslagruimte.' Een grote ruimte, voor groot geld: honderdduizenden dollars.

Gephardt spitte alles door wat de FBI wist, wat niet genoeg was. Het waren geen boeren, maar ze waren op zoek naar een ruimte met ongeveer de opslagcapaciteit van een graansilo. Ze waren verdacht. En ze liepen ergens los rond.

Bush was scherp als een laserstraal, zijn bril op het puntje van zijn neus, blocnote op zijn schoot, terwijl iedereen in het vertrek scenario's begon te bedenken, met een groeiende vrees punten met elkaar begon te verbinden.

Opsporingsambtenaren en medewerkers van de inlichtingendienst halen op dit soort momenten meestal eventjes diep adem, na de duizenden dagen vol met veelsoortige alarmsignalen, doodlopende sporen, dingen die ze aanvankelijk over het hoofd hadden gezien en die achteraf juist alle verschil maakten. Wat weet ik niet? Wat meen ik te weten zonder het echt te hebben gecontroleerd? Is er alleen maar dit ene angstaanjagende gegeven, of maakt het deel uit van een groter en begrijpelijker patroon?

'Mannen uit het Midden-Oosten in Kansas,' zegt Bush. 'Daar moeten we op af, onmiddellijk.'

Natuurlijk zou het die dag de gedachten van de president in beslag blijven nemen, zodat er rechtstreeks vanuit het Oval Office een krachtige elektrische stroomstoot door de gelederen van FBI en andere rechtshandhavers voer.

De volgende ochtend is Gephardt er weer. Bush is een en al aandacht.

'Wat heb je voor me, Bruce?' En Gephardt, voormalig chef van de CIA in San Francisco, reageerde als was hij een cowboy met een pistool op zijn heup.

'Meneer de president, de FBI heeft Kansas omsingeld!'

Het scheelt niet veel of Bush roept uit: 'Zo mag ik het horen.'

Handelaren op een vlooienmarkt. Het duurde een paar dagen voordat die gevonden waren. Amerikanen die afstamden uit het Midden-Oosten – waarvan je er trouwens een heleboel hebt in Kansas – en die van plan waren de rommelmarkten af te gaan. Ze hadden een grote opslagruimte nodig om alle handel – met de hand vervaardigde sieraden, oude flanellen overhemden, serviesgoed en grammofoonplaten van Frank Sinatra – in kwijt te kunnen. Het is een nering die drijft op contant geld.

Er zijn een heleboel van dit soort episodes geweest, meldingen van een binnenlandse dreiging die de overheid, van de 'zich gevechtsklaar makende' president tot in de lagere echelons, tot een koortsachtige activiteit aanzetten. Maar de FBI had nog meer acties in petto. Geen ervan bleek achteraf meer te zijn dan misplaatste verdenkingen die iedereen in verhoogde staat van paraatheid bracht.

De bijeenkomst van 13 december in de Cabinet Room had het leven van hele horden planners op hoog niveau maandenlang sterk in beslag genomen.

Probeer het twintigtal topfunctionarissen van de Amerikaanse regering maar eens midden op een dag in de week twee uur bij elkaar te krijgen.

Het idee was een eindejaarsoverzicht van de toestand van de 'oorlog tegen terreur', een gelegenheid om komende strategieën vast te stellen, een informele lunch die zich tot ver in de middag zou uitstrekken.

Generaal John Gordon, lang geleden luchtmachtgeneraal, voormalig nummer twee bij de CIA en nu de antiterrorismespecialist van de president bij de nationale veiligheidsraad NSC, was voorzitter.

Of liever gezegd: dat was Bush. Of, dat was althans de bedoeling. Of Cheney misschien, die er ook bij was. Mensen brachten verslag uit over 'de oorlog', en ongetwijfeld was er vooruitgang geboekt. Afghanistan, het platwalsen van al-Qaida's toevluchtsoord, de opgepakte Pakistaanse kerngeleerden en hun financiers in Pakistan, de arrestatie van enkele belangrijke figuren, hoewel ze niet veel hadden losgelaten tijdens 'pittige' verhoren, de met terroristen gelieerde antraxleveranciers die ze kennelijk op de hielen zaten. De undercoveroperatie in Karachi en de mondiale matrix van de CIA, ondersteund door NSA en verscheidene financiële instellingen, liepen op rolletjes en wierpen licht op het slagveld. Maar Zawahiri en bin Laden leefden nog. De laatste had een paar weken geleden een audiotape naar buiten gebracht waarop hij Bush 'een hedendaagse farao' noemde. Er was pas een nieuwe figuur op het toneel verschenen, Zarqawi geheten, die een laboratorium voor biologische en chemische wapens had opgezet in een woest en wetteloos deel van Irak, een niemandsland dat buiten de controle van Saddam Hussein viel. Blijkbaar zat hij achter verscheidene biochemische aanslagen in Europa, onder andere met een van giftige ricinusbonen gemaakte pasta die de afgelopen zomer grote paniek had veroorzaakt in Groot-Brittannië.

Bush luisterde alleen maar, en at zijn sandwich op. In het voorjaar van 2001 waren Tenet en Richard Clarke op een ochtend bij hem binnen komen vallen tijdens een van de presidentiële briefings: een manier om gebruik te maken van Tenets dagelijkse spreektijd om verzet tegen het luiden van een alarmklok over al-Qaida van de kant van Rice en haar NSC-staf te omzeilen. Ze hadden Bush die dag gewaarschuwd voor de wereldwijde dreiging en de geavanceerde vermogens van hun tegenstander. Bush kon volgens Clarke al die dingen die op hem af kwamen nooit goed uit elkaar houden, al die Arabische namen en landen waar hij niets van wist. Hij zei dat hij niet 'naar vliegen wilde meppen', en hij vroeg zich af of er niet een of andere manier was om al-Qaida met één snelle klap te verpletteren.

Nu, in de Cabinet Room, zoemden de vliegen overal rond, alsof ze dat al meer dan een jaar deden, te veel om dood te meppen.

Hij wendde zich verstrooid tot Kenneth Dam, plaatsvervangend minister van Financiën, een oude Republikeinse kracht die nog onder Ford en Reagan gediend had.

'Ken, waar zitten we met de financiering van het terrorisme?'

Dam rommelde even in zijn paperassen. 'Meneer de president, het is duidelijk dat bijna alle financiers van al-Qaida Saudi's zijn.'

Dit was de kop boven een memo van één pagina, dat Dam had rondgedeeld aan het begin van de bijeenkomst. De memo gaf een lijst van de circa vijftien belangrijkste al-Qaida-financiers, die bijna allemaal uit Saudi-Arabië kwamen.

Bush keek Dam verbluft aan, alsof hij het stuk dat voor zijn neus lag niet gelezen had, of enigszins verbaasd was over de situatie, hoewel die berustte op feiten die iedereen kende.

Dam was even stil. 'Dat stond op het velletje papier dat ik net heb uitgedeeld, en dat is gebaseerd op gegevens van het bureau,' zei hij, en hij wendde zich vervolgens naar McLaughlin, in de stoel naast hem. Deze knikte: jazeker, de CIA was de bron.

Bush glimlachte, kauwend op dit brokje informatie. Maar dat was snel verteerd, en daarop dwaalden de gedachten van de president af naar andere zaken. Er was geen omvattende strategie voor de oorlog tegen terreur, geen logische methode om vooruitgang te meten, geen helder idee over de manier waarop de strijd moest worden gevoerd, en zeker niet de 'strijd om de harten en geesten'. Het was een uiterst traag malende molen, met overwinningen die nederlagen bleken te zijn, met het gedwongen terugvallen op allianties aan de 'duistere kant', met gevaarlijke regimes die zich nu als vrienden gedroegen, en oude Europese vrienden die zich dezer dagen gedroegen als vijanden, en de voortdurende alarmbellen in de VS zelf die hem innerlijk strak gespannen hielden, terwijl ze keer op keer niets opleverden, helemaal niets.

'Zo, dit is genoeg voor vandaag,' zei hij, terwijl hij tot verrassing van de groep opstond.

De bijeenkomst eindigde na een uur. Er was niets meer om over te praten.

Behalve over Irak.

Het concept hierachter was gebaseerd op een continu ontregelende druk. Het thuisland was niet te beschermen. Amerika's vijanden moesten continu in het defensief gedrongen worden, zodat ze nooit de kans kregen om pas op de plaats te maken, na te denken en hun volgende initiatief voor te bereiden. De oorlog tegen terreur, het 'vind ze, houd ze tegen', bood niet voldoende druk om het gedrag van potentiële rivalen en vijanden te veranderen. Dat was zo'n beetje het enige wat de regering had opgestoken van een pijnlijke leerperiode, van hun pogingen om te begrijpen hoe ze dit nieuwe type oorlog eigenlijk moesten voeren.

Irak was in zekere zin de defaultwaarde. Een ongespecificeerd vertrekpunt voor actie.

Het zodanig verkopen van de invasie dat ze internationale steun zouden krijgen, zou het onderwerp zijn van de bijeenkomst van deze ochtend in het Oval Office.

Het was 21 december, Kerstmis was in aantocht, met de talrijke partijtjes en de officiële festiviteiten die de president moest voorzitten.

Maar voor die tijd, voordat het jaar eindigde, wilde Bush nu eens iemand horen die echt een goede en bruikbare gooi deed naar een 'met bewijzen ondersteunde zaak'.

McLaughlin en Tenet kwamen het Oval Office binnen. Iedereen wisselde vriendelijkheden uit en de beste wensen voor de komende feestdagen.

De president had op deze zaterdagochtend zijn eigen clubje meegebracht: Rice, stafchef Andrew Card en de vice-president.

McLaughlin, de bedaarde en bedachtzaam sprekende, oordeelkundige en belezen CIA-veteraan, voormalig landmachtofficier en professioneel goochelaar, begon aan de eerste van een reeks flapovers.

McLaughlin, die al meer dan dertig jaar als analist werkzaam was, kende de druk die uitlatingen en geplande acties van de regering op zijn presentatie legden. Hij had alles wat hij kon gelezen en eerst geoefend op de leiding van de NSC. De harde bewijzen, de geverifieerde feiten, waren al oud: ze dateerden nog uit de tijdperk van geregelde VN-inspecties van 1991 tot 1998, het jaar waarin Saddam Hussein de inspecteurs het land uit had gegooid. Vanaf dat moment was de informatie vaag, bijna niet te controleren. En, zoals McLaughlin zijn analisten vaak voorhield: je hebt niets aan inlichtingen als ze niet op een of andere manier geverifieerd kunnen worden.

Het daaropvolgende halfuur presenteerde McLaughlin een breed scala aan waarschijnlijkheden en mogelijkheden, sommige verfraaid met een overdaad aan feiten, over de aanwezigheid van massavernietigingswapens in Irak.

Hij had een flap-over met een afbeelding van een UAV, een onbemand luchtvaartuig, geregistreerd door een Amerikaanse bewakingssatelliet, dat over een afstand van ongeveer 500 kilometer rondjes draaide, veel verder dan de limiet van 150 kilometer die de VN voor een dergelijk toestel had vastgesteld. Het was niet duidelijk of het uitgerust was voor medeneming van wapentuig, maar alleen al de grote actieradius was een overtreding.

Er was een afgeluisterd radiogesprek waarin twee soldaten het er over hadden dat ze het woord 'zenuwmiddelen' ergens uit zouden verwijderen, misschien uit een handleiding of hun eigen communicatie.

Er was een verhaal over biologische laboratoria, afkomstig van een menselijke bron, al-Libi, de Libische al-Qaida-coach, die geïdentificeerd was door Musa Kousa en een paar maanden na 11 september opgepakt. Al-Libi was overgedragen aan de Egyptenaren. Zijn verhoor werd gezien als een van hun zeldzame successen.

Een beetje van dit. Een vermoeden van dat.

'Leuk geprobeerd,' zei Bush volgens een spoedig alom bekend verhaal, zoals verteld aan Bob Woodward. 'Ik denk niet dat dit helemaal... dat het niet iets is wat Jan met de pet zou begrijpen of waar hij een heleboel vertrouwen uit zou peuren.'

Bush richtte zich tot Tenet en zei: 'Ik heb al die verhalen over massavernietigingswapens te horen gekregen, en dan is dit het beste wat we hebben?'

Volgens Woodwards verslag stond Tenet op, deed met opgestoken armen alsof hij een punt scoorde bij basketbal en zei: 'Deze zaak is een kans voor open doel!'

Het verslag van de bijeenkomst, die ermee eindigde dat Bush tegen Tenet zei dat 'hij ervoor moest zorgen dat niemand opeens moeite gaat doen om onze zaak te bepleiten', werd door het Witte Huis aan Woodward verstrekt, niet lang voor zijn laatste interview met Bush op 11 december 2003, voor zijn boek *Plan of Attack*, dat zou verschijnen in april 2004.

De president, die uitgebreid werd bijgepraat voorafgaand aan zijn gesprekken met Woodward, vertelde de doorgewinterde reporter op welgemeende toon dat Tenets geruststelling 'zeer belangrijk' was.

En dat was het ook. Die geruststelling voorzag de president van een schild tegen de ernstigste beschuldiging die de geschiedenis hem zou kunnen afvuren: dat hij zijn land onder valse voorwendselen in een oorlog zou storten. Het was de schuld van Tenet. Het bordje met 'kans voor open doel' zal voor eeuwig om Tenets dikke nek hangen en genoemd worden in de eerste zin van zijn overlijdensbericht.

Tenet en McLaughlin kunnen zich de bijeenkomst niet goed meer herinneren. Tenet is in de minderheid ten opzichte van de president en de andere adviseurs en wat zij zeggen dat ze gehoord hebben, en hij herinnert zich niet dat hij ooit 'kans voor open doel' gezegd heeft. Hij ontkent het niet. Maar hij herinnert het zich niet. McLaughlin zei dat hij zich niet kon herinneren dat Tenet ooit 'kans voor open doel' had gezegd, of dat hij in welke situatie dan ook was opgesprongen en met zijn armen had gezwaaid. Hij en Tenet hebben allebei wel aan goede vrienden verteld dat het een marketingbijeenkomst was, dat het niet over het feitelijke onderzoek ging, maar over presentatie. Dit is misschien een heel gedetailleerde manier om de kwestie te bekijken, maar als zoveel gewicht wordt toegekend aan woorden, is de context belangrijk. De vraag van de president, herinnerde McLaughlin zich, was 'of we niet iets beters hadden kunnen bedenken dan dit, een pr-bijeenkomst, maar die vraag ging beslist niet over de aard van het bewijs'.

Er is één ding dat McLaughlin zich nog heel goed kan herinneren. Toen hij na deze vergadering in het Oval Office – met vertrouwelingen van de president erbij, vergaderingen zoals Tenet en McLaughlin die al verschillende malen hadden bijgewoond – terugreed naar Langley, zei McLaughlin iets dat hij al verschillende keren eerder had gezegd: 'George, soms denk ik dat we heel erg voorzichtig moeten zijn met wat we in die kamer zeggen.'

Tenet was het er niet mee eens. 'Nee, wat we daar zeggen komt niet als een boemerang terug en zal ons ook niet blijven achtervolgen. Het gaat om wat we opschrijven. Dat is blijvend. Dat zijn de dingen die straks tellen.'

Onophoudelijke druk is een strategie. En gewoonlijk een zeer succesvolle. Het was een strategie waarvan het Witte Huis zich niet alleen in de 'oorlog tegen terreur' met al-Qaida bediende, maar ook in het contact met de CIA.

Oefen hevige druk uit op de zwakste plek, en je tegenstander zal gaan zoeken naar een manier om dit ongemak te verlichten. Alom werd het het min of meer aannemelijk geacht dat Saddam Hussein massavernietigingswapens had. Binnen de CIA bestond echter de – ook alom gekoesterde – zekerheid dat de president uiteindelijk zijn zin zou krijgen en dat er een invasie zou komen. 'We begonnen ons zorgen te maken over de dingen waarmee onze troepen geconfronteerd zouden kunnen worden,' zei een belangrijke CIA-medewerker bij het directoraat inlichtingen, dat over Irak ging. 'Dat was voor een deel ons motief. We wilden erachter zien te komen wat Saddam in handen had, zodat onze troepen klaar zouden zijn voor alles waarmee hij ze zou kunnen bombarderen. Het ging er eigenlijk om dat we het zekere voor het onzekere wilden nemen. Dat had invloed op wat er in onze evaluaties terechtkwam. En iedere keer als we iets presenteerden wat Saddam eventueel in zijn wapenarsenaal zou kunnen hebben, voelde je de dankbaarheid van de top.'

De 'oorlogvoerende' rol van het directoraat inlichtingen werd nu geactiveerd ten behoeve van de campagne voor Irak. Libby en Hadley bleven intussen stevige druk uitoefenen op de analisten, waarbij ze dezelfde vraag stelden die Tenet al zo vaak had gesteld op bijeenkomsten van de regeringstop. Zijn deze potentiële gevaren niet precies de reden waarom een invasie noodzakelijk is? Was er misschien een minimale mogelijkheid, een kans van één procent, dat er uranium was gekocht in Niger, dat de aluminiumbuizen bruikbaar waren voor uraniumcentrifuges, of dat Mohammed Atta erin was geslaagd om in Praag een ontmoeting te hebben met een Irakees, met wat voor Irakees dan ook?

Waar je voor moet uitkijken als je een systeem van onophoudelijke druk hanteert is de terugstoot.

Op vrijdagmiddag 10 januari liep Jami Miscik, hoofd van het DI, op de zevende verdieping woedend de gang in.

Tenets stafchef John Moseman zag haar toen ze langs zijn werkkamer kwam.

'Alles goed?'

'Nee, helemaal niet. Het gaat helemaal niet goed met mij!'

Een ogenblik later stormde ze Tenets werkvertrekken binnen.

Ze kon amper uit haar woorden komen. Stephen Hadley, Condi's tweede man, had gebeld vanuit het kantoor van 'Scooter' Libby, Cheneys stafchef. Ze wilden haar om vijf uur 's middags op Libby's kantoor in het Witte Huis zien. Het ging om de laatste versie van een eindeloze reeks voorlopige rapporten over de connectie tussen Saddam Hussein en al-Qaida. Hoeveel versies waren er al geweest? Miscik kon het zich niet herinneren. De druk van het Witte Huis en van de diverse inlichtingeneenheden onder de vice-president en de minister van Defensie was een week na 11 september begonnen.

Cheneys staf beweerde dat ze bronnen hadden. En die van Rumsfeld ook. Daar bleven ze Miscik en de CIA mee bombarderen. Dezelfde informatie, op vijf verschillende manieren. Ze lieten bijvoorbeeld weg dat een stuk kerninformatie niet meer klopte, dat de informant zijn uitspraak had herroepen. *Sorry, onze fout.* Maar dan dook het weer op in een memo van de week daarna. De CIA hield voet bij stuk: de ontmoeting in Praag tussen Atta en de Iraakse agent had niet plaatsgevonden.

Miscik was niet gek. Ze begreep wat er aan de hand was. Het ging niet om wat waar of verifieerbaar was. Het ging om een verdedigbare positie, of althans een positie waarin je je staande kon houden totdat de troepen door Bagdad marcheerden en als bevrijders verwelkomd werden.

Een paar dagen eerder, toen ze de definitieve versie naar Libby en Hadley had gestuurd, had ze nadrukkelijk erbij gezegd: *Dit is het.* Er zouden geen nieuwe versies meer komen, geen bijeenkomsten meer waarbij haar analisten tegenover Hadley of Feith zaten, of de mensen van Feiths staf, en de tegenpartij hen bepaalde dingen in de mond probeerde te leggen. Het rapport was niet wat ze wilden. Dat wist ze. Geen bewijs betekende geen bewijs.

'Ik ga er niet meer heen, George,' zei Miscik. 'Als ik er nog een keer heen moet om naar al die onzin te luisteren en dan dat hele vervloekte rapport opnieuw moet herschrijven, dan neem ik ontslag, op staande voet.'

Ze slikte tranen van woede in.

Tenet pakte de telefoon en belde Hadley.

'Ze komt niet meer bij jullie,' schreeuwde hij door de telefoon. Wij herschrijven dit verdomde rapport geen ene keer meer. Het is nu welletjes, ja. Hoor je me! En heb niet de gore moed om mijn mensen ooit nog zo te behandelen, ja!'

Ze herschreven het rapport inderdaad niet meer.

En daarom kon George W. Bush, toen hij drie weken later in zijn 'State of the Union'-toespraak een pleidooi voor oorlog hield, niet zeggen wat hij zo graag op zo'n moment had willen zeggen: dat er al vóór 11 september een connectie was geweest tussen al-Qaida en Saddam Hussein.

Een tegenvaller. Maar twee wiebelige, maar nog wel recht overeind staande en in het oog springende punten met betrekking tot die onheilspellende kernwapens waren in de tekst blijven staan: 'De Britse regering heeft vernomen dat Saddam Hussein onlangs pogingen heeft gedaan significante hoeveelheden uranium te betrekken in Afrika. Onze inlichtingenbronnen vertellen ons dat hij geprobeerd heeft uiterst solide aluminiumbuizen aan te schaffen, geschikt voor de productie van kernwapens.'

Beide uitspraken waren opgesteld als waren het onder klaroengeschal afkondigbare bewijzen, en van beide uitspraken wisten mensen binnen de CIA en het Witte Huis dat ze aan die standaard bij lange na niet voldeden.

HOOFDSTUK 6

Alarmtoestanden

De Koning Fahdweg, een brug, die Saudi-Arabië met Bahrein verbindt, wordt door veel Saudi's, zowel godsdienstige als niet-godsdienstige, gezien als een beruchte passage.

Hij is van staal en beton, als een metafoor voor de gewapende vrede tussen de heersende familie van Saudi-Arabië en de aanhangers van de religieuze traditie in het koninkrijk. Het vorstenhuis toucheert vrijwel grenzeloze rijkdommen, waarvan het een behoorlijke portie deelt met zijn strenge geestelijke bondgenoten en zijn wahabitische accountants. In ruil ontvangen ze een bewijs van religieuze goedkeuring, als zijnde de ware beschermheren van de heilige plaatsen Mekka en Medina, evenals een stilzwijgende afspraak dat de ongeveer 25.000 leden van de koninklijke familie min of meer kunnen doen waar ze zin in hebben, terwijl de 21 miljoen staatsburgers van het land moeten leven onder strenge religieuze wetten die traditionele kleding voorschrijven, sluiers voor vrouwen, een verbod op de consumptie van alcohol en op voorhuwelijks geslachtsverkeer. Op overspel staat de doodstraf.

Voor zulke en talloze andere geneugten steek je de brug over naar het op een eiland gelegen vorstendom Bahrein, een land met 400.000 inwoners, torenhoge hotels en een aanmerkelijke cashflow vanwege zijn rol als discrete 'dienstverlener' van Saudi-Arabië.

Het leven van de bewoners van Saudi-Arabië en van Bahrein wordt sterk beïnvloed door dit arrangement en de daarmee gepaard gaande hypocrisie. En beide landen hebben last van de aanwezigheid van de neveneffecten daarvan: groepen van heimelijk opererende, gewelddadige religieuze puriteinen, overladen met mogelijkheden om zich deugdzamer te voelen dan de rest.

Een van die groepjes verplaatste zich op 13 februari 2003 over de koning Fahdbrug naar Bahrein, toen ze opgepakt werden door de politie van Bahrein.

De Verenigde Staten en met name de CIA zaten achter deze arrestatie. Dat is normaal op dit moment in dit deel van de wereld. Wij hebben informatie, vooral sigint, die zij niet hebben, en zij weten overal de weg, iets waar wij niet aan kunnen tippen. In dit geval pikte de NSA telefoongesprekken en e-mails op van een clubje inwoners van Bahrein die verontrustend waren: opschepperige praatjes over wat er met ongelovigen moest gebeuren, en nog wat problematische woorden zoals het oppikken van 'honingpotten'. Honing is vaak een terroristencode voor vernietigingsmiddelen.

Begin 2003 vroegen leiders in Saudi-Arabië en Bahrein zich af wat het meest geschikte antwoord was op de gedragingen van hun gewelddadige, ontevreden inwoners met de lange baarden. In het verleden hadden ze de terroristen van eigen bodem overgelaten aan de ongeschreven kleine lettertjes van hun overeenkomst met hun eigen fundamentalistische imams. Als er mensen waren die problemen maakten, dan zorgden de wahabitische geestelijken daar wel voor, dat wil zeggen dat ze daarbij zeker ook voor zichzelf zorgden, omdat het om diensten ging waarvoor de religieuze mannen altijd indirect een extra vergoeding in de vorm van oliedollars konden vragen.

Beide regeringen hechtten echter ook waarde aan hun betrekkingen met de Verenigde Staten, die na 11 september sterk hadden benadrukt dat deze toestand niet langer acceptabel was. Het daaropvolgende politieoptreden, vooral in Saudi-Arabië, met zijn ernstige interne en geëxporteerde dreiging, was doorgaans grillig en weinig enthousiast. Arrestaties werden gehoorzaam gerapporteerd aan de Amerikanen en nadat de credits waren vergaard, werden de verdachten algauw weer op straat gezet.

Daarom hadden de VS het afgelopen jaar om méér gevraagd, namelijk een bepaalde directe betrokkenheid na een arrestatie. Betrek ons erbij, was de boodschap van de CIA. Laat ons checken wat jullie beet hebben, dan kunnen we jullie helpen beslissen of ze belangrijk zijn.

Dat is wat de CIA-teams in de dagen na deze arrestatie in de regio

deden. Het groepje uit Bahrein bestond uit vijf mannen: twee gewapende smokkelaars met een traditioneel crimineel tintje en drie
mannen met krachtige jihadistische antecedenten. Alle drie kregen ze te maken met de elementaire wettelijk voorgeschreven procedures voor na een arrestatie, die niet echt gebruikelijk zijn in dit
deel van de wereld. Hun eigendommen – auto's, mobieltjes, por-
tefeuilles – werden op een veilige plek opgeborgen, bestemd voor
onderzoek met het oog op mogelijke verdere aanwijzingen, en hun
woningen werden doorzocht.

Een van de jihadisten, Bassam Bokhowa, een hoog opgeleide
professional van in de vijftig, met computervaardigheden, had een
appartement bezocht in Saudi-Arabië. En daar vond een gezamenlijke Saudisch-Amerikaanse antiterrorisme-eenheid een computer. De inhoud werd op een mobiele harde schijf gedeponeerd die
naar de vs werd gestuurd voor *imaging*, een manier om al dan niet
gecodeerde digitale gegevens eruit te filteren.

En daar vonden ze het: plannen voor de bouw van een apparaat,
een zogeheten *mubtakar*. Dit is een angstaanjagend iets, een harde
realiteit.

Om precies te zijn is de mubtakar een *delivery system* voor een
alom beschikbare combinatie van chemische stoffen, namelijk natriumcyanide, dat gebruikt wordt als rattengif en metaalreiniger,
en waterstof, dat je overal aantreft. De combinatie van die twee
geeft waterstofcyanide, of blauwzuur, een kleurloze en uiterst
vluchtige vloeistof, oplosbaar en stabiel in water. Het heeft een
vage geur als van perzikpitten of bittere amandelen. Als het wordt
omgezet in gas en geïnhaleerd wordt, is het dodelijk. Terroristen
speuren al jaren, als was het een heilige graal, naar een manier om
deze combinatie van chemische stoffen effectief te verspreiden.

Ramzi Yousef had in 1993 vóór zijn bomaanslag nog geprobeerd
het gas via het ventilatiesysteem van het World Trade Center te verspreiden, maar dat kreeg hij niet voor elkaar. Bij de beruchte chemische aanslag van Aum Shinrikyo op de ondergrondse van Tokyo in
maart 1995 kwam het zenuwgas sarine vrij waardoor twaalf mensen werden gedood en bijna duizend mensen in ziekenhuizen in de
omgeving terechtkwamen. De aanslag werd twee maanden later
gevolgd door een nieuwe poging, nu met cyanidegas. Een vuurtje

in een wachtkamer in Tokyo, waarin zich een ventilatiekanaal bevond dat uitkwam op een perron van de metro, was bedoeld om het gas te verspreiden, maar werd gedoofd door opmerkzaam beveiligingspersoneel van de metro.

Terreurdeskundigen van veel regeringen zijn al een tijd op zoek naar een oplossing voor deze technische hindernissen. Nu heeft de CIA die gevonden. Het woord *mubtakar* betekent in het Arabisch 'uitvinding', en in het Farsi 'het initiatief'. Het apparaat heeft van beide iets weg. Het is een blik met twee vakjes: in het ene zit natriumcyanide, in het andere een waterstofproduct zoals zoutzuur. Een ontsteking verbreekt de afsluiting tussen die twee. De ontsteking kan op afstand worden geactiveerd – zoals bommen tot ontsteking worden gebracht door mobiele telefoons – waardoor de afsluiter breekt en het gas kan ontstaan dat vervolgens vrijkomt. Waterstofcyanidegas is een op het bloed inwerkend middel, dat wil zeggen dat het cellen zo vergiftigt dat ze de zuurstof in het bloed niet meer benutten. Blootstelling aan dit middel leidt tot duizeligheid, misselijkheid, zwakte, bewusteloosheid en stuiptrekkingen. De ademhaling stopt en de dood treedt in. (De remedie tegen deze op het bloed inwerkende middelen is amylnitriet. Omdat deze middelen alleen worden getransporteerd via de luchtwegen, is een gasmasker de enige bescherming die je nodig hebt.)

In een besloten omgeving, zoals het ventilatiesysteem van een kantoorgebouw, of een metrowagon, zou waterstofcyanide vele doden veroorzaken. De meest huiveringwekkende illustratie van wat er gebeurt in een afgesloten ruimte komt uit een twintigste-eeuwse gruwel. De nazi's gebruikten een vorm van waterstofcyanide met de naam Zyklon B in de gaskamers van hun concentratie-kampen.

Toen de plannen werden gevonden op Bokhowa's harde schijf raakten Rolf Mowatt-Larssen en zijn collega-analist Leon in een toestand die dicht in de buurt van hevige paniek kwam. Leon was het hoofd van de CBRN (chemisch, biologisch, radiologisch, nucleair)-afdeling voor terroristische groeperingen (er wordt nu al heel lang verschil gemaakt met de vervaardiging van zulke wapens door staten). Hij stelde onmiddellijk een team samen om een model te maken van het apparaat dat hij uiteindelijk zou kunnen testen.

Begin maart wachtte Leon in Tenets vergaderruimte totdat iedereen had plaatsgenomen. Hij haalde uit een tas een cilinder te voorschijn, ongeveer zo groot als een verfblik, met twee glazen potjes met schroefdop erin. Hij zette dat midden op de grote mahoniehouten vergadertafel neer en leunde achterover in zijn stoel. Mensen hadden allerlei dingen gehoord over de recente ontdekking van een *delivery system* voor een nieuw wapen.

Maar het zien was iets anders.

'O shit,' fluisterde Tenet na een ogenblik.

McLaughlin boog zich voorover in zijn stoel, en bedacht hoe makkelijk het te vervoeren was in een rugzak, een koffer, een boodschappentas, en hoe onschuldig het eruit zag.

Er viel een stilte.

'Dit moet de man zien,' zei Tenet en ze belden het Witte Huis, dat ze een paar extra CIA-voorlichters voor de presidentiële briefing van de volgende ochtend een veiligheidsverklaring moesten geven.

Het Witte Huis was begin mei een oord van koortsachtige ijver en hoge verwachtingen. De uiteindelijke drempel voor het 'leveren van het bewijs' was eindelijk genomen, dankzij Colin Powell. Powell, die binnen het besluitvormingsproces van het Witte Huis gemarginaliseerd was in een twee jaar durende strijd met Cheney en Rumsfeld, kreeg op 4 februari ten slotte een enorm belangrijke rol voor Bush: bewijzen leveren voor het bestaan van massavernietigingswapens, wat een oorlog noodzakelijk maakte. Het was al met al een hele moeilijke wending voor Powell wiens moeizaam verworven geloofwaardigheid op het spel stond en die slechts een paar dagen had om zich voor te bereiden op de belangrijkste toespraak van zijn leven. Toen hij zich eind januari bij de CIA vervoegde om het materiaal over massavernietigingswapens nog eens door te nemen, was hij als een dominee die op het eind van het lange slechte huwelijk van twee van zijn parochianen bij hen komt aanwippen en alsnog orde op zaken probeert te stellen. Het door Scooter Libby naar de CIA verzonden dossier van tweeënzestig pagina's met 'vondsten' voor de toespraak, was voor het Witte Huis een kans om ieder bang vermoeden weer tot leven te wekken, inclusief vele die al weggevaagd waren door de inlichtingendienst.

John McLaughlin, een van de mensen die tijdens de VN-toespraak namens de CIA bij Powell zaten, zei naderhand dat de helft van de suggesties van het Witte Huis onmiddellijk overboord was gegooid. Nu het moment van de toespraak naderde, nam hij met Powell en enkele anderen met hoge snelheid het materiaal nog eens door, in een wanhopige poging er nog iets van te maken. Het was net of de hevige strijd tussen CIA en Witte Huis over vragen rond de noodzaak van bewijzen in achtenveertig uur werd samengeperst. Het resultaat was een mengelmoes van feiten en vage vermoedens, van rijpe en groene zaken. Powell, die gevaar rook, eiste dat Tenet achter hem zou komen zitten. En dat deed hij. Ze zouden samen ten onder gaan. Maar uiteindelijk was het Powell die ten val kwam. Al een maand na zijn presentatie broeiden er vragen in de analytische teams van Buitenlandse Zaken en CIA over sommige stellige beweringen die Powell in zijn VN-toespraak had gedaan. Die druk werd steeds groter en uiteindelijk ging Powell de confrontatie met Libby aan. De jurist van het Witte Huis, 'Cheneys Cheney', krabbelde terug en zei tegen Powell dat zijn presentatie niet als uitleg bedoeld was, of als een afgewogen uiteenzetting, maar als een betoog 'zoals een advocaat dat zou houden in een rechtszaal'. Uiteraard zonder te kunnen profiteren van tegenovergestelde overwegingen.

Maar in het Witte Huis werd de presentatie van Powell gezien als een enorm succes. De algemene vergadering van de Verenigde Naties sprak zijn vertrouwen uit, en het Amerikaanse leger verzamelden zich in de Golf, 150.000 man sterk.

Eindelijk zouden het ministerie van Defensie en Amerika's machtige leger hun bijdrage leveren, namelijk oorlog brengen naar een land in het hart van de Arabische wereld als een middel tot verandering van regime, ontwapening, bevordering van democratie, ondersteuning van de oude wereldorde enzovoort – een eindeloze lijst.

Maar rechtvaardigingen deden er steeds minder toe. De status quo zou spoedig van een wankele vrede omslaan in een staat van oorlog.

Intussen was de oorspronkelijke en essentiële strijd – vind ze, houd ze tegen – nog altijd schrijnend acuut.

Tenet liep het Oval Office in, om Bush een paar minuten voor de briefing alvast te informeren. Dit was een gebruikelijke praktijk: een korte vertrouwelijke uiteenzetting van Tenet, zodat Bush bijgepraat was en met gezag kon spreken als de anderen arriveerden.

Leon en enkele andere mensen van de CIA werden uit de wachtruimte gehaald. Hij zette de mubtakar op een laag tafeltje in de zithoek.

Bush keek ernaar. Cheney en de anderen hadden plaatsgenomen. De president tilde hem op, voelde hoe zwaar hij woog.

'Dat ding is een nachtmerrie,' zei hij, bijna bij zichzelf, en zette hem weer neer.

Een voorlichter van de CIA gaf een uiteenzetting over het apparaat, de technische problemen die hiermee werden opgelost, de vermoedelijke toepassingen en de lange weg van vallen en opstaan die naar dit moment had geleid.

Maar in dit stille vertrek zette het apparaat de natuurkundige wetten vooralsnog niet naar zijn hand. Iedereen kon gewoon blijven zitten in het Oval Office, kijkend naar het ding, en zijn gedachten de vrije loop laten, gedachten over deze tijd en zijn beproevingen. En niemand zei niets.

Een uitvinding als deze wordt niet alleen uit nood geboren. Overal op de planeet hebben mensen, van wie de helft nog steeds van minder dan één dollar per dag leeft, altijd al diepe behoeften ervaren, een wanhopige energie, een inventieve kracht. Wat er veranderd is, is dat gemakkelijk toegankelijke en downloadbare informatie – en voor geld terstond verkrijgbare artikelen in een steeds meer gediversifieerde wereldeconomie – bijdraagt aan de groei van het aantal uit nood geboren zaken. Dit is natuurlijk voornamelijk het beste voor iedereen: mensen zijn overal ter wereld meer dan ooit in staat om hun vindingrijkheid te benutten voor de oplossing van hun eigen problemen. Maar dan heb je ook nog de mubtakar. Door vermenging van gemakkelijk verkrijgbare producten tot een dodelijke combinatie is dit een van de meest onheilspellende vertalingen van het woord 'uitvinding'.

Na de briefing in het Oval Office beval Bush dat grote delen van de Amerikaanse regering gealarmeerd moesten worden. Tenet vergaderde met de chefs van inlichtingendiensten. Rolf en Leon demonstreerden het toestel aan de betrokken mensen van recherche en andere inlichtingendiensten. Het was een kwestie van: hoort zegt het voort. Je kon het toestel geen halt toeroepen: het was een gevaar voor mensen in de metro, in de trein, of waar dan ook ze zich in drukke besloten ruimtes bevonden. Selectieve aandacht, in combinatie met strenge normen voor geheimhouding, leek de enig mogelijke reactie.

In de wereld van terroristisch wapentuig, was dit het equivalent van het splitsen van het atoom. Je kon het in elkaar zetten na een bezoekje aan een doe-het-zelfwinkel, je kon wat overal verkrijgbare chemicaliën kopen, en dan iedereen in de winkel liquideren.

Het werd tijd dat Dan Coleman naar huis ging.

En niet omdat hij uitgeput was, wat wel het geval was. Of omdat hij als speciaal gezant van de FBI niets meer te doen had zonder portefeuille gericht op de CIA en elders, of als iemand die wist welke brokjes informatie werkelijk belangrijk waren in de strijd tegen al-Qaida. Op dat punt was er nog meer dan genoeg te doen.

Nee, op een avond halverwege februari besloot hij dat hij naar huis moest – onmiddellijk! – vanwege zijn kies.

Of het ontbreken van een kies. Deze kies, een verstandskies, was getrokken op 13 februari, en de boel genas niet. Een 'droge holte' noemde de tandarts het toen hij een paar dagen na de extractie terugging. Dus moest hij ingepakt worden in steriel gaas, terwijl de rest van zijn lichaam verpakt werd in pijnstillers.

Maar nu, vijf dagen later, in de nacht van vrijdag, terwijl de digitale klok het uitschreeuwde dat het al twee uur was, keerden de pijnstillers zich tegen hem. Hij verkeerde in een soort narcotische roes, die allen maar verergerd werd door de pijn, terwijl hij door de slaapkamer van zijn huurflat ijsbeerde, een waanzinnige in zijn onderbroek.

En toen kwam de mystieke, reddende openbaring: hij moest naar huis gaan, terug naar zijn oude tandarts in New Jersey. Hij wist wat hem te doen stond.

De wegen waren midden in de nacht helemaal leeg. Niemand te bekennen, in geen van beide richtingen, om vier uur 's morgens op de Jersey Turnpike. Daardoor kon Coleman rijden op de enige manier die hem een beperkte mate van verlichting bood: hoofd uit het raampje, mond open.

Wat volgde waren drie weken van een tandheelkundige hel. De kies moest elke dag ingepakt worden. Steeds nieuwe pijnstillers proberen. Hij ijsbeerde constant door het huis, waar Maureen gek van werd.

'Kan je niet weer iets gaan doen in New York?' vroeg ze op een ochtend.

'Feker, er is fenoeg fat ik faar kan foen,' zei hij door het gaas. 'Feker fete.'

Omdat hij een half jaar in Washington had gezeten, was er in New York eigenlijk niet veel meer voor hem te doen. Hij werkte er gewoon niet meer.

Toch reed hij in zijn zwarte Oldsmobile van Jersey door de Holland Tunnel naar het gigantische, maar verder onopvallende FBI-gebouw aan de zuidkant van Manhattan. Hij reed de ondergrondse garage in, maar zijn eigen plekje was verdwenen. Nergens een plek te vinden. De man die bin Laden in Amerika had geïntroduceerd, de man met dertig dienstjaren bij de FBI, moest kwartjes in een parkeermeter gooien.

Het kantoor was veranderd. Kantoren veranderen snel als er zo veel gebeurt. Maar het was een fijn om weer terug te zijn. Coleman is hier een held. John O'Neil, de luidruchtige al-Qaida-jager van de FBI, was dood. Maar Dan was er nog steeds.

En in een roes van de medicijnen liep de grote man een op dat moment opstekende storm tegemoet.

Joe Billy, hoofd van de vestiging van de FBI in New York, werd verscheurd door een dilemma, en hij vroeg zich af wat hij moest doen. Het kantoor van de CIA in New York had gebeld. Ze kregen bezoek uit het buitenland. Een slechte man uit Engeland. De CIA zou de 'hoogstnoodzakelijke' informatie sturen: de naam van de vent, aankomst van het vliegtuig, een foto. Het was de taak van de FBI om hem te volgen. Punt.

Laatstelijk waren er meer van dergelijke directieven van de kant van de CIA gekomen. Er komt iemand aan, houd hem in de gaten. Makkelijker gezegd dan gedaan. Als een verdachte eenmaal Amerika binnen is gekomen, is het veel moeilijker hem op de hielen te blijven zitten dan de CIA of andere sectoren van de overheid kunnen bevatten. En inderdaad was de FBI er de afgelopen achttien enkele kwijtgeraakt.

Joe Billy discussieerde met de chef van het CIA-kantoor, een vrouw. 'Kijk, jullie zeggen: hier heb je wat elementaire informatie, houd hem in de gaten. Zo eenvoudig ligt dat niet. Op zijn minst hebben we een heleboel meer nodig voordat we zeggen: ja. Wie is het? Wat weten jullie van hem?'

De CIA was over het algemeen de 'verwekker' van informatie waar je wat mee kon doen. Vaak kwam die in feite via de NSA bij de CIA terecht, hoewel de dienst dat liever niet toegaf. De FBI bevond zich in ieder geval een heel stuk verder stroomafwaarts, een positie die de CIA wel goed leek uit te komen. Het was een frustrerende positie voor Billy. De FBI was niet zomaar de eerste de beste speurhond: hier heb je je geurtje, blijf hem maar volgen. Er werd hun gevraagd om een uiterst riskante bewakingstaak te vervullen van een soort die ze eerder hadden geprobeerd, met wisselende resultaten, en het was echt nodig dat ze nu toegang kregen tot de controlekamer. 'Hoogstnoodzakelijk' moest vervangen worden door een 'volledige inzage in alle gegevens'.

Dat was niet alleen het standpunt van de FBI, het was een ultimatum. De chef van het CIA-kantoor hing op en belde de CTC, waarvan het in feite de orders opvolgde. Een CTC-manager, een stevige vrouw met stekelhaar, ontstak in woede. Dit was het neerhalen van bestaande muren tussen de dienst en het bureau. Wat andere sectoren van de overheid te horen kregen over belangrijke informatie was de beslissing van de 'verwekker'. Maar de FBI gaf geen krimp. Na koortsachtig overleg met andere chefs in Langley, werd het dossier over de Britse verdachte naar het FBI-kantoor in New York gestuurd.

En rechtstreeks naar Dan Coleman. Hij en een van de medewerkers van Joe Billy namen het door. Er zaten diverse NSA-printgegevens van telefoongesprekken en e-mails bij.

Het was een dossier dat de aard van de machtsuitbreiding van de NSA onder Bush illustreerde. De verdachte was een Britse staatsburger. Hij had contact met Amerikaanse staatsburgers. Er waren ook e-mails tussen Amerikaanse staatsburgers onderling bij. Dat alles zat in één pakket, registratie na registratie, zonder enige volmacht.

Een van de Amerikanen was Ahmed Omar Abu Ali, een 21-jarige inwoner van Northern Virginia en de student die namens zijn medetudenten de afscheidsrede had gehouden op de Islamic Saudi Academy in Alexandria, Virginia. Ali, die veel in het buitenland had gereisd, met name in verscheidene Arabische landen, en daarna naar Virginia was teruggekeerd, was van belang voor de VS. Hij was slim. Hij was een leider. Hij was actiegericht. Andere meldingen handelden over moslimradicalen uit Brooklyn, inclusief andere Amerikaanse staatsburgers die met Ali gecommuniceerd hadden.

De naam van de Britse staatsburger was Mohammed Siddigue Khan.

Khan, Ali en anderen wisselden e-mails uit waarin ze Khans komende reis naar de VS bespraken en ook plannen voor diverse gewelddadige activiteiten. Die omvatten een verlangen om 'synagogen aan de oostkust op te blazen'. Uit ander materiaal bleek dat Khan de afgelopen twee jaar minstens drie keer naar de VS was geweest waar hij andere radicalen had ontmoet.

Dan las de berichten met grote aandacht. 'Dit is een bijzonder gevaarlijk iemand,' zei hij tegen zijn collega's bij de FBI. 'Wij en de Britten moeten met z'n allen achter die vent aan. Maar we moeten het goed doen. Als we níét samen met de CIA een duidelijk gecoördineerde actie plegen om hem aan te pakken, hem te arresteren op grond van een of andere beschuldiging waar hij niet onderuit kan, of hem in nauwe samenwerking goed gecoördineerd in de gaten blijven houden en ook de mensen waar hij contact mee heeft als hij hier is, dan kunnen we dit risico niet nemen. Stel je voor dat hij een of andere tempel in Washington opblaast. Ga jij dan de president uitleggen dat we wisten wat hij ging doen en hem toch het land in hebben gelaten?'

Wat er daarna gebeurde spreekt boekdelen over de oorlog tegen terreur en de perikelen van een oorlog die gevoerd wordt door rivaliserende bureaucratieën. Coleman is een agent in het veld, een man die talloze uren heeft doorgebracht, face-to-face, met gewelddadige islamitische radicalen. Hij kent vele variëteiten van dit soort mensen, kent hun gewoonten, neigingen, profielen, en als hij een verdachte ziet. weet hij meteen of het er een is of niet. Mannen als Coleman, met zijn niveau van ervaring uit de eerste hand, worden gewoonlijk geen chef in een bureaucratie. Ze kunnen niet goed overweg met domoren. Ze weten de juiste antwoorden omdat ze hun inzichten op de harde manier hebben verworven, uur na uur, dag en nacht. Natuurlijk werkt dat op subtiele wijze ondermijnend voor het gezag van iedere bureaucratische chef die de touwtjes in handen moet zien te houden, en zijn of haar torenhoge salaris, positie en macht moet rechtvaardigen zonder dat ze schokkende ervaringen in de frontlinies hebben opgedaan, of althans niet de laatste tijd. De baas reageert met het voeren van gevechten namens zijn of haar troepen tegen de bazen van andere departementen en hun witteboordenlegers.

Als je deze processen, de manier waarop grote organisaties functioneren, ter sprake brengt, zullen mensen meestal braaf knikken en ja en amen zeggen. Maar in een strijd die binnen deze enorme bureaucratieën zo sterk berust op wie wát weet en wat ze besluiten te doen, zijn zulke processen echt heel belangrijk. Slecht lopende processen, gebrekkige communicatie, institutionele zelfbescherming: het is niet louter voer voor een of ander rapport dat nooit gelezen zal worden. Het maakt dat er doden vallen.

Het oordeel van Dan Coleman werd razendsnel doorgegeven aan Joe Billy, die terugbelde naar het CIA-kantoor in New York. Billy concentreerde zich vooral op het interdepartementale conflict. Hij deelde Dans bezorgdheid, maar hij zei niet veel over de spoedige lancering van een ambitieus gezamenlijk FBI-CIA-project om de Brit op te sporen. Het ging er vooral om wie er uiteindelijk verantwoordelijk zou zijn voor Khan en wie de zwartepiet toegespeeld zou krijgen als hij iets uithaalde. 'Ik zal er geen doekjes om winden,' zei hij tegen de chef van de CIA in New York. Als Khan erin slaagde ook maar enige schade aan te richten, 'dan zal iedereen, en ook Langley, de FBI de schuld geven. Dat zal niet gebeuren.'

Ze moesten een besluit nemen. Khan zou volgens de sigint de volgende middag naar de VS vliegen. Na nog een paar telefoontjes tussen de FBI en CIA – gespannen gesprekken, waaraan uiteindelijk ook door mensen op het hoogste niveau in Washington werd deelgenomen – werd Khan op een *no fly*-lijst gezet. In wezen: inactiviteit. Een leeg besluit.

De volgende dag arriveerde hij op Heathrow voor zijn vlucht naar de vs. Bij de balie kreeg hij te horen dat de vs een probleem met hem hadden. Hij stond op een *no fly*-lijst. Hij kon helemaal nergens heen. Perplex, en voor het eerst gewaarschuwd dat hij bekend was bij de Amerikaanse autoriteiten, keerde Khan rustig terug naar zijn huis in Leeds. Hij wist nu dat hij een uitzonderlijk low profile moest houden, niets doen dat argwaan zou wekken, en geen telefoongesprekken voeren of e-mails verzenden die misschien te traceren waren. Dit alles was bijzonder waardevolle informatie voor een jongeman die op destructie uit was.

Amerikaanse opsporingsambtenaren en medewerkers van inlichtingendiensten – en Britse ambtenaren die op de hoogte werden gebracht van Khans plannen en het open besluit om hem op een *no fly*-lijst te zetten – hadden kunnen kiezen uit een breed scala aan andere mogelijkheden. Khan bij aankomst op Kennedy Airport laten arresteren. Hem intensief laten volgen door een team van eendrachtig samenwerkende mensen van FBI, CIA en NSA, wat zou neerkomen, zoals een CIA-medewerker het beschreef, op een geavanceerde surveillance en '*brush bys*', of 'rakelingse contacten'. Het laatste hield in dat agenten van CIA en FBI zich in vermomming naast Khan zouden wurmen in een metrowagon, of plaatsnemen aan een tafeltje naast hem in een cafetaria – een maalstroom van gekostumeerde figuren, aangevuld met een dag en nacht voortgezette elektronische bewaking. Waar hij ook heen ging, hij zou worden doorgegeven, hij zou van hand tot hand gaan. In dat geval zou hij licht hebben kunnen werpen op ingangen tot verscheidene Amerikaanse collega's van hem, jihadisten in de vs met destructieve bedoelingen.

In plaats daarvan hervatte Mohammed Siddigue Khan zijn werk als onderwijzer te Leeds, waar hij intensief werkte met drie jonge moslimmannen die hij had gerekruteerd. Op 7 juli 2005 was hij het brein achter een reeks terroristische aanslagen in de Londense metro, waarbij 56 personen omkwamen en 700 gewonden vielen, en Engeland door de knieën ging.

Om middernacht ging de telefoon in John McLaughlins slaapkamer.

Voor de doorsnee burger betekent een telefoontje midden in de nacht: problemen. Ziekte van een familielid, of erger. Het huis van de buren staat in brand. Een noodgeval, genoeg om alle slaap te verdrijven.

Voor McLaughlin, al negenentwintig jaar werkzaam bij de CIA, is dit niet ongebruikelijker dan een telefoontje als hij buiten de deur gaat lunchen of te laat op een vergadering dreigt te komen. Het is lastig. Dat is alles.

Hij nam op.

'Hou je vast... We hebben beet!' Dat was Tenet.

McLaughlin slaakte een vreugdekreet. 'Bof ik even,' riep hij opgewekt.

De afgelopen twee dagen hadden in het teken gestaan van het benutten van de geboden kansen.

De speurtocht naar Khalid Shaikh Mohammed was zeer intensief geweest, nadat ze hem vorige september op een haar na hadden gemist, toen bin al-Shibh en KSM's familie waren opgepakt.

In de daaropvolgende zes maanden had de CIA in samenwerking met de Pakistaanse veiligheidstroepen bijna tweehonderd soldaten of aanhangers van al-Qaida opgepakt. Veel van deze doorbraken waren te danken aan de undercoveroperatie in Wazirs storefront-bank.

De undercoveragenten die de operatie uitvoerden zorgden voor hele bergen inlichtingen waar ze iets mee konden. De uitdaging was om complotten te verijdelen zonder te laten blijken dat de hawala in handen was van de CIA. Er werden zogenaamde e-mails van Wazir verzonden. De agenten, die een heleboel transacties behandelden, konden vaak zeggen waar en door wie er met bepaalde operaties werd begonnen. Ze konden er ook achter komen wie er precies al-Qaida-operaties financierden. Terwijl de financiers geleidelijk wegvielen, begon ook het geld voor operaties of basisvoorraden voor het uitgestrekte al-Qaida-netwerk op te drogen.

Maar geen KSM. Nadat de emir van Katar de locatie van KSM en van bin al-Shibh had onthuld, waren er al vele malen affiches opgehangen met de aankondiging van een beloning voor aanwijzingen die zouden leiden tot de arrestatie van het brein achter 11 september. Of het nu om KSM, bin Laden of Zawahiri ging, de CIA had geen enkele reactie gekregen op deze aanbiedingen. Ze kwamen niet dichterbij dan dat hoofd dat niet van Zawahiri was.

Eind februari 2003 veranderde dat. De CIA kreeg wat diverse functionarissen in Langley een 'binnenkomer' noemden. Het was een man die zich door de gelederen van al-Qaida bewoog, zich verplaatste van en naar diverse operaties in de omgeving van Islamabad, Pakistans hoofdstad, en Rawalpindi, ooit een handelspost aan de zijderoute en nu een stad van 3 miljoen inwoners.

Hij nam contact op met de CIA, die een bijzonder grote vestiging met bijna vijftig agenten in Islamabad heeft.

Die avond zou hij verschillende al-Qaida-strijders ontmoeten en een hoge functionaris van deze organisatie. Er was sprake van een beloning. Er werd een systeem afgesproken waarmee de man een agent een signaal kon geven.

Het was bijna middernacht toen de man belde. Hij had tijdens een maaltijd naast KSM gezeten, en naderhand had hij in een auto met twee andere mannen en KSM door de kronkelige lanen van een sjieke buurt van Rawalpindi gereden, op zoek naar het safe house waar de al-Qaida-topman de nacht zou doorbrengen. Ze hadden het gevonden. Daar hadden ze KSM afgezet.

Daarna werd de contactpersoon ingeschakeld. CIA-agenten doken op, ze pikten de informant op en brachten de uren daarna door met als gekken door de doolhofachtige buurt rijden, terwijl de informant punten probeerde te vinden die hem onderweg opgevallen waren. Vlak voor zonsopgang werd het huis gevonden. CIA-agenten kwamen daar bijeen, in gezelschap van Pakistaanse veiligheidstroepen. Het huis bleek de woning te zijn van een al-Qaida-sympathisant.

Essentieel was dat KSM levend gevangengenomen werd. Het team dat het huis binnendrong maakte KSM wakker, die een vuurwapen greep, waarna er schoten werden gelost en een Pakistaanse agent in zijn voet werd geraakt. Maar KSM werd overmeesterd, naar buiten gesleurd en gefotografeerd: een foto van een verfomfaaide, veel te dikke man in een hemd en met een baard van drie dagen, die enkele uren later de hele wereld rondging.

Tenet vloog een paar dagen later naar Islamabad. In een Pakistaans regeringsgebouw sprak hij met het team dat het huis binnengevallen was. Ze zaten met zijn vijftienen in een vergaderzaaltje, onder aanvoering van hun stoere leider, een gespierde, beweeglijke man van ongeveer een meter zeventig lang, die zei dat hij en de anderen vereerd waren om Tenet te ontmoeten. Tenet zei dat het genoegen geheel aan zijn kant was, dat ze broeders waren in een historische strijd, en er volgden tranen en omhelzingen. Daarna gaf de leider Tenet een vuurwapen, KSM's geweer, dat tijdens de inval was buitgemaakt. Tenet, een echte ridder van de vergadertafel, hield het in zijn hand als ware het een zeldzame viool, bedankte ze allemaal voor het geschenk, en maakte zich uit de voeten. Hij keek een van zijn adjudanten aan. 'Allejezus, wat moet ik hier nou weer mee?'

Tenet had nog een andere ontmoeting tijdens deze reis, een ontmoeting die een meer dan louter ceremonieel belang had. Het was een ontmoeting met de informant. Ook tijdens dat contact waren er dankbetuigingen. Tenet vroeg de man waarom hij gedaan had wat hij had gedaan. De man zei dat hij problemen had met wat er was gebeurd op 11 september, dat onschuldige mensen doden een schending was van de voorschriften van de Koran. Daarna vroeg hij aan Tenet: 'Denkt u dat de president weet wat ik heb gedaan?'

'Dat weet hij,' zei Tenet. 'Ik heb het hem verteld.'

Die vraag kan deels nieuwsgierigheid zijn geweest, en deels een soort verzekeringspolis.

In de strijd tegen al-Qaida een was deze man het eerste belangrijke experiment van de CIA wat betreft uitbetaling en hervestiging vanwege bewezen diensten. Als de president het wist, dan zou de informant mogen aannemen dat deze deal, een uitzonderlijke deal, altijd van kracht zou blijven. Op zijn minst zou hij weten waar hij in beroep kon gaan.

De informant woont nu in Amerika, ergens in Amerika, met 25 miljoen dollar op de bank en emolumenten zoals een verzekering van de wieg tot het graf en beurzen voor particuliere scholen voor zijn kinderen en zijn familieleden en hun kinderen. Hij en zijn hele familie zullen de rest van hun leven bescherming genieten. 'Ik weet dat het een heleboel geld lijkt,' zei een CIA-functionaris die aan deze zaak werkte. 'Maar in vergelijking met de tientallen miljoenen die besteed worden aan het vinden van een paar mensen, met hoog op de lijst KSM, is het een rekensom die iets opbrengt. Die man heeft hem voor ons te pakken gekregen. Hij is een held. Je wou dat je een paar honderd van zulke mensen had.'

De politie in Bahrein vond in de spullen van Bassam Bokhowa een telefoonnummer dat naar een adres in Saudi-Arabië leidde. Er werden drie mannen gearresteerd in Riyad. Ze maakten deel uit van een vage gemeenschap van radicale moslimactivisten in het koninkrijk, maar over hen was niet meer bekend dan dat ze een directe band hadden met de mannen uit Bahrein. Het Saudische drietal was verbonden met een tweede trio van jihadisten in het koninkrijk. Ook die werden gearresteerd.

Al deze acties werden uitgevoerd onder supervisie en aanmoediging van de CIA, die grote vestigingen in beide landen had.

Dit onderzoek had nu grote prioriteit. Daarvoor had de vondst van de plannen voor de mubtakar in Bokhowa's computer gezorgd.

Maar ook nu, negen maanden na Tenets waarschuwingen aan het adres van prins Bandar, was het nog steeds allesbehalve eenvoudig om de Saudi's in actie te laten komen. De ondervragingen begonnen. CIA-medewerkers konden alleen maar vanaf de zijlijn toekijken. De vragen die aan de gevangenen werden gesteld – zowel aan de groep uit Bahrein als aan de twee stellen arrestanten uit Saudi-Arabië – waren scherp genoeg. Toch waren deze verhoren in vergelijking met wat er op de 'zwarte locaties' met Zubaydah of bin al-Shibh was gebeurd, beleefd en respectvol. De gevangenen waren allen godsdienstige mannen. Dag in dag uit loofden ze Allah en spraken ze over de banden van religieus engagement waardoor ze met elkaar verbonden waren. Dit is een probleem, zei een CIA-medewerker. 'Naar een paar van die gasten kijken ze op alsof het geestelijken zijn. Het is niet makkelijk om geestelijken te verhoren.'

Vooral Bokhowa was gewiekst. Hij was te oud om koerier te zijn, was meer een analist dan een werker in het veld. Hij had hooggeplaatste vrienden in de wereld van moslimactivisten in dit land.

Als er hier sprake was van een bredere samenzwering, dan bleef die onzichtbaar.

Het drietal uit Bahrein en de twee trio's uit Saudi-Arabië hadden duidelijk een band met elkaar, maar wat hun plaats was in het grotere geheel van de jihadisten van deze regio bleef onduidelijk. Ze leken niet nauw verbonden te zijn met verscheidene andere Saudische cellen die gevolgd werden door Amerikaans-Saudische inlichtingenteams. Ook schenen ze geen banden te hebben met de mysterieuze Snel Zwaard, die talloze malen opgedoken was in door de NSA opgepikte berichten en die de zaken op het schiereiland scheen te runnen.

Elke morgen vroeg de president tijdens de briefing aan Tenet: 'Wat heb je over de mubtakar?'

En dan antwoordde Tenet: 'Niet veel méér, maar we doen wat we kunnen om erachter te komen wie die gasten zijn.'

Half maart, toen alle energie en aandacht van de regering in beslag werd genomen door de invasie van Irak, kwamen CIA-chefs bij elkaar in Langley. Ze konden het trio uit Bahrein en die uit Saudi-Arabië absoluut niet plaatsen.

Het Witte Huis en de CIA hadden voor functionarissen in beide landen maar één boodschap. We zitten er bovenop. Laat intussen deze mannen niet gaan.

Op de ochtend van 19 maart ging Dennis Lormel aan het hoofd van een delegatie naar de CIA. Bij hem waren topmanagers van Western Union, de chef van het kantoor in Chicago en nog een handjevol anderen. Deze reis 'stroomafwaarts' was bedoeld om een gebaar te maken, om de informatieschatten van Western Union beschikbaar te maken voor de wijdere wereld van de geheime dienst.

De meest effectieve coördinatie van middelen, mankracht en vernuft binnen de Amerikaanse overheid was die in het financiële domein geweest. Lormel was een centrale speler, samen met David Aufhauser van Financiën, de consensus smedende coördinator van de 'financiële oorlog', en Nervous Phil van de CIA.

De sleutel tot succes was om niet alléén te doen wat de president als eerste had aanbevolen, namelijk om te proberen 'de terroristen uit te hongeren' door hun geldstromen af te snijden. Er was een bescheiden vooruitgang op dat front: de talloze bijeenkomsten van functionarissen van CIA, Financiën, Buitenlandse Zaken, NSC en de Saudi's hadden hun vruchten afgeworpen. Het besluit dat het koninkrijk eind 2002 had genomen om de aanzwellende vloed van bijdragen van moskeeën in te dammen door tot de geestelijkheid behorende accountants te dwingen tot controle van de allocatie van dagelijkse bijdragen, had ook geholpen. Het was nu moeilijker voor al-Qaida om rekeningen te betalen en bepaalde operaties te financieren. Financiële nood, zo was de gedachte, zou ze de kant van tijdrovende criminele activiteiten op drijven, waardoor ze onthullende fouten konden gaan maken en opgepakt worden door de recherche.

Diep onder het oppervlak echter was er een flexibel geheim experiment gaande met methoden om de wrijving tussen officiële regels en geheime informatiewinning beheersbaar te maken. Amerikaanse functionarissen begonnen steeds meer in te zien dat ze echt wilden dat het geld stroomde – beheersbaar en bescheiden – zodat ze iets hadden om te volgen. In een omgeving met een gebrek aan informatie, was geld de informatie.

First Data was in zekere zin een eerste stap. Met het grootschalig bijeenvegen van gegevens, met een zeer ruime doelomschrijving, werd inbreuk gemaakt op de privacy van tienduizenden Amerikanen om een zeldzaam brokje waardevolle informatie te kunnen vinden of een splinter bewijsmateriaal waarmee je te zijner tijd voor de rechtbank zou kunnen verschijnen. De vele officiële verklaringen dat de nationale veiligheid in het geding was, de stroom van dagvaardingen en het enorme aantal op die smalle papieren basis uitgevoerde onderzoekingen bedreigden de door het Vierde Amendement geboden bescherming tegen 'onredelijke huiszoekingen en beslagleggingen' als een springvloed die de zeedijken belaagde. De door het FISA-hof geuite kritiek dat de FBI slordig was in zijn rapportage over de redenen waarom gerechtelijke vervolging en het verzamelen van inlichtingen in vijfenzeventig gevallen met elkaar moesten worden vermengd, is een lachertje voor mensen in de top van FBI, CIA of Justitie. Vijfenzeventig gevallen? Een emmertje vol uit een kolkende oceaan. Talloze Amerikanen zullen nu leven met hun naam, hun financiële en persoonlijke profiel – een elektronische identiteit – opgeslagen in de FBI-computers en verscheidene databanken van de 'oorlog tegen terreur'. Die worden niet opgeschoond. Ze willen die gegevens vasthouden, voor het geval dát... om er in de toekomst op terug te kunnen grijpen.

Western Union was het meest efficiënte onderdeel van dat project geweest. In vergelijking met de neerslag van activiteiten zoals je die vindt in gebruiksgegevens van creditcards, spreekt uit de informatie over telegrafische geldoverdrachten een ander soort communicatie. Informatie over telegrafische overdrachten, gevonden in het appartement van Zubaydah en het safe house van bin al-Shibh en KSM in Karachi, hadden rechercheurs uiterst belangrijke aanwijzingen opgeleverd, zowel aan de kant van de zenders als van de ontvangers. Verzoeken om hulp van Western Union van de kant van 'die lui stroomafwaarts', begonnen binnen te komen bij de FBI. Western Union reageerde uitermate vlot en presenteerde alle historische gegevens over cliënten op elk gewenst gebied.

Natuurlijk is er in een uiterst gespannen en door angst gedreven informatieoorlog altijd een verlangen naar méér. Lormel en zijn collega's bij de FBI duwden verder door. Hoe zat het met de real-time-informatie, met transacties zoals die echt plaatsvinden? En foto's? Western Union had in sommige kantoren zogeheten pin-point camera's. Net zoals iemand die een transactie bij een geldautomaat pleegt wordt gefotografeerd, zo gebeurt dat ook vaak met iemand die telegrafisch geld overmaakt, en idem met de ontvanger, hoewel ze dat vaak niet weten. Kon het bedrijf het gebruik van pinpoint camera's niet veel meer uitbreiden?

Hoe verder zulke initiatieven voortschreden, hoe meer Lormel erover sprak met Nervous Phil, en hoe meer hij zich realiseerde dat zijn kostbare relatie, de gewaardeerde geheime partner van de FBI, aan de CIA zou moeten worden doorgegeven.

Dat was in ieder geval de bedoeling. Toen het begin 2003 officieel werd voorgesteld, begonnen Western Union en topfunctionarissen van het moederbedrijf First Data toch wat nerveus te worden. De FBI, daar waren ze aan gewend, aan de zekere mate van geborgenheid die de op vergaring van bewijsmateriaal gebaseerde tradities van het bureau en de gerichtheid op rechtshandhaving verschaffen.

De CIA, mokte het bedrijf, betekent geheimen, en sinds kort nog ergere dingen.

Daarom bedacht Lormel dat het de moeite waard zou zijn om

een gesprek te organiseren met een 'fikser'. Hij regelde een afspraak met Tenet.

Op dat moment was de DCI een beroemdheid: hij was naast Rumsfeld, Rice en Powell een van de herkenbare niet-politieke gezichten in de oorlog tegen terreur. Dit had een onmiddellijk effect in eerste ontmoetingen, en Tenet, met zijn natuurlijke vermogen tot overreding en gewenste intimiteiten, wist dat.

De topmensen van Western Union die neerstreken in Tenets werkvertrekken, nadat ze de campus van Langley waren overgestoken, keken lichtelijk verbaasd rond. Er waren duidelijke asymmetrische elementen in deze ontmoeting tussen de private en de publieke sfeer, zoals managers van telecombedrijven al hadden vastgesteld in hun sessies met de NSA. De eerste premisse, gesuggereerd maar nooit uitgesproken: jullie doen erg je best voor jezelf, luitjes, maar ik doe mijn best voor andere mensen. Het ene stel mannen (en op dit moment zijn het merendeels mannen) zit daar in hun slonzige pakken en met koffievlekken besmeurde stropdassen, terwijl ze toch de slimste jongens van hun klas waren, weet je nog? Aan de andere kant van de tafel zie je de producten van een heel ander pad: een stel zelfgenoegzame mannen in hun maatpakken van Saville Row, of Zegna, of Armani, die ooit dachten dat het winnen van bedrijfscompetities een maatstaf zou zijn voor stoerheid, of een triomf zoals een olympische medaille, maar die ontdekt hebben dat dat anders ligt. In toenemende mate lijkt de norm een combinatie van mazzel en behendige deceptie te zijn.

In tegenstelling tot sommige hoger geplaatste overheidsdienaren, bijvoorbeeld bij Financiën maar in toenemende mate in overeenstemming met het gedrag van hoge militairen, kan George Tenet een scheut machismo toevoegen aan het brouwsel. Hoewel George geschoold is in het bureaucratisch gevecht, lijken zijn acties steeds meer op die van een echte krijger: de trekker overhalen bij aanvallen met een Predator, de vijand oppakken, zich meer gedragen als een generaal dan als een verzamelaar van geheimen.

De topmanagers van Western Union, Lormel en de CIA-mannen, wisselden stekelige opmerkingen en vlotte babbels uit terwijl ze het zich gemakkelijk maakten op de sofa's en stoelen. Het vertrek stond vol met spullen ter inspiratie – van een ingelijste grote

Amerikaanse vlag met brandgaten, afkomstig uit de puin van het World Trade Center, of een rode helm van de Oklahoma Sooners, gesigneerd door de coach Bob Stoops. Een van de managers bewonderde de helm. 'Een groot man,' zei Tenet. 'Een winnaar'.

En daarna begonnen ze te praten. Lormel vertelde een beetje wat voor goede partner Western Union was geweest sinds 11 september. Nervous Phil vertelde een beetje over wat er zou kunnen worden gedaan om vooruitgang te boeken. Western Union had 12.000 vestigingen over de hele wereld, 1300 alleen al in Pakistan. Geen enkel land is belangrijker in de strijd tegen terroristen.

Iedereen knikte, gaf blijk van de heersende consensus, totdat een van de directeuren van Western Union iets te zeggen had.

Hij keek Tenet aan. 'Dit is wat mij zorgen baart,' zei hij. 'Als mensen de indruk krijgen dat Western Union een mondiale façade is voor de CIA, prijzen wij onszelf uit de markt.'

Tenet boog zich voorover en gooide zijn troefkaart op tafel.

'Ik weet dat we een heleboel vragen,' zei hij. 'Maar dit land is verwikkeld in een strijd om zijn overleving. Wat ik vraag is of u en uw bedrijf patriot willen zijn.'

Daarna ging het alleen nog maar over de logistiek.

Op een gegeven moment vroeg een hoge functionaris aan Tenet: 'Denkt u dat we Irak gaan binnenvallen?'

Tenet lachte. 'Het is een kans voor open doel.'

Die avond sprak de president van de Verenigde Staten – met een blauw pak en een pastelblauwe stropdas – de natie toe vanuit het Oval Office.

'Medeburgers, op dit uur verkeren Amerikaanse troepen en coalitietroepen in de eerste stadia van militaire operaties om Irak te ontwapenen, zijn volk te bevrijden en de wereld te beschermen tegen ernstig gevaar. Op mijn bevel zijn coalitietroepen begonnen met aanvallen op geselecteerde doelwitten van militair belang om Saddam Husseins vermogen tot oorlogsvoering te ondermijnen. Dit zijn de beginfasen van wat een brede en gezamenlijke campagne zal zijn.'

De oorlog in Irak was begonnen, het einde van een hoofdstuk van Amerika's complexe reactie op 11 september, en het begin van een nieuw hoofdstuk. Vanaf de eerste dagen na 11 september 2001 was het de vraag hoe een wijziging van regime in Irak kon worden geïntegreerd in de brede, maar toch enigszins ongerelateerde missie van de 'oorlog tegen terreur', dat wil zeggen het zoeken naar terroristen met de intentie en de mogelijkheden om de VS schade toe te brengen, en het tegenhouden van die mensen.

De volgehouden pogingen om een gaaf stuk werk af te leveren zouden worden gevolgd en gewaardeerd door de Amerikanen, ja, door mensen overal ter wereld: ze gingen democratie brengen in de roerige Arabische wereld, en een potentieel toevluchtsoord elimineren waar het terrorisme welig kon tieren (ook al waren ook Engeland, Pakistan en talrijke andere landen, van democratieën tot dictaturen, een toevluchtsoord voor terroristen). En ze zouden laten zien dat geen enkele leider constant het internationale recht en VN-mandaten kon schenden en daarmee wegkomen (hoewel dat veel leiders natuurlijk wel lukte). En ze zouden die massavernietigingswapens uit de handen van een dictator slaan (hoewel vele dictatoren, van Noord-Korea tot Iran tot Pakistan, veel omvangrijker arsenalen bezaten dan de voorraden waarover Saddam Hussein naar verluidt kon beschikken).

Uiteindelijk was het geen van deze dingen, maar wel een klein beetje van alles wat: een ongefundeerde positie, in veel opzichten net zoiets als de pogingen een diffuus en ongrijpbaar fenomeen te omschrijven als een 'oorlog tegen terreur'.

En toch dreef deze ongefundeerde deductie voor de regering op zekerheden die ze echter slechts zelden in het openbaar besprak. Een daarvan was, zoals al eerder vermeld, wat Rumsfeld in januari 2001 in een brief aan de president en de leiding van de nationale veiligheidsraad NSC als volgt verwoordde: 'Door de na de Koude Oorlog ingezette liberalisering van de handel in geavanceerde technologische goederen en diensten hebben ook de armste naties op aarde snel de meest destructieve militaire technologie, ooit ontwikkeld, kunnen verwerven, inclusief nucleaire, chemische en biologische wapens en de bijbehorende verbreidingsmiddelen. Wij kunnen ze daar niet van weerhouden.'

Die onmogelijkheid, de vruchteloosheid van al hun streven, werd de presidenten duidelijk gemaakt in talloze briefings na 11 september. Het kampvuur bij Kandahar, de antraxlaboratoria in Afghanistan en elders, en nu de mubtakar, een draagbare ramp, makkelijk te assembleren.

Die harde feiten kwamen slecht uit voor een andere sfeer van vruchteloosheid: een besef dat het Amerikaanse vasteland niet te verdedigen is. Ondanks de noodzakelijke en regelmatig in het openbaar afgelegde verzekeringen die dit ten stelligste bestreden, was er geen enkele topfunctionaris bij de overheid die aan juistheid van dit besef twijfelde. Als het niet anders kon, dan nog waagde niemand zich veel dichter in de buurt van het uitspreken van deze ontmoedigende waarheid dan Tom Ridge tijdens een hoorzitting van het Congres had gedaan: 'We kunnen hindernissen opwerpen om het ze moeilijker te maken, maar we kunnen ze niet tegenhouden.'

Al dit geglibber, deze cascade van harde waarheden en schamele opties leidde uiteindelijk toch tot een bepaalde reactie, op de avond van 19 maart, een reactie die als vanzelf voortvloeide uit de positie van beide mannen: Cheney en Bush.

Onderdeel van het manco van dit presidentschap is dat Cheney de mondiale denker van de twee is. Gewoonlijk vervult de president deze rol, zoals Nixon dat deed, of Reagan, die dagen aan een stuk kon praten over de geschiedenis en andere zaken van de Sovjets, of Clinton, Kennedy of Johnson. Bush heeft veelomvattende ideeën, waarvan sommige voortkomen uit krachtige persoonlijke of godsdienstige overtuigingen, zoals het brengen van vrijheid aan de wereld, of de verbreiding van de democratie, of de beëindiging van terreur. Dit zijn vormen van hoop, grootse idealen die overeenstemmen met de behoeften van veel mensen, maar het is geen politiek, of een keiharde inschatting van een natie en haar plaats in de wereld.

Die rol is de taak van Cheney. Dit feit, dat van meet af aan duidelijk was en des te duidelijker na de aanslagen van 11 september, bracht leiders in kringen van de regering en het Congres aan het twijfelen. Onder hen waren medewerkers van de CIA, een organisatie die het voordeel had, en het nadeel, dat deze officieel is opgericht om de opperbevelhebber te dienen als onpartijdige neutrale bemiddelaar, met geen enkele andere functie dan het verzamelen en analyseren van informatie die absoluut gegrond moet zijn in bewijzen. Deze president, die gedreven wordt door theorieën die voortkomen, zoals hij vaak zegt, uit zijn 'instinct', heeft niet veel behoefte aan zulke diensten. Cheney, die doet wat gewoonlijk de taak van de president is, is daarom – niet geheel terecht – de aangewezen persoon voor het ontvangen van deze diensten.

Terwijl het land in de eerste maanden van 2003 afkoerste op een oorlog, werd deze rolverwisseling manifest in een spottend grapje. Op dat moment had Cheney binnen de CIA als bijnaam 'Edgar', van de befaamde buikspreker Edgar Bergen, met als voornaamste aangever Charlie McCarthy, de rol die de president in dit geval impliciet zou toekomen. Dit doet hem geen recht, maar het is in ieder geval wel de halve waarheid.

De oorlog in Irak werd grotendeels gelanceerd vanuit de linkerhersenhelft van de vice-president. Het vooruitzicht dat Saddam Hussein vernietigingswapens zou kunnen hebben en ze aan een terrorist zou kunnen geven is inderdaad een 'gebeurtenis met een lage waarschijnlijkheid en een hoge impact' die, ondanks de schaarste aan harde bewijzen wat betreft vernietigingswapens of connecties met al-Qaida, absoluut zou voldoen aan de door Cheney vastgestelde drempelwaarde van een waarschijnlijkheid van één procent. En daarom, zo stelt de doctrine, moet deze kans in 'onze reactie' worden behandeld 'als een zekerheid'. De pennenlikkers die in de aanloop naar de oorlog zeurden over bewijzen of het ontbreken daarvan, hadden er niets van begrepen. Zoals Rumsfeld een jaar eerder tegen de NAVO-leiders had gezegd, kun je in zulke aangelegenheden nooit een 'absoluut bewijs' krijgen. Toen de president in juni 2002 op West Point zijn preventiedoctrine ontvouwde, was hij niet oprecht toen hij suggereerde dat een bewijs in de vorm van een tastbare dreiging nodig was om tot actie over te kunnen gaan. Niemand in zijn kleine kring van vertrouwelingen geloofde dat. 'Bewijzen verzamelen om een pleidooi voor oorlog te kunnen houden', viel onder public relations, onder marketing, niet onder research en development. Dit was een tot desoriëntatie en ontmoediging leidende notie waar CIA-analisten, en in zekere zin ook Collin Powell, voor terugdeinsden, iets waar ze liever niet naar keken. Of Cheney nu wel of niet last had van zulke vlagen van ontkenning, het was duidelijk dat hij met een dilemma zat en dat hij, met één voet op beide dwarsbalken, makkelijk om te rollen was. 'Rechtvaardiging, legitimiteit,' placht Cheney te zeggen, dat waren 'manieren van denken uit de Oude Wereld'.

De 'andere manier' van Cheneys doctrine was iets waarmee hij op gewaagde wijze het internationale recht tartte. Waar ooit een duidelijk waarneembare daad van agressie tegen Amerika of het nationale belang de drempelwaarde was voor een Amerikaanse militaire reactie, is nu zelfs het bewijs van een dreiging een al te beperkende norm.

Kortom, Amerika was klaar om handelend op te treden, met of zonder harde bewijzen, om iedere mogelijke uitdaging te verijdelen. Daarmee is het de taak van ieder land om, gewoon voor alle zekerheid, tot alle prijs zelfs te voorkomen dat ook maar de schijn wordt gewekt dat het niet achter de belangen van de vs staat. Sadam Hussein, die volgens Wolfowitz, Feith en aanhang een gemakkelijke prooi was, was simpelweg een demonstratiemodel om de nieuwe besluitvaardigheid van de vs te tonen en tevens hun postmoderne spelregels voor internationaal gedrag. Zo verander je het gedrag van anderen. Dat moet je doen, zoals elke gedragswetenschapper je kan vertellen, door het gewenste gedrag af te dwingen, keer op keer, ongeacht de dingen die het subject doet. Dan wordt het gewenste gedrag verinnerlijkt: het wordt een reflex, een impuls.

Op die manier win je tijd in een vruchteloze strijd, of het nu gaat om het stuiten van de onstuitbare verbreiding van vernietigingswapens of het buiten de deur houden van terroristen, al of niet gesteund door andere staten. Je kunt ze niet allemaal bevechten. Je moet de manier van denken veranderen van iedereen, overal.

En dat doe je door actie: continu, krachtig, onophoudelijk. Dat is de factor die het spel verandert, en het is ook het punt waar het karakter van George W. Bush zo goed aansluit op dit mondiale experiment in behavioristische gedragsverandering.

Je hebt een bepaald type leider nodig om deze methode te kunnen toepassen.

Onder de vele verhalen over hoe goed George W. Bush geschikt is voor een dergelijke taak, springt één nog nooit en plein public verteld verhaal er in het bijzonder uit. Het stamt uit zijn dagen als lid van jaargroep 1975 op de Harvard Business School, het moment waarop hij zich voor het eerst ontpopte als een complete volwassene. Op de Harvard Business School ontbrak het Bush, volgens interviews met een tiental jaargenoten, aan academische vaardigheden, maar had hij zeker geen tekort aan bravoure en ouderwets charisma. Hij onderscheidde zich in binnensporten en werd captain van het winnende basketbalteam van zijn jaar, dat speelde tegen een winnend team van de jaargroep onder hen, die van 1976. Het spande erom. De captain van het andere team, Gary Engle, een spiegelbeeld van Bush, atletisch, zelfde lengte en lichtelijk verstrooid, maakte aanstalten om te scoren. Bush gaf hem een mep, een elleboog in zijn mond, waardoor hij tegen het parket klapte. 'Wat doe jij nou, ben je gek geworden?' zei Engle, die het zich nog goed kan herinneren. 'Wil je soms op de vuist, wil je dat we allebei op de eerste hulp terechtkomen?' Bush glimlachte alleen maar.

Enkele ogenblikken later, aan de andere kant van het veld, sprong Engle hoog op voor een rebound, en voelde hij dat iemand zijn benen onder hem vandaan schopte. Weer Bush. Engle sprong op en gooide de bal in Bush' gezicht. De twee vochten met elkaar totdat de teams met toekomstige captains of industry boven op hun aanvoerders doken en ze uit elkaar trokken. Boos en gefrustreerd over wat er gebeurd was, begon Engle zich af te vragen waarom Bush dit eigenlijk gedaan had. Hij verloor zijn evenwicht, en zijn team verloor een aanvoerder.

Een paar jaar later liep Engle, die snel fortuin aan het maken was in de handel in onroerend goed in Florida, toevallig Jeb Bush tegen het lijf. Het was 1980, en de jonge Bush werkte samen met Armando Codina, een zakenman uit Miami die aan het hoofd stond van George W. Bush' campagne in Florida als Republikeins kandidaat voor het presidentschap. Engle, een donateur van de Republikeinse Partij, dacht af en toe nog wel eens aan die wedstrijd met George. Zoiets was hem echt nog nooit overkomen, en ook naderhand niet meer. Dit was zijn kans om er iets meer van te kunnen begrijpen. Hij vertelde het verhaal. Jeb lachte zo'n beetje, kan Engle zich herinneren. 'In Texas noemen ze jongens als George een "harde dobber". Het was ook niet makkelijk om zijn broer te zijn. Hij geniet er echt van om mensen in het stof te doen bijten.'

Cheney kwam met de doctrine, maar George W. Bush begreep intuïtief hoe hij die moest uitdragen. Een plotselinge klap zonder enige reden is beter dan een klap om een goede reden. Het maakt dat je tegenstander aan zichzelf gaat twijfelen. En dan gaat hij fouten maken.

Het is een gevaarlijke wereld. Het team tegenover je heeft bepaalde natuurlijke voordelen. Als je daar bang voor bent, moet je een manier bedenken om te maken dat zij bang voor jou zijn, en ze zo uit hun spel halen.

Twee dagen na zijn toespraak voor de natie, en terwijl Amerikaanse troepen op Bagdad af stormden, pakte George W. Bush zijn persoonlijke spullen voor een trip naar Crawford. Hij kreeg de Japanse premier Junichiro Koizumi op bezoek. Japan was een van de weinige grote landen die voorstander waren van de 'coalitie van bereidwilligen', zij het niet van harte. Ze zouden uiteindelijk zeshonderd manschappen sturen en een paar honderd miljoen dollar.

Hij moest Koizumi helpen begrijpen wat de Verenigde Staten en de beschaafde wereld te wachten stond en waarom ze iets ingrijpends moesten doen, misschien wel iets bewust irrationeels, om het gedrag van Amerika's vijanden te veranderen, om ze aan zichzelf te doen twijfelen, ze met geweld uit hun spel te halen.

Waarom was dit zo noodzakelijk? Hij nam de mubtakar mee. Dan kon Koizumi zelf zien met wat voor vijand ze te maken hadden. Als dat niet hielp... *Je hoeft er alleen maar naar te kijken.*

Alom wordt erkend dat de VS totaal geen belangrijke menselijke bronnen of, in het jargon van de inlichtingendiensten, 'humint-activa' hebben binnen al-Qaida.

Dat is niet waar.

Dat wil zeggen, begin 2003 was het niet waar. Er was een bron in Pakistan die nauw verbonden was met de top van al-Qaida.

Laten we hem Ali noemen.

Het is geen verrassing dat Ali een complexe figuur was. Hij geloofde dat bin Laden vermoedelijk een fout had gemaakt door Amerika aan te vallen. Dit was geen ongebruikelijk sentiment onder hogere medewerkers van de organisatie. Het is zelfs onderwerp van periodiek terugkerende interne discussies volgens veel in deze periode opgepikte sigint. Bin Ladens oorspronkelijke calculatie was dat Amerika ofwel zou reageren op de aanslagen, of dat de reactie zou inhouden dat een nieuw leger, het Amerikaanse leger, spoedig zou wegzinken in een Afghaans moeras. Maar dat was niet gebeurd. Ondanks de fout die de Amerikaanse strijdkrachten hadden gemaakt doordat ze bin Laden, Zawahiri en de meeste topmensen van de organisatie hadden laten ontsnappen, waren ze er toch in geslaagd om de Taliban omver te werpen en al-Qaida uit zijn schuilplaats te verjagen. De groep was nu verstrooid. Enkele leiders en vele gewone soldaten waren opgepakt of gedood. Zoals bij elke organisatie kwamen er na verloop van tijd toch twijfels op.

Dat gaf een opening. Die ontevredenheid was voldoende om te kunnen beginnen met het bewerken van enkele potentiële informanten. Het was een operatie van relaties opbouwen die, ondanks Cofer Blacks vermaning, het traditionele Europese spionagehandwerk weerspiegelde. Bouw gemeenschappelijke banden op. Toon sympathie voor de zorgen van je bron. Ontwikkel vertrouwen. Terwijl al-Qaida rekruten gereed waren voor het martelaarschap, was dat iets waar de hogere rangen weinig trek in leken te hebben. Zoals een CIA-manager zei: 'Meesterbreinen zijn te waardevol voor het martelaarschap.' Wat Ali's drijfveren ook geweest mogen zijn, zijn rapportages van de voorgaande zes maanden waren bijna altijd juist geweest, inclusief informatie die tot diverse arrestaties had geleid.

Nu, eind maart 2003, zat de CIA klem. De Saudi's klaagden dat ze geen gevangenen konden vasthouden zonder enig bewijs van dingen die ze verkeerd hadden gedaan. Het trio dat een directe band had met de mannen uit Bahrein konden ze nog maar een paar weken extra vasthouden. Drie mannen van een van de twee Saudische trio's hadden ze ook al vrij moeten laten. Ze hadden geen enkel bewijs tegen hen.

Het was tijd om Ali erbij te halen.

Zijn contactpersoon benaderde hem via een ingewikkelde serie signalen, waarna er een afspraak werd gemaakt. De CIA-medewerkers gaven hem de namen van de gevangenen in Saudi-Arabië en

Bahrein, en ze vertelden hem ook over het bestaan van de schema's voor de mubtakar.

Ali zei dat hij misschien kon helpen. Hij zei tegen zijn CIA-contactpersoon dat een Saudische radicaal in januari 2003 Zawahiri had bezocht. De man runde het Arabische schiereiland voor al-Qaida en een van zijn aliassen was 'Snel Zwaard'. Ali zei dat de naam van deze man Yusef al-Ayeri was.

Eindelijk hadden de Amerikanen nu een naam voor Snel Zwaard, die zowel ongrijpbaar als alom aanwezig was en geregeld in de sigint opdook.

Dit zorgde voor opgetogen jubelkreten – een raadsel opgelost, een zaak gekraakt –, vemengd met kreten van pijn. Al-Ayeri hoorde bij het groepje Saudische mannen die vrijgelaten waren. Ze hadden hem gehad. De Saudi's hadden hem laten gaan.

Maar wat Ali zijn Amerikaanse contactpersonen nog meer vertelde, zou een direct effect hebben op de Amerikaanse politiek en zorgen voor jaren van discussie binnen het Witte Huis.

Hij zei dat al-Ayeri aan al-Zawahiri was gaan vertellen dat er in de Verenigde Staten een complot bestond. Het ging om een aanslag met waterstofcyanide, gericht op de ondergrondse in New York. De leden van de cel waren in het najaar via Noord-Afrika naar New York gereisd en ze hadden de locaties voor de aanslagen grondig verkend.

Het te gebruiken middel zou de mubtakar zijn. Er zouden er verschillende geplaatst worden in metrowagons en op andere strategische plaatsen. Ze zouden op afstand geactiveerd worden.

Dit was allemaal al een paar stappen verder dan plannen maken en voorbereidingen treffen. De groep was operationeel.

Er restten nog vijfenveertig dagen tot het uur nul.

En toen vertelde Ali zijn contactpersoon iets dat medewerkers van de inlichtingendienst sprakeloos en verscheurd achterliet. Al-Zawahiri had de aanslag gecanceld. Ali wist niet precies waarom. Hij wist alleen maar dat al-Zawahiri hem had afgelast.

Daarna bood Ali een inkijk in de structuur van islamitische terroristische netwerken zoals die zich momenteel ontwikkelde. De Saudische groep in de VS werd slechts losjes aangestuurd door al-Ayeri, of al-Qaida. Ze waren onderdeel van een veel groter geheel van zichzelf activerende cellen over heel Europa en in de Golf, die verbonden werden door een ideologie van radicalisme en geweld, en van genegenheid voor bin Laden. Ze waren aan elkaar gelieerd, niet hecht verbonden in een bredere al-Qaida-structuur, maar wel alert op de wensen van bin Laden of Zawahiri. Al-Ayeri had Zawahiri's boodschap overgebracht aan de leden van de Amerikaanse terreurcel. Die trokken zich terug.

Tijdens volgende dagen waren er teams van CIA-voorlichters, analisten en medewerkers in het Oval Office aanwezig. De president en de vice-president zaten in de twee hoge leunstoelen, beiden met hun rug naar de open haard.

'We moeten dit uitzoeken,' zei Bush, 'hoe lang het ook mag duren. We moeten hier greep op krijgen.'

Eerst een nachtmerrieachtig wapen, draagbaar, makkelijk te bouwen, dodelijk.

En nu dit: het bewijs van een werkelijk operationele aanslag op Amerikaanse bodem, de eerste sinds 11 september. Mubtakars in de Newyorkse ondergrondse? Terwijl de vragen oprezen en rond wervelden, had iedereen continu rampenscenario's in zijn achterhoofd, beelden van paniek in de metro van New York.

De vice-president had een verbeten gezicht. 'De vraag is: waarom heeft Zawahiri die aanslag gecanceld? Wat zegt dit over de strategie van al-Qaida?'

Bush onderbrak hem. Hij was meer geïnteresseerd in Ali.

'Waarom werkt die vent met ons samen? Dat begrijp ik niet.'

De CIA-analisten probeerden tot een antwoord te komen. Beide vragen op zich waren duidelijk kenmerkend voor de vragenstellers en voor hun onderlinge relatie. Cheney zoekt doorgaans naar de brede ideologische overkapping, naar een coherent systeem van ideeën dat een kader vormt voor intenties en handelingen. Bush benadert het van de andere kant en zoekt naar een manier om veelomvattende, vaak complexe zaken intens persoonlijk te maken.

Hij verbindt ze met zijn intuïtie, zijn instinct voor snelle besluiten. Wie zijn mijn tegenstanders? Wat is hun aard, hun karakter? Wat doen we met ze?

En zo gingen ze rond. Veel vragen waren eenvoudig niet te beantwoorden.

Bush richtte zich nu sterk op de spelers. Nu de VS ten slotte de identiteit van Snel Zwaard kenden, waar konden ze hem dan inpassen? CIA-analisten gaven uitleg over een driehoek van relaties, en ze vertelden dat al-Ayeri opgepakt was en daarna weer vrijgelaten. 'De Saudi's wisten niet wat ze in handen hadden.' Maar doordat de identiteit van al-Ayeri nu vaststond, kon de CIA verbanden leggen tussen de Saudische chef van al-Qaida en de Saudische groep die nog in hechtenis zat. De Amerikaanse cel, verblijfplaats onbekend, was met beide verbonden.

Bush, nu in de tactische modus, zette ze onder druk. 'Wie kwam er naar New York?' En: 'Zijn ze nog hier, ergens?'

Het antwoord van de CIA-voorlichters: 'Wij weten het niet.'

Terwijl Bush dieper begon te graven, probeerde Cheney het gesprek een nieuwe richting te geven. Had Zawahiri de aanslag gecanceld omdat de VS te veel druk uitoefenden op al-Qaida? 'Of is het omdat hij het idee had dat dit niet genoeg was voor een "tweede golf"?' vroeg Cheney. 'Heeft hij het daarom afgelast? Omdat het niet genoeg was?'

De band met beelden van een catastrofe, die nog steeds onzichtbaar in ieders hoofd draait, gaat nu richting rekensommen. Tien metrowagons in het spitsuur, tweehonderd mensen in een wagon, nog eens duizend vertrapt in de ondergrondse door paniek tijdens het spitsuur als het gas zich verbreidt door het hele station. Evenveel doden als op 11 september, nu met een aanval met massavernietigingswapens, die door de lucht een massale, catastrofale en verwoestende angst verspreiden?

Niet genoeg voor een tweede golf?

'Ik bedoel, dit is erg genoeg. Wat zegt het cancelen hiervan over wat ze nog meer van plan zijn?' barstte Bush los. Hij had zijn ogen wijd opengesperd, en hij balde zijn vuisten.

'Wat zou de grotere operatie kunnen zijn die Zawahiri niet in het honderd wilde laten lopen?'

HOOFDSTUK 7

Gesprekken met dictators

Wat het betekende het dat Moammar Kaddaffi's mannen in maart toenadering zochten in verband met ontwapening, juist op een moment dat Amerikaanse troepen zich verzamelden in de Perzische Golf om een schurkenstaat binnen te vallen?

Toonde het aan dat het experiment in gedragsverandering werkte, dat een wetteloze staat bereid was zich aan te passen aan Amerika's nieuwe spelregels en aan zijn nieuwe orde?

Of was het een zaak van planning: dat na vele jaren eenvoudig het moment was gekomen voor Libiës volgende en wellicht laatste stap in de richting van zijn terugkeer naar de gemeenschap van naties?

Duidelijk was het volgende: Kaddaffi's chef van de inlichtingendienst, Musa Kousa, nam contact op met de Britse overheid. Zijn zoon, Saif al-Islam, belde ook. De eerste contacten volgden een paar weken voordat de invasie van Irak werd aangekondigd, op 19 maart. De boodschap bereikte Tony Blair: Kaddaffi *himself* was bereid om te praten met vertegenwoordigers van de vs en Groot-Brittannië.

Blair belde Bush.

Bush vertelde het tijdens een ochtendbriefing aan Tenet.

En Tenet vroeg om een dag of twee respijt om de onthulling te verwerken en een plan de campagne op te stellen. Kaddaffi zelf? Dat was bemoedigend.

Hoewel niet echt verrassend.

Ontwapening was het doel geweest van lange, geduldige gesprekken, nog stammend uit de tijd van geheime onderhandelingen tussen de vs in Libië in 1992 over de crash bij Lockerbie, later gevolgd door Bandars aanbod aan Tenet en McLaughlin in 1998 in

Jeddah, tot en met Ben Bonks liaison met Musa Kousa over inlichtingenzaken in de maanden na 11 september 2001.

De gesprekken van Bonk en Kousa waren vruchtbaar, maar ze vonden wel plaats buiten het traject van de cruciale dialoog over een definitieve regeling met de Lockerbie-families. Dat moest eerst worden afgehandeld, kwamen de Amerikaanse en Britse diplomaten overeen. Het moest van tafel worden gehaald voordat ze konden beginnen met serieuze onderhandelingen over de ontwapening van Libië. 'Het moest stap voor stap worden afgewerkt,' zei een hoge functionaris van Buitenlandse Zaken die betrokken was bij de gesprekken. 'Het was niet de bedoeling dat deze families en hun financiële compensatie vermengd werden met de ontmanteling van productiefaciliteiten voor chemische wapens.' Die eerste stap werd in alle stilte afgerond in mei 2002. Niet dat dit de families echt zou troosten, of bij hen de woede en het verdriet zouden wegnemen die bijna vijftien jaar lang de motor achter de sancties tegen Libië waren geweest. Maar goed, het was toch geld. Elke familie van een Lockerbie-slachtoffer zou 10 miljoen dollar ontvangen uit een Libisch compensatiefonds van in totaal 2,7 miljard dollar.

Tenet nam de onthulling van de president over een mogelijke volgende stap mee naar Langley, en de dienst maakte zich gereed. De 'oorlog tegen terreur' is 'een intens persoonlijke onderneming', had Tenet gezegd op de hoorzittingen van het Joint Intelligence Committe van het afgelopen najaar. Hij had benadrukt dat relaties in deze strijd bijna even belangrijk waren als de traditionele bondgenootschappen tussen naties en legers in een conventionele oorlog. Wie kent wie? Wie heeft een basis van vertrouwen opgebouwd? Ben Bonk ging in januari 2002 weg bij de CTC om hoofd te worden van de Midden-Oosten afdeling van het directoraat inlichtingen van de CIA, en om op te treden als voornaamste schakel tussen de Libiërs en Musa Kousa. Hij werd herplaatst, zoals dat heet in kantoorjargon. In de loop van 2002 sprak de CIA niet veel met de Libiërs.

Dat zou spoedig veranderen. Tenet kwam snel terug naar het Oval Office met een man die deze job aankon. Zijn naam was Steve Kappes, een gerespecteerde man van de praktijk met tweeëntwintig jaar ervaring bij de geheime dienst, voormalig footballspeler en marinier, een man met een kaarsrechte rug, een zachte stem en een talent voor spitse verbale precisie. Hij was op dat moment toegevoegd onderdirecteur operaties, nummer twee van het DO, het directoraat operaties, en hij werd klaargestoomd om Jim Pavitts job over te nemen.

Bush, Cheney, Tenet en Kappes spraken in de loop van de daaropvolgende dagen over enkele complexe onderdelen van de ontwapeningsonderhandelingen met de Libische leider. Iedereen zag mogelijkheden, maar ook gevaren. Onderhandelen met Kaddaffi zou een grote uitdaging betekenen. Hij had de absolute macht in Libië en kon een situatie, en de mensen onder hem, naar believen naar zijn hand zetten. Zijn verzekeringen, als hij die al zou geven, zouden wellicht moeilijk te verzilveren zijn.

Vooral Cheney liet zich sceptisch uit. Hij dacht aan de brede, onuitgesproken Amerikaanse strategie van gedragsverandering bij soevereine staten door middel van het gebruik van Amerikaans geweld. Kaddaffi 'had zich lange tijd slecht gedragen', zei Cheney, en 'het is niet de bedoeling dat slecht gedrag beloond wordt' met een overeenkomst of de suggestie van algehele vergiffenis.

Bush zag Kaddaffi's aanbod als een bewijs dat 'Irak' inderdaad een *game changer* was, een factor die het spel veranderde. Waarop hem gezegd werd dat er geen duidelijk oorzakelijk verband was. 'Irak' had er misschien op bescheiden wijze aan bijgedragen, maar als de Verenigde Staten er niet al die tijd op gehamerd hadden dat eerst de financiële regeling moest worden afgerond, voordat ze over ontwapening konden gaan praten, had Kaddaffi deze stap misschien al jaren geleden genomen. De specifieke details van dit extreem geheime thema en ook de timing van Kaddaffi's toenaderingpogingen waren op zich al veelzeggend genoeg, wat de achterliggende realiteit ook was. De president zei dat het het allerbelangrijkste was, 'dat dit proces ons iets concreets oplevert'. In dat geval zou er namelijk een verklaring kunnen worden afgelegd dat de nieuwe Pax Americana werkte, met Libië als bewijs. Dat alleen zou effect hebben op het gedrag van anderen. Het was niet louter een kwestie van presentatie. Het was het doel waar alles om draaide.

Opgetogen bij het vooruitzicht dat Libië zou toegeven, concentreerde Bush zich op de persoonlijkheden. Hij mocht Kappes onmiddellijk erg graag: het leek hem een man die niet gauw onder de indruk of makkelijk omver te blazen was. Dat zouden belangrijke kwaliteiten zijn, dachten zowel Bush als Tenet, als hij tegenover de praatzieke, megalomane Kaddaffi kwam te zitten.

Ook was Kappes duidelijk een man die een geheim wist te bewaren.

Daarom vertelde Bush hem een geheim. Niemand van Buitenlandse Zaken of Defensie, zelfs niet Rumsfeld of Powell, mochten iets weten van dit belangrijke initiatief. Niemand.

'Beleidvormingsproces' is een van die nietszeggende statische termen waaronder enkele uiterst dynamische ideeën over zelfbestuur schuilgaan.

Een eerste beginsel is dat definitieve beslissingen en de verantwoordelijkheid daarvoor weliswaar bij de president berusten, maar dat zijn taak op heel veel dagen veel meer omvat dan enig individu ook maar een beetje redelijk kan afhandelen. Deze zogeheten 'schaaldilemma's' vormden de afgelopen decennia een acute zware belasting voor het proces van analyse en overleg over vraagstukken die toch in hun totaliteit aan de president moeten worden gepresenteerd, zodat hij er een besluit over kan nemen. De bewakers van dit proces zijn vaak de presidenten zelf. De lasten van het leiderschap, met zo veel beslissingen over zo'n ontzettend breed scala van binnenlandse en buitenlandse problemen, dwingen presidenten ook alert te zijn op de gang van zaken in de geledingen onder het niveau van hun hoge ambt. Krijgen ze inderdaad alle gezichtspunten te horen? Zijn de voornaamste feiten bekend, of kenbaar? Krijgen ze een geconcentreerd distillaat van keuzes en consequenties? Op dit punt is de vrees dat ze een fout zullen maken, fouten die ze hadden kunnen vermijden, voor hen een uiterst krachtige drijfveer.

Nergens heerst deze vrees sterker dan op het gebied van de buitenlandse politiek. Binnenlandse problemen zijn zeker belangrijk, maar ze hebben wel een plastisch, beheersbaar en vooral herkenbaar karakter, omdat ze doorgaans worden verwoord in het vertrouwd politieke idioom. Maar de gedragingen van Amerika in het buitenland – een domein dat absoluut thuishoort binnen de huidige definities van de uitvoerende macht – hebben extra gewicht. Fouten op dit gebied kunnen het verschil betekenen van leven en dood op een grote schaal.

Daarom werden aan het begin van de regering Bush vele leden van het establishment van Buitenlandse Zaken in verwarring gebracht doordat het traditionele beleidsvormingsproces opeens leek te worden beschouwd als veeleer riskant dan productief. In dat traditionele proces had je de beleidsafdelingen op diverse departementen die rapporten schreven en vervolgens herschreven, parallel aan de weg naar boven die de betreffende vraagstukken aflegden via commissies van assistenten en vervolgens adjunct-directeuren, tot aan de hoogste leiding van de nationale veiligheidsraad NSC.

Powell en zijn oude vriend en collega, plaatsvervangend minister van Buitenlandse Zaken Richard Armitage, klaagden in het bijzijn van Bush, Cheney en Rice dat het beleidsvormingsproces te zeer verbrokkeld was, dat het erg riskant was om dat niet te herstellen en dat de president op deze manier uiteindelijk niet zou kunnen beschikken over de evenwichtige adviezen die hij nodig had en verdiende.

Veel werd er niet gedaan. En de schuld lag in Powells ogen vaak bij Rice, omdat ze haar werk niet deed – haar werk dat hij van nabij kende –, of bij Cheney, omdat hij de dialoog over de buitenlandse politiek monopoliseerde voor zijn eigen doeleinden.

Maar in het voorjaar van 2003 werd langzamerhand duidelijk dat de manier waarop het beleid wel of niet werd doorgelicht binnen het Witte Huis in het verlengde lag van de leiderschapsstijl van George W. Bush. Een president, zo wordt vaak gezegd, krijgt het Witte Huis dat hij wenst en verdient.

George W. Bush had in dit opzicht een hele ontwikkeling doorgemaakt: van de eerdere president van vóór 11 september die weinig greep had op buitenlandse zaken en op dat gebied maar weinig belangrijke beslissingen had genomen, naar de president van na 11 september, die Amerika's uitdagingen op het gebied van de buitenlandse politiek tegemoet was getreden met een besluitvaardigheid geboren uit een soort exceptionele, op diepe overtuiging gebaseerde en door hemzelf voortgebrachte en in stand gehouden persoonlijke zekerheid. In feite veranderde er nooit veel in het beleidsvormingsproces. Vraagstukken die vaak luidruchtig werden bediscussieerd op het niveau van onderministers en directies schenen slechts zelden in hun meest complete vorm boven te komen drijven op het bureau van de president. En als dat wel het geval was, was het vaak nadat de Bush al een besluit leek te hebben genomen op basis van wat zo vaak zijn 'intuïtie' of 'instinct' werd genoemd. Naderhand, toen Armitage en Powell hun ambt al hadden neergelegd, vatte Armitage het op zijn bekende ietwat botte manier als volgt samen: 'Er was geen enkel beleidsvormingsproces dat verbrokkeld kon worden, noch door Condi, noch door iemand anders. Er was van het begin af aan helemaal geen beleidsvormingsproces. Bush wilde dat niet, om wat voor reden dan ook. Het is er nooit van gekomen.'

Van de vele redenen waarom de president deze weg is ingeslagen, hangt de meest veelzeggende wellicht samen met George Bush' geloof in zijn eigen zekerheid en, vooral na 11 september, zijn behoefte om het vermogen tot het afdwingen daarvan te beschermen in de confrontatie met een overweldigend complexe werkelijkheid. Zijn kijk op goed en kwaad, en op gerechtvaardigde acties zoals het aanvallen van het kwaad of het verspreiden van 'het godsgeschenk' van de democratie, werd ondergraven door het soort traditionele genuanceerde analyses die de hoofdschotel hadden uitgemaakt van het menu van de meeste presidenten. De traditionele dag van deze president begon met een bijbellezing bij het aanbreken van de dag, gevolgd door gymnastiek, ontbijt en de briefings over buitenlandse en binnenlandse gevaren, onder leiding van respectievelijk Tenet en Mueller. In dit model was de harde complexe analyse vaak niet meer dan een bijgerecht dat door de filters van Cheney of Rice was gegaan, of helemaal niet werd opgediend.

Dit was een nieuwe wending met betrekking tot Cheneys aloude ideeën over het 'beveiligen' van presidenten tegen bepaalde informatie, en het legde een unieke last op de schouders van de vice-president, de onmisbare nummer twee, namelijk dat hij presidentieel moest handelen als het ging om het vellen van uitermate belangrijke oordelen op het gebied van de buitenlandse politiek.

Maar tegelijkertijd gaf dit Bush bepaalde unieke voordelen. Met minder mensen die bijdroegen aan de feitelijke besluiten, kon een striktere geheimhouding worden gehandhaafd, waardoor de mogelijkheid van lekken sterk werd gereduceerd. Vlot genomen besluiten waarmee overleg over details werd vermeden of genegeerd, konden onmiddellijk worden geïmplementeerd, wat het tempo van uitvoering ten goede kwam en bevorderlijk was voor een gewenste nadruk op het 'hoe', in plaats van het ingewikkelder 'waarom'.

Wat Bush voor of tijdens het nemen van een kernbesluit zelf wist, bleef grotendeels een goed bewaard geheim. Slechts een klein groepje – Cheney, Rice, Card, Rove, Tenet, Rumsfeld – kon dit zegel verbreken. De daaropvolgende kring van mensen met kennis uit de eerste hand van woorden of gedachten van de president, bijvoorbeeld Mueller of Wolfowitz, McLaughlin of Feith, kreeg al meteen in het begin van de regeringsperiode van Bush de volgende overduidelijke waarschuwing: iets dat in aanwezigheid van de president is gezegd mag nooit meer worden gehoord, door niemand. Overtredingen konden worden bestraft met blijvende verbanning.

Dit strak gehandhaafde arrangement zorgde voor leemtes op diverse gebieden. Functionarissen op kabinetsniveau, zoals Paul O'Neill bij Financiën, of Colin Powell, of de gevolmachtigde van de milieudienst EPA (Environmental Protection Agency) Christine Todd Whitman klaagden dat ze 'niet wisten wat de president dacht', wat het moeilijk voor hen maakte om zijn opdrachten uit te voeren. Ze zeiden dat ze graag de achterliggende beweegreden wilden weten, en als er een duidelijke beweegreden was, wilden ze weten of ze dan daadwerkelijk dat beleid moesten verdedigen. Maar wie uiting gaf aan een dergelijk verlangen naar een meer traditioneel en transparant beleidsvormingsproces, onder actief voorzitterschap van de president, bleek algauw beschuldigd te kunnen worden van een gebrek aan loyaliteit op. Onder het niveau van de kabinetsfunctionarissen begonnen vooraanstaande deskundigen op diverse gebieden, wetend dat hun diensten door hun hoogste baas niet op prijs werden gesteld, de overheidsdienst te verlaten in en na 2003.

Nuchtere plichtsbetrachting, met een oog voor de manier waarop voorgaande regeringen dachten over een standaardrepertoire van uitdagingen voor de vs, creëert in feite een soort rem op de uitvoerende macht en zijn prerogatieven. Hoewel de 'permanent aanwezige overheid' alom werd en wordt beschimpt door politici van alle kleuren, zorgt de langdurige, van jaar tot jaar volgehouden consistente spanningsboog van het publiek gevoerde debat over de grote beleidsvraagstukken ervoor dat het Amerikaanse schip van staat niet meer dan een paar graden van koers verandert, in wat voor richting dan ook – iets wat van grote waarde is, omdat een al te abrupte koerswending van de enige supermacht ter wereld de hele planeet in beroering kan brengen.

Maar ook op dit punt is er een verschil tussen de huidige regering en haar voorgangers: de omarming van 'constructieve instabiliteit'. Dat is de uitdrukking die door verschillende topfunctionarissen wordt gebruikt met betrekking tot Irak. Het is een term die geworteld is in neoconservatieve ideeën van vóór 11 september over de noodzaak van een nieuwe, gespierde, ongebonden Amerikaanse opstelling. Een gedachte die snel aanhang won nadat de aanslagen alles van voor 11 september gemakkelijk hadden gereduceerd tot stoffige geschiedenis. Het verleden had niet veel meer te betekenen, evenmin als de op oorzaak en gevolg gebaseerde overwegingen in de oude stijl, of de precedenten waar iedereen het over eens was. Hetzelfde gold voor mensen met kennis van belangrijke documenten over beleidsvorming, overeenkomsten tussen naties of reeds lang bestaande regelingen die het mondiale krachtenveld mede gestalte hadden gegeven.

Wat bij gebrek aan beter wel van belang werd geacht, was het 'instinct' van de president dat Amerikanen door het nieuwe krachtenveld van na 11 september moest loodsen, een leiderschapsstijl die zich kon ontplooien in kleine kringen van vertrouwelingen.

Het ongebonden Amerika werd vanzelfsprekend geleid door een ongebonden president.

Ongebonden, en vrij van de conventionele strikken van verantwoordelijkheid. Zonder de noodzaak van enig bewijs dat allerlei overwegingen in volle vergaderzaaltjes ooit rechtstreeks door hem, de president, waren gehoord, was hij nu dus vrij om zelf creatief 'verhalen' in elkaar te zetten over allerlei initiatieven, zodra die waren afgerond.

En zulke creatieve kansen zouden de twee belangrijkste experimenten op het gebied van ontwapening van elkaar onderscheiden. Het ene, ratelend op weg naar Bagdad, kostte vooraf een jaar van pijnlijk, geprikkeld intern overleg, een debat dat uiteindelijk kon worden beteugeld door dubieuze conclusies die ondersteund werden door hevige druk, loyaliteit en controle op uitgaande boodschappen. Betrokkenen waren de 150.000 mannen en vrouwen van de Amerikaanse strijdkrachten, een behoedzaam hoopvolle Amerikaanse natie, de inwoners van Irak en de bezorgde rest van de wereld. Bij het andere experiment waren genoeg mensen betrokken om het Oval Office zo vol te laten lopen dat er nog maar enkele stoelen vrij waren.

Hoewel de onderhandelingen met de Libiërs al bijna tien jaar gaande waren, zou Bush als enige finishen... om ervan te maken wat hij wilde, wat hij nodig achtte.

'We houden dit compleet onder de pet,' zei Bush, toen Kappes zich klaarmaakte voor een reis naar Tripoli. 'Niemand weet ervan.'

Na anderhalf jaar intensief speurwerk van denkers en doeners, van analisten en mensen in het veld, dag en nacht doorwerkend in Amerika en elders, had men eindelijk een topbestuurder van al-Qaida, een echte chef, in Amerikaanse verzekerde bewaring, klaar om te worden verhoord.

Khalid Shaikh Mohammed was de prijs, het doel, het theoretisch model, zelfs bij afwezigheid, voor de rechtvaardiging van 'buitengewone maatregelen'.

'Vertwijfelde maatregelen' is misschien een juistere term, en des te vertwijfelder gezien het mislukken van de ondervraging van de twee andere belangrijke figuren die ze hadden opgepakt.

Nu de CIA dagelijks rapporten ontving over wat er gedaan werd met KSM en hoe weinig informatie dat opleverde, barstten in Langley de discussies op de zevende verdieping los.

Op een vijf uur-bijeenkomst in april kwam Buzzy Krongard met de volgende vraag op de proppen: 'Wat hebben we tot nu toe geleerd en wat zouden we anders kunnen doen?' Wat hadden ze geleerd? 'Er was een wat onwillige professionele bewondering voor de hardheid van deze mensen,' memoreerde Krongard naderhand.

'Het waren echte soldaten. Ze gingen door de hel. Ze gaven weinig, heel weinig toe.'

Dat gold vooral voor de meeste waardevolle gevangene op KSM na: Ramzi bin al-Shibh. In de zes maanden na zijn arrestatie was hij blootgesteld aan bedreiging met de dood, gesimuleerde verdrinking, behandeling met hitte en kou, slapeloosheid, herrie, en opnieuw doodsbedreigingen. Niets werkte. Verscheidene CIA-medewerkers hadden voorgesteld om hem te bedreigen met desinformatie: als hij er niet toe overging om met hen samen te werken, zouden ze het gerucht verbreiden dat hij compleet geflipt was, dat hij nu enthousiast samenwerkte met de VS, geld en goederen had ontvangen en druk doende was zijn voormalige collega's erbij te lappen. De CIA zou documentatie samenstellen over zijn assistentie en hem de eer gunnen van inlichtingen die langs andere weg verkregen waren, wat misschien een gewelddadige reactie zou uitlokken van de kant van al-Qaida en zijn aanhangers, gericht tegen familie en vrienden van Ramzi bin-al-Shibh. Uiteindelijk besloot de dienst dit niet te doen, omdat ze dan in wezen de familie van hun gevangene zouden bedreigen om hem tot praten te dwingen.

Terwijl het bin al-Shibh lukte zijn ondervragers er langzamerhand van te overtuigen dat hij minder wist dan zij dachten, was er bij KSM geen sprake van zulke vertragingen. Hij wist alles, inclusief de verblijfplaats van bin Laden en Zawahiri, en de voortgang van veel actuele operaties.

In de eerste paar weken van intense verhoordruk is de meest effectieve methode slapeloosheid. Na een paar dagen zonder slaap zal iemand bijna alles zeggen, om er vanaf te zijn. KSM beschreef in een soort roes diverse complotten die in een voorbereidende fase waren, waaronder de eventuele kaping van andere vliegtuigen tijdens een aanslag in Los Angeles in 2002. Er waren nog andere door hem vermelde complotten die nooit verder gekomen waren dan het stadium van het praten over de voorbereidingen. En op een gegeven moment zei hij: 'Er is een man in Londen met de naam al-Hindi.' Dat was het. Alle onderdelen van de inlichtingengemeenschap en iedere bondgenoot van Amerika in de informatieoorlog, te beginnen met Groot-Brittannië, kregen een alarmerende waarschuwing te horen over iemand 'met de naam al-Hindi'. Niet dat er veel was losgelaten met die ene zin. Niemand haalde er ook maar één bruikbare aanwijzing uit.

Maar terwijl er dagen van loodzware stilte verstreken en de ondervragers hun dunne dagelijkse rapportjes naar Langley stuurden, nam de spanning toe. Op veel dagen placht Bush tijdens de ochtendbriefing aan Tenet te vragen: 'Wat krijgen we te horen van KSM?' Tenet moest dan wel zeggen: niet veel bijzonders. En dan stelde hij de volgende dag weer dezelfde vraag.

Dit is hoe keer op keer grenzen worden opgerekt. De president of de vice-president geeft herhaaldelijk uiting aan een wens of behoefte ten overstaan van een topfunctionaris. Het is duidelijk dat geen van deze twee gekozen functionarissen veel wil weten over het 'hoe.' Ze willen gewoon dat het gedaan wordt, dat de klus geklaard wordt en dat ze dingen doen, zoals de president vaak tegen topmedewerkers zei, 'waarvan jullie dachten dat jullie er niet toe in staat waren'.

Met zulke aanmaningen zouden de VS in een onvoorstelbaar duistere ethische afgrond belanden.

De kinderen van KSM, een jongetje van zeven jaar en een meisje van negen jaar, zaten ook in Amerikaanse verzekerde bewaring. Ze waren vorige september opgepakt bij de bestorming van het safe house in Karachi. Vanuit Langley werd er een boodschap doorgegeven aan de verhoorders die zich bevonden in een geheim detentiecentrum in Thailand waar KSM werd vastgehouden werd: doe alles wat jullie nodig vinden.

Volgens verschillende voormalige hoge CIA-medewerkers zeiden de ondervragers tegen KSM dat ze zijn kinderen pijn zouden doen als hij niet meewerkte. Zijn antwoord, volgens een CIA-medewerker die goed op de hoogte was: 'Het kwam erop neer dat hij zei: Mooi, dan kunnen ze zich bij Allah voegen, op een betere plaats.'

Het traditionele model van ondervraging, zowel door FBI als CIA gebruikt, draaide om het opbouwen van een relatie, hoeveel tijd en moeite dat ook kostte. Het is de behoefte aan enig menselijk contact, enig basaal comfort, en niet domweg de bodemloze menselijke angst, die uiteindelijk triomfeert. Het voorgaande leven van de gevangenen begint te vervagen en wordt langzaam vervangen door een leven dat op vaak ingenieuze wijze wordt opgebouwd door de mensen die hem gevangen hebben genomen. Deze methode, die de FBI nog steeds aanbeveelt, werd onmogelijk gemaakt door wat ze met KSM deden. Dat is de gok. Zodra je zoiets afschuwelijks doet zoals iemands kinderen bedreigen, en het werkt niet, dan kun je verder geen kant meer op.

Avi Dichter, hoofd van Shin Bet, de Israëlische inlichtingendienst, was iemand die voor veranderingen zorgde, en zo vervulde hij een belangrijke gastrol in Amerika's oorlog tegen terreur. Op de middag van 11 september had Dichter zijn goede vriend Tenet gebeld en gezegd: 'We zijn klaar om alles te doen wat we kunnen om Amerika te helpen, George. Het is net alsof we zelf getroffen zijn.'

Tijdens die vele reizen naar Amerika die hij sindsdien had gemaakt was Dichter vaak langsgegaan bij de FBI om te zien wat voor nieuwe technieken ze in huis hadden. Tijdens een van die reizen kletste hij wat met Lormel. Dennis vertelde Dichter dat de regering allerlei nog onaangeboorde real time-mogelijkheden kon toepassen metWestern Union. Hij beschreef hoe dat zou kunnen werken.

Begin april, twee weken nadat medewerkers van Western Union een ontmoeting met Tenet hadden gehad, belde Dichter vanuit Tel Aviv naar de FBI. 'Dus je denkt,' vroeg hij aan Lormel, 'dat we zouden kunnen proberen wat je zei dat Western Union?'

Shin Bet, zei Dichter, had informatie dat er telegrafisch geld zou worden overgemaakt van Libanon naar Israël. Ze wisten wie de vermoedelijke afzender was. Maar natuurlijk was de ontvanger de felbegeerde prooi.

En een verbazend ongrijpbare prooi. Het geniale van de tactiek van zelfmoordaanslagen is dat er geen hindernis is voor deelname: er worden geen gemakkelijk te identificeren kwalificaties vereist; zo'n beetje de enige voorwaarde is het pure verlangen, meer niet. In een tijdperk van goedkope technologie en alomtegenwoordige, snel voorbijschietende beelden van over de hele wereld, heeft het gevoel van deelname dat iedereen ervaart die voor een televisietoestel zit een donker venster van interactiviteit gecreëerd. Kíjk niet alleen naar het nieuws, maar wéés het nieuws. Wees acteur in het toneelstuk van de geschiedenis, doe auditie voor onsterfelijkheid. Zelfmoordaanslagen – of het nu gaat om een anarchist in het negentiende-eeuwse Boedapest of een jongeman met een rugzak in Tel Aviv – hebben heel oude wortels. Maar ook een verbijsterende recente groeicurve. In 2003 stelde de Rand Corporation vast dat driekwart van de ongeveer vijfhonderd in de afgelopen dertig jaar geregistreerde zelfmoordaanslagen zich heeft voorgedaan na 2000. De Intifada-opstanden die in 2000 in de Palestijnse gebieden werden ontketend door groepen als de al-Aqsa-martelaren-brigades, Hamas en de PIJ (Palestijnse Islamitische Jihad), zorgden voor een pijlsnelle stijging van het totaal, maar ze vormden ook een dankbaar terrein voor vernieuwing van de techniek.

Waar eens jongemannen met doorgaans identificeerbare kenmerken te duchten waren, hebben nu ook vrouwen, oude mannen en zelfs kinderen het strijdperk betreden. Sommige terroristen waren gekleed als hippe jonge Israëli's, andere als orthodoxe joden. Begin 2002 begonnen de activiteiten toe te nemen, waarbij de keuze van doelwitten zich veel verder uitstrekte dan de nachtmerrieachtige traditie van de autobus in de binnenstad. Ze troffen onopvallende locaties zoals kleine markten en boekhandels; de bommen waren nu zo klein en krachtig – in kleren genaaid of in makkelijk te verbergen gordels gedragen – dat een aanslagpleger rustig door de straten kon lopen, op zoek naar een drukke buurt. Omstreeks maart 2002 was de situatie uitgegroeid tot een hevige crisis. Die maand werden 119 Israëli's gedood, het equivalent van 5000 doden in Amerika, waarop de Israëlische defensiestrijdkrachten een plan lanceerden genaamd operatie 'Defensief Schild'.

Het was een agressieve militaire operatie met spertijden en beperking van de bewegingsvrijheid in de Palestijnse gebieden, ondersteund door opgevoerde inspanningen van de inlichtingendienst, alles gericht op het voorkomen van zelfmoordaanslagen. De strategie had resultaat, zorgde namelijk voor negen maanden met veel minder bomaanslagen, althans tot januari 2003 toen de PIJ samen met de al-Aqsa-brigades de verantwoordelijkheid opeiste voor een dubbele zelfmoordbomaanslag in Tel Aviv waarbij 23 mensen werden gedood en meer dan 100 mensen gewond raakten. Shin Bet ging aan de slag. De agenten wisten dat ze hun capaciteit voor het vergaren van informatie moesten vergroten als ze concrete preventie wilden realiseren. Net als in Amerika's strijd waren inlichtingen de sleutel.

In het telefoongesprek dat Dichter met Lormel had, vertelde de laatste hem dat zijn timing ideaal was. Dichter zei dat het vooruitzicht om in het geheim de 'ontvanger' van operationele contanten in 'real time' te kunnen identificeren zonder dat de ontvanger ook maar iets vermoedde, een adembenemende stap voorwaarts kon zijn. De ontvanger kon worden gevolgd naar een safe house, waar contactpersonen en 'commandanten' zich doorgaans verzamelen. Net zoals de eerder door de CIA uitgevoerde elektronische bewaking van het safe house van Zubaydah in Faisalabad concrete aanwijzingen had opgeleverd over contacten in de hele regio, zo ook zou het identificeren van een schuilplaats in de gebieden nu hetzelfde effect kunnen hebben voor de Israëli's.

Dichter gaf de Amerikanen een brokje informatie om het proces mee te beginnen: de naam van een financier van de Palestijnse Islamitische Jihad, die naar verwachting geld zou overmaken van Libanon naar een punt ergens in Israël. Begin april ontvingen kantoren van Western Union in Libanon de verwachte opdracht. De afdeling terrorisme van het ministerie van Justitie, dag en nacht oproepbaar, ging op een hogere versnelling over. Op grond van een regeling met het Amerikaanse federale gerechtshof voor het oostelijke district van Virginia, gevestigd in Alexandria, vaardigden ze onmiddellijk een dagvaarding uit. Dit gaf Western Union, een in de VS gevestigde onderneming, de mogelijkheid om FBI en CIA op de hoogte te stellen van de plaats waar het geld naar toe werd gestuurd, en wie het ophaalde. Dit alles gebeurde binnen enkele minuten. Agenten van de Israëlische inlichtingendienst werden opgeroepen. Die haastten zich onopvallend naar het juiste kantoor van Western Union in Hebron, waarna ze de PIJ-koerier volgden naar zijn safe house op de West Bank. Van daaruit kon met elektronische apparatuur snel de communicatie met andere cellen in de Palestijnse gebieden getraceerd worden.

Twee verdere transacties werden begin mei getraceerd. En elke keer werd de gouden tip door de Amerikaanse regering doorgegeven aan de Israëlische strijdkrachten, waarmee de machtsbalans van het Palestijns-Israëlische conflict werd gewijzigd.

Terwijl deze raderen onzichtbaar draaiden, werd de aandacht van het publiek vooral getrokken door wat de Israëli's de 'doelgerichte liquidatie' noemden van terroristenleiders in de Gazastrook en op de West Bank. Israël scheen met meer zekerheid te weten waar de leiders van de opstand zich schuilhielden.

Op 8 april werd door een 'gerichte aanval' Hamas' militaire commandant, Sa'id Arabid in de Gazastrook, samen met zes anderen geliquideerd. Op 1 mei vielen Israëlische troepen een bolwerk van Hamas in Gaza binnen bij een poging een bommenmaker van Hamas, Yousef Abu Hein, op te pakken. De volgende dag werden bij een eveneens zeer doelgerichte manoeuvre veertien Palestijnen, onder wie Abu Hein en verscheidene andere terroristenleiders, gedood.

Het hele voorjaar ging dat zo door, waarbij nog meer leidende figuren werden geliquideerd. Reacties van de kant van de Palestijnen, waaronder rellen en demonstraties, namen iedere week in hevigheid toe. Gewelddadigheden namen hand over hand toe.

Twee jaar eerder had Bush tijdens de eerste bijeenkomst met de nationale veiligheidsraad van zijn presidentschap gezegd dat hij zich zou richten op Irak en dat de VS zich zouden terugtrekken uit het Israëlisch-Palestijnse conflict, dat hij als hopeloos vastgelopen in muggenzifterij en wantrouwen beschouwde. Powell had toen gezegd dat een Amerikaanse terugtrekking Sharon de vrije hand zou geven en dat ze er de Palestijnen mee voor het hoofd zouden stoten. Zoals al eerder aangehaald, luidde Bush' reactie: 'Soms kan eenzijdig machtsvertoon de dingen echt verduidelijken.'

Dit was het voorjaar waarin experimenten met het gebruik van geweld om 'de dingen te verduidelijken' werden uitgevoerd in een door uitzonderlijk hevige problemen geteisterde regio tussen de Nijl en de Ganges.

Op 9 april overweldigden Amerikaanse strijdkrachten na een bliksemsnelle opmars het Iraakse leger en werd het standbeeld van Saddam Hussein in Bagdad omvergehaald. Net zoals bij de Afghaanse strijdkrachten een jaar eerder, nam het gewapende verzet tegen de Amerikaanse aanwezigheid snel af en groef men zich in voor een burgeroorlog, een verstandiger tactiek dan een regelrechte botsing met een superieur leger.

In Israël werd de valstrik bij het telegrafisch overmaken van geld keer op keer gebruikt, en de Israëli's kwamen steeds vaker in de controlekamer van de terroristen terecht.

Het spel was veranderd.

Terwijl de vele ogen van de wereld strak gericht waren op Irak en de voor het Westen beslist bevredigende levendige beelden van Amerikaanse tanks die zich opstelden in de straten van Bagdad, verzonden de analisten en operatoren van de CIA dringende boodschappen naar de Saudi's: er stond iets te gebeuren.

Het vaste telefoonnet van koninkrijk is van een niet al te beste kwaliteit en daarom is dit het land van de mobiele telefoon. En dan niet een mobieltje dat met voorzichtigheid wordt afgedankt en vervangen, een techniek van de meer ervaren jihadstrijder. De Saudi's zijn dol op hun mobieltje. Die liefde betekende dat de sigint krachtig was.

En oorverdovend. De Verenigde Staten begonnen bewijzen te vinden voor duizenden in Saudi-Arabië opererende militanten die met al-Qaida sympathiseerden en wellicht uit waren op geweld. Sinds de waarschuwing die de vorige zomer was afgegeven aan prins Bandar, had de samenwerking tussen de CIA en de Saudische inlichtingendienst zich verbreed. Er was nog steeds een kern van wantrouwen: de VS gaven de Saudi's geen inzage in hun sigint, terwijl de bruikbare inlichtingen die ze wel doorgaven vaak verdwenen na aankomst in de salons van de koninklijke familie met veelal ondoordringbaar ingewikkelde belangencomplexen.

Tenet belde prins Mohammed bin Sultan, die het ministerie van Binnenlandse Zaken bestuurde voor zijn vader, de heerszuchtige, godsdienstige prins Nayef bin Abdul Aziz, de baas van het land op het gebied van de binnenlandse en inlichtingenzaken. Operatoren van de Midden-Oosten-desk bij de Amerikaanse nationale veiligheidsraad belden met Saudische functionarissen op het middenniveau. Aan Bob Jordan, de Amerikaanse ambassadeur, werd door het ministerie van Buitenlandse Zaken en het Witte Huis gevraagd om persoonlijk te gaan praten met contactpersonen in Riyad. De Amerikanen kenden geen tijd of plaats, maar al-Qaida's Saudische leger was zich aan het verzamelen.

Er was nog een ander, bijbehorend bericht. Een dringende boodschap over iets wat erg belangrijk was voor de Amerikanen: vind al-Ayeri.

Sinds de Amerikanen de ongrijpbare 'Snel Zwaard' begin maart hadden geïdentificeerd als Yusef al-Ayeri, niet lang nadat hij was vrijgelaten door de Saudi's, was de ster van deze al-Qaida-medewerker snel gestegen.

Daar zorgt een naam voor. Die helpt een identiteit vaste vorm geven. Ten eerste werd ontdekt dat deze al-Ayeri achter een website zat met de naam al-Nida waarop volgens Amerikaanse opsporingsambtenaren de meest gespecialiseerde analyses en gecodeerde aanwijzingen over de motieven en plannen van al-Qaida te vinden waren. Ook was hij de anonieme auteur van twee bijzondere geschriften, in feite kleine boekjes, over de achterliggende strategieën van al-Qaida, die zich sinds kort door de cyberspace verplaatsten. *De toekomst van Irak en het Arabische schiereiland na de val van Bagdad*, geschreven terwijl de vs hun aanval op Irak voorbereidden, zei dat een Amerikaanse invasie van Irak de allerbeste uitkomst zou zijn voor al-Qaida omdat daardoor het extremisme in de Perzische Golf en heel Zuid-Azië zou worden opgestookt en precies die radicaliserende chaos zou veroorzaken die, naar bin Laden had gehoopt, zou optreden in Afghanistan. Een tweede boek, *Oorlog tegen de kruisvaarders*, schetste een tactisch model voor het bevechten van de Amerikaanse strijdkrachten in Irak, inclusief 'moordaanslagen en vergiftiging van eten en drinken van de vijand', op afstand bediende explosieven, zelfmoordaanslagen en onverwachte hinderlagen. Het was een draaiboek.

Toen eenmaal duidelijk was dat de schrijver niet een of andere enthousiasteling was die bij al-Qaida een wit voetje probeerde te halen, maar dat hij al-Qaida's baas over het Arabische schiereiland was, kregen de geschriften een voorspellende waarde. Al-Ayeri was een soort cyberspacegesprek aan het voeren met bin Laden en Zawahiri.

En nog meer concrete gesprekken. Weggestopt in het sigintgeklets van april over mogelijke aanstaande aanslagen in het koninkrijk, zaten de bewijzen van een gespannen dialoog tussen al-Ayeri en een andere, minder hooggeplaatste medewerker in de Golf, Ali abd al-Rahman al-Faqasi al-Ghamdi, over de vraag of de Saudische tak van al-Qaida wel genoeg mannen, wapens en organisatorisch vermogen had om het Saudische regime werkelijk te kunnen belagen en omver te werpen. Al-Ayeri zei van nee, het was nog te vroeg, de organisatie was nog niet rijp genoeg, terwijl al-Ghamdi er sterk op aandrong dat ze nu door moesten zetten. Zawahiri, die de discussie leidde, koos partij voor al-Ghamdi.

In gesprekken via tussenpersonen die opgepikt werden uit de sigintruis, zei Zawahiri dat het nu tijd was om het Saudische regime aan te vallen. De arts haalde de recente beslissing van de regering Bush aan om Amerikaanse troepen terug te trekken uit het koninkrijk, iets waarvan de Saudi's hoopten dat het een eind zou maken aan de binnenlandse onrust die opgeroepen werd door de vaak vermelde Amerikaanse aanwezigheid. Al-Qaida's doel was altijd geweest om Amerikaanse steun voor de 'corrupte en afvallige' regimes van de regio te elimineren. Zawahiri meende dat gepleegde aanslagen voor de Amerikanen in het koninkrijk aanleiding zouden zijn om het Amerikaanse leger te volgen naar de grenzen van het land, wat zou helpen om de belangrijkste banden tussen de VS en Saudi-Arabië te verbreken. Bin Laden, zo zei hij, was het eens met deze visie.

En inderdaad gaven de VS op 1 mei gehoor aan hun eigen sigint, ook al deden de Saudi's dat niet, en bevalen ze alle niet-onmisbare Amerikaanse staatsburgers Saudi-Arabië te verlaten. Op 6 mei dienden zich de eerste moeilijkheden aan: een vuurgevecht in Riyad tussen goed gewapende terroristen en Saudische veiligheidstroepen. De Saudische regering publiceerde een lijst van meest gezochte personen, waarop negentien opstandelingen voorkwamen, inclusief al-Ayeri en al-Ghamdi, compleet met foto's.

Zes dagen later, op 12 mei, scheurde een explosie door een flatblok aan de buitenkant van Riyad, waarbij 35 mensen werden gedood, onder wie negen Amerikanen, en waarbij 309 gewonden vielen. Er brak een oorlog uit in de straten van Riyad toen de Saudische strijdkrachten botsten met goed gewapende al-Qaida-soldaten. Na afloop lieten de voorpagina's van de door de staat gecontroleerde kranten brandende gebouwen zien en moslims die met moslims vochten. In uitspraken van de geestelijkheid van de natie weerklonk constant hetzelfde refrein, dat ze voorheen niet hadden durven uiten: het doden van Saudische staatsburgers is niet de weg van de islam.

De gebeurtenissen werden van uur tot uur gevolgd door de CIA. 'Irak in bezit hebben' – een land dat in grote verwarring verkeerde, met oliebronnen die afgesloten waren – was iets heel anders dan de omverwerping van Saudi-Arabië, het ware centrum van olie en Allah, exporteur van 25 procent van alle olie ter wereld en volgens sommige Amerikaanse schattingen ook van het leeuwendeel van het meest verregaande terrorisme ter wereld.

Half mei kwam het hele topmanagement van de CIA op een van hun vaste vergaderingen om vijf uur 's middags bijeen. Tenet was die ochtend door Cheney aan de tand gevoeld over de voortgang van het onderzoek van de CIA naar de beruchte mubtakar-cel in de VS.

'Wat weten we?' drong Cheney aan. 'Dit zou een tweede elf september kunnen zijn. Deze keer moeten we ze absoluut vóór zijn.'

Tenets antwoord was ontmoedigend. Hij vertelde Bush en Cheney dat het verhoor van de drie mannen uit Bahrein en ook van die uit Saudi-Arabië tot dusverre niets had opgeleverd. De laatsten, het drietal uit Saudi-Arabië, waren recentelijk vrijgelaten, nadat ze bijna drie maanden waren vastgehouden. Er waren geen harde bewijzen tegen ze te vinden, behalve een connectie met de mannen uit Bahrein. De Saudi's lieten ze vrij, hoewel de Saudische geheime dienst zei dat ze wel in de gaten hielden waar ze bleven. Nu ze Zawahiri niet te pakken konden krijgen, was Al-Ayeri vermoedelijk de enige persoon die de Amerikaanse mubtakar-cel kon aanwijzen. Cheney reageerde verbeten. De prioriteiten waren duidelijk, zei hij kortaf. Al-Ayeri zou wel eens het belangrijkste actieve lid van al-Qaida kunnen zijn: hij schreef doortrapte commentaren over de toekomst van Irak, ging nek aan nek met Zawahiri, runde de zaken van al-Qaida in Saudi-Arabië, en misschien zat hij ook wel achter de enige operationele aanslag met een massavernietigingswapen in Amerika. Hij moest gevonden worden. Terwijl de toestand in het koninkrijk steeds verhitter werd, waren telefoontjes uit het Witte Huis en van de CIA met de top van de Saudische hiërarchie dringend en duidelijk: zorg ervoor dat al-Ayeri wordt opgepakt, levend en wel.

Op 31 mei doorbrak een auto vol met jongemannen een Saudische wegversperring in de buurt van Mekka. Saudische veiligheidstroepen zetten de achtervolging in en zetten de mannen uiteindelijk klem in een gebouw. Er ontstond een patstelling. De Saudi's vroegen om versterking. Er werd een overweldigende mate van geweld gebruikt. Alle terroristen werden gedood, inclusief een man die makkelijk te herkennen was aan de hand van de foto's die overal in het koninkrijk opgehangen waren: Yusef al-Ayeri.

In zijn borstzak had de met kogels doorzeefde jongeman een brief van Osama bin Laden. Het was een hartelijke, persoonlijke brief, zes maanden oud, waarin hij werd gefeliciteerd met zijn goede werk en met zijn geslaagde viering van Eid al-Fitr, het feest aan het eind van de ramadan. De brief was nu besmeurd met al-Ayeri's bloed.

De Saudi's gaven in de dagen na het vuurgevecht geen perscommuniqués uit. Het duurde enkele dagen voordat ze de VS op de hoogte brachten. Ze namen nooit de moeite om al-Ayeri's persoonlijke eigendommen te verzamelen, zijn gsm, zijn adresboekje, het eigendomsbewijs van zijn auto, en evenmin volgden ze het spoor van zulke aanwijzingen naar een flat die ze hadden kunnen doorzoeken.

Het nieuws kwam hard aan bij de CIA. Het werd algauw een metafoor – een baboesjkapopje vol met naadloos passende, steeds kleinere baboesjkapoppetjes – die de onoplosbare dilemma's van de 'oorlog tegen terreur' verbeeldde. De Saudi's hadden er een handje van de Amerikanen geregeld teleur te stellen, net als de Pakistanen, de Jemenieten, de Sudanezen en zo veel andere staten van de 'duistere kant' die in deze strijd met de VS gelieerd waren. Onder de warme handdrukken en de hartelijke woorden was er altijd nog die kern van wantrouwen. Stonden ze werkelijk achter onze belangen? Wat vertelden ze ons? Wat vertelden ze ons niet? Allemaal werden ze geregeerd door dictators die noodzakelijkerwijs heel anders tegen macht en hun eigen zelfbehoud aankeken dan gebruikelijk was in een democratie.

Wij hadden de Saudi's natuurlijk op de hoogte gebracht van de ontdekking van de mubtakar, en van het aantreffen van een operationele Saudische cel met chemische wapens in Amerika. We hadden ze niet precies verteld hoe we dat wisten. We hadden ze nooit iets gezegd over Ali, de informant binnen al-Qaida in Pakistan, die al-Ayeri erbij had gelapt. Dat konden we niet, omdat we in ons hart onze vrienden in Riyad niet vertrouwden. Net zoals zij ons niet vertrouwden.

Maar in de noodtoestand van die meidagen liet de CIA los dat al-Ayeri waarschijnlijk meer kon vertellen over de mubtakar-cel, en dat hij waarschijnlijk de enige was. In constant weer oplaaiende heftige nabesprekingen in Langley, werd dat laatste onderdeel gezien als – misschien – een misstap.

De aanslagen van 11 september 2001, waarbij vijftien van de negentien kapers uit Saudi-Arabië kwamen, creëerde de grootste kloof in de lange, wederzijds op eigenbelang gerichte dans van het oliekoninkrijk met Amerika. Het effect van een tweede catastrofe, met chemische wapens en een duidelijke link met Saudi-Arabië, zou onpeilbaar schadelijk zijn.

'Het was een slechte dag. We vroegen ons af of ze hem bij toeval hadden gedood of niet. De Saudi's haalden alleen maar hun schouders op. Ze zeiden dat hun mensen een beetje al te ijverig waren geweest,' zei een van de topmedewerkers van de CIA die zich vooral op al-Ayeri had geconcentreerd, in de hoop dat hij de rechercheurs via een Saudisch spoor naar de Amerikaanse cel zou kunnen leiden die op het punt stond aanslagen te plegen met een chemisch massavernietigingswapen. 'De moraal van het verhaal: de ontbrekende schakel was dood en zijn persoonlijke eigendommen, die behoorlijk belangrijk hadden kunnen zijn, waren verdwenen. In de omgang met de deze landen weet je ook bij zo veel andere dingen nooit zeker of er opzet in het spel was. Dat zijn de dingen waar je achter moet zien te komen.'

Tenet gaf het slechte nieuws tijdens de volgende ochtendbriefing aan Bush en Cheney door.

Bush was kwaad. Hij zei vinnig dat ze op zijn minst iemand naar Riyad moesten sturen, om ervoor te zorgen dat de Saudi's het recent vrijgelaten drietal opnieuw zouden arresteren.

'Misschien hebben we geluk,' zei Bush.

Een paar dagen later betrad Mowatt-Larssen de vertrekken van prins Nayef bin Sultan in het koninklijk paleis te Riyad.

Hij wist dat hij niet veel mocht verwachten. Gesprekken met Nayef waren vaak kort en weinig productief.

Mowatt-Larssen sloeg de beleefdheden voor deze keer over.

'Nu al-Ayeri dood is, willen we graag dat u de anderen opnieuw arresteert en zo lang mogelijk vasthoudt,' zei hij, naar het andere drietal verwijzend.

Nayef knikte. 'Prima.

Maar,' voegde hij eraan toe, 'we kunnen mensen niet eindeloos vasthouden als er geen harde bewijzen en ernstige verdenkingen tegen hen zijn.'

Nadat hij nog een paar minuten in die trant doorgegaan was preken, waarbij hij erop wees hoe belangrijk burgerlijke vrijheden en grondrechten voor de Saudi's waren, zei Nayef dat ze de mannen maar een paar maanden langer konden vasthouden. 'We doen dit omdat u het ons vraagt. Maar als u enige gegronde verdenking tegen ze hebt, kunt u het bewijs daarvan beter laten zien.'

Het gesprek duurde vijf minuten.

Mowatt-Larssen glimlachte, een strakke, gespannen glimlach, waarna hij de prins bedankte voor het afstaan van zijn uiterst kostbare tijd, en voor zijn zeer gewaardeerde samenwerking.

Rond juni 2003 werd duidelijk dat er in Irak geen massavernietigingswapens gevonden zouden worden. Amerikaanse teams hadden het nu bezette land meer dan tweemaal afgestroopt. En niets gevonden. De claims in de *National Intelligence Estimate* en in Powells toespraak voor de VN hadden geen enkele grond meer.

Het was rond deze tijd dat een vriend van George Tenet geruchten begon op te vangen: iemand werd klaargestoomd om hem te vervangen. Een paar van die roddeltjes kwamen ter ore van John Moseman, Tenets vertrouwde stafchef.

Tenet, die elders druk bezig was, haalde zijn schouders erover op.

Een oude waarheid over informatie die je in CIA-kringen vaak kunt horen is de vuistregel: als je het niet kunt bevestigen, is het waardeloos.

Dus ging Moseman op zoek naar bevestiging. Per slot van rekening had de CIA overal zijn contacten. Na enig graafwerk ontdekte hij dat het klopte. Jim Langdon, een oude vriend van Bush, donateur en 'pionier' – een titel die gegeven werd aan mensen die honderdduizend dollar of meer hadden bijgedragen aan de Republikeinse verkiezingscampagne – was zijn partners bij Akin, Gump, Strauss, Hauser & Feld, de bekende dynamische en expansieve onderneming in Washington, dat ze zich moesten gaan voorbereiden op zijn afwezigheid.

Langdon had een eminente staat van dienst, hoewel niet op het gebied van inlichtingen en veiligheid. Zijn vader was lid van de Texas Railroad Commission, die 1891 was opgericht om toezicht te houden op het spoorwegennet en die algauw de productie van olie en aardgas in die staat reguleerde, en daarmee grote invloed kreeg op prijzen en voorraden in de hele VS. Langdon studeerde rechten aan de University of Texas en ging na zijn afstuderen werken bij Akin, Gump, gespecialiseerd in olie, gas en met energie verwante zaken. In de daaropvolgende dertig jaar kreeg hij met van alles en nog wat te maken: van de aanleg van pijpleidingen tot de vertegenwoordiging van de Amerikaanse energiebusiness en het lobbyen bij de regeringen van olieproducerende naties overal ter wereld, van Latijns-Amerika tot Rusland en de Perzische Golf. Ten slotte stond hij aan het hoofd van de energiepoot van het gigantische bedrijf.

Hij en zijn vrouw Sandy werden zeer goede vrienden van George en Laura Bush. Langdon was een belangrijke fondswerver in de verkiezingscampagne van 2000 en hij hielp met het runnen van het Energy Department Transition Team, een groep die in Washington spoedig grote faam verwierf doordat ze bijeenkomsten hielden voor de energielobbyisten van de stad die daar hun 'verlanglijstjes' voor het Amerikaanse energiebeleid kwijt konden. Enkele van deze contacten leidden tot onderzoek naar een vermeende incorrecte beïnvloeding door enkele van deze lobbyisten van de Energy Task Force van de vice-president in het voorjaar van 2001, gevolgd door een – uiteindelijk succesvoll – antwoord van Cheney dat de notulen van die bijeenkomsten geheim moesten blijven.

Begin 2001 kreeg Langdon echter een nieuwe positie als een van de zestien leden van de Foreign Intelligence Advisory Board. Dit adviesorgaan, toen nog onder leiding van Scowcroft en weinig gebruikt door Bush, gaf presidenten sinds de jaren vijftig adviezen over zaken rond het inlichtingenwerk.

Moseman zocht naar het juiste moment om het verontrustende nieuws aan Tenet mee te delen. Op een middag liep hij Georges werkkamer binnen en deed de deur achter zich dicht. 'Het is Langdon,' zei Moseman. 'En hij vertelt aan mensen dat hij gescreend is voor jouw job en dat hij helemaal klaar is met alle controles van de beveiligingsdiensten.'

Tenet bleef een ogenblik zwijgend luisteren naar de details die Moseman hem vertelde. Dat hij vervangen werd door Langdon, een energiejurist en -lobbyist, wiens enige ervaring op het gebied van de buitenlandse politiek en het inlichtingenwerk eruit bestond dat hij lid was van een raad die door Bush bijna nooit werd geraadpleegd, was niet minder dan een belediging. Wat deze man was, dat was duidelijk: een vriend van Bush, loyaal en scheutig, en een expert op het gebied van de grote oliebelangen, wat voor rol dat ook mocht spelen in de complexe dans van een hoofd van de inlichtingendienst met een groot aantal andere landen. Was dat het wat de president werkelijk wilde met deze, in Tenets ogen zo bijzonder belangrijke taak, bij het voeren en bepalen van de strijd om de toekomst van het land?

Tenet schudde zijn hoofd.

'Als de president mij wil vervangen, dan neem ik aan dat hij me ook gaat vervangen,' zei hij tegen Moseman, met een berustende ondertoon in zijn stem. Tenet wist wel een paar mensen die er blij mee zouden zijn. Vermoedelijk Cheney: hij en zijn mensen hadden Tenet de afgelopen jaren een hel bezorgd. Zij zaten waarschijnlijk achter deze stap, dacht Tenet. Zijn vrouw zou blij zijn: zij had altijd al gedacht dat hij beter niet als CIA-directeur had kunnen aanblijven toen Bush hem in 2000 dat aanbod deed. Ze had tegen hem en zijn vrienden gezegd dat ze het clubje van Bush niet vertrouwde; ze vreesde dat ze George zouden vermorzelen en achteloos opzij schuiven. En dan had je nog zijn zoon die nu op de high school zat. Toen Tenet directeur werd en het heel erg druk kreeg, zat hij nog op de basisschool. 'Misschien is het zo gek nog niet,' zei Tenet na een ogenblik. 'Dan kan ik meer tijd doorbrengen met Stephanie en mijn zoon. Goh, dat zou best fijn zijn.'

Op de middag van 4 juni ging bij John Moseman de telefoon. Het was een nummer dat hij goed kende: het huis van zijn oude vriend uit de Senaat. Voordat hij in 1996 bij de CIA kwam, was Moseman net als Tenet een man van Capitol Hill geweest: elf jaar als stafchef en directeur wetgeving voor de Republikeinse Senator van Alaska Frank Murkowski, en ook als minderheidsstafdirecteur van de senaatscommissie die toezicht hield op het inlichtingenwerk, de SSCI (Senate Select Committee on Intelligence).

De huidige voorzitter van de SSCI, de Republikeinse senator Pat Roberts uit Kansas, was aan de telefoon.

De commissie was klaar met een onderzoek naar gebeurtenissen die de opmaat tot de aanslagen van 11 september hadden gevormd. Eerder die dag had Roberts een nieuw onderzoeksthema aangekondigd: massavernietigingswapens in Irak. Het was nu duidelijker dat er helemaal geen massavernietigingswapens waren in Irak. Roberts en het vooraanstaande minderheidslid van de commissie, senator Jay Rockefeller, de Democraat uit West Virginia, waren erop gebrand om uit te vinden waar de fout zat.

'Alles wat je nodig hebt, zo snel als we het bij elkaar kunnen krijgen,' zei Moseman. 'We willen dat jullie alles te zien krijgen en, geloof me, er is een heleboel te zien.'

De CIA was ongevraagd al begonnen met zijn eigen interne onderzoek naar wat er mis was gegaan. Jami Miscik leidde het, met een groep door Tenet bijeengebrachte topanalisten.

De volgende twee weken werden er tientallen dozen vol geannoteerde dossiers naar de Hill getransporteerd. 'We waren opgetogen,' zei Moseman. 'Het idee was: geef ze alles, nu meteen.'

Het duurde een paar weken voordat het eerste telefoontje kwam. Het was een onderzoeksmedewerker van de Senaat.

Hij begon over een geheime sigint-melding. 'John, het zegt in werkelijkheid niet wat jullie zeiden dat het zei.'

'Zeker wel,' antwoordde Moseman. 'Ik haal het er even bij.' Dat deed hij. En hij belde terug. 'Je hebt gelijk,' zei Moseman. 'Het zegt niet wat wij claimden dat het zei. Tja, dan hebben we een probleem.'

Moseman herinnert zich nog dat hij ophing en 'zijn maag naar beneden voelde zakken'.

'Dat was het moment waarop ik voor het eerst begreep dat we

een probleem hadden. Dat er iets mis was gegaan met de analyse, dat we in sommige gevallen hadden gezocht naar wat we moesten zien, dingen waarvan wij en alle anderen wisten dat het Witte Huis wilde dat we die zagen, en niet altijd wat er werkelijk was.'

De telefoon ging over in een verduisterde kamer in de Sun Valley Lodge in Sun Valley, in de heuvels van Idaho.

Tenet ging overeind zitten in het donker. *Hoe laat is het?*

Het was midden in de nacht.

Hij nam op en hoorde een vrouwenstem.

'George?'

'Condi... wat is er aan de hand?'

Rice belde vanuit Afrika. Ze verontschuldigde zich dat ze zo laat belde, maar ze moesten ogenblikkelijk praten.

Tenet bracht de deze week door in het 'zomerkamp' voor media-tycoons, president-directeuren van grote ondernemingen en een select gezelschap van notabelen, dat ieder jaar werd aangeboden door Allen & Company, de in New York gevestigde investerings-bank. Hij moest op vrijdag 11 juli, de laatste dag van de conferentie, een toespraak houden over het Amerikaanse inlichtingenwerk, de kroon op een week van recreatie, bijkletsen en paneldiscussies over grote vraagstukken.

Maar de rest van de wereld liet zich niet buitensluiten. Op zondag 6 juli werd in *The New York Times* een column gepubliceerd door Joseph Wilson, voormalig ambassadeur in Gabon. Wilson was op aandringen van Cheney in februari 2002 door de CIA erop uitgezonden om beweringen te onderzoeken dat Saddam Hussein *yellowcake*, of uraniumconcentraat, had geprobeerd te kopen van Niger, om een kernwapenprogramma op te starten. Wilson ontke-tende een storm met zijn 1452 woorden, die begonnen met: 'Heeft de regering Bush informatie over wapenprojecten van Saddam Hussein gemanipuleerd om een invasie van Irak te rechtvaardi-gen? Op grond van mijn ervaringen met deze regering in de maan-den voorafgaand aan de oorlog moet ik wel tot de conclusie komen dat een deel van de informatie met betrekking tot Iraks kernwa-penprogramma vertekend werd om de dreiging die Irak vormde te kunnen overdrijven.'

In maart had het Internationaal Atoom Energie Agentschap IAEA een rapport uitgebracht waarin werd aangetoond dat de documenten die ten grondslag lagen aan de door Britten en Amerikanen gepresenteerde claims over het uraniumconcentraat, vervalsingen waren. Sindsdien had de regering haar uiterste best gedaan het vraagstuk te ontwijken, door beurtelings alles te ontkennen en het dan weer te accepteren, of ook wel verbazing voor te wenden. Het doel was om te voorkomen dat toegegeven moest worden dat de regering vermoedelijk geweten had dat de claim met betrekking tot Niger ongefundeerd was, dat wil zeggen: al een hele tijd voordat Bush er gebruik van had gemaakt als bewijs voor de noodzaak van een oorlog in zijn State of the Union-toespraak van januari.

Dat was volkomen onmogelijk geworden na Wilsons column. Nu was het zaak iemand te vinden die ze de schuld konden geven. Terwijl de president en zijn gevolg door heel Afrika trokken, pratend over water, aids en terrorisme, van Senegal naar Zuid-Afrika, Nigeria en Botswana, kwamen de persmensen die met de president meereisden met steeds dringender vragen. Toen de president een vraag over Niger kreeg, stelde hij dat het 'nog altijd een prima idee was geweest om Saddam Hussein te verwijderen'. Maar verder ging hij niet. Uitweidingen over Wilson en Niger waren Condi's taak.

En daarom hing ze nu bij Tenet aan de telefoon. Ze wilde zich ervan verzekeren dat ze op één lijn zaten.

Het duurde even voor Tenet wakker was, maar toen ging hij met Rice de loop van de gebeurtenissen na. Hij vertelde in grote lijnen wat er afgelopen herfst was gebeurd, toen hij en McLaughlin de leden van de beide inlichtingencommissies van het Congres hadden ingelicht over de twijfelachtige informatie rond het natriumconcentraat, en dat de CIA ertegen was dat de Britten – die er meer vertrouwen in hadden – het verhaal in de openbaarheid zouden brengen. De negentig pagina's tellende *National Intelligence Estimate* van oktober vermeldde het natriumconcentraat niet bij zijn voornaamste bevindingen, en bevatte een voorbehoud van het ministerie van Buitenlandse Zaken, dat de hele zaak in twijfel trok. Diezelfde herfst had Tenet tegenover Hadley er ook zijn bezorgdheid over geuit dat de president in de toespraak in Cincinnati eigenlijk geen 'getuige-expert' hoorde te zijn met betrekking tot het natriumconcentraat, en die bezorgdheid werd ook vastgelegd in een memo, waar Rice een kopie van ontving. Ze hadden het kort over de stroom faxen tussen de Nationale Veiligheidsraad en de CIA op de dag voor de 'State of the Union'-toespraak van januari, en over hoe lastig het voor de CIA was om op tijd greep te krijgen op alles wat de Nationale Veiligheidsraad aanbood, fax voor fax. Met andere woorden: in dit geval waren er papieren getuigen, een paar duidelijk weergegeven herinneringen en zichtbare handelingen.

Tenets weergave van het belangrijkste bewijsmateriaal, dat waarschijnlijk achterhaalbaar was, zou iemand als Rice – die net als de president in dit geval een zekere mate van schuld droeg – ertoe kunnen aanzetten te erkennen wat deze wist en wanneer deze het te weten was gekomen.

Een paar uur nadat ze het gesprek hadden beëindigd, deed Rice een aantal uitspraken tijdens een persconferentie aan boord van Air Force One op 11 juli, terwijl het vliegtuig zich van Botswana naar Uganda verplaatste.

Een uiterst belangrijke dialoog ging al snel de aardbol rond.

Vraag: Dr. Rice, er zijn een heleboel berichten, kennelijk van zeer recente datum, dat mensen van de CIA de nationale veiligheidsraad al een hele tijd voor de State of the Union hadden geïnformeerd dat ze moeite hadden met die verwijzing in de toespraak. Kunt u ons specifiek zeggen wat uw staf had gehoord, wat u de president daarover hebt meegedeeld?

Rice: De CIA heeft de toespraak vrijgegeven. Wij hebben een procedure die ervoor zorgt dat toespraken naar de betrokken diensten worden gestuurd, in ons geval, het geval van de nationale veiligheidsraad, is dat gewoonlijk Buitenlandse Zaken, Defensie, de CIA, soms Financiën. De CIA heeft de toespraak in zijn totaliteit vrijgegeven.'

En ze ging verder met:

'Welnu, de betreffende passage heeft betrekking op de notie dat de Irakezen op zoek waren naar natriumconcentraat. En, let op, er wordt gezegd "zoeken naar natriumconcentraat in Afrika", zo wordt vermeld in de *National Intelligence Estimate*. De *National Intelligence Estimate* is het document dat de Director of Central Intelligence, de directeur van de CIA, publiceert als zijnde de collectieve visie van de inlichtingendiensten op de status van ieder willekeurig vraagstuk.

Dat werd gebruikt, zoals veel andere dingen in de *National Intelligence Estimate* werden gebruikt bij het schrijven van de toespraak van de president. De CIA heeft hem betrouwbaar verklaard. Er was zelfs enige discussie over die specifieke zin, opdat deze beter zou weerspiegelen wat de CIA erover dacht. En de speech werd vrijgegeven.

Welnu, ik kan u vertellen dat als de CIA bij monde van de Director of Central Intelligence had gezegd: haal dit uit de toespraak, dan zou het er ongetwijfeld uit verdwenen zijn. Wat we vervolgens hebben gezegd is dat we dit – wetend wat we nu weten, namelijk dat enkele van de Niger-documenten klaarblijkelijk vervalsingen waren – niet in de toespraak van de president zouden hebben opgenomen – maar dat is weten wat we nu weten.'

Het is een voor de hand liggende reactie te veronderstellen dat Rice zei wat ze zei *ondanks* het nachtelijk overleg met Tenet, maar het is waarschijnlijker dat ze alleen de CIA beschuldigde *vanwege* de dingen die Tenet haar verteld had. Hij kon met sterke argumenten aanvoeren dat het een kwestie was van gezamenlijke schuld; het was haar taak om die aantijging met overweldigend gezag de kop in te drukken.

Ondertussen zat Tenet die morgen aan de telefoon met zijn team in Langley te werken aan hun eigen verklaring, die ze via Karl Rove en andere medewerkers op het Witte Huis lieten lopen. 'De CIA heeft de State of the Union-toespraak van de president goedgekeurd voordat deze werd uitgesproken. Ik ben verantwoordelijk voor het goedkeuringproces in mijn dienst. De president had alle reden om te geloven dat de aan hem gepresenteerde tekst klopte. Deze zestien woorden hadden nooit opgenomen mogen worden in de tekst, geschreven voor de president.'

Tenets verklaring vervolgde met een bespreking van enkele ingewikkelde details van de Niger-claims, inclusief het verlies van het vertrouwen in de zekerheid van de Britten over deze zaak. Dat zou verloren gaan in de daaropvolgende nieuwsgolven.

Maar dat Tenet gewillig de schuld op zich nam, terwijl Rice felle beschuldigingen uitte, was meer dan Tenets ondergeschikte beschermengelen bij de CIA konden verdragen. Ze namen de zaak in eigen handen. In de week daarna werden via de CIA de details van het Cincinnati-incident gelekt. Het Witte Huis was gedwongen Hadley op te offeren als iemand die ook enige schuld droeg, want per slot van rekening had hij schriftelijke bezwaren ontvangen tegen een vrijwel identieke passage in de toespraak die Tenet en hij geaccordeerd hadden.

Overmoed is in zekere zin het verlies van een duidelijk kader. Mensen die in hun overmoed niet beter weten of ze hebben volkomen gelijk, zien zelfs kleine afwijkingen van hun visie als een verregaande belediging, een aanslag op hun stralende identiteit. Tegengestelde meningen verbleken en worden zelfs onzichtbaar. Dat Hadley een klap moest incasseren werd binnen het Witte Huis gezien als insubordinatie, een bewijs dat de CIA, met al die potentieel bedreigende informatie in zijn kluizen, zich misschien wel tegen de president zou keren. Vanaf dat moment was de dienst 'in proeftijd': van iedere toekomstige aanstootgevende uitlating zou 'prompt nota worden genomen', zoals de door Rove vaak gebruikte uitdrukking luidde.

Niettemin viel er veel meer te vertellen over de zestien woorden en wat er in januari werkelijk gebeurd was.

Op de dinsdag van de State of the Union-toespraak ontstond op de valreep nog enige drukte toen de NSC nieuwe pagina's met de definitieve tekst en daarin de beschuldiging aangaande Niger naar een CIA-analist, genaamd Alan Foley, faxte. De toegestuurde bladzijden hoopten zich op, vlak voor de deadline. Bob Joseph, een assistent-NSC-adviseur, was op dat cruciale ogenblik bemiddelend opgetreden, met als resultaat de inlassing – 'De Britse regering heeft vernomen...' – bij monde van Foley.

Die dag was Tenet zelf nog tot het laatste moment bezig geweest met wat hij als het meest controversiële punt in de tekst van de State of the Union beschouwde: de voorgenomen aankondiging van de oprichting van een TTIC, een Terrorist Threat Integration Center. Het concept en de aankondiging van dit antiterroristisch coördinatiecentrum waren in de weken voor de toespraak haastig in elkaar gezet door het Witte Huis. Het was bedoeld als antwoord op een onderzoek van het Congres waaruit kritiek sprak op het vermogen van de FBI om binnenlandse dreigingen aan te pakken, en ook op de recente oproepen van wetgevers om te komen tot oprichting van een binnenlands inlichtingenbureau, naar het model van het Britse MI5. Zoals gewoonlijk werd in de West Wing van het Witte Huis verwacht dat veel leden van de inlichtingengemeenschap zich tegen het idee zouden verzetten, en daarom werd er nauwelijks ruchtbaarheid gegeven aan het initiatief, en was er al helemaal geen sprake van een broodnodige interdepartementale discussie of analyse over hoe zo'n centrum er eigenlijk uit zou moeten zien. Het was op het laatste moment bedacht en werd ingevoerd in de tekst. Een preventieve uithaal naar eventuele tegenstrevers. Maar toen het bericht op de maandag voor de presidentiële toespraak uitlekte, werd Tenet, als leider van die inlichtingengemeenschap overspoeld met bezorgde telefoontjes. Is die TTIC echt nodig? Zou het maken van een dagelijkse gevarenmatrix geen dubbel werk zijn, gezien de dingen die de CIA en het ministerie van Binnenlandse Veiligheid al deden? Zou de CIA de directeur van het nieuwe centrum mogen kiezen? Zou het centrum geen grote talenten wegkapen bij andere diensten?

Tenet deed een beroep op Andy Card om het uit de toespraak te halen. Het was niet goed doordacht, zei hij. Het zou voor een hele nieuwe bureaucratische laag zorgen, terwijl het doel juist het platter maken van de organisatorische structuur zou moeten zijn, de reductie van het aantal lagen. Card weigerde. 'De president wil het in de toespraak,' zei hij tegen Tenet, 'en het komt in de toespraak.'

En zo faxte Rices NSC pagina's naar Foley terwijl Tenet zijn eigen strijd voerde en McLaughlin onderwijl met Libby discussieerde over een mogelijke zinsnede in de toespraak over een reeds vóór 11 september bestaande link tussen Saddam en al-Qaida.

Als lid van de kring van intimi dat in deze periode meer tijd met George W. Bush doorbracht dan zijn eigen vrouw, werkte Dr. Rice uren lang met de president aan het voorbereiden van zijn toespraak, een van de belangrijkste die hij in zijn ambtsperiode zou houden. Gezien de acties van Bob Joseph, een van de topmedewerkers van Rice, en van Hadley, die drie maanden geleden in de tekst van een toespraak met eenzelfde Niger-knoop had gezeten, wist Tenet dat het niet goed denkbaar was dat Rice, en waarschijnlijk ook de president, niet precies hadden geweten wat er speelde.

En terwijl deze gegevens bijzonder onthullend zijn, vooral als je ze legt naast de uitspraken die Rice in Afrika in het openbaar had gedaan, lossen ze het raadsel van Tenets gedrag nog steeds niet helemaal op. Vanaf het moment van haar Afrikaanse persconferentie in de lucht, kon Tenet de naam van Rice amper meer over zijn lippen krijgen. Maar waarom zou hij, wetende wat hij wist, haar niet aan de kaak hebben gesteld? De rem op zijn acties kan zijn relatie met de president zijn geweest, wat altijd al het diepe, onzichtbare wrijfpunt is geweest voor hen die dicht bij welke president dan ook staan.

George W. Bush, met zijn demonstratieve stoerheid, zijn door hemzelf in stand gehouden onbuigzame zekerheid, toont zich alleen kwetsbaar en verward aan het handjevol mensen dat tot een heel klein, besloten kringetje behoort. Hij is erg goed in sommige dingen waar presidenten om worden geprezen, maar hij blijft in andere opzichten verbluffend vaak in gebreke. Niemand in zijn kleine kring van intimi gelooft dat die onevenwichtigheden goed ontvangen zouden worden bij het publiek in tijden van crisis. Daarom nemen ze ten opzichte van hem een beschermende en vergevingsgezinde houding in, en daarin gaan ze heel ver. Dat geldt voor Cheney, Rove, Rice, Card, Rumsfeld, en ook voor Tenet, het vertrouwde zestal. Het kan zelfs de enige impuls zijn geweest die deze vertrouwelingen met elkaar gemeen hadden. Dit verlangen om een president in nood te steunen maakte dat Tenet ervoor terugdeinsde om Rice te attaqueren – haar beschadigen zou de president beschadigen –, terwijl het hem dwong over dingen heen te kijken die doorgaans heel duidelijk zichtbaar bleven voor anderen.

Terwijl de faxen en telefoontjes in deze weken heen en weer vlogen tussen Afrika en Sun Valley, Langley en Pennsylvania Avenue, bleef Tenet naar een manier zoeken om Bush van iedere betrokkenheid vrij te pleiten. Verschillende keren zei hij tegen medewerkers en vertrouwelingen dat 'Condi hierachter zit' en dat 'dit niet van de president komt.'

Keer op keer kreeg hij dan hetzelfde antwoord: 'Jezus, George. Ze werkt voor hem.'

Contrasten werken soms onthullend, maar soms ook niet.

In dit geval waren ze uitermate verhelderend.

Terwijl het Witte Huis in de zomer van 2003 enorm veel energie stak in het ontwijken van de beschuldiging dat men geweten had dat de 'bewijzen' voor het bestaan van Iraks massavernietigingswapens niet deugden – een project dat onder andere bestond uit het aanwijzen van Joe Wilsons vrouw Valerie Plame als CIA-agent, en het afjakkeren van faxmachines in een poging greep te houden op wat George Tenet wel of niet in het openbaar zou kunnen gaan zeggen –, begonnen de eisen van de echte 'oorlog tegen terreur' het niet-wezenlijke, het politieke spel, de neiging tot zelfbescherming te overschaduwen.

Wat er langzamerhand aankwam – de dreigende wolken die zich van het midden tot het eind van de zomer samenpakten – was wat Tenet 'een perfecte storm' zou gaan noemen.

Laten we beginnen met een theorie, een kader voor verwachtingen dat stevig geworteld is in het recente verleden. Dit staat vrijwel zeker vast: al-Qaida doet wat het doet om bepaalde redenen. Die redenen hangen blijkbaar samen met het gegeven dat al-Qaida een scherp oog heeft voor de waarde van synergie, de manier waarop diverse vrijwel samenvallende acties gezamenlijk bijdragen aan de bevordering van een breder doel, namelijk het creëren van onverwachts optredende pieken van chaos en angst als het indrukwekkende effect van een blijkbaar wereldwijde campagne.

Hét model hiervoor was uiteraard 11 september. De moordaanslag op Ahmed Shah Massoud, de charismatische rebellenleider van de Afghaanse Noordelijke Alliantie – en Amerika's belangrijkste bondgenoot in het land – vond plaats twee dagen voordat de gebouwen van het Trade Center en het Pentagon werden aangevallen. Al-Qaida verwachtte dat de VS Afghanistan zouden aanvallen en liquideerde bij voorbaat de man die dat project vorm kon geven en leiden. Uit gecoördineerde acties spreekt een wereldwijde strategie.

Glimpjes die de VS konden opvangen via sigint en de schaarse humint – zoals van Ali, de inside-informant – bevestigden ruwweg deze theorie. Moordaanslagen op Musharraf in april en september 2002 corresponderen met 'pieken van dreiging', dat wil zeggen dat CIA en NSA aanwijzingen hadden voor andere mogelijke mondiale aanslagen die hadden kunnen samenvallen met de verhoopte val van Musharraf en de chaos die dat in Pakistan zou veroorzaken.

Het specifieke probleem van mogelijke 'samenvallende gebeurtenissen' strekte zich nu echter ook uit tot Saudi-Arabië. Het voorjaar van luidruchtige vuurgevechten in het koninkrijk en de krantenkoppen die er het gevolg van waren, werden publiekelijk genoemd als voornaamste prikkel voor de Saudische leiders om zich eindelijk eens doodernstig te buigen over de dreiging die hun inheemse terroristen vormden.

Maar er zat meer aan vast, veel meer. En dat bevond zich in concreto in een dossier dat Tenet die zomer meenam naar Riyad. Op dat moment kenden Tenet en Abdullah elkaar al jaren. Tenet had van alle Amerikaanse overheidsfunctionarissen vermoedelijk de meeste tijd doorgebracht met de Saudische heerser: talloze uren waarin onder het genot van thee verzoeken werden gedaan, de laatste inzichten en inlichtingen werden toegelicht. En hij luisterde naar wat Abdullah hem vertelde over de uitdagingen die het besturen van een koninkrijk vol tegenspraak met zich meebracht. Dat betekende dat Tenet een intimiteit had verworven die hem toestond iets te doen wat niemand anders bij de Amerikaanse overheid kon doen: Abdullah in zijn borst prikken.

'Ze komen je doodmaken,' zei Tenet tegen Abdullah, de oudere man zachtjes een por gevend. 'Jou.' En toen opende hij het dossier met de details van een uitgewerkt plan van Saudische radicalen om de kroonprins te vermoorden. Abdullah werd asgrauw. De boodschap was overgebracht. De daaropvolgende maanden was er een ongekend bloeiende samenwerking tussen Saudi's en Amerikanen.

Dat was het eerste deel: een belangrijke moordaanslag die zou kunnen plaatsvinden aan het eind van de zomer en misschien op de herdenkingsdag van 11 september. Wat anders, vroeg de CIA zich af, zou al-Qaida plannen voor het heuglijke moment van Abdullahs dood?

Voor deel twee moeten we naar het Oosten.

Op 11 augustus trapten leden van een uit twintig man bestaande Thaise antiterreureenheid de deur in van een appartement in Ayutthaya, een stad zo'n vijftig kilometer ten noorden van Bangkok. Binnen bevond zich, gekleed in T-shirt en spijkerbroek, en voorzien van zonnebril en honkbalpet, Riduan Isamuddin, ook bekend als Hambali, de leider van de Jemaah Islamyah. De JI is de Zuidoost-Aziatische afdeling – hoewel sommigen het een gelijke noemen –, van al-Qaida, een organisatie met als doel het verenigen van de omvangrijke moslimpopulaties van landen als Indonesië (met bijna 220 miljoen moslims op een bevolking van 250 miljoen), Maleisië of de Filipijnen onder een kalifaat met een theocratisch bewind.

Hambali, die bin Laden voor het eerst had ontmoet toen ze in de jaren tachtig zij aan zij tegen de Sovjets vochten, werd sinds 11 september gezocht door de CIA en de politie in de regio. Na een door hem georganiseerde bomaanslag op een nachtclub op Bali, op 1 oktober 2002, waarbij 202 mensen omkwamen, werd er met toenemende felheid jacht op hem gemaakt.

De CIA stuurde Hambali naar Jordanië om verhoord te worden. Van alle veelsoortige Amerikaanse bondgenoten in de oorlog tegen terreur waren de Jordaniërs het meest succesvol als ondervragers, afgemeten aan de klaarblijkelijk geloofwaardige informatie die ze los wisten te krijgen.

De VS, die in wezen de consument van de inlichtingen waren, dirigeerden de zaak. Er werd al lange tijd gedacht dat Hambali heel direct te maken had met activiteiten op het gebied van biologische wapens van al-Qaida. Yazid Sufaat, een medewerker van Hambali met een graad in de chemie en laboratoriumwetenschappen van de California State University in Sacramento, werd in december 2001 na zijn vertrek uit Afghanistan opgepakt door de Maleisische politie. De Maleisiërs, die gemengde gevoelens hebben over samenwerking met de VS, gaven de VS uiteindelijk eind 2002 toegang tot Sufaat. Die ondervraging en de informatie die ze in de maanden daarna verzamelden, hielpen de Jordaniërs aan een focus voor het verhoor van Hambali.

Eén onthulling was bijzonder alarmerend: al-Qaida had daadwerkelijk antrax van zeer goede kwaliteit geproduceerd. Hambali onthulde tijdens het verhoor de plek in Afghanistan waar het werd geproduceerd. De CIA deed vlak daarna een inval in een huis in Kandahar en ontdekte een klein, uitermate krachtig proefmonster van het biologische middel.

Sinds het korte antraxoverleg met Cheney en Rice in december 2001 waren de CIA en de FBI al die tijd al sterk gericht geweest op het beantwoorden van de vraag of al-Qaida betrokken was bij de aanslagen met antraxbrieven in 2001 en of ze een dodelijke versie van dit middel als wapen zouden kunnen toepassen. Het antwoord op de eerste vraag was 'nee', het antwoord op de tweede was 'waarschijnlijk niet'. Hoewel de CIA de overblijfselen had gevonden van een installatie voor biologische wapens, en plannen voor de mogelijke productie van antrax, ging het naar men meende eenvoudig al-Qaida's vermogens te boven om een stam van een dodelijke antraxvariant te isoleren en te reproduceren.

Dat was niet meer zo. Het antrax dat ze aantroffen in Kandahar bleek uiterst dodelijk. Bovendien was het volgens de inlichtingendienst al geproduceerd in de maanden voor 11 september. En het kon op eenvoudige wijze vermeerderd worden tot een hoeveelheid die als wapen toegepast kon worden.

De alarmklokken luiden in Washington. Al-Qaida was inderdaad in staat een dodelijk massavernietigingswapen te produceren, een wapen dat overal angst teweeg zou brengen.

Het volgende puzzelstukje zat onopvallend verborgen in een computer. De computer werd eind augustus meegenomen tijdens een schoonmaakactie van de ISI in Pakistan van flats die eens als schuilplaats hadden gediend voor al-Qaida-medewerkers.

Op de harddisk werden beelden gevonden van een zeer nauwkeurige, zeer professioneel uitgevoerde fotoverkenning van New York.

Het Grand Central Terminal, het station met zijn grotachtige gewelf, gezien onder vele hoeken.

Banken.

Hotellobby's.

Hoofdkantoren van bekende, in Manhattan gevestigde ondernemingen met foto's waar alles op stond, van verwarmings-, ventilatie- en airconditioningsystemen tot sloten op veiligheidsdeuren.

Veel van die gefotografeerde locaties bestonden uit een besloten ruimte, stuk voor stuk op verschillende manieren ideaal voor aanslagen met een mubtakar, of nu ook met antrax.

Een 'perfecte storm'? Nog niet.

Ook was er nog Zarqawi, die juist opgang begon te maken als leider van de opstand in Irak, en die in het openbaar verklaringen begon af te leggen over de noodzaak om de strijd voor Irak te winnen door het treffen van de bron: het Amerikaanse vasteland.

En terwijl augustus ten einde liep, was Hambali nog steeds aan het praten. Hij vertelde zijn ondervragers van een specifiek JI-plan. Dat omvatte onder meer vliegtuigen die van Indonesië naar de VS vlogen met mogelijkerwijs explosieven aan boord.

Tenet, die in de loop van de zomer elke stukje op zijn plaats zag vallen, deed met het naderen van de herfst eindelijk een boekje open. Hij vertelde Bush wat hem bezighield en vroeg om een speciale bijeenkomst in de Situation Room. De president ging akkoord.

En zo kwamen begin september, een paar dagen voor de herdenking van 11 september 2001, de topfunctionarissen van de Amerikaanse regering – de hele leiding van de NSC en alle adjuncten – bijeen in de Situation Room.

De president, uitgerust en met een bruin kleurtje van zijn augustusvakantie, nam plaats aan het hoofd van de tafel en heette de groep welkom. Omdat de hele leiding van de Amerikaanse regering bijeen was in deze kamer volgde Cheney om veiligheidsredenen het gesprek vanaf een beveiligde lokatie. Alle anderen waren er: Ashcroft, Ridge en Muller, van het binnenlandse front, en verder Powell, Armitage en Rumsfeld, die generaal Richard Myers had meegenomen.

Tenet en McLaughlin hadden op het laatste moment Mowat-Larssen meegetroond om zogezegd 'de tafel te dekken'. Hij was met name goed in het beschrijven van de theorie van het 'bindweefsel van bedreigingen': hoe de CIA de samenhang tussen bepaalde gebeurtenissen zag. Dat deed Mowat-Larssen een paar minuten, en daarna had hij het over zijn idee van het doel van de bijeenkomst: de leiders van de diverse sectoren op één lijn brengen en 'na te denken over actie, over wat we in eigen land doen op een moment van dreigend gevaar'.

John Brennan, nu hoofd van het pas opgerichte TTIC, het coördinatiecentrum voor terreurdreiging, gaf een verslag van dreigende gevaren, met een opsomming van alle specifieke details van de moordaanslag op Abdullah, het onlangs ontdekte antraxgevaar, de onthulling van Hambali over de vliegtuigen uit Indonesië en de fotoserie over New York.

Daarna richtte Bush zich tot Mueller.

'Bob, wat heeft de FBI over deze dreigingen? Hoe ziet het binnenlandse plaatje eruit?'

Mueller zweeg een ogenblik. De CIA had hem vooraf geïnformeerd over wat de ze naar voren zouden brengen. Dit was onderdeel van een procedure die ze begin 2002 hadden afgesproken, toen Tenet een breed scala van volgens de CIA dreigende gevaren aan Bush en Cheney presenteerde, en Mueller op zijn beurt steeds maar heel weinig kon vertellen over dingen die de FBI had gevonden.

Mueller zei dat de theorie van de CIA, en de visie dat al-Qaida de capaciteiten had om de VS aan te vallen 'waar en hoe ze maar verkozen' hem niet juist leek; hij geloofde er niets van.

'Ho even', blafte Bush en stopte de gang van zaken met één handgebaar. 'Oké Rolf, begin eens overnieuw, maar geef nu wat meer details. Laten we alles nog eens doornemen.'

Dat deed Mowatt-Larssen, die nu in bijzonderheden trad over waarom en hoe een gebeurtenis in het buitenland, zoals de moord op Musharraf of Abdullah, de voedingsbodem zou zijn voor strategische acties van al-Qaida. Toen begon hij namen en beschrijvingen van al-Qaida-sympathisanten te geven, en de namen van personen die mogelijk tot slapende terreurcellen behoorden en waarvan de CIA vermoedde dat ze momenteel in de VS waren.

Bij iedere naam raakte Mueller een beetje verder ondergesneeuwd. Hij zei dat deze personen 'moeilijk te identificeren en af te zonderen' waren als ze geen strafbaar feit pleegden.

Cheney deed vanaf het videoscherm ook een duit in het zakje. Hij zei dat dit 'dezelfde mentaliteit' was waardoor een terrorist als Mohammed Atta, die zich rustig hield om niet de aandacht op zich te vestigen, in de VS op de loer lag 'tot het moment dat hij geactiveerd werd'.

De vice-president drong verder aan. 'Bob, hebben we in het binnenland iets méér aangetroffen om toe te voegen aan deze CIA-verslagen?'

'Tot op heden,' zei Mueller even later, 'hebben wij in het binnenland niets méér kunnen vinden dan wat de CIA heeft aangetroffen wat betreft deze wargenomen dreigingen.'

'Niets?' vroeg Bush.

'Niets dat de moeite waard is om eraan toe te voegen, meneer de president.'

Er viel een stilte in het vertrek.

'Dit kan gewoon niet,' zei Cheney vanaf het videoscherm. 'We horen dit veel te vaak van de FBI.'

Bush kwam tussenbeide om een voortijdige escalatie te voorkomen.

'Het was verschrikkelijk,' zei een van de hoofdrolspelers van die dag in de Situation Room. 'Maar zo gaat het nu eenmaal met de FBI. Het is geen inlichtingendienst, maar er wordt ze wel gevraagd om te doen alsof ze er een zijn. En vaak hebben ze erg weinig te bieden.'

Bush gooide het over een andere boeg. 'We praten te veel, we doen niet genoeg.'

Vanaf het videoscherm klonk de eenprocentdoctrine. Velen in dit vertrek hadden van deze doctrine – of van de diverse varianten ervan – gehoord, maar nu werd de doctrine als zodanig gepresenteerd door de schepper ervan, de man die de motor was achter een groot deel van de Amerikaanse buitenlandse politiek. Cheney nam de doctrine door: de 'aard van een gebeurtenis met een hoge impact en een lage waarschijnlijkheid', en hoe we 'zelfs zonder harde bewijzen moeten doen alsof deze dreigingen een zekerheid zijn. We hebben geen keuze. Dus: hoe staan we ervoor en wat kunnen we doen?'

In dit geval was het een reactieve en geen proactieve toepassing van de doctrine, en het gesprek ging over op de binnenlandse veiligheid.

Bush deed de ronde, stoel voor stoel, met de vraag wat er gedaan werd of gedaan kon worden. Het gesprek richtte zich op 'drukpunten': chemische fabrieken, kerncentrales en elektriciteitscentrales. 'In hoeverre zijn wij echt beveiligd?' vroeg Bush.

Tom Ridge nam het woord. Het beeld dat hij schetste was niet bemoedigend. De kerncentrales waren het best beveiligd, en er waren al waarschuwingen afgegeven. Chemische fabrieken, zelfs in de nabijheid van de grote steden, bleven kwetsbaar.

Bush richtte zich tot het hoofd van de TSA, de Transportation Security Administration. Wat gebeurde er met vluchten uit Indonesië, vroeg hij. Een paar dagen geleden was het besluit genomen om ze niet te laten landen. 'Hoe kunnen we garanderen dat we hier veilig zijn?' vroeg Bush.

Het hoofd van de TSA begon aan een breedvoerige uiteenzetting over het aantal agenten dat ingezet werd, en waar, en de procedures voor specifieke soorten gevaren.

Bush kapte hem geprikkeld af.

'Ik wil helemaal niets meer horen over beleidslijnen en procedures,' zei de president. 'Ik wil precies weten wat ze in Indonesië doen om bagage te controleren!'

Daarmee was voor het daaropvolgende uur de toon gezet, zowel van de kant van Bush als van Cheney. Hoe zat het met de beveiliging van de luchthavens? Hoe zat het met het Grand Central Terminal en de gebouwen op de foto's die ze gevonden hadden? Zijn we klaar voor een volgende antrax-aanslag? Daarna weer terug naar de vliegtuigen. De informatie die ze van Hambali hadden gekregen was niet vlekkeloos. Het kon geïnterpreteerd worden als een bom met een tijdontsteking in het laadruim. Het kon gaan om een tweede kaping, op de manier van 11 september.

'Maak je geen zorgen, als dit uit de hand loopt en ze vliegen over de Rose Bowl, dan schiet ik ze wel neer,' riep Rumsfeld in een uitbarsting van machismo.

Bush keek hem strak aan.

'Don, je zoon of je dochter zit in dat vliegtuig,' zei hij. 'Dat criterium zullen we gebruiken om te kijken of we dat vliegtuig wel of niet neerschieten.'

Rumsfeld knikte zwijgend.

En naarmate de bijeenkomst vorderde zouden anderen hetzelfde doen. Zo veel vragen, zo veel antwoorden. Zo veel dreigingen, en een land dat grotendeels niet te verdedigen was.

'Ik denk dat dit een goeie oefening is,' zei Rumsfeld na een poosje, in een poging tot herstel. 'Om echt inzicht te krijgen in onze vermogens als er een aanval op handen is.'

Ja, 'onze vermogens' waren volkomen duidelijk.

Zelfs met een fel rood knipperende 'gevarenmatrix' was Amerika's vermogen om een mogelijke aanslag te voorkomen slechts een klein beetje beter dan het was op 10 september 2001.

En iedereen verliet de Situation Room met een sterk onderdrukt gevoel van paniek.

Een paar dagen later gingen Mowatt-Larssen en Leon naar New York. Ze gingen langs bij het kantoor van de FBI in deze stad. Ze hadden een bijeenkomst in de vergaderruimte van Ray Kelly, hoofdcommissaris van politie in New York. Daarna brachten ze een bezoek aan groepen chefs van veiligheidsdiensten van de belangrijkste New Yorkse bedrijven, van wie velen voorheen hadden gewerkt bij de FBI, de New Yorkse politie of de CIA. Iedereen moest geheimhouding zweren. Ze kregen uitleg over de mubtakar en over het nieuwe antraxgevaar, zodat ze wisten wáár ze moesten kijken en waarnáár ze moesten kijken.

Enkele tientallen mensen alarmeerden na deze bijeenkomsten andere mensen, politiemensen of beveiligingsmensen, maar alleen heel in het algemeen. Wees alert, maar op een rustige, onopvallende manier. Kijk uit naar dingen die je verdacht lijken, of mensen, of misschien een onbeheerd achtergelaten blik, of een verfbus.

En daarna gingen die enkele tientallen naar huis, gewoonlijk naar hun vrouw, of in enkele gevallen hun man, en knuffelden die. Wat zeg je dan? Het is geheim. Het is de bedoeling dat je niets zegt.

Hoe was het op je werk vandaag, schat?

Prima hoor, hetzelfde als altijd.

Maar natuurlijk was het niet hetzelfde als altijd.

Die enkele tientallen ervoeren met het verstrijken van de dagen het centrale dilemma van deze tijd, en van de zogeheten 'oorlog tegen terreur'.

Is het beter om iets te weten? Of om niets te weten?

Wat levert iets weten je op? Angst? Is dat niet wat de terroristen willen?

Wordt die angst na verloop van tijd gewoon, wordt de angst omgezet in een gelaten bewustzijn, en misschien in waakzaamheid?

Eén ding staat vast.

Een select groepje New Yorkers wist dat zij en hun dierbaren in ieder geval het Grand Central Terminal moesten mijden.

HOOFDSTUK 8

Het loon van de angst

Het debat over de proliferatie van kernwapens van de afgelopen decennia was een klassiek geval van niet-gestelde vragen in volle vergaderzaaltjes. De centrale vraag was ijverig ontweken: waarom beschikken sommige landen wel over 'de bom' en andere niet?

De periode van na de Tweede Wereldoorlog werd, zoals iedereen natuurlijk wist, gekenmerkt door de dreiging van een wederzijds verzekerde vernietiging die de twee grote blokken, de NAVO en het Warschaupact, tot een onbestendige patstelling veroordeelde. Het kernwapen was evenzeer strategische theorie als een concrete kernkop, het ding dat je moest hebben maar nooit moest gebruiken, een rem op nationalistische of regionale ambities, een handhaver van vrede. Althans voor degenen die zich comfortabel in de nucleaire club genesteld wisten. Zij deden hoogdravende en moraliserende uitspraken over de gevaren van het kernwapen, terwijl ze boven op hun gigantische wapenvoorraden zaten en vlijtig hun best deden om te voorkomen dat anderen die zouden krijgen. Dit systeem van machtigen die hun privileges uitoefenden, werkte doorgaans heel goed. Landen die geen kernmacht waren mopperden soms dat niet echt duidelijk was of de verspreiding van soortgelijke wapens echt veel meer zou bewerkstelligen dan het creëren van nog meer op wederzijdse vernietiging gebaseerde evenwichtsstructuren, en wie weet enige aarzeling in het gebruik van conventionele wapens, maar dat zij, althans in theorie, evenveel recht hadden op zo'n defensief wapen – een wapen ten behoeve van zelfbescherming, zouden zij zeggen – als de meer bevoorrechte naties. En vergeet niet dat het een kwestie was van bezitters en bezitlozen, vooral met Israël in de club als gelijke van zijn broeders in het geïndustrialiseerde Westen, terwijl geen enkele Arabische natie toegang tot de club had gekregen.

Pakistan zou daar verandering in brengen. Het raakte in paniek nadat India in 1974 een ondergrondse kernexplosie had uitgevoerd, met een kracht die ongeveer gelijk was aan de atoombom op Hiroshima. Een decennium later bleek Pakistan de meest overtuigende reclame te zijn voor opwaartse nucleaire mobiliteit. Het trad unilateraal op, bouwde wat het nodig had, en ging toen over tot het tarten van zijn aartsrivaal. Voor hen die zich een soortgelijke moderne geschiedenis wilden aanschaffen, boden de jaren tachtig een 'grijze' markt waarop je alleen maar hoefde te weten bij wie je zijn moest. Ondanks het in 1970 gesloten Non-Proliferatieverdrag dreven afzonderlijke ondernemingen, waaronder die van A.Q. Khan en verscheidene minder bekende bedrijven in West-Europa, een levendige nucleaire handel: ze lieten 'bezitloze' regimes in het geheim kennismaken met de nucleaire geest in de fles, een geleidelijk proces van het opbouwen van een 'cascade' van honderden uranium verrijkende centrifuges. De verwachting van de cliënten was dat het jaren zou kosten, en honderden miljoenen, maar dat het dat zeker waard zou zijn. Eind jaren zeventig deed Irak een eerste poging, een experiment dat in de kiem werd gesmoord toen bij een Israëlische luchtaanval de reactor te Osirak werd verwoest. Begin jaren negentig waren Iran en Noord-Korea regelmatige klanten van Khan, die Pakistaanse generaals, natuurwetenschappers, ingenieurs en leden de inlichtingendiensten integreerde in zijn steeds meer geld opleverende wereldwijde activiteiten.

Khan had ook een netwerk van compagnons en leveranciers in Duitsland, Engeland, Nederland, Turkije en Zwitserland, die zijn klanten de belangrijkste onderdelen en gespecialiseerde machines leverden.

Een van hen was Friedrich Tinner, een Zwitsers werktuigbouwkundig ingenieur die al sinds de jaren tachtig zaken deed met A.Q. Khan. Hij leverde aan Khan bepaalde onderdelen voor centrifuges, onder andere veiligheidskleppen. Ook trad hij als een soort inkoper op voor de Pakistanen: hij regelde dat diverse bedrijven in Europa de benodigde onderdelen verzonden aan tussenpersonen in Dubai, waarna ze via de normale toevoerkanalen werden doorgestuurd naar Khans onderneming.

Tinner werd heel erg rijk en ten slotte nam hij zijn zoons op in zijn bedrijf. Marco Tinner, de oudste zoon, was officieel eigenaar van de Traco Company, een Zwitsers bedrijf dat geavanceerde apparatuur, zoals met hoge snelheden werkende draaibanken, lintzagen en slijpmachines, verzorgde, toerustte en verkocht aan het netwerk van Khan. Maar het was de jongste zoon, Urs Tinner, halverwege de jaren negentig achter in de twintig, die algauw de trots en de vreugde van de onderneming werd. Urs, die een opleiding als kernfysicus had genoten, was verantwoordelijk voor het importeren en installeren van de machines, overal ter wereld. Hij had wetenschappelijke ervaring, was veeleisend en ambitieus. Hij wist waar ieder onderdeel heen ging, en daarmee was hij tevens op de hoogte van de diverse projecten die Khan had geïnitieerd en bevoorraad.

Khan en zijn compagnons werden al jaren intensief in de gaten gehouden door de CIA en MI6, met een strak aangetrokken net dat sigint en financieel onderzoek omvatte. Maar eind jaren negentig lukte het de CIA-agenten die undercover onder de Europese verkopers van gespecialiseerde centrifugeapparatuur werkten om Urs te isoleren en hem aan hun kant te krijgen.

Het was een grote overwinning voor de spionagesector. In de wereld van de inlichtingendiensten is er niets dat de kracht van een goed geplaatste mol kan evenaren. Het was alsof de CIA opeens nachtkijkers had gekregen. Nu waren het niet alleen de meest voor de hand liggende dingen die ze konden signaleren, nu konden ze alles zien, van zonsondergang tot zonsopgang.

Maar nu ze gekregen hadden waar ze op gehoopt hadden, diende zich een netelige kwestie aan: wat moesten ze doen met deze kostbare kennis in de disfunctionele wereld van ontwapening en proliferatie, een wereld waarin Khans netwerk gewoon bleef floreren? Khan werd stinkend rijk en maakte zelfs reclame voor zijn diensten, net als het Pakistaanse ministerie van Handel, dat in 2000 in een Engelstalige krant een paginagrote advertentie plaatste met reclame voor onderdelen van kernwapens en de deskundigheid op het gebied van assemblage die het land te bieden had.

Natuurlijk wisten de VS meer dingen dan die reclametekst te vertellen had, en die kennis groeide met de dag. Maar net zoals we ervoor terugdeinsden om de Saudi's te vertellen hoe we precies van de Amerikaanse mubtakar-cel gehoord hadden, zo ook vertrouwden we president Musharraf niet genoeg om hem te vertellen dat wij een gouden insider hadden. Als we Musharraf zouden confronteren met de meest relevante informatie over Khans activiteiten, zouden we Tinner zelfs wel eens kunnen verraden en ons geheime interne venster kwijtraken. Door deze wrijving tussen weten en handelen, inlichtingen en verbod, die acuut zou worden na 11 september, zat er voor de CIA en diverse beleidsmakers niets anders op dan met Musharraf 'Ik zie ik zie wat jij niet ziet' te spelen.

Ten slotte deden de Amerikanen in 2001 een poging om in te grijpen. Ze lieten de Pakistaanse leider foto's zien van Khans handel in centrifugecomponenten, bewijsmateriaal waardoor de interne bron van de CIA niet kon worden geschaad. Musharraf was niet onder de indruk. Hij zei eenvoudig dat de Pakistaanse regering nergens bij betrokken was, dat ze nergens van wisten. Door volgehouden druk van de kant van de VS werd Musharraf uiteindelijk gedwongen om Khan aan te pakken, zij het dat hij dat niet al te hard deed: Khan raakte in 2001 zijn officiële onderscheidingen kwijt, maar de Pakistaanse nucleaire ondernemer ging onverstoorbaar verder. De CIA bleef intussen regelmatig rapporten ontvangen.

Al met al legde de verzamelde informatie in het geheim elementen bloot van de gedragingen en het karakter van Musharraf, de Iraniërs, de leider van Noord-Korea Kim Jong Il, en uiteindelijk ook van Kaddaffi. De Libische leider trok al vanaf 1997 op met Khan en zijn trawanten. Rond oktober 2001, toen Ben Bonk met Musa Kousa een gesprek had gehad in Londen, had Libië inmiddels enkele elementaire onderdelen voor centrifuges ontvangen en zelfs een pakket van Khans onderneming in Pakistan, inhoudende een kleine hoeveelheid verrijkt uranium.

En zo keken we toe. Alles wetend, maar te verstard om te handelen.

Musa Kousa's doctoraalscriptie voor zijn masterstitel in de sociologie werd pas laat ingeleverd, ruim vijf jaar nadat hij de campus van East Lansing zonder titel had verlaten en in Lybië voor Kaddaffi was gaan werken.

Voor hem bleef dit een onafgemaakte zaak. Dat hij er zo veel energie in had gestoken om zijn studie te voltooien en zijn masterstitel te behalen – de scriptie telt 209 bladzijden, compleet met bibliografie –, zegt veel over de aantrekkingskracht van het vrije onderzoek, over de verdiensten van het empirisme en het 'tijdperk van de rede' die het denken van het Westen nog steeds bepalen.

De scriptie, geschreven toen Kousa al optrad als beul van Kaddaffi, houdt zich bezig met de vraag 'hoe sociale, culturele en economische omstandigheden politieke resultaten beïnvloeden'. Meer specifiek is het een poging Kaddaffi in een bredere historische context te plaatsen door het vervlechten van uitspraken van de dictator, gedaan in verscheidene lange gesprekken die Kousa met hem mocht hebben, met citaten van denkers over politiek en leiderschap, van Erik Erikson tot Seymour Martin Lipset.

De auteur is als vanzelf vol lof over de Libische leider, maar hij geeft af en toe ook scherp commentaar, in sommige gevallen ongewild, over hoe 'de persoonlijkheid van een individuele actor in belangrijke mate bepalend kan zijn voor politieke verschijnselen', in Kousa's eigen woorden.

Hij zegt dat Kaddaffi's 'legitimiteit' grotendeels 'ontleend wordt aan zijn charisma', en dan citeert hij Max Webers bekende passage over hoe 'de leider qua individuele persoonlijkheid een bepaalde kwaliteit heeft bij de gratie waarvan hij zich onderscheidt van gewone mensen en behandeld wordt als was hij begiftigd met bovennatuurlijke, bovenmenselijke, of in ieder geval en met name uitzonderlijke vermogens of kwaliteiten'.

Het enige dat die eeuwenoude tautologie van de uitzonderlijkheid – 'ik heers zoals ik heers, omdat ik ben wie ik ben' – ooit heeft kunnen ondermijnen waren de republikeinse idealen, voortgebracht door de Grieken en veel later ook weer uitgedragen in de kritische uitspraken van achttiende-eeuwse neoclassicistische denkers als Jefferson, een van de mensen die in belangrijke mate bijdroegen aan de democratische explosie van die tijd. Met hun revolutionaire gedachte dat het volk de soeverein is en dat de leiders ten dienste van het publiek staan, probeerden ze de traditionele historische formule van macht die zichzelf handhaaft en rechtvaardigt op zijn kop te zetten. Hoewel de democratie zich flink heeft verbreid, en nu ongeveer de helft van alle regimes ter wereld democratisch is, is het conflict tussen het democratische en het autoritaire model in feite meer een voortgaande, onvoltooide discussie gebleven dan dat er eenvoudig sprake zou zijn van een nieuw gevonden model dat recht heeft gemaakt wat voorheen krom was. Beide modellen gaan per slot van rekening over heerschappij en het gebruik van macht, en beide kampen herkennen bij de tegenpartij bepaalde gemeenschappelijke trekken waar ze liever niet aan herinnerd worden. Dictators worden niet gekozen maar kunnen wel verdreven worden als de ontevredenheid van een volk te groot wordt. En officieel gekozen leiders krijgen weliswaar geen dictatoriaal gezag toegemeten maar er zijn er bij die alles op alles zetten om hun macht te handhaven, te rechtvaardigen en in sommige gevallen zelfs uit te breiden.

Dit alles is vooral relevant voor de buitenlandse politiek van Amerika die in weerwil van veel hoogdravende retoriek na 11 september in verbluffende mate op gesprekken met dictators berust. Hoe krijg je een dictator zover dat hij doet wat je wil? Moet dat publiek of privaat? Mik je op het hooggebergte van de gemeenschappelijke doelen of kies je de lagere weg van de dwang? Behandel je ze als legitieme *pater familias* of haal je in het geheim hun economie onderuit? Ooit was de Amerikaanse steun voor een betrekkelijk presentabele dictator, Ferdinand Marcos van de Filipijnen, wiens ondeugden voornamelijk van de plunderende variant waren, een controversiële aangelegenheid. Nu voeren we over allerlei transacties een regelmatige dialoog met een tiental dictators, die we elk op een ad-hocbasis behandelen. We hebben een tegen terroristen gericht beleid, maar geen noemenswaardig 'dictatorenbeleid'.

Afgezien van één grootste gemene deler, die samenhing met het feit dat George W. Bush rond het najaar van 2003 uitzonderlijke volmachten naar zich toe had getrokken om diverse dictatoren te dwingen hun uitzonderlijke volmachten op te geven. Er scheen echter weinig bekend te zijn over de strategieën die dictators doorgaans gebruiken om als zodanig te kunnen functioneren. De 'legitimiteit' van Kaddaffi of Musharraf of Abdullah van Saudi-Arabië wordt, zoals Kousa en anderen hebben geschreven, grotendeels 'ontleend aan zijn charisma' en aan de suggestie dat iedere heerser zijn macht gebruik om de belangen en het zelfrespect van zijn land te bevorderen. Dit is een claim die ieder subject, iedere militante geestelijke of ongeduldige en ambitieuze kolonel, voor zichzelf en op eigen gelegenheid kan maken, vooral in een tijd waarin de door de staat gecontroleerde media aan het verdwijnen zijn en het echte nieuws, met bijbehorend commentaar, zich razendsnel verbreidt via radio, tv en internet. Deze veranderingen maken het voor een dictator steeds moeilijker om te voldoen aan de traditionele uitdaging dat hij nooit of te nimmer zijn 'gezicht mag verliezen'. Omdat hun macht voortkomt uit hun sterk benadrukte persoonlijkheid is het 'gezicht' alles. Ze mogen nooit onomstotelijk worden overtroffen door de kampioen van een ander land, en de laatste tijd mogen ze vooral niet worden overtroffen door de 'kruisvaarder' George W. Bush.

Intussen was de president in Irak en elders bezig met het uitvoeren van een wereldwijd experiment in gedragsverandering waarbij hij het zich evenmin kon veroorloven zijn gezicht te verliezen. Ondanks binnenlandse problemen was de president zich gaan richten op een nieuwe achterban binnen de wereldgemeenschap waarvan hij de drijfveren hoopte te kunnen veranderen. Drijfveren die samenhingen met het gebruik van massavernietigingswapens of met nationalistische bewegingen, het omhelzen van radicalisme of steun voor anti-amerikanisme. Karl Roves krachtige verkiezingsmachine, die zeer effectief was bij het mobiliseren van de basis en het controleren van mediaboodschappen in de vs, was in het buitenland onbruikbaar. Twee jaar na 11 september dacht de mondiale gemeenschap constant, bijna obsessief, aan de dictaten van de Amerikaanse macht: dat was reëel voor ze, ongeacht hun oriëntatie. Mooi zo, zeiden veel neoconservatieven, zo hoort het nu eenmaal. Maar nu de Amerikaanse regering voortdurend ten overstaan van de wereldbevolking de taal van het 'geef nooit op, geef nooit toe, geef nooit een fout toe' sprak, de taal van wilskracht en lef, een taal die 'de mensen konden begrijpen', in het jargon van het Witte Huis, was het probleem van mogelijk 'gezichtsverlies' voor Bush plotseling even acuut als voor een Kaddaffi, Abdullah of Musharraf. 'Je gezicht verliezen' betekende voor Bush dat een hele horde eigenmachtige individuen bloed zou ruiken en zich tegen hem zou verheffen.

Zo liep Amerika's dictatorgerichte buitenlandse politiek tegen een serie dode punten aan, een muur van mogelijke confrontaties. George W. Bush wenste dat oncontroleerbare landen zich zouden buigen voor de enige supermacht, hij wilde hun gedrag veranderen of zelfs hun regeringsvorm, en het liefst zag hij dat ze hun vernietigingswapens opgaven en die nooit meer zouden fabriceren, dat ze zouden stoppen met ons te tarten en dat ze de weldaden van democratie en vrije markt zouden omarmen. Maar als anderen hun gedrag op grond van deze voorbeelden zouden aanpassen, dan moesten ze wel weten wie er achter zaten: de vernieuwde en daadkrachtige Verenigde Staten. Met ieder nieuw voorbeeld, zo werd gedacht, zouden onze woorden extra kracht krijgen. Steeds meer zouden woorden het enige zijn dat we nodig hadden. Zo steekt dit experiment in 'ontraden' en 'weerhouden' in elkaar.

Aan de andere kant konden leiders van allerlei formaat zich steeds minder veroorloven ook maar iets te doen waartoe Amerika hen dwong, of zelfs de dingen die de VS schenen te willen.

Dan zouden ze hun gezicht verliezen.

Voor een dictator, voor iedere dictator, is dat rampzalig.

Rond eind september 2003, zes maanden na Musa Kousa's eerste stap richting Tony Blair, had Libië nog steeds niet 'de boodschap afgegeven' die Bush nodig had om rond te bazuinen hoe een vernederde, berustende Kaddaffi was gezwicht voor de nieuwe wereldorde.

Lezing van Musa Kousa's scriptie zou waarschijnlijk geholpen hebben. Voor Kaddaffi ging het er niet om of hij wel bereid was om te ontwapenen: hij wist dat hij dat wel móést doen om de internationale acceptatie zonder sancties te verwerven waar hij zo naar hunkerde. Het ging erom dat hij het op zo 'n manier moest doen dat hij er in de ogen van het Libische volk, en van andere Arabische naties, niet minder op werd, en dat het niet de indruk zou wekken dat zijn voorgaande besluiten, die geleid hadden tot meer dan een decennium van sancties en isolement voor zijn land, nu opeens ondoordacht zouden lijken.

Kaddaffi kwam in 1969 via een militaire coup zonder bloedvergieten aan de macht en had zichzelf altijd gezien als een visionair leider, met zijn eigen politieke stelsel, de 'derde universele theorie'. Dit was een combinatie van socialisme en een variant van de islam, ontleend aan de tribale tradities van het land, waarvan hij verwachtte dat deze door het Libische volk ten uitvoer zou worden gelegd in een vorm van directe democratie. In de jaren zeventig en tachtig gebruikte hij inkomsten uit olie om zijn visie in het buitenland te verbreiden, en ook financierde hij er de terroristische activiteiten mee die zijn messianistische profetie in vervulling zouden doen gaan, namelijk de beëindiging van kapitalisme en communisme.

In plaats daarvan kreeg hij te maken met internationale kritiek en sancties. Al in 1986, nog vóór Lockerbie, hadden de VS al forse restricties opgelegd aan transacties met Libië en reizen naar dit land. In 1992 legden de VN Libië een wapens- en luchtvervoerembargo op en verboden ze de export van apparatuur en onderdelen bestemd voor Libische olieraffinaderijen. Libiës economische groei stagneerde terwijl die van de buurlanden snel groeide door de hoge inkomsten uit olie in de jaren negentig. Het bruto binnenlands product per hoofd was rond 2003 ongeveer 6400 dollar lager dan in veel van de OPEC-landen van de regio, en het was ongelijk verdeeld in deze matig gediversifieerde economie. Het land is iets groter dan Alaska, heeft een bevolking van 6 miljoen, waarvan 97 procent soennitisch. Het heeft een bruto binnenlands product dat voor 54 procent afkomstig is uit olie-export, en verder heeft het meer weg van een bedoeïenen-woestijnvorstendom dan de meeste van zijn Arabische broeders. Onder de sancties zakte de olie-industrie in, vooral doordat Libië grote moeite had technici te vinden en de machineonderdelen om de bronnen op topcapaciteit te laten stromen. Dat zorgde voor een sociaaleconomische malaise en de geleidelijke groei van ondergrondse oppositiegroepen.

Als uitvloeisel van de Lockerbie-regelingen in het voorjaar zouden de VN-sancties in september 2003 worden opgeheven. Maar de VS wilden meer concessies, voordat ze hun eigen eenzijdige economische sancties tegen het plan ophieven. Ze wilden dat Libië zijn wapens opgaf, de banden met terroristische groeperingen verbrak en in het openbaar een krachtige verklaring aflegde van zijn veranderde intenties en karakter. Zonder dat zouden de VS geen vin verroeren. Het standpunt van Kaddaffi was dat hij de Lockerbieschikking niet volledig zou betalen als de Verenigde Staten niet gelijk met de VN hun sancties ophieven.

Zo stonden de partijen tegenover elkaar. De hele zomer reisden Steve Kappes en zijn Britse tegenhanger Mark Allen, hoofd van de antiterrorismeafdeling van MI6, de wereld rond, waarbij ze onder andere ontmoetingen hadden met Kousa en andere Libische bemiddelaars.

Het was tot op zekere hoogte een dans van gemeenschappelijke belangen: net als Kappes wilde Kousa proberen de koppige Libische leider aan tafel te krijgen om een overeenkomst op te stellen. De mannen spraken over verschillende aanbiedingen, verschillende tactieken, dingen die de deal en vooral het gemoed van Kaddaffi zouden kunnen verzachten.

Toen Kappes en Allen Kaddaffi die zomer voor het eerst in Tripoli hadden gesproken, hadden ze geprobeerd specifieke details van hem los te krijgen over de wapens die de Libiërs moesten opgeven. Dat Kaddaffi chemische strijdmiddelen had, vooral mosterdgas, was algemeen bekend. Of hij een effectief en goed functionerend *delivery system* had, was een andere zaak. Via Urs Tinner wisten ze echter dat hij een of twee pakhuizen vol met centrifugeonderdelen had. Het team vroeg talloze malen naar de wapens. En Kaddaffi antwoorden op talloze manieren, waarbij hij zijn aanmerkelijke charisma, zijn 'legitimiteit' zoals Kousa zou zeggen, goed benutte. Het ging niet alleen om wat Libië zou kúnnen doen, zei Kaddaffi op een gegeven moment, maar het ging er ook om wat het behóórde te doen als soevereine staat. En wie zou de veiligheid van het land garanderen als buurlanden zich niet herkenden in Kaddaffi's nieuwe verlichte ideeën over ontwapening? Wat is de aard van bindende overeenkomsten tussen onafhankelijke staten, en wat zijn de grenzen van zulke overeenkomsten? En zo gingen de gesprekken verder.

Bij iedere dictator of autoritair individu tref je het primaat van de persoonlijkheid, nog versterkt als deze over veel macht beschikt. Wat de materiële discussiepunten ook waren, Kaddaffi leek in zekere zin te genieten van de ontmoetingen, alsof hij zich tot Kappes en Allen richtte als surrogaat voor de betrekkingen op hoog niveau met de 'eerste wereld' waar hij zo naar hunkerde. Het was vooral die behoefte die hem oorspronkelijk naar de onderhandelingstafel had gevoerd.

Op een ochtend aan het eind van de zomer keerde Kappes terug naar Langley, keurig gekleed en met heldere oogopslag, zelfs na deze stressverwekkende trip naar Tripoli en een lange nachtvlucht. In de gang kwam hij John Moseman tegen.

'Je ziet er opmerkelijk fris uit,' zei Moseman, 'na al die dagen vechten met Kaddaffi.'

'Je zult wel denken dat ik gek ben, John,' antwoordde Kappes, 'maar ik geloof dat ik die vent langzamerhand begin te mogen.'

Kaddaffi vertrouwen, een allesbeheersende kwestie voor zowel Bush als Blair, dat was iets anders. De VS wisten uiteraard dat onder Kaddaffi een bloeiend nucleair programma op gang was gekomen, maar in een situatie die veel weg had van de Amerikaanse aarzeling om Musharraf te vertellen wat ze allemaal niet wisten over Khan, of om Abdullah van Saudi-Arabië te vertellen hoe ze aan de informatie over die Amerikaanse mubtakar-cel waren gekomen, kon het Amerikaans-Britse team Kaddaffi niet laten merken wat ze wisten over zijn centrifuges en hoe ze dat aan de weet waren gekomen. Dat zou Tinner in diskrediet kunnen brengen.

Aan de andere kant zou Kaddaffi nooit toegeven dat er sprake was van een kernprogramma, ondanks de vele gelegenheden daarvoor. In regeringen zonder transparantie of interne controlemechanismen geven de leiders alleen de dingen toe waartoe ze gedwongen worden. Zelfs de VS hadden daar sinds kort enige ervaring mee.

Het groepje bestaande uit Kappes, Tenet, Bush en Cheney was het erover eens dat Kaddaffi nu echt gedwongen moest worden zijn kaarten op tafel te leggen.

Zoals ook gebeurde met de kaarten van een nog belangrijker speler.

Eind 2002 en begin 2003 werd de toestand in Pakistan geleidelijk steeds absurder naarmate Amerika steeds meer bewijzen verzamelde over Khans activiteiten, die ze echter niet konden delen met Musharraf. Tegelijkertijd begonnen ze zich steeds meer zorgen te maken over de Pakistaanse dictator en zijn rol als hun medestrijder in de oorlog met al-Qaida. De gang van zaken had een verhuld agressief karakter: terwijl ze Musharraf prezen om zijn samenwerking werden de VS in toenemende mate agressief over de dictatoriale leider van een andere potentiële kernmacht, Noord-Korea's Kim Jong Il, die de belangrijkste klant was van Musharrafs vertrouwde adviseur en vriend A.Q. Khan.

Diverse teams kwamen voor overleg bijeen op de operationele afdeling van de CIA. Medewerkers uit het veld en analisten die Tinner begeleidden spraken met Kappes en het Libische team. Er waren door Khans bedrijf in 2003 al drie zendingen onderdelen voor centrifuges naar Libië gestuurd.

Een vierde, zo vertelde Tinner zijn begeleiders, zou begin oktober vertrekken. Tenet en Kappes brachten Bush en Cheney op de hoogte van het komende transport en bevalen een plan aan: het dubbelspel. Na jaren vanuit het binnenste van Khans netwerk naar buiten te hebben gekeken, zou al dat spionagewerk nu eindelijk in actie resulteren. Het was nu tijd om in te grijpen.

Tinner vertelde zijn begeleiders bij de CIA dat een schip met de naam BBC China vanuit Dubai op weg was naar het Suezkanaal met aan boord centrifugeonderdelen bestemd voor Libië. Aan de eigenaar van het schip, een Duitse rederij, werd door de Amerikaanse regering gevraagd of ze het schip via een andere route naar Taranto, een Italiaanse havenplaats, wilden sturen. Daar vonden inspecteurs vijf grote kisten met nucleaire apparatuur, gefabriceerd in Khans Maleisische constructiebedrijf Scomi Precision Engineering, die door de autoriteiten in beslag genomen werden. Terug in Maleisië verwijderde Urs Tinner zijn persoonlijke gegevens uit de bestanden van het bedrijf, nam een hard disk met de belangrijkste bestanden met technische tekeningen mee en glipte het land uit.

In de dagen daarna werden er verschillende arrestaties verricht, onder andere van A.Q. Khans assistent Buhary Sayed Abu Tahir, die opgepakt werd door de Maleisische politie. Khan kreeg huisarrest, terwijl Musharraf nadacht over de diverse manieren waarop hij deze delicate situatie waarbij zijn oude vriend en adviseur betrokken was kon aanpakken.

De inbeslagname van het schip gaf de Verenigde Staten de gelegenheid om publiekelijk uitdrukking te geven aan hun woede en verbazing over dingen die ze in het geheim al jaren wisten en om actie te eisen, zowel van Musharraf als van Kaddaffi. Omdat de informatie van de Verenigde Staten voor hen leek voort te vloeien uit één enkel verhelderend gebeuren, gaf dit de dictators de gelegenheid om in het kielzog daarvan voorbij te gaan aan hun vele geheime, oneerlijke gesprekken met de Amerikaanse functionarissen en de BBC China als een soort startpunt te nemen.

Bijna van meet af aan begonnen CIA-analisten en beleidsspecialisten van de nationale veiligheidsraad NSC het incident te zien als een model dat onder andere gekenmerkt werd door langzaam maar gestaag opbouwen van informatie en wachten op het op het juiste moment om te handelen. Ofwel 'wachten een kans voor het goede schot', zoals een CIA-functionaris die van basketbalbeeldspraak hield het noemde.

De inbeslagname van de BBC China zou ook geleidelijk steeds meer licht werpen op de subtiele, vaak ontregelende wisselwerking tussen het geheime en het zichtbare, tussen de pikdonkere nacht en de rozevingerige dageraad in een zogenaamde 'oorlog' die grotendeels uitgevochten werd in een schemerzone. Geen van de veelsoortige spelers leerde van de confiscatie van het schip ook maar iets wat de moeite waard was. Alle betrokkenen, de VS, Groot-Brittannië, Pakistan, Libië, waarschijnlijk Maleisië, Iran en zeker Noord-Korea, waren al jaren op de hoogte. Ze waren zich zeer waarschijnlijk bewust, of hadden sterke vermoedens, van wat elk van de anderen waarschijnlijk wist, ook al wisten ze niet allemaal hóé elke partij kon weten wat deze wist. Dat betekende dat de verschillende bevolkingen waarboven deze leiders zetelden, vooral in de vermeende transparante democratieën, bewust onkundig waren gelaten.

In het krachtenveld tussen besluiten, genomen door inlichtingenprofessionals plus een kleine kring van beleidsmakers, en de rivaliserende claims van andere sectoren van de overheid of het grote publiek, met zijn erkende recht om te weten wat de ware motieven van de Amerikaanse buitenlandse politiek zijn, zijn bijna alle opties in handen van de mensen die deel uitmaken van eerstgenoemde partij.

Dat betekende bijvoorbeeld dat reeds lang bestaande informatie over de positie van Noord-Korea als een zeer gewaardeerde klant van Khan in oktober 2002 gemakshalve werd gelekt. Dat gebeurde een paar weken nadat het Congres ermee had ingestemd om Bush een volmacht te geven voor het gebruik van geweld tegen Saddam Hussein, een dictator van wie zelfs door hevige argwaan gedreven beleidsmakers wisten dat hij lang niet zo ver kon zijn met het bouwen van kernwapens als Kim Jong Il. Omgekeerd werd besloten dat noch het voltallige Congres, noch het Amerikaanse publiek – na een debat van bijna een jaar of Saddam Hussein nu wel of niet 's werelds meest urgente dreiging was – mocht weten dat de CIA al in oktober 2001, ten tijde van Ben Bonks ontmoeting met Kousa, wist dat Libië begonnen was met de eerste stadia van een nucleair programma. Of dat Iran, als klant van Khan, ook snelle vorderingen maakte op dit gebied. Terwijl het tromgeroffel voor een oorlog tegen Irak steeds luider klonk, zou dit alles letterlijk en figuurlijk als immaterieel worden beschouwd.

Een en ander gaf Musharraf de gelegenheid om zich na de confiscatie van de BBC China geschokt tonen, net als de VS. Hij tierde in het openbaar dat 'wij verraden zijn door onze moslimbroeders', een knap dubbelzinnige uitspraak die ofwel kon worden toegepast op Khan, die enorm had geprofiteerd van zijn verkoop van Pakistans nucleaire technologie, of op Kaddaffi die, zoals geïmpliceerd werd, een Pakistaanse held had uitgeleverd aan de VS.

Khan, die huisarrest had, werd niet verhoord en de Amerikanen kregen geen toegang tot hem. Dat zou er ook nooit van komen. Een paar maanden later verscheen hij op de Pakistaanse televisie met een in het Engels uitgesproken boodschap die meer bestemd was voor een internationaal dan een binnenlands publiek. Hij verontschuldigde zich voor zijn trouweloosheid en bedrog en zei, wat het meest belangrijk was, dat 'er door de regering nooit enige vorm van toestemming was gegeven voor deze activiteiten'. Al met al betekenden de geschoktheid van Musharraf en de uitspraak van Khan dat de Pakistaanse leider gezichtsverlies had geleden, maar alleen op een zeer beperkte en hanteerbare manier.

Hetzelfde gold voor Kaddaffi. Confiscatie van het schip creëerde de dekmantel van een gebeuren dat buiten zijn controle viel – per slot van rekening gebeuren dit soort dingen soms gewoon –, waardoor de onthulling van zijn kernprogramma een eenvoudig een zaak van gezond verstand was geweest. Het geheim lag toen toch al op straat.

Aan de onderhandelingstafel in Tripoli vergastte de Libische leider Kappes en Allen op een brede grijns, en er werd goede vooruitgang geboekt. De inbeslagname van het schip als startpunt gebruikend, zoals anderen dat publiekelijk ook deden, gaf hij een overzicht van zijn nucleaire programma, dingen dus die de VS en Groot-Brittannië in het geheim grotendeels al wisten. In november werden besluiten genomen over enkele details van zijn ontwapeningsprotocol. In december maakten de VS en Groot-Brittannië een rondreis langs Libische installaties, tezamen met vertegenwoordigers van het IAEA. Ze keken naar onderdelen van centrifuges, waarvan vele nog in kisten ingepakt zaten. In ruil hiervoor kreeg Kaddaffi wat hij wilde: de sancties werden opgeheven. Door de heersende elite van het land werd de hele affaire als behendig afgehandeld beschouwd, zonder zichtbaar gezichtsverlies voor de leider van de 'derde revolutie'.

Wat betreft George W. Bush, hij moest talloze malen de dingen zeggen die hij zo ontzettend graag wilde zeggen om het inzakkende Irak-experiment weer overeind te helpen, een meetbaar refrein waarmee hij zijn 'gezicht kon redden': dat Kaddaffi zijn wapens had opgegeven omdat de Amerikaanse invasie van Irak het geopolitieke landschap grondig had gewijzigd.

Dat was niet waar, zoals in wezen gold voor bijna alle publieke uitspraken die door betrokkenen bij dit 'dubbelspel' werden gedaan. Het ging hier niet om een vergissing, of een verkeerde formulering: of het nu Musharraf was of Bush, iedereen wist dat ze logen. Bij een bijna algeheel gebrek aan transparantie, zelfs als het gaat om het Amerikaanse regeringsapparaat, is het heel moeilijk om uitspraken te ondermijnen op basis van wat voor onderliggend bewijsmateriaal dan ook, althans op de korte termijn. Dat weten alle betrokkenen ook. De sleutel, verborgen tussen de regels van de kleine lettertjes van de betreffende overeenkomsten, is dat alle betrokken partijen de gelegenheid krijgen om hun 'gezicht te redden', of niet al te veel 'gezichtsverlies te lijden'. En dat kunstig opgestelde boodschappen uit Islamabad of uit Tripoli of uit Washington versterkt zullen worden, of in ieder geval gehandhaafd. Dat is het pact, het 'gemeenschappelijk belang', een sfeer waarin democraten en aanhangers van het autoritaire model deze dagen duidelijk veel gemeen hebben.

Van een afstand gezien was 'Irak' het falen van een gesprek met een dictator, een slecht voorbeeld van de gehanteerde ad-hocmethode, die eindigde met het traditionele model van een invasie- en nu een bezettingsleger. Wel werd de strijd in Irak, in tegenstelling tot de 'oorlog tegen terreur' – 'vind ze, houd ze tegen' –, bij daglicht gevoerd, met zoemende camera's erbij. En zo kwam het dat tegen het najaar van 2003 de regering en talloze aan hun televisietoestellen gekluisterde commentatoren in ontwikkelde naties overal ter wereld, woede ervoeren, verbijstering of, zoals de schrijver Sherwood Anderson het uitdrukte, een *sadness of sophistication* ('treurig stemmend weten') over de Amerikaanse invasie.

Er waren al aantoonbare fouten gemaakt, hoe je het ook bekeek, zoals het niet beveiligen van de wapendepots van het land en het ontbinden van het Iraakse leger, een soort beroepsklasse van soldaten die ze goedkoop hadden kunnen krijgen. Goedkoper in ieder geval dan de miljarden die gespendeerd werden aan het onderdrukken van rellen, bomaanslagen en opstanden die de kop opstaken in een hete zomer waarin water en elektriciteit schaars waren en frustratie in overvloed aanwezig.

Wat dacht de president deze zomer, toen de voorafgaande bedenkingen over 'Irak' en de te verwachten complicaties van de kant van de tegenstrevers bij Buitenlandse zaken en de CIA verstandige voorspellingen bleken te zijn geweest? Twee enigszins afwijkende uitspraken boden een inkijk in de gedachten van George W. Bush, iets wat in iedere periode toch al een zeldzaamheid was. De eerste uitspraak deed hij tijdens een persconferentie op het Witte Huis in juli, toen hij zei: 'Er zijn mensen die het idee hebben dat als zij ons aanvallen [in Irak], wij dan zouden kunnen beslissen om voortijdig te vertrekken. Ze begrijpen niet waar ze het over hebben, als dat het geval is. Er zijn mensen die het idee hebben, dat de omstandigheden zodanig zijn dat ze ons daar kunnen aanvallen. Mijn antwoord is: laat ze maar komen.'

Dit is natuurlijk een heel oud spel. Als een kampioen een flinke opdonder heeft gekregen, of als hij zich in een confrontatie niet zo krachtig gedraagt als voorspeld, pleegt hij vaak zijn toevlucht te nemen tot dit soort retoriek om te laten zien dat er geen vrees of twijfel heerst, in ieder geval niet in zijn gedachten. Dit soort bravoure is gebruikelijk in 'mannenzaken'. Maar zoals Mahatma Gandhi eens heeft gezegd: 'Mannelijkheid bestaat niet uit bluf, bravoure of arrogantie. Mannelijkheid bestaat uit de durf om het juiste te doen en de consequenties onder ogen te zien, of het nu om sociale, politieke of andere zaken gaat. Mannelijkheid bestaat uit daden, niet uit woorden.' Een regering wordt vertegenwoordigd door een leider, maar is tegelijkertijd een entiteit die uit duizenden handen en gezichten bestaat. In dit geval, en dat van Gandhi's 'daden', was de regering bezig met een poging greep te krijgen op een natie van 27 miljoen inwoners met een strijdmacht van slechts 150.000 man, ongeveer de helft of misschien zelfs een derde van wat de meeste militaire commandanten met ervaring in zulke omstandigheden adviseerden. Dat maakte dat de woorden van de president hol klonken, en dat is iets wat je niet kunt gebruiken als je bravoure probeert uit te stralen. Holle woorden prikkelen tot tegengeluiden.

De leemte was dermate duidelijk dat zelfs Brit Hume, presentator van het altijd zo steunende *Fox News*, in een exclusief interview met de president in september vroeg wat hij nu eigenlijk bedoeld had met dat 'laat ze maar komen'. Bush zei dat deze oneliner voornamelijk bedoeld was om de Amerikaanse troepen te bemoedigen, dat ze namelijk 'gehard genoeg' waren om opgewassen te zijn tegen ontevreden leden van de Baathpartij, religieuze extremisten en buitenlandse terroristen, inclusief al-Qaida-leden die de afgelopen maanden continu door de poreuze grenzen van het land naar binnen waren gestroomd. Waarop Hume hem vroeg: 'Is dat militair gezien een welkome of een onwelkome ontwikkeling?' Het antwoord van Bush was de tweede onthullende uitspraak van deze periode: 'Dat is een interessante vraag, omdat u weet dat ik een man van vrede ben. En het is duidelijk dat ik mocht hopen dat we geen strijd hoefden te voeren. Ik leef óók in een reële wereld waarin ik president ben in een tijd van oorlog tegen terreur. Daarom heb ik zo het idee dat ik ze liever daar bestrijd dan hier. Ik weet dat ik ze liever daar bestrijd dan hier, ik weet dat ik ze liever daar bestrijd dan in andere afgelegen delen van de wereld waar ze misschien veel moeilijker te vinden zijn.'

Het idee dat we 'ze' in Irak moeten bestrijden zodat we ze hier niet hoeven te bestrijden, berustte op iets wat de president nooit in het openbaar ter sprake zou brengen: een erkenning dat het 'binnenland' niet te verdedigen was. Dit harde, ontmoedigende besef werd gevoed, zoals zo vaak, door geheime onthullingen, in dit geval die van augustus over een vijand die foto's van New York maakte, een vijand die wellicht in het bezit was van chemische massavernietigingswapens. Dit was de angst die schuilging achter de daden en woorden van Bush en zijn Witte Huis.

Te midden van de lange reeks ongefundeerde analyses begon in het Oval Office een nieuw soort denken te wortelen, een denkwijze die opbloeide op de puinhopen van diverse mislukte strategieën en de steeds magerder publieke pogingen om Irak te integreren in een bredere 'oorlog tegen terreur'. Het was simpelweg de instinctieve reactie van *lok ze naar Irak, allemaal*. Maak dat tot ons uitverkoren strijdperk, een plek waar Amerika's machtige leger – onze kracht, ongetwijfeld – eindelijk de confrontatie aan zou kunnen gaan met een verzamelde tegenstander, de ene terroristische groepering na de andere, daar naar toe gelokt uit een wereldwijde diaspora van schuilplaatsen. Het was een improvisatie die best aardig leek te kloppen, en om die reden voelde Bush zich dan ook genoopt deze aan Hume voor te schotelen. Het gaat hier om het concept van de directe krachtmeting, alom bekend uit eeuwen van botsende legers en decennia van wildwestfilms.

De immer alerte Donald Rumsfeld bekeek deze publieke uitlatingen met een stille bezorgdheid. Hij wist dat dit soort tactische zwiepers geen constructieve bijdrage vormden aan de opbouw van een degelijke en bruikbare strategie. De publieke uitspraken van de president weerspiegelden een duidelijke leemte: het ontbrak hun aan de houvast biedende begrenzing van een coherente gedachtegang over wat de oorspronkelijke strijd tegen wijd en zijd verspreide terroristen te maken had met de duidelijk gelokaliseerde uitdaging die Irak vormde.

Rumsfeld is volgens een groot aantal mensen die onder hem

gewerkt hebben geen man die zich in het overleg over staatszaken vaak in de kaart laat kijken. Zijn woordgebruik, zelfs tijdens vergaderingen op het hoogste niveau, berust vaak op het generaliserende voornaamwoord 'je', zoals in: je vraagt je af, je zou denken, je zou kunnen overwegen. Het is een manier om op zijn tenen over dun ijs te lopen zonder ooit ergens echt een voet neer te zetten. Terwijl Cheney het heeft over de toepassing van wereldomspannende doctrines, over de manier 'waarop we nu moeten denken', is Rumsfeld allerminst geneigd zich ook maar ergens op vast te laten prikken.

Maar half oktober voelde hij de behoefte over te stappen op de ondubbelzinnige werkwoorden en categorische uitspraken die horen bij een authentieke strategie. Per slot van rekening was het een hele slechte week geweest in Irak.

De minister had ontmoetingen met 'bevelhebbers in het veld' en stelde hun vragen. En toen schreef hij dit memo aan zijn kwartet op het hoogste niveau: zijn twee geüniformeerde topmedewerkers generaal Dick Myers, voorzitter van de verenigde stefs van staven, en generaal van de mariniers Peter Pace, en voorts zijn oude vertrouwde adviesduo Wolfowitz en Feith.

16 oktober 2003

Gen. Dick Myers
Paul Wolfowitz
Gen. Pete Pace
Doug Feith

Van: Donald Rumsfeld
Onderwerp: Mondiale oorlog tegen terreur

De vragen die ik deze week aan veldcommandanten heb gesteld waren: winnen of verliezen we de mondiale oorlog tegen terreur? Verandert het ministerie van Defensie snel genoeg om de nieuwe 21ste-eeuwse veiligheidsomgeving aan te kunnen? Kan een grote institutie snel genoeg veranderen? Verandert de Amerikaanse overheid snel genoeg?

Het ministerie van Defensie is georganiseerd, getraind en uitge-
rust om strijd te leveren met grote land-, zee- en luchtstrijdkrach-
ten. Het is niet mogelijk om het ministerie van Defensie snel genoeg
te veranderen om met succes de wereldwijde oorlog tegen terreur
te kunnen voeren. Een alternatief zou kunnen zijn: proberen een
nieuwe instelling te creëren, binnen het ministerie van Defensie of
elders, een instelling die de capaciteit van de diverse departementen
en diensten coördineert en richt op dit hoofdprobleem.

Met betrekking tot het wereldwijde terrorisme is de situatie sinds 11
september blijkbaar als volgt:

We hebben gemengde resultaten wat betreft al-Qaida, ofschoon
we ze onder grote druk hebben gezet. Niettemin zijn er een heleboel
nog op vrije voeten.

De Amerikaanse regering heeft een redelijke vooruitgang geboekt
in het arresteren of liquideren van de 55 belangrijkste Irakezen.

De Amerikaanse regering heeft iets langzamer vooruitgang ge-
boekt in het opsporen van de Taliban: Omar, Hekmatyar, enz.

Wat betreft de Ansar Al-Islam zijn we net begonnen.

Hebben wij de juiste mix van beloningen, amnestie, beveiliging
en vertrouwen gecreëerd in de vs?

Moet het ministerie van Defensie over nieuwe manieren van or-
ganisatie, training, bevoorrading en doelomschrijving gaan denken
om de wereldwijde oorlog tegen terreur te kunnen voeren?

Zijn de veranderingen die we aanbrachten, en zullen aanbren-
gen, te bescheiden en te veel stapsgewijs? Mijn indruk is dat we nog
niet echt stoutmoedige stappen hebben gezet, hoewel we veel ver-
standige en logische stappen in de juiste richting hebben genomen,
maar is dat genoeg?

Vandaag de dag ontbreekt het ons aan meetmethoden om te weten
of we de mondiale oorlog tegen terreur aan het winnen of aan het
verliezen zijn. Is het zo dat we iedere dag méér terroristen arresteren,
liquideren of afschrikken en weerhouden dan de medressen en de
radicale geestelijken rekruteren, opleiden en tegen ons inzetten?

Moeten de vs een breed, geïntegreerd plan opstellen om de
volgende generaties van terroristen tegen te houden? De vs steken
betrekkelijk weinig energie in een langetermijnplanning, maar wij

steken enorm veel energie in pogingen de terroristen tegen te hou-
den. De kosten-batenverdeling is tegen ons! Onze kosten bedragen
miljarden, tegen de miljoenen van de terroristen.

Hebben we een nieuwe organisatie nodig?

Hoe stoppen we de mensen die de radicale medressescholen fi-
nancieren?

Is onze huidige situatie zo dat 'hoe harder we werken, hoe meer
we achterop raken'?

Het is nogal duidelijk dat de coalitie op een of andere manier kan
winnen in Afghanistan en Irak, maar het zal lang en hard zwoegen
worden.

Heeft de CIA *een nieuwe vondst nodig?*

Moeten we een particuliere stichting oprichten die radicale me-
dressen moet verleiden om een gematigder koers te volgen?

Waar zouden we nog meer over moeten denken?

Bereid je er alsjeblieft op voor dat we dit bespreken op onze bijeen-
komst van zaterdag of maandag.

Bedankt.

Hoewel Rumsfelds door zijn neiging zich in te dekken vragende
zinnen gebruikte waar hij net zo goed bevestigende zinnen had
kunnen gebruiken, was zijn missive niettemin zeer opmerkelijk
als poging om de vele verschillende schapen van het Amerikaanse
beleid in één hok te krijgen. Op sommige probleemgebieden die
hij noemde had het ministerie van Defensie genoeg greep, maar
de meeste genoemde gebieden, inclusief het oppakken van terroristen, een activiteit die onbetwist werd geleid door de CIA, waren
de specialiteit van andere departementen. De meest prikkelende
passage is echter: '... te weten of we de mondiale oorlog tegen terreur aan het winnen of aan het verliezen zijn. Is het zo dat we iedere
dag méér terroristen arresteren, liquideren of afschrikken en weerhouden dan de medressen en de radicale geestelijken rekruteren,
opleiden en tegen ons inzetten?' Het is een listige, typisch rums-
feldiaanse reactie op de uitspraken van de president: 'Laat ze maar
komen' en 'Ik bestrijd ze liever daar dan hier'.

Achter die uitspraken gaat de *aanname* schuil van een soort kwantitatieve maatstaf, zoiets als de maatstaf die Lyndon Johnson omarmde in de eerste dagen van het Vietnam-conflict, namelijk dat de vijand statisch, meetbaar en gemakkelijk te identificeren was. Liquideer ze en je bent klaar.

Rumsfelds gebruik van het woord 'weerhouden', een favoriete term in zijn memo's vanaf de eerste dagen van de regering Bush, verandert 'vooruitgang' op passende wijze in een actieve term, een bewegend doel.

En rond het najaar van 2003 was er duidelijk beweging opgetreden, maar in een onbedoelde en ongewenste richting. Een leger van 150.000 Amerikaanse manschappen in het centrum van de Arabische wereld was een jihadistisch wervingsinstrument met een vrijwel onpeilbare magnetische kracht. Rekrutering van terroristen was een bloeiende zaak, zichtbaar en merkbaar, overal in de Arabische wereld. CIA-rapporten gaven aan dat in Jemenitische, Saudi-Arabische en Iraanse medressen de leerlingen van alle kanten toestroomden, evenals de bijdragen voor radicale geestelijken en hun activiteiten. Beelden die miljoenen mensen via Al Jazeera elke dag te zien kregen van Amerikaanse tanks in Bagdad en Tikrit, en van de puinhoop die Irak nu was, weerhielden jonge Arabische mannen in Irak en overal in de Golf ervan om aan de zijlijn te blijven staan. Ze meldden zich voor de wereldwijde strijd tegen de 'kruisvaarder' Bush en zijn leger van ongelovigen. Dit was de goede zaak van hun generatie. Was onze situatie inderdaad zodanig dat 'hoe harder we werken, hoe meer we achterop raken', zoals Rumsfeld zich afvroeg? Ook hier was een vraagteken beslist niet nodig.

Misschien is het de ironie van de geschiedenis dat er na al het zoeken en streven naar een doel dat de twee veelomvattende initiatieven – het 'vind ze, houd ze tegen' en de omverwerping van Hussein – gemeen hadden, nu eindelijk een verband bestond tussen Irak en de bredere oorlog tegen terreur. Het was een katalytische relatie, als van olie op vuur.

Wat het Amerikaanse publiek niet weet, of wist, was dat dit een bijzonder slecht moment was om te worden geconfronteerd met een nieuwe golf van terroristen. Niet omdat we geen beter zicht hadden op hun diverse profielen en methoden. Dat hadden we wel. Er was vooruitgang geboekt door het oppakken van al-Qaida-leiders en een flinke voorraad tot het middenkader behorende actieve leden en aanhangers. We hadden in ruim twee jaar een heleboel geleerd over de vorm en de intenties van de vijand.

Het enige is dat we in de laatste maanden van 2003 blind begonnen te worden.

Dat wil zeggen, de Amerikaanse overheid.

Het zorgvuldig opgebouwde wereldwijde netwerk van sigint en wat je finint, of financiële informatie, zou kunnen noemen, begon stil te vallen.

Kortweg: al-Qaida en zijn afdelingen en navolgers lieten geen elektronische sporen meer achter. Het begon langzaam, maar toen werd het volkomen duidelijk, het was een merkbare trend. Ze gingen ondergronds.

Van hun kant leek het een zaak van bewust operationeel beleid te zijn. Vooral bin Laden was altijd erg voorzichtig geweest in zijn contacten, terwijl anderen zoals Zawahiri lang niet zo op hun hoede waren. Operaties moesten uitgevoerd worden, het waren klussen die geklaard moesten worden, met weloverwogen snelheid. In de mening dat ze niet geïdentificeerd konden worden in de troebele dampen van de elektronische activiteit van de planeet, bewogen leden van al-Qaida zich enigszins behoedzaam maar niet behoedzaam genoeg. Toen elektronisch traceerbare activiteiten, van satelliettelefoongesprekken tot geldopnames van bankrekeningen, de mondiale matrix in het souterrain van de CIA voor het eerst deden oplichten, manifesteerde de dienst een op dat moment binnen de overheid zeldzame eigenschap: geduld. Alles werd met zorg behandeld, inclusief het op afstand houden van door de politiek benoemde figuren, die bekendstonden als verwekkers van ongeduld. Leiders van de nationale veiligheidsraad werden een voor een naar het souterrain in Langley gebracht waar Nervous Phil, ook al was hij een opvliegend type, degelijke en goed verzorgde Powerpoint-presentaties voor deze mensen hield. Hij liet zien hoe kleine datastipjes oplichtten in het uitgestrekte wereldwijde web. Daarna wenste hij dit zeldzame mannelijke of vrouwelijke creatuur een goede reis en behouden thuiskomst.

Dat deze mensen op afstand werden gehouden en tegelijkertijd zo voorkomend werden behandeld kwam doordat men bij de CIA heel goed begreep dat het ongeduld afkomstig was van op het hoogste beleidsniveau verkerende functionarissen met een direct en regelmatig contact met Bush en Cheney. Dit tweetal verkeerde uiteraard in een toestand van constant ongeduld, de kern van hun managementmodel, waarbij de mensen om hen heen werden beloond als ze 'een boodschap afleverden'. Een sensationele aanwijzing. Een echte naam die bij een alias hoorde. Een arrestatie.

Maar wat Nervous Phil wist, was dat het web langzaam uit de spinorganen van de CIA geperst moest worden, zodat de verdachten wel geleidelijk verstrikt raakten maar nooit konden waarnemen dat een specifieke actie de oorzaak was geweest van hun arrestatie. En per slot van rekening was het doel ook vaak niet direct een arrestatie maar een 'etiketteer het monster'-protocol waarbij de prooi vervolgens door de jungle van Karachi of een Riyad mocht blijven rennen en paden verlichten, paden die een verbinding konden vormen met andere monsters, misschien wel grotere.

En zo komt het dus dat we erin slaagden om van begin 2002 tot eind 2003 een heleboel over al-Qaida te weten, dat we een idee hadden wie er banden had met wie, en dat we flink wat verdachten konden oppakken van wie de meesten verdwenen zijn in buitenlandse Amerikaanse gevangenissen of soortgelijke, misschien wel ergere bestemmingen in Jemen, Pakistan, Saudi-Arabië, Jordanië of Egypte. Zijn de meesten schuldig aan de dingen waarvan ze beschuldigd zijn? Sommigen beslist wel. Maar allen zijn ze schuldig aan het oproepen van verdenking, en verdenking is voor de VS de drempelwaarde voor actie.

Het is geen verrassing dat onze tegenstanders daar uiteindelijk achter kwamen. In feite was het een kwestie van deduceren. Er worden genoeg mensen gearresteerd en een beetje kijk op de activiteiten die ze gemeen hadden geeft al aanwijzingen over hoe ze herkend en aangehouden zijn.

'Het verbaast ons dat ze er zo lang over hebben gedaan,' zei een topfunctionaris van de inlichtingendienst. 'Maar wat we eruit kunnen leren is dat een overwinning soms het volgende stel uitdagingen creëert, tenminste als je een flexibele, geduldige vijand hebt. In dit geval hebben we een paar dingen gedaan die erg goed uitpakten, maar daardoor hebben ook zij een evolutie doorgemaakt.'

Of een devolutie. Het al-Qaida-tactiekboekje, dat gebruikt werd door wat er nog restte van het netwerk, zijn afdelingen en navolgers, begon de noodzaak te benadrukken van het gebruiken van koeriers om contant geld en brieven over te brengen. Dit vertraagde het tempo van de operaties – hoewel niet per se hun omvang –, en dat was inderdaad een overwinning.

'Het financiële domein,' zegt Buzzy Krongard, algemeen directeur van de CIA tot 2004, 'was de meest succesvolle, best gecoördineerde sector van de hele overheid in de oorlog tegen terreur. Wat deze groep deed, daar hebben we enorm van geprofiteerd. Het was het beste voorbeeld van echte coördinatie. Ze werkten in stilte, onder de radar. Iedereen profiteerde ervan.'

Intussen begonnen zich nieuwe terreurcellen te vormen: heimelijk, diffuus en grotendeels niet verbonden met een centraal bestuurd netwerk. Deze activeerden zichzelf, bedropen veelal zichzelf en waren klaar om hun voornaamste operationele coaching uit de explosief aanwassende voorraad aan jihadistische websites te halen. Sommige gedroegen zich als een soort filiaal van al-Qaida, ze maakten gebruik van het al-Qaida-tactiekboekje en vroegen om vergunning voor grote operaties, net zoals de Saudische mubtakarcel dat had gedaan. Andere leken meer autonoom, luisterden wel bewonderend naar toespraken van bin Laden of naar scheldpartijen van Zawahiri, maar voerden dan hun eigen kleine show op, een Amway-model.

Allemaal zaken waardoor de matrix, een uniek en kostbaar geval, in toenemende mate stil begon te vallen. En terwijl de matrix steeds minder belangrijk werd, begonnen mensen te stoppen met hun negentigurige werkweken.

David Aufhauser van het ministerie van Financiën overhandigde Bush zijn ontslagbrief op 2 september. Een paar maanden later ruilde hij het leven op het advocatenkantoor waar hij enkele tientallen jaren had doorgebracht in voor een fors gehonoreerde baan als algemeen adviseur bij UBS, het wereldwijd opererende bankbedrijf.

Er volgden nog meer leden van de diverse financiële werkgroepen binnen de overheid die een uitstekende springplank waren voor goedbetaalde banen in het bedrijfsleven. Op dat moment was de draaideur binnen het hele overheidsapparaat volop in beweging. Terrorismepreventie was ook zaak van grote ondernemingen die wereldwijd opereerden en die nu allemaal een veiligheidschef wensten die wist hoe echte dreigingen eruitzagen. Topfunctionarissen van de CIA hielden het op dat moment nog bij hun bescheiden salarissen en gunstige arbeidsvoorwaarden. Ze werden op hun plek gehouden door de uitputtende maar meeslepende strijd en hun loyaliteit jegens Tenet en McLaughlin. Mueller had intussen al meer partners versleten dan Dirty Harry: sinds 11 september 2001 had hij vier verschillende adjunct-directeuren gehad.

Maar van alle topmedewerkers van de FBI – die nog steeds niet op ook maar één arrestatie en vervolging van een actieve, werkelijk operationele terrorist kon wijzen – had Dennis Lormel een van de meest waardevolle profielen. Als een van de weinigen wist hij hoe terroristen zich door de financiële substructuur van de planeet bewogen en financiële instellingen tot hun gastheer en operationele basis maakten. Grote ondernemingen begonnen hem in de zomer van 2003 te benaderen, maar hij wees ze af.

Wat volgde is van meer dan voorbijgaand belang. Op dat moment was het voor de top van de regering duidelijk dat de enkele tientallen van de meest deskundige spelers op het gebied van hoe de 'oorlog tegen terreur' zoals die zich nu manifesteerde met succes kon worden gevoerd, de een na de ander vertrokken.

De druk waarmee het bestrijden van een ongrijpbare vijand vanuit de passief-agressieve sfeer van de bureaucratie gepaard ging, was bijzonder hevig. Als de dingen niet werden gedaan, of niet goed werden gedaan, was dat niet eenvoudig voer voor wie er wel of niet een volgende promotie, inclusief riante kantoorruimte met uitzicht kreeg. Levens konden verloren gaan. Het spel van eer en blaam ging heel diep. De conventionele ongelukjes van grote organisaties – een over het hoofd geziene aanwijzing, een memo dat niet tijdig bij de juiste afdeling belandde, een dispuut tussen departementen dat met een patstelling eindigde – konden het gewicht van een nachtmerrie krijgen, en kregen dat vaak ook. Depressies, angststoornissen en zelfmoordpogingen gierden door de werkhokken van kantooremployés en roerden zich zelfs in de riante werkkamers van enkele hoger geplaatsten. In april 2003 beroofde het hoofd van de eenheid van de FBI die zich bezighield met de Hezbollah en radicale sjiitische fundamentalisten zich met zijn dienstrevolver van het leven.

Aan het eind van de zomer was Wazirs geldwinkel gesloten, een undercoveroperatie die talrijke arrestaties van tot het middenkader behorende koeriers en actieve medewerkers en een schat aan financiële informatie had opgeleverd. Creditcardonderzoeken gingen nog via First Data, maar dat was meer een backup-procedure, vanwege de beperkte effectiviteit van het grove geschut waarmee er werd gewerkt. De FBI liet nog een paar keer bij wijze van valstrik via Western Union geld overmaken aan Avi Dichter, een keer in augustus, de andere keer in oktober, maar het leek of de prooi in de gelederen van de Palestijnse leiders nu eindelijk wijzer begon te worden.

Op een dag in het begin van de herfst zat Lormel op de rand van zijn bed, net als elke morgen. Maar de laatste tijd, zei hij tegen zijn vrouw Molly, raakte hij op dat moment 'in gesprek met zichzelf'. Voor een vent die twintig jaar lang zijn bed uit bed gesprongen was, was dit tête-à-tête in de duisternis, zelfs op dit gebruikelijke tijdstip van kwart voor vijf 's morgens – om de file vóór te zijn – enigszins ongebruikelijk. In het achterhoofd van de negenenveertigjarige voormalige achterhoedespeler van het universitaire footballteam, nu met zo'n vijfentwintig kilo extra aan zijn voorheen zo slanke lijf, fluisterde een zacht stemmetje: kon ik echt mijn bed uit komen? Kon hij weer een lange dag van strijd tegemoet gaan, een dag die steeds meer hieruit bestond dat hij, Lormel, alles moest uitleggen, steeds weer opnieuw, aan toezichthoudende commissies van het Congres – niet zijn sterkste kant?

Onlangs had hij tijdens een in het Capitol gehouden bijeenkomst van FBI-functionarissen ruzie gekregen met de afgevaardigde Frank Wolf, het hoofd van het House Appropriations Committee, de commissie die toezicht houdt op de FBI. Wolf was in alle staten geweest vanwege een boek, *Blood Diamonds* van Creg Campbell, dat hij had gelezen. Daarin stond dat al-Qaida grote winsten maakte via de diamanthandel, en Wolf had bij de FBI sterk aangedrongen op antwoorden. Lormel, wiens agenten geen bewijzen konden aanvoeren voor deze beschuldiging, zei dat Wolf 'een pion van de media' was. Met een rood aangelopen hoofd van woede beet Wolf hem toe: 'Noem jij mij een pion!?' Lormel zei dat het 'met alle respect was... voor uw eigen bestwil', maar het was een akelige scène, akelig en ontregelend. Met criminelen, of zelfs met terroristen, had je een duidelijk gevecht, zelfs een fair gevecht. Je probeerde in hun hoofd te kruipen. Zij probeerden in het jouwe te kruipen. Soms ontglipten ze je. Soms kon je ze bij de strot grijpen. Maar in ambtelijke gevechten of botsingen tijdens hoorzittingen vocht niemand fair. Ze zeiden het ene ding terwijl ze doodgemoedereerd het tegenovergestelde deden. Ze glimlachten terwijl ze het mes in je rug staken. Het was genoeg om een voorkeur te krijgen voor bonafide gangsters.

En daarom zei hij eind oktober, terwijl hij na zijn gebruikelijke avondmaaltijd om tien uur met de portable telefoon in de keuken rondliep, tegen de headhunter: 'Ja, zeg maar dat ik het doe.'

Hij legde de telefoon neer en keek naar Molly. 'Ik kan niet geloven dat je het echt doet,' zei ze. Ze had altijd gedacht dat hij bij de FBI zou blijven tot de verplichte vervroegde uittreding op zijn zesenvijftigste. Maanden lang had ze een pokerface getrokken als hij haar vroeg wat hij moest doen. 'Dennis, dit moet jouw beslissing zijn,' zei ze dan. 'Maar luister naar wat je hart zegt.'

'Ja,' zei hij nu in de keuken. 'Ik denk dat het tijd is. Tijd voor het volgende punt.'

En dat was het, bijna.

Een maand en drie dagen later, op 1 december, kreeg Lormel een cheque voor zijn opgespaard vakantiegeld. Hij had in twaalf jaar amper een dag vrij genomen. Alles bij elkaar was het 'een aardig zakcentje', zoals Dennis zei, genoeg om met zijn vrouw Molly, die pr-werk deed voor een financieringsbedrijf, weg te trekken uit hun huis in een buitenwijk ergens in Northern Virginia en hun eigen huis te bouwen. Eén ruimte in het huis had Dennis al bij voorbaat tot op de centimeter in kaart gebracht. De kelder zou een sportcafé worden. Helemaal echt. Een paar biljarttafels, een sjoelbak, een barretje, vijf tv's, met kabel. Ja, vijf. Vijf footballwedstrijden tegelijk. Hij had zijn footballshirt van het St. Peter's College in New

Jersey aan de muur gehangen en ook foto's van voetbalwedstrijden waarin zijn twee zoons, nu volwassen, mee hadden meegespeeld. Dennis was zelf de coach geweest. Hij was niet echt dol op de baan die hij had aanvaard bij AES, het grote in Alexandria, Virginia, gevestigde energiebedrijf dat zei dat het zich strikt aan de wetten wilde houden om uitglijders zoals bij Enron, of alleen al de schijn daarvan, te voorkomen. Maar de bouw van het nieuwe huis zou spoedig beginnen. Daar zou hij zijn handen vol aan krijgen.

Ze gaven voor hem een afscheidsfeestje op de FBI, een rustige aangelegenheid, geen alcohol, wel een enorme vracht gebakjes. Mueller kon op het laatste moment niet weg. John Pistole, de algemeen onderdirecteur voor antiterrorisme, kwam langs en sprak een paar woorden.

Daarna ruimde Dennis zijn werkkamer op. Niet veel rommel, zelfs niet na achtentwintig jaar. Kantoordingen, familiefoto's, een paar ingelijste eervolle vermeldingen, en een grote collage van voorpagina's van kranten van 12 september. Een van zijn mensen had die een keer voor hem gemaakt. Dat was de dag waarop in Amerika een nieuw tijdperk was begonnen. Een dag waarop de fortuinlijke natie, met al die stranden, moest vragen of ze nog wel fortuinlijk was – en daarna moesten ze weer aan de slag. Als zijn mensen zijn werkkamer in kwamen en zich in een van de stoelen lieten zakken, met wilde ogen van de angst en de frustratie, en zeiden: 'Ik zie het niet meer zitten!', omdat het een onmogelijke strijd was, omdat die vervloekte vijand overal kon zitten, bezig met samenzweringen, ongezien, onvindbaar, en omdat ze voortdurend moesten denken aan brandende gebouwen, vliegtuigen en bommen in winkelcentra, iedere nacht, dan wees Dennis alleen maar naar de collage. 'Kijk er maar eens goed naar,' zei hij dan. 'Dan weet je weer waarom we hier zijn.'

Nu haalde hij de ingelijste collage weg en trok hij met zijn dikke vingers de spijker uit de muur. Iets van de intensiteit van na 11 september was voorbij, vervluchtigd te midden van de dagelijkse vreugden van mensen die gewoon hun leven leidden van rekeningen betalen, tv kijken, en bruiloftsmarsen. En zo hoorde het ook. Maar hij moest denken aan een gesprek dat hij een paar dagen geleden met Nervous Phil had gehad, een 'laten we af en toe eens gaan lunchen'-telefoontje, en hoe Phil daar in zijn souterrain in Langley zat, met dat grote bord dat donker begon te worden. Het eerste kwart van de wedstrijd was voorbij, en zijn team – hij, Phil, David en de rest – waren nog in de race, geen twijfel mogelijk. Maar waar moest de intensiteit vandaan komen voor het volgende kwart, om maar te zwijgen van de volgende helft, nu 11 september vervaagde en er geen nieuw tactiekboekje was en de tegenstander de boel steeds beter in de smiezen had?

Hij keek nog een keer naar '12 september' – wat een puinhoop, wat een gore bende – en klemde hem toen onder zijn arm. Hij wist wat hij ermee ging doen: hij zou hem op de muur van het sportcafé hangen, naast zijn oude shirt.

Wat restte er nog voor George W. Bush, Dick Cheney en allerlei takken van de overheid wanneer die degelijke NSA-printgegevens en precieze financiële data begonnen te verdwijnen?

Steeds vagere dingen.

Zoals eind december: steganografie.

Don Kerr, CIA's onderdirecteur voor wetenschap en technologie, had de term nu al vele malen kort maar krachtig uitgelegd, te beginnen met zijn briefing van de president in het Oval Office een week voor Kerstmis. Steganografie is het verbergen en verzenden van geheime boodschappen in bewegende en stilstaande beelden, computerbestanden met foto's, en zelfs in geluidsfragmenten. Op deze manier communiceren is ingewikkeld en tijdrovend. Zelfs met decodeerapparatuur is het moeilijk om een of ander numerieke boodschap achter foto's of bewegende beelden te ontcijferen. Zelfs voor vooraanstaande experts op dit gebied, een clubje van zogeheten 'steganalisten', is het een domein vol vals alarm: patronen die iets kunnen betekenen, of misschien niet, en die gewoonlijk niets betekenen.

Maar het Office of Science and Technology van de CIA was ervan overtuigd dat het uiterst sinistere complotten had gevonden, weggestopt in de 'lopende band', de nieuwskreten die aan de onderkant van een tv-scherm meelopen, in dit geval bij de dagelijkse uitzendingen van Al Jazeera. In de nieuwe numerologische data, zo stelden Kerr en zijn team, zaten plannen voor een aanslag verborgen die nog erger waren dan die van 11 september.

Er hing op dit moment een ongebruikelijke hoeveelheid geïrriteerd feestdagengekwetter in de lucht. Dat doet de kersttijd in de Arabische wereld: die zorgt voor veel telefoonverkeer en boze commentaren op honderden islamitische websites over de door de eeuwen heen gevoerde strijd tussen 'kruisvaarders' en heilige moslimstrijders. In december werd op diverse websites een schokkende boodschap herhaald die een paar maanden geleden voor het eerst was verspreid en waarin moslims werden opgeroepen om Washington, Los Angeles en New York te evacueren. En op 19 december, de vrijdag voor kerstmis, werd door Al Jazeera een audioboodschap uitgezonden waarin Ayman al-Zawahiri duidelijk maakte dat 'wij twee jaar na Tora Bora voortgaan met het overal opjagen van de Amerikanen. De krachten van islam en jihad beginnen de kruisvaarders en de schijnheiligen van Afghanistan, Irak, Palestina en het Arabische schiereiland te verjagen.'

Maar dit alles was slechts een kader, slechts de tafel die gedekt werd. Wat de CIA met gebruikmaking van de technische diensten van een private onderneming voorschotelde aan de president was verbijsterend in zijn omvang en veelheid van details. Sommige van die verborgen, gecomprimeerde getallen gaven meer dan twintig vluchten en vliegtijden aan. Andere toonden de coördinaten van doelen, de onfortuinlijke plekken waar vliegtuigen volgeladen met passagiers, brandstof en wellicht chemische of biologische middelen, heen zouden gaan wanneer ze het Amerikaanse luchtruim waren binnengekomen vanaf minder zorgvuldig gecontroleerde buitenlandse luchthavens. De doelen liepen van oceaan tot oceaan, van Los Angeles tot New York. Er waren coördinaten voor het Witte Huis, de Space Needle in Seattle, en het kleine landelijke plaatsje Tappahannock in Virginia.

Enkele voorlopige waarschuwingen werden op vrijdag verstuurd naar New York en Los Angeles, en iedereen begon al aardig in paniek te raken. Als de steganografie het bij het rechte eind had, hadden ze nog een paar dagen totdat begin volgende week de eerste vluchten zouden vertrekken. Daarom bracht de allerhoogste top van de regering – alleen de leiding van de nationale veiligheidsraad, de top van de CIA, enkele topambtenaren van Binnenlandse Veiligheid, en nog enkele anderen – een slapeloos weekend door als een kleine incrowd, de enige staatsburgers die werkelijk op de hoogte waren.

Ten slotte nam de president op zondag, laat in de morgen, plaats aan de tafel in de Situation Room, in gezelschap van de leiding van de nationale veiligheidsraad en zijn topfunctionarissen. Iedereen bracht verslag uit, maar bijna alle ogen waren gericht op Tenet en zijn voorlichters. Het was voor iedereen duidelijk dat enkele operationele medewerkers van de CIA, Pavitt en Kappes, sceptisch waren. Don Kerr en zijn wetenschappers waren dat niet. Tenet leek neutraal te zijn. Maar John Brennan, hoofd van de onlangs opgerichte Terrorist Threat Integration Center, een verzamelpunt voor alle dreigingen uit alle delen van de overheid, had het idee dat de informatie deugdelijk was. Meer in het algemeen was het voor de TTIC en voor Brennan, voorheen Tenets stafchef, om met hun spierballen te rollen. Wat ze deden.

De discussie was genuanceerd, gelaagd, met een veelheid aan veelomvattende variabelen en complexe bewijzen, alsof het teams waren die aan een wiskundige competitie meededen.

Niet het soort discussie waar de president veel plezier aan beleeft. 'Oké, dit is de vraag,' onderbrak hij hen. 'Zou iemand het prettig vinden als een van zijn familieleden in een van die vliegtuigen zat?' Hij keek naar links en naar rechts. 'Moeten we nog een rondje doen?'

Het was duidelijk dat hij dat niet nodig vond. Iedereen keek naar beneden, knikte, tuitte de lippen. 'Laten we het dan doen.'

Anderhalf uur later gaf Tom Ridge een persconferentie in de daarvoor bestemde ruimte van de het ministerie van Binnenlandse Veiligheid. Het gevaar van een aanval op de Verenigde Staten 'op de korte termijn', zei hij, was 'nu misschien groter dan op enig moment sinds 11 september 2001.'

Er was nog meer. 'De Amerikaanse inlichtingengemeenschap heeft een aanmerkelijke toename vastgesteld van informatie die verband houdt met gesignaleerde dreigingen,' zei hij. 'Deze geloofwaardige bronnen wijzen op de mogelijkheid van aanvallen in het binnenland rond de kerstdagen en daarna.'

Ten slotte was er nog de kwestie van de schaal. 'Extremisten in het buitenland,' besloot Ridge, 'verwachten in de nabije toekomst aanslagen die volgens hen de aanslagen van 11 september zullen evenaren of overtreffen.'

Het alarmniveau werd officieel verhoogd van geel, wat een waarschuwing was, naar oranje, een alarmtoestand. Deze was sinds 11 september vijf keer was uitgeroepen, de laatste keer de vorige maand mei, toen het alarm werd toegeschreven aan de overmaat aan bomaanslagen en vuurgevechten in Saudi-Arabië.

Maar dit was iets heel anders. Binnenlandse Veiligheid was nu helemaal geprepareerd en geactiveerd en voelde zich klaar voor de test. Aan de top zetelden Ridge, een voormalig gouverneur van Pennsylvania en een goede vriend van de president, en zijn onderminister Asa Hutchinson, een Republikeins Congreslid uit Arkansas. Het waren innemende mannen, goede collega's, geestig, stabiel, intelligent, en absoluut niet opgewassen tegen hun vijand.

Hetzelfde had je van vrijwel iedereen kunnen zeggen die voor de uitdaging kwam te staan die zij hadden aanvaard. Het was van meet af aan een ondoenlijke taak. Twee diensten binnen de Amerikaanse overheid integreren is een ontmoedigende onderneming; bij drie mag je verwachten dat het een puinhoop wordt. Binnenlandse Veiligheid had nu tweeëntwintig diensten onder zijn vleugels.

Ridge was een week na 11 september benoemd tot adviseur van de president voor binnenlandse veiligheid, en was beland in een soort losse coördinerende rol, een man die het bijna een jaar zonder staf en zonder budget moest doen voordat hij een echt ministerie kreeg. Dat was het moment waarop Hutchinson aan boord kwam en tijdens een briefing te horen kreeg wat zijn taak inhield: het beveiligen van de 'grenzen en het vervoersysteem van de Verenigde Staten tegen terroristen, en dat doen op een manier die consistent is met de rechtmatige voortgang van het maatschappelijk verkeer en de bescherming van de burgerlijke vrijheden'. Zo staat het in het statuut.

De details daarvan begonnen met de jaarlijkse 300 miljoen grensovergangen, en dan had je nog de luchthavens, vrachtschepen, containers, alles bij elkaar 1,8 miljard bewerkingen per jaar. Na deze briefing had Ridges chefstaf, generaal-majoor Bruce Lawlor, Hutchinson een briefje gestuurd:

Beste Asa,
1,8 miljard bewerkingen per jaar.
Boffen wij even.

Groeten,
Bruce

Hutchinson wist net als Ridge dat al die cijfers alleen maar het sterke vermoeden bevestigden dat pessimisme in dit geval zeker op zijn plaats was. Of, zoals hij naderhand zei: 'De kans op succes was minimaal.'

Eind 2003, meer dan twee jaar na 11 september, werd slechts vijf procent van de vrachtcontainers die de VS binnenkwamen gecontroleerd. Chemische installaties bleven onbeveiligd, zelfs in de buurt van stedelijke gebieden. Hetzelfde gold voor kerninstallaties. Allerlei soorten Amerikaanse infrastructuur vormden een bijna onweerstaanbaar doelwit. De omvang van die kwetsbaarheid was echter nog niet publiekelijke bekend.

Een paar maanden voor het kerstalarm, in augustus, toen New York in duisternis gehuld werd, waren ambtenaren bij Binnenlandse Veiligheid er in de eerste uren zeker van dat dit het werk van terroristen was. Waarom? Een maand eerder hadden ze samen met ambtenaren van het ministerie van Defensie en van Energie in het grootste geheim een *cyberwarfare game* gespeeld waarin een groepje voor die gelegenheid erbij gehaalde betaalde hackers had geprobeerd om een uitgestrekt, door federale aannemingsbedrijven in Idaho aangelegd elektriciteitsnet, lam te leggen. Dat elektriciteitsnet wordt net als allerlei andere infrastructurele voorzieningen overal in de VS aangestuurd via een zogenoemd *Supply Chain Agent Decision Aid System* (SCADAS). Dit systeem met de lange naam bestaat uit eenvoudige apparaten op sleutelpunten langs eindeloze, vaak ondergronds lopende kabels en buizen die op afstand kunnen worden bestuurd met overal verkrijgbare technologie. En dat is precies waarvan de hackers in de simulatie met de naam *Idaho Thunder* gebruik maakten om het systeem in enkele minuten lam te leggen. Ze wisten zelfs elektronische maskers te plaatsen op het controlepaneel van het elektriciteitsnet waaruit bleek dat alles in orde was.

Kortom, Amerika was totaal niet voorbereid op een aanslag. Nu zouden functionarissen in het hele overheidsapparaat er achter komen hoe het was als die zwakke plekken werden geconfronteerd met wat naar hun mening een authentieke wereldwijde alarmtoestand was.

Teams werden naar Los Angeles gestuurd waar honderden biodetectieapparaten werden opgesteld, overal in de stad en in de buurt van het vliegveld. Een achtergelaten pakketje zorgde ervoor dat het Metropolitan Museum of Art in New York werd geëvacueerd. Een ander pakje maakte dat de metro van New York tijdelijk werd gesloten. Het Witte Huis bereiden zich voor op evacuatieprocedures. F-15's stegen op van luchtbasissen in de buurt van belangrijke doelen, voor het geval dat. Duizenden politieagenten overal in het land sloegen alarm, en er werd gebeld naar British Airways en Air France: er moesten vluchten worden gestopt.

Laat op de zondag ging Hutchinsons telefoon bij Binnenlandse Veiligheid. Het was de Franse ambassadeur Jean-David Levitte. Air France had hem een seintje gegeven.

'Meneer de onderminister, wat u doet is verkeerd, wij zijn het er absoluut niet mee eens, u kunt u deze vluchten niet stoppen.'

'Meneer de ambassadeur,' antwoordde Hutchinson nadat hij het een en ander had uitgelegd over de dreiging, 'deze vliegtuigen komen gewoon ons luchtruim niet in.'

Ambassadeur Levitte zweeg een ogenblik. De Fransen konden niet toestaan dat de vs beslissingen nam over wat er wel of niet gebeurde op hun internationale luchthaven Charles de Gaulle.

'Meneer de onderminister,' zei hij ten slotte. 'De regering van Frankrijk heeft uit eigen beweging besloten om de betreffende vliegtuigen aan de grond te houden.'

God zegene de Fransen. Daarna ontstond er een korte discussie over de vraag of de passagiers geïnformeerd moesten worden dat alle vluchten van de komende dagen, tot aan kerstavond, gecanceld waren. 'Natuurlijk moeten ze geïnformeerd worden,' zei Levitte. Hutchinson riposteerde: 'Het gaat erom dat als er terroristen tussen zitten, we graag willen dat ze op de luchthaven arriveren, zodat we ze kunnen arresteren.'

En zo werden in de loop van de daaropvolgende week enkele

tientallen internationale vluchten vangmachines voor terroristen. Passagiers arriveerden op Heathrow en Charles de Gaulle, gingen aan boord van hun vliegtuig en werden dan vastgehouden terwijl hun bagage uitputtend werd gecontroleerd en iedere naam op de definitieve passagierslijst werd nagelopen aan de hand van wereldwijde veiligheidscontroles van FBI en CIA.

Uiteraard konden Arabische namen op een bijzonder warme belangstelling rekenen. Een passagier op een vlucht uit Frankrijk, een zekere Muhammad: dat kon niet missen. Het bleek een jongetje van zeven jaar te zijn.

Terwijl vliegtuigen urenlang op de startbanen bleven staan, leidden aanwijzingen over mogelijke chemische of biologische aanslagen, op grond van steganografische gegevens, tot nog meer discussie, onder andere over de vraag of ze mannen in isolatiepakken een vliegtuig in moesten sturen.

Dat idee werd verworpen, omdat er dan ongetwijfeld paniek zou ontstaan, maar soms bleven de vliegtuigen urenlang aan de grond staan terwijl Hutchinson wachtte op het telefoontje dat iedere persoon op de passagierslijst door de veiligheidscontrole heen gekomen was.

Om drie uur 's nachts, terwijl een vol vliegtuig van Air France aan de andere kant van de wereld al uren op het tarmac stond te wachten, wachtte Hutchinson in zijn kantoor op het telefoontje van Mike Garcia, de verbindingsman van Binnenlandse Veiligheid met de inlichtingengemeenschap. Een naam: ze wachten op één naam die nog moest worden gecontroleerd. Er verstreek nog een uur. Eindelijk kwam het telefoontje. Hutchinson bedankte Garcia terwijl buiten de zon bijna opkwam. Hij belde David Colston, die bij de luchtvaartinspectie FAA zat en baas was over een bataljon medewerkers van de vervoersinspectie TSA, die naar Frankrijk waren gestuurd.

'Alles in orde. Ze kunnen weg, David,' zei Hutchinson met een zucht van opluchting.

'Eh, ogenblikje, Asa,' antwoordde David. Het toestel viel een ogenblik stil. Daar was hij weer.

'Wat zal ik je zeggen? De Fransen waren ons vóór. Hij is al opgestegen.'

Rond februari 2005 kwamen de nabesprekingen over wat er fout was gegaan op gang. Alles was loos alarm gebleken.

De moderne steganografische analyse leverde kennelijk niet meer gefundeerde resultaten op dan de middeleeuwse numerologie.

Een CIA-manager die bij deze besprekingen betrokken was geweest deed enkele jaren later zijn best om dit alles in de juiste context te plaatsen.

'Eén probleem met technologen,' zei hij, 'is dat ze zich altijd miskend voelen. Dus als ze dan eindelijk in het licht van de schijnwerpers staan, leggen ze zo veel mogelijk gegevens tegelijk op tafel.'

Maar het probleem was veel breder. Het had te maken met het loon van de angst: een situatie waarin verstandige mensen met zijn allen tegelijk opeens van koers veranderen en afzakken naar een paniektoestand.

'Niemand zegt: er is geen bewijs!' riep de CIA-manager uit. 'We zijn op een punt gekomen waarop niemand bereid is om iets niet te rapporteren, gewoon omdat hij of zij denkt dat het idioot is. Er is geen drempel. Alles wordt gerapporteerd, overal. Er zit geen oordeelsvermogen in het systeem. Niemand zegt: op grond van mijn ervaring weet ik dat deze persoon liegt dat-ie barst. Niemand zegt: deze rapporten zijn helemaal nergens op gebaseerd.'

HOOFDSTUK 9

De harten en de geesten

Het kon niet anders of het verkiezingsjaar 2004 moest een tijd van onthullingen worden.

Per slot van rekening stond er een heleboel op het spel, hier en in het buitenland, toen de Amerikanen zich naar hun kiesmachines begaven.

Rond de Amerikaanse verkiezingen hangt sinds de val van de Sovjet-Unie en de komst van een eenpolige wereld een sfeer van historische distinctie. Imperia zijn er natuurlijk altijd al geweest – die van de Grieken, de Romeinen, de Egyptenaren, de Turken – maar nooit een imperium waar een dergelijke indrukwekkende macht voortvloeit uit iets dat zo delicaat, zo grillig en zo opzwepend is als het *informed consent*, de 'geïnformeerde toestemming' van de onderdanen.

De uitdrukking zelf is een soort testrit voor de democratie: ze roept de vraag op door wat voor soort informatie die toestemming eigenlijk wordt ingegeven. Door passie? Door rede? Door geloof? Door angst? Of, recentelijk, door de boodschappen die uitgaan van de opkomst van een bepaalde leider, of een bepaalde retoriek, in een verscheurde en gevaarlijke wereld?

Van deze keuzes zal de rede doorgaans de meeste moeite kosten. Deze is het minst goed hanteerbaar, in ieder geval van hoog naar laag gerekend, omdat hij berust op bewijzen – bewijzen die bovenal een onbetwist gedeeld uitgangspunt moeten bieden. Idealen uit het tijdperk van de rede waarop het land was gefundeerd, koesterden het open, strenge, op feiten gebaseerde debat – waarbij zelfs stoelen waren gereserveerd voor zulke onbeheersbare vrijheden als die van meningsuiting, pers en vereniging en vergadering – als een soort tegenwicht tegen het geloof, een titanische kracht, hoe oordeelkundig de *founders*, de grondleggers van de natie, die ook probeerden in te dammen, en tegen de angst, die vaak geboren wordt uit onwetendheid of uit afschuw voor wat men niet kent. De grondleggers gebruikten geen woord als 'transparantie' als leidraad voor hun debatten over de *checks and balances*, en hun poging om de publieke wil te voorzien van voldoende voeding was bedoeld om wijsheid en republikeinse deugden op zijn minst tot een reële mogelijkheid te maken. Zij zouden waarschijnlijk het woord 'zonlicht' hebben gebruikt.

Dan heb je nog 'boodschap', een soort kapstok, een optelsom van vage beelden, die geen van allen de onderliggende soliditeit van de andere elementen hebben, maar daarvan wel verschillende tegelijk kunnen aanboren. En 'boodschap' mikt duidelijk op overreding en niet op uitleg, en dient door de ontvangers niet alleen te worden geapprecieerd op basis van hun eigen reactie maar ook op een inschatting van hoe andere ontvangers erop zouden kunnen reageren. Met andere woorden, mensen zullen soms een onaangename, zelfs afstotelijke boodschap toejuichen als ze denken dat anderen daardoor in een gewenste richting zullen worden gestuurd.

Het creëren van boodschappen heeft een lange geschiedenis in het domein van bestuurlijke participatie, ofwel democratie: de Griekse filosofen adviseerden een strenge rationaliteit bij het creëren van 'publieke retoriek', en moedigden die redenaars aan die op basale emoties of passies vertrouwden. Jefferson en Franklin en Washington hadden boodschappen die ze koesterden, die ze vaak en vol overtuiging herhaalden. Maar die favoriete frasen waren een soort destillaat, de neerslag van een leven geordend door ervaring, studie, veel discussies en een zoektocht naar wat gekend wordt en kenbaar is: het eind van een lang proces, niet het vertrekpunt.

Tegenwoordig is een passende boodschap – ondiep maar breed – vaak het eerste waar men aan denkt. Maar het is juist die breedte, die reikwijdte, waardoor de laatste tijd boodschappen zelf sterk van karakter zijn veranderd. Een boodschap kan heden ten dage dermate worden versterkt door moderne, steeds meer wereldwijd opererende media dat het de grondleggers zou hebben doen duizelen. Daarbij kan gebruik worden gemaakt van dynamische, flitsende beelden in plaats van een saaie, aan de aarde gebonden ratio of analyse. Aldus gefabriceerde boodschappen hebben in onze tijd een uniek en gestroomlijnd karakter gekregen, en werkelijke macht.

Het is niet verbazend dat de Verenigde Staten op dit punt innoverend bezig zijn geweest. Als je praat met ervaren journalisten als de nu meer dan zeventig jaar oude legendarische Walter Pincus van *The Washington Post*, dan blijken deze mensen zich heel goed een omslag kunnen herinneren. Dat was tijdens het presidentschap van Ronald Reagan, waarbij zijn mediamanager Michael Deaver sterk bijdroeg aan de canonisering van het idee dat plaatjes evenveel betekenen als woorden en – misschien – meer dan beleidsmaatregelen. Wetend dat de Amerikaanse televisiemaatschappijen elke avond in hun nieuwsuitzendingen exact 22 minuten moesten vullen, zorgde hij ervoor dat Reagan bijna elke dag een *'media event'* had – het met veel tamtam verkondigen van een politiek standpunt of het benadrukken van de band met een specifieke groep uit de achterban, wat dan ook – dat de omroepen daar al snel hun mensen op af begonnen te sturen, omdat ze het plaatje moesten hebben. De belangrijkste dagbladen, die alleen maar over presidenten schreven, zoals Pincus zegt, 'als die iets deden wat de moeite waard was om over te schrijven', volgden al snel. Iedere dag werden er vanuit het Witte Huis een 'evenement' en een bijbehorende boodschap gelanceerd. En toen twee. Daarna drie. In de twintig jaar daarna heeft het *message management* zich geleidelijk zodanig ontwikkeld dat het een steeds groter deel van het democratisch proces is gaan omvatten.

Presidenten worden er tegenwoordig vaak op beoordeeld of ze zich 'aan hun boodschap houden', alsof de boodschap – in elkaar gezet en glad geslepen door vaklieden – zelfs de baas is over de officieel gekozen leider. Terwijl een publieke weergave van beleidsdiscussies een warboel van complexe, vaak onnaspeurbare kwesties met betrekking tot het algehele welzijn van de natie te zien geeft, kan de zachte klei van de boodschap, van retoriek met beeld, worden gekneed tot geweldige verhalen over een man en zijn karakter.

Nadat dit model in de afgelopen jaren al gestaag aan invloed had gewonnen, kreeg het een verrassend extra gewicht na de aanslagen van 11 september 2001. De echte beleidsdiscussies over de ' oorlog tegen terreur' werden per slot van rekening achter gesloten deuren gehouden, waardoor een rationele, op feiten gebaseerde publieke discussie in de kiem werd gesmoord op het moment dat de president aan het roer kwam te staan van een natie met een onverwachte behoefte aan duidelijkheid. De boodschappenmachine van het Witte Huis draaide overuren, zonder dat door de operateurs ooit werd verwacht dat ze ook nog eens bewijzen zou moeten leveren ter ondersteuning van wat er gezegd werd. De innovaties waren op dat punt verrassend effectief.

De president, die in toespraken al veel vaker zijn persoonlijke geloof ter sprake had gebracht, omarmde nu de taal van stoutmoedige actie en messianistisch geloof wanneer hij de opdracht van Amerika en zijn nieuwe rol na 11 september beschreef. Hij gebruikte woorden als 'missie' en 'kruistocht'. Hij sprak van een natie die zich liet leiden door de goddelijke wil bij het 'verslaan van het kwaad' – in dit geval moslimterroristen, haat, geweld – en het brengen van 'Gods geschenk', namelijk de democratische regeringsvorm, aan de hele mensheid. Moderne presidenten hadden wel al vaak getuigenis afgelegd van hun persoonlijke geloof, maar nooit dit soort vurige prometheïsche wendingen tot onderdeel van hun beleid gemaakt. Als presidenten, zoals Wilson of Lincoln, van tijd tot tijd de uitdrukking 'Gods wil' in de mond namen, dan probeerden ze zich verre te houden van de implicatie dat zij Zijn wil zouden kennen, en nooit beriepen ze zich erop bij wijze van ondersteuning van geweld of menselijke agressie.

Niettemin was met dit mengsel van angst en geloof in een aan feiten arme omgeving het nuchtere, redelijke debat van tafel. Thuis weerklonk de boodschap van overtuiging en actie. En die kreeg aanvankelijk ook steun uit het buitenland, leverde internationale steun op, van Oost tot West, voor de Amerikaanse openingszetten tegen al-Qaida, de Taliban en het wereldwijde terrorisme.

In wezen had de Amerikaanse president een nieuwe achterban in zijn portfolio, een mondiale gemeenschap die in deze dagen van vernieuwing na 11 september uitermate alert was op de woorden van de nieuwe en enige supermacht van deze wereld, die bovendien uit was op actie. Een dubbele achterban – één thuis, één in het buitenland – luisterde met grote aandacht naar ieder woord.

Dit alles creëerde voor Amerikanen een merkwaardige dwang om mondiaal te denken over de calculaties die ten grondslag liggen aan een boodschap, een inschatting van de reacties van andere mensen. Het hechte weefsel van de van nieuws verzadigde planeet maakte de oude tweedeling in een retoriek à la carte – een voor thuis en een voor het buitenland, een voor ons en een voor hem – onmogelijk. De officieel gekozen leider had duidelijk behoefte aan een boodschap die beide achterbannen, inclusief schurkenstaten en de terroristen zelf, aansprak. Eén wereld. Eén boodschap. De natie had zich officieel op de boodschappenbusiness geworpen.

Standvastigheid, hardheid en geloof werden de Amerikaanse wachtwoorden. Dat viel natuurlijk niet bij iedereen in goede aarde. Moslims in Amerika en in het buitenland, onzeker over hun eigen grondslagen – terwijl bin Laden en zijn eigen krachtige wij-tegen-over-zij-visie van een sektarische conflict steeds meer aanhang kreeg – dwongen het Witte Huis tot uitbanning van 'kruistocht' uit zijn retoriek. Die zeiden dat ze dat zouden doen, maar vervolgens begon president Bush het woord weer te herhalen, evenals andere woorden die ook naar een heilige oorlog verwezen. Deze opstelling droeg sterk bij aan de mobilisering van zijn binnenlandse kern van gelovige aanhangers.

Medewerkers van het Witte Huis stelden zorgvuldig toespraken samen met beelden die deze gelovigen zouden aanspreken. Verdeeldheid – wij versus zij, met de bijbehorende beelden – werkt. Als de status van bin Laden daardoor in zekere zin werd verhoogd, dan moest dat maar. Hij zou toch spoedig dood zijn, dachten haviken in de regering in 2002, toen ze een cruciaal punt over het hoofd zagen: dat een boodschap die alhier politiek voordeel opleverde, tegelijkertijd groeiende kansen creëerde voor onze vijanden. Intern wuifde de president zorgelijke commentaren weg dat deze boodschap de niet-stemgerechtigde 'achterban' in het buitenland in de kaart speelde. Amerika maakte middels zijn stem zijn intenties en gevoelens duidelijk. De reactie van de wereld was niet hun eerste zorg. Voor de meest dringende prioriteiten – het bezielen van de eigen burgers, van wie bijna de helft zich nu tot de bekeerlingen rekende, én van de bondgenoten in de 'oorlog tegen terreur' in verwante westerse naties of in sinds kort bang geworden Arabische landen – was de strijdkreet van het wij-versus-zij echt geknipt.

Maar eind 2003, nadat conservatieven, over het algemeen religieuze Republikeinen, hun spierballen hadden laten zien en zetels hadden gewonnen bij de tussentijdse verkiezingen, werd duidelijk dat het refrein van een nieuwe op lef en geloof gebaseerde zekerheid in feite bin Laden in de kaart speelde. En niet zo'n klein beetje ook. Zelfs na de nederlagen en verdrijvingen in Afghanistan konden bin Laden en Zawahiri, die erin geslaagd waren dit alles te overleven, nu een profetisch visioenen claimen: hun reeds lang voorspelde heilige oorlog tussen West en Oost, tussen christenen en moslims, was eindelijk aangebroken. De keren dat Bush het woord 'kruistocht' uitsprak werden eindeloos uitgezonden in de hele Arabische wereld. Het werd zijn handtekening.

Maar dat was nog altijd dáár, ver van eigen bed. Amerikanen dachten op dit moment nog steeds aan hun plicht in deze gevaarlijke tijden. Uiteindelijk waren slechts enkelen geroepen om dienst te doen in Afghanistan, of op terroristen te jagen, of de kust te verdedigen, maar iedereen kon zijn of haar bijdrage leveren door een wereldwijde Amerikaanse boodschap te steunen, en de voornaamste brenger daarvan. Critici kregen geen toegang tot bronnen waarmee ze door degelijke informatie ingegeven argumenten konden creëren, zodat ze zich moesten beperken tot diffuse kritiek op het Amerikaanse beleid. En als ze die hadden, werden ze bekritiseerd vanwege het steunen van de vijand. Je kon zelfs nog rekenen op felle aanvallen in de zomer van 2003 – toen het experiment in Irak alle glans al had verloren en er zelfs voor ongeoefende ogen begon uit te zien als een hand over hand toenemende burgeroorlog –, als je aan de hand van de werkelijkheid en op lange ervaring gebaseerde schattingen bijzonder voor de hand liggende vragen stelde, bijvoorbeeld, hoeveel troepen er werkelijk nodig waren om het land te beveiligen, en of men er wel eens over had nagedacht hoe een Arabische democratie er eigenlijk uit zou moeten zien. Nu was het comfort van de geheimhouding vervangen door levendige en vaak aangrijpende beelden. Maar ook werd er in 2003 door veel jonge mannen en vrouwen nog extra pressie uitgeoefend in de trant van 'wie niet vóór ons is, is tegen ons'. Amerika hield zich grotendeels heel goed aan de boodschap.

Het was pas in januari 2000 – een verkiezingsjaar, een moment waarop geïnformeerde toestemming als het ware constitutioneel was voorgeschreven – dat de *rede* zo op het oog de *boodschap* leek in te halen, zoals de schildpad de haas.

En zoals altijd was de sleutel de komst van duidelijk zichtbare, onbetwistbare feiten, al duizenden jaren de feitelijke zuurstof van het rationele dispuut.

Een van de eerste stappen in die richting kwam van de voormalige minister van Financiën Paul O'Neill, die ik in mijn half januari van dat jaar verschenen boek citeerde. Hij zei dat de regering al was begonnen met voorbereidingen voor de omverwerping van Saddam Hussein tijdens de allereerste bijeenkomst van de Nationale Veiligheidsraad NSC na de inwijding van de president, en niet in het meer weloverwogen proces van bewijsvergaring na 11 september waarmee de regering reclame had gemaakt. Ook zei hij dat hij als NSC-directeur alle relevante briefings had gelezen die door de inlichtingengemeenschap vóór de inval in Irak aan de president waren gegeven, en dat geen ervan iets bevatte dat 'in aanmerking kon komen als bewijs' voor het bestaan van massavernietigingswapens.

Hoewel sommige van deze beschuldigingen al als geruchten de ronde deden, was het voornaamste punt de verschijning van een getuige uit de eerste hand, iemand met een rechtstreekse, geregelde toegang tot de president, tot bijeenkomsten op het hoogste niveau en tot cruciale documenten.

In wezen was er een soort tactische oorlog begonnen. De regering – na 11 september totaal bevrijd van de traditionele dictaten van transparantie – had een onontdekt terrein van besluiten en acties te verbergen, van martelingen tot illegale afgeluisterd praktijken en adembenemende vergissingen in de 'oorlog tegen terreur', naast bepaalde troebele overtuigingen die in feite de motor van het beleid vormden.

Een week later, op 20 januari 2004, hield de president stevig aan zijn boodschap vast in zijn State of de Union-toespraak. Die boodschap was een vertrouwd refrein om de campagne voor een herverkiezing mee te beginnen. Het was een mengsel van godvruchtige uitlatingen en vastberaden op de kop geslagen spijkers, ontleend aan retorische triomfen van de afgelopen tweeënhalf jaar.

'We hebben samen voor ernstige uitdagingen gestaan, en nu staan we voor een keuze,' begon de president zijn toespraak. 'We kunnen voorwaarts gaan met zelfvertrouwen en vastberadenheid, of we kunnen terugkeren naar de gevaarlijke illusie dat terroristen niet complotteren en dat wetteloze regimes geen bedreiging voor ons vormen. We hebben niet deze lange weg afgelegd, door tragedie en beproevingen en oorlog heen, om nu te dralen en ons werk onvoltooid te laten.'

De oppositie standpunten toeschrijven die ze niet hebben ingenomen is een beproefde politieke tactiek, die het officiële begin van het politieke seizoen markeerde. Daarna, niet meer dan een minuut nadat hij aan zijn toespraak was begonnen, bood president Bush al de meest cruciale reden voor zijn herverkiezing aan: 'Achtentwintig maanden zijn verstreken sinds 11 september 2001, meer dan twee jaar zonder een aanval op Amerikaanse bodem. Het is verleidelijk om te geloven dat het gevaar nu achter ons ligt. Die hoop is begrijpelijk, geruststellend – en vals... de terroristen blijven samenzweren tegen Amerika en de beschaafde wereld. Maar door onze wil en onze moed zal dit gevaar worden verslagen.'

De aanwezigen barstten in applaus los, zelfs de Democraten. We waren niet aangevallen. Zelfs als het waarom niet duidelijk was – en dit was het onderwerp van felle, geheime discussies binnen de inlichtingengemeenschap –, het bleef een feit.

Dit was de kern van het argument voor herverkiezing, en het zou het ook blijven.

Daarna liet president Bush er geen gras meer over groeien en presenteerde hij de felbegeerde 'afgeleverde boodschap' waarover hij had gemijmerd toen het nieuws van Kaddaffi's toenadering voor het eerst werd doorgegeven via Blair.

'Door het Amerikaanse leiderschap en onze besluitvaardigheid verandert de wereld ten goede. De afgelopen maand heeft de leider van Libië uit vrije wil plechtig beloofd om alle programma's voor massavernietigingswapens van zijn regime te onthullen en te ontmantelen, inclusief een project voor uraniumverrijking ten behoeve van kernwapens... Negen maanden van intense onderhandelingen met Libië waarbij de Verenigde Staten en Groot-Brittannië betrokken waren hebben succes gehad, terwijl dat met twaalf jaar diplomatiek contact met Irak niet mogelijk is gebleken. En de oorzaak daarvan is duidelijk: wil diplomatie effectief zijn, dan moeten woorden geloofwaardig zijn, en niemand kan nu twijfelen aan het woord van Amerika.'

Nadat hij ten onrechte had beweerd dat hij wist dat Libië het bewijs was dat de invasie van Irak vrucht had afgeworpen, ging de president snel over tot versteviging van het draagvlak van het zwaar overbelaste experiment in Irak. 'Sommigen die hier aanwezig zijn, en in het land, hebben de bevrijding van Irak niet gesteund. Bezwaren tegen de oorlog komen vaak voort uit principiële motieven. Maar laten we eerlijk zijn over de consequenties die het zou hebben gehad als Saddam Hussein aan de macht was gebleven. Wij kijken naar alle feiten. Nu al heeft het Kay-rapport laten zien dat er tientallen massavernietigingswapens zijn – gerelateerde projectactiviteiten en aanmerkelijke hoeveelheden apparatuur die Irak verborgen heeft gehouden voor de Verenigde Naties.'

Drie dagen later, op 23 januari, een vrijdag, gaf de CIA een perscommuniqué uit waarin David Kay werd geprezen voor zijn werk als hoofd van de Iraq Survey Group, en waarin werd aangekondigd dat hij zich zou terugtrekken en vervangen worden door Charles Duelfer, een andere wapenexpert. Die middag ging Kay langs bij George Tenet, in de hoop nog een laatste gesprek te kunnen hebben met deze directeur van de CIA. Tenet was in vergadering met hoofden van buitenlandse inlichtingendiensten; Moseman, die een deur verderop zat, zei tegen Kay dat het zo niet werkte.

'Maar wel,' zei Moseman, 'zouden we je ergens volgende week graag willen eren met een lunch, samen met de mensen met wie je hebt gewerkt.'

Kay schuifelde met zijn voeten. 'Ik weet niet of dat nou wel zo'n geweldig goed idee is,' zei hij, en verdween.

Een uur later belde Bill Harlow, van oudsher de spreekbuis van de CIA, naar Moseman. 'Kay heeft net gepraat met Reuters,' zei Harlow ziedend. 'Hij heeft een verklaring afgelegd.'

Vijf dagen later zat Kay achter een getuigentafel tegenover het Senate Armed Services Committee. Het was een volle zaal, met als voorzitter een uiterst misnoegde Republikeinse senator uit Virginia, John Warner, een vurig aanhanger van de president die steeds meer het gevoel had gekregen dat hij misleid was.

'Laat ik beginnen met te zeggen dat we het bijna allemaal mis hadden, en dan heb ik het zeker ook over mijzelf,' zei Kay grimmig. 'Ik denk dat de inspanningen die tot nu toe zijn gepleegd, intensief genoeg waren om te kunnen zeggen dat het uitermate onwaarschijnlijk is dat er grote voorraden van door het Iraakse leger inzetbare chemische en biologische wapens waren.'

Daarna werd het meer persoonlijk toen verscheidene senatoren – de Republikein John McCain, de Democraat Ted Kennedy – Kay onder druk zetten om zijn mening te geven over de vraag of, en zo ja, hoe het Amerikaanse publiek misleid was.

'Als ik uw effectenmakelaar was en u pleegde investeringen op grond van mijn adviezen, iets wat ik nu niet kan aanraden, en ik had uiteindelijk gezegd: 'Enron was het geweldigste bedrijf van de wereld', terwijl u met die onderneming een grote hoeveelheid geld had verloren... dan zou u denken dat ik u had misbruikt.'

Colin Powell had een paar dagen later een gesprek met redacteuren en journalisten van *The Washington Post,* waarin hij zei dat hij niet zeker wist of hij de oorlog zou hebben gesteund als hij had geweten dat er geen massavernietigingswapens waren in Irak. 'De afwezigheid van een voorraad [van verboden wapens in Irak] verandert de politieke rekensom,' zei hij tegen hen, eraan toevoegend dat de Verenigde Staten ten oorlog waren getrokken 'met het idee dat er een voorraad was en dat er [verboden] wapens waren'. Nog voor het ochtendgloren van 3 februari publiceerde *The Washington Post* dit stukje eerlijkheid, waarna het met indrukwekkende snelheid de wereld rondging.

Powells commentaar veroorzaakte paniek in het Witte Huis. Het scheen de president tegen te spreken en de boodschap van vastbeslotenheid die Bush in zijn State of the Union had uitgedragen te ondermijnen. Wat moesten ze doen? Voorstellen voor strategische tegenzetten golfden door de West Wing.

Halverwege de ochtend had Powell de bezoeker van die dag, Kofi Annan, de secretaris-generaal van de VN, meegenomen naar de persruimte van het ministerie van Buitenlandse Zaken voor een snelle persconferentie ter beperking van de aangerichte schade.

'De *bottom line* is dat de president de juiste beslissing heeft genomen,' riep Powell nu met stemverheffing uit. 'Hij heeft de juiste beslissing genomen op basis van de geschiedenis van dit regime, de intentie die deze leider, deze verschrikkelijke despotische leider had, en de capaciteiten op allerlei niveaus, de aanwezige *delivery systems* die er waren, en er is niemand die dat betwist. ... Het was duidelijk dat dit een regime was met zulke intenties en capaciteiten, en het was een risico waarvan de president sterk het gevoel had dat we dat niet mochten nemen. Het was iets waar we het allemaal over eens waren, en waar we het vermoedelijk opnieuw over eens zouden zijn in wat voor andere omstandigheden dan ook.'

Op de ochtend van 11 mei koerste een overvolle trein op Madrid af. De inzittenden waren mensen die vroeg opgestaan waren, snel ontbeten hadden en in de trein waren gestapt in de arbeiderswijken aan de oostkant van de stad, mensen die zich over het algemeen de hogere prijzen van huizen in de betere buurten niet konden veroorloven. Velen van hen waren studenten of pasgetrouwde stellen, of jonge ouders. Ze lazen die ochtend *El Mundo* of ze luisterden naar muziek op hun iPods, of ze sliepen, of tuurden te midden van het geroezemoes van de andere forensen alleen maar naar buiten, terwijl de met gras begroeide vlakten overgingen in de dicht op elkaar staande rijen van huizen, en daarna grote gebouwen, totdat in de verte het majestueuze Prado Museum opdoemde.

Voor velen zou dat het laatste zijn wat ze zagen. Drie rugzakken explodeerden toen de trein station Atocha binnenreed, en puin en staal en mensen alle kanten op geslingerd werden. Zeventig mensen kwamen om bij die eerste reeks explosies; nog eens 120 werden er gedood toen soortgelijke bommen enkele minuten later ontploften in negen andere treinen. In totaal waren er 191 doden en 1500 gewonden. Het nieuws verspreidde zich snel en mobieltjes begonnen over te gaan op lijken die op de perrons lagen. Overal in Spanje baden mensen in stilte dat hun geliefde zou opnemen – alsjeblieft, o god, neem op –, net als de mobieltjes die overgegaan waren op 11 september 2001.

Niemand kan aangekeken worden op wat hij of zij op een moment als dit doet. Mensen huilden en waren in paniek, en ze hielden een wake, die nacht en de volgende, op de barokke pleinen van Madrid. De conservatieve regering van José Aznar, die tegen de wil van de lokale oppositie 1300 manschappen naar Irak had gestuurd als blijk van solidariteit met de regering Bush, sloeg de verkeerde weg in: al heel snel werd de schuld gegeven aan de ETA, de Baskische terroristische groepering die opeenvolgende Spaanse regeringen de voet had dwars gezet. De regering had haar eigen redenen. In februari hadden ze een grote voorraad ETA-explosieven in beslag genomen en waren ze zich als vanzelf gaan richten – zoals iedere strijder dat zal doen – op de bekende vijand. En dus concentreerden ze zich op de ETA en stopten ze met een reeds lang bestaand bewakingsprogramma van islamitische fundamentalistische cellen. Als analyse, elke analyse, niet vasthoudend en nederig is, niet naar het onwaarschijnlijke zoekt, kan hij geïnfecteerd worden met een verlammende neiging tot navelstaren en clichématige reacties.

Dat is de milde versie van wat er gebeurd was, toen drie dagen na de explosie duidelijk werd dat jihadisten in Spanje zelf vrijwel zeker de schuldigen waren. Sommigen van hen waren blijkbaar uitermate ontevreden over de controversiële Spaanse aanwezigheid in Irak. En zo verloor Aznars regering, die de hele maand februari een flinke voorsprong had gehad in de peilingen, de nationale verkiezingen die drie dagen na de aanslagen werden gehouden. De socialisten wonnen met anti-Amerikaanse slogans en de belofte om de Spaanse troepen terug te trekken uit Irak. Dat was op dit moment voldoende om de overwinning te waarborgen.

In de weken na de aanslagen in Madrid spanden het grote gezamenlijke Amerikaans-Europese antiterroristische inlichtingencentrum CTIC en inlichtingendiensten op het hele continent zich tot het uiterste in om een beeld te krijgen van wat er gebeurd was. Op 3 april omsingelde de politie zeven verdachten die zich opgesloten hadden in een flatgebouw in Leganes, een buitenwijk van Madrid, en zich daarna opbliezen. Al gauw werden een paar medeplichtigen opgepakt en werd duidelijk dat de cel zichzelf bedroop: ze financierden operaties, inclusief de aankoop van explosieven, met de verkoop van hasj en ecstasy. En ze hadden hun eigen zuiveringsrituelen ontwikkeld, bestaande uit het drinken van heilig water uit Mekka.

Een mensenjacht door heel Europa bracht een dun weefsel van connecties aan het licht binnen een losjes verbonden geheel van soortgelijke doe-het-zelf-terreurgroepen. Ze waren niet duidelijk gekoppeld aan een hechte structuur en ze werden ook niet van boven af aangestuurd door al-Qaida. Het was meer een soort met concessies werkend model: ondernemende groepjes die de doelen van de bredere beweging uitvoerden, die nog altijd werden bepaald door het inspirerende leiderschap van bin Laden en Zawahiri, maar die wel zelfvoorzienend waren, vrij om zich diep in een land in te graven en gestaag naar een destructief doel toe te werken. Bin Laden had het afgelopen voorjaar een op de televisie uitgezonden bedreiging uitgesproken tegen Spanje, Groot-Brittannië en andere landen die de Verenigde Staten in Irak steunden. En terwijl medewerkers van inlichtingendiensten melding maakten van enkele banden tussen een assistent van bin Laden en een paar van de Spaanse terroristen, gaven vooral de aanslagen in Madrid in wezen een destructieve kracht aan die retoriek.

Het was een solide bewijs voor een nieuw al-Qaida-model: een ontwikkeling die voor een deel dreef op de sigint- en finint-successen van de voorgaande twee jaren. Communicatie, management en financiële ondersteuning van een gecentraliseerd netwerk, dat voorheen elektronische sporen naliet die tot onvoorstelbaar veel arrestaties hadden geleid, bleken overbodig te zijn. Operationele afdelingen van de CIA wisten dat ze hierdoor tactisch gezien in een doodlopende straat terecht zouden kunnen komen. Boodschappen van bin Laden en Zawahiri zorgden voor een brede, strategische paraplu van doeleinden: een paraplu waaronder verschillende groepen onafhankelijk van elkaar konden opereren.

Zoals een CIA-analist het formuleerde: 'De relatie bracht een bepaald soort toenemende helderheid met zich mee, zoals kinderen naarmate ze ouder worden steeds beter weten hoe ze hun vader of moeder een plezier kunnen doen.' Net als bij de golf van beginnende internetexploitanten halverwege de jaren negentig, waren de hindernissen voor deelname laag en was de improvisatie-energie hoog. Het doel was hier niet de door een beursgang binnen te halen miljoenen, maar op een geheel eigen manier was het zeker niet minder attractief: wereldwijde bekendheid, een foto van jou als heilige martelaar die in de woonkamers van talloze flats in Riyad of Karachi prijkte, en eeuwige zaligheid.

Maar er was nog meer. Binnen de analyse-afdelingen van de CIA en bij de Nationale Veiligheidsraad gaven de bomaanslagen in Madrid en het daaropvolgende snelle onderzoek als vanzelf aanleiding tot een groeiende consensus op een ander gebied, een conclusie die wel het laatste was wat iemand in het Witte Huis gepubliceerde wenste te zien: de mogelijkheid bestond dat al-Qaida dat op dat moment niet van plan was om Amerika daadwerkelijk aan te vallen.

Een cruciaal element van die analyse was een rapport dat een paar maanden eerder, in december 2003, door de Noorse Stichting voor Defensie Onderzoek – de inlichtingendienst van de Noorse overheid – opgepikt was van een jihadistische website met nauwe banden met het Saudische al-Qaida.

De tweeënveertig pagina's tellende verhandeling, *Jihadistisch Irak, verwachtingen en gevaren*, werd voltooid in september 2003 en draagt het stempel van niemand anders dan Yusef al-Ayeri. Het is opgedragen aan Al-Ayeri, bevat diverse citaten uit boeken van zijn hand en heeft de onmiskenbare Al-Ayeri-toon van analytische – in tegenstelling tot religieuze – gedrevenheid. Het kan deels door Al-Ayeri geschreven zijn voor zijn dood in mei 2003, denken sommige CIA-analisten, en daarna uitgebreid en opgepoetst door zijn volgelingen.

Het strategische document bevat een groot aantal scherpzinnige aanbevelingen over hoe de Amerikaanse inspanningen in Irak kunnen worden ondermijnd. Primair daarbij is het isoleren van de Verenigde Staten ten opzichte van hun bondgenoten en vooral de verzwaring van de Amerikaanse financiële lasten door de terugtrekking van enkele belangrijke partners – Groot-Brittannië, Spanje en Polen – te forceren. Deze gedachtegang wordt ondersteund door gedetailleerde analyses van de binnenlandse situatie in ieder land en een inschatting dat Spanje, een land waar een groot deel van de bevolking tegen de betrokkenheid in Irak is, bijzonder gemakkelijk kan worden losgeweekt van de Verenigde Staten. Het document beveelt 'pijnlijke klappen 'voor Spaanse 'strijdkrachten' aan, wat bedoeld kan zijn in Irak of elders, omstreeks de tijd van de komende Spaanse verkiezingen die verwacht worden in 2004. De algehele strategische missie wordt toegelicht in de volgende passage van het rapport:

Wij denken dat de Spaanse regering niet meer dan twee, maximaal drie klappen kan verdragen, waarna ze zich zal moeten terugtrekken als gevolg van druk vanuit de bevolking. Als de troepen na deze klappen toch nog in Irak blijven, dan is de overwinning van de Socialistische Partij vrijwel zeker en zal de terugtrekking van de Spaanse strijdkrachten in hun verkiezingsprogramma staan.

Ten slotte willen we benadrukken dat een terugtrekking van de Spaanse of Italiaanse strijdkrachten uit Irak een enorme druk zou leggen op de Britse aanwezigheid (in Irak), een druk die Toni [sic] Blair vermoedelijk niet zal kunnen weerstaan, waarna de dominostenen snel kunnen omvallen.

Dat zou spoedig gebeuren, toen Spanje zijn troepen begon terug te trekken terwijl het nieuws van een 'terroristische triomf' de wereld rondging. Achter die koppen ging echter een verdere bevestiging schuil van wat CIA-analisten al in het voorjaar van 2002 waren gaan zien in sigint en in de schaarse humint: een mogelijke strategische verschuiving van al-Qaida, waarbij het accent niet langer op nog meer aanvallen op het Amerikaanse vasteland zou liggen. De ingangen voor geweld waren Saudi-Arabië, Europese landen, waarvan sommige met een omvangrijke moslimbevolking, en zeker Spanje.

In het in het diepste geheim gevoerde debat over de vraag waarom Zawahiri de chemische aanslagen had gecanceld, werd afstand genomen van het zelfgenoegzame idee dat dit wel eens te danken zou kunnen zijn aan de druk die de Verenigde Staten had uitgeoefend op al-Qaida. Die gedachtegang maakte plaats voor een groeiend aantal bewijzen dat al-Qaida in de drie jaar na die ene triomf van 11 september 2001 geen enkele poging meer zou hebben gedaan om de Verenigde Staten aan te vallen.

'Wat we bij de CIA begonnen te begrijpen, is dat al-Qaida niet louter handelt uit bloeddorst of ziekelijke woede. Hoewel hun tactieken afgrijselijk zijn, zijn het geen moordlustige maniakken. Ze doen wat ze doen om bepaalde strategische doelen te bevorderen,' zei een topmedewerker van de CIA, die in deze periode betrokken was bij discussies op het hoogste niveau over bin Laden en Zawahiri. 'Ze hadden duidelijk het vermogen om ons op wel honderd verschillende manieren aan te vallen. Dat deden ze niet. De vraag was: waarom.'

Welnu, heeft het Amerikaanse publiek niet het recht om te weten dat al-Qaida misschien niet geprobeerd heeft Amerika aan te vallen, nu de reactie op de aanslagen van 11 september en het nieuw mondiale speelveld onbetwist de kernthema's zijn van deze nationale verkiezingen?

Is het zonder deze kennis mogelijk een oordeel te vellen over de centrale conclusie van de president, namelijk dat hij moet worden herkozen omdat hij heeft voorkomen dat wij opnieuw aangevallen werden?

Het kerndilemma, of een natie in het geheim een oorlog kan voeren en tegelijkertijd de waarden van een democratie kan behouden, kwam meer en meer op de voorgrond in deze eerste nationale verkiezingen na de aanslagen.

In ieder geval zouden talloze essentiële gegevens, zoals de feitelijke positie en de werkelijke strategie van al-Qaida in het voorjaar van 2004, verborgen blijven. Een rechtvaardiging van deze geheimhouding – en op dit moment, de schaduw die geworpen wordt over een continent vol acties en rechtvaardigingen voor het voeren van de 'oorlog tegen terreur' – was een keihard tactisch uitvloeisel van de strakke discipline die werd opgelegd door de cultus van 'de boodschap': als je al-Qaida bepaalde dingen zou laten weten die wij wisten, met name dat wij wisten dat ze vermoedelijk niet de wens koesterden het Amerikaanse vasteland daadwerkelijk aan te vallen, dan zou dit hun helpen bij het plannen van hun strategieën. Maar dat kon niemand weten, aangezien al-Qaida, zijn financiers, navolgers en aanhangers behoren tot een gigantische, niet-kiesgerechtigde mondiale achterban die de Amerikaanse president nu veronderstelde.

Dat betekende dat de dictaten van de 'informatieoorlog' die van toepassing waren op een vijand ook moesten worden toegepast op het Amerikaanse grondgebied, ook al was het nu de eens in de vier

jaar aan burgers gepresenteerde wettelijk voorgeschreven mogelijkheid om de prestaties van hun leiders te evalueren. Het Amerikaanse volk had niet méér recht om de plannen van de regering te
weten dan een luitenant van al-Qaida. Als dat alles toevallig ten
voordele mocht zijn van de machthebbers, het zij zo.

Deze botsing van rechten en belangen creëerde een acute ondergrondse spanning – als bij tektonische platen, door breuken
begrensde delen van de aardkorst, die over elkaar schuiven –, diep
onder het Amerikaanse bestuurssysteem en zijn tradities van ge-
informeerde toestemming.

Wat intussen zichtbaar was aan het oppervlak, waren moorddadige gevechten tussen de tucht die bij de boodschap hoort en het
rommelige, maar wisselend betekenisvolle debat.

In deze tijd werd Tenet steeds meer aangetrokken om te spreken
namens het Witte Huis. Per slot van rekening was hij in heel veel
van die gevechten een centrale pion. Hij wist natuurlijk alles wat je
maar kon weten, maar hij was geen gekozen overheidsfunctiona-
ris en ook werd hij als directeur van de CIA niet gezien als iemand
die werd voortgestuwd door een electoraal mandaat. Tenets uitzonderlijke waarde berustte op de lange geschiedenis van de CIA
als, althans in theorie, een op bewijsvinding ingestelde tak van de
overheid, een neutrale bemiddelaar zonder de zo intens op zelfbe-
veiliging gerichte geïnstitutionaliseerde neigingen van de koninkrijkjes die Buitenlandse Zaken of Defensie waren.

En zo hield Tenet na David Kays onthullingen en Powells onge-
autoriseerde moment van eerlijkheid, een toespraak op de Georgetown University waarin hij de CIA en zijn voornaamste afnemers,
de president en de vice-president, ruimhartig verdedigde met betrekking tot het hete hangijzer van Iraks massavernietigingswapens. Hij zei dat de inspecties nog niet afgerond waren. Hij zei dat
iedereen in goed vertrouwen gehandeld had. Hij zei dat de CIA het
misschien niet in alle opzichten bij het rechte eind had gehad – dat
was nooit het geval met inlichtingendiensten –, maar dat ze wel
zo goed mogelijk hun best hadden gedaan. De president zei tegen
Tenet dat hij het een prima speech vond, een echt ouwe-jongens-
krentenbroodverhaal. 'Goed gedaan, George,' zei Bush.

Maar de tektonische platen bleven schuiven. Voor sommigen in een kleine kring van topfunctionarissen die wisten wat waar was, wreef de dagelijks door het Witte Huis geproduceerde boodschap als schuurpapier over dierbare ideeën met betrekking tot burgerrechten en burgerplichten uit het boekje over hoe de dingen eigenlijk moesten.

De 9/11 Commission, waar het Witte Huis eerst op tegen was toen het voorstel voor oprichting van de ze onderzoekscommissie werd gedaan – onder andere met het argument dat de hoorzittingen over de Japanse aanval op Pearl Harbor ook waren uitgesteld tot na het einde van de oorlog – was nu na ruim een jaar aan de belangrijkste conclusies toe en riep getuigen op uit de kring van vertrouwelingen van de president.

Op 21 maart, drie dagen voor zijn afgesproken verschijning voor de commissie, verscheen Richard Clarke, Bush' antiterrorismespecialist, in het programma *60 Minutes* van de CBS. Er waren uiteraard al andere andersdenkenden geweest: van FBI-klokkenluider Colleen Rowley, die in details beschreef hoe de FBI in 2001 aanwijzingen over het hoofd had gezien die 11 september hadden kunnen helpen afwenden, tot Joe Wilson, die over de loze Nigerclaims schreef, en Greg Theilmann, het hoofd van Powells team dat de massavernietigingswapens analyseerde, die in februari op de televisie had gezegd dat de Amerikanen misleid werden. Maar Clarke was iets anders. Hij was op Paul O'Neill na de hoogste functionaris die nu naar trad, en iemand met verplichtingen op een terrein waarin grote belangen op het spel stonden. Hij beschreef tot in de schokkende details hoe president Bush de dreiging van al-Qaida vóór de aanslagen van 11 september had genegeerd omdat hij in plaats daarvan zo gericht was op Irak – een uitspraak die als een puzzelstukje paste op O'Neills onthulling in januari.

Tijdens de hoorzittingen van de 9/11 Commission op 24 maart verontschuldigde Clarke zich tegenover het Amerikaanse publiek voor het feit dat hij niet tijdig was opgetreden tegen de reeds lange tijd groeiende dreiging van het moslimterrorisme. Gezeten achter zijn tafel, kalm in het licht van de schijnwerpers, verontschuldigde Clarke zich 'tegenover de dierbaren van de slachtoffers van 9/11', en hij vervolgde met: 'Tegen hen die hier in deze zaal aanwezig zijn, tegen hen die hiernaar kijken op de televisie, zeg ik dat de regering tegenover u in gebreke is gebleven, dat degenen aan wie het beveiligen van u is toevertrouwd in gebreke zijn gebleven en dat ik ook in gebreke ben gebleven. We hebben erg ons best gedaan, maar dat doet er niet toe, omdat we hebben gefaald. En voor dat falen zou ik, wanneer alle feiten eenmaal boven tafel zijn gekomen, om uw begrip en uw vergeving willen vragen.'

Het was een indrukwekkend moment. Clarke, die de president slechts af en sprak, richtte veel van zijn gram op Condoleezza Rice – institutioneel de topontwerper van het buitenlandse beleid – met de beschuldiging dat zij en haar baas geen gehoor hadden geschonken aan herhaaldelijke waarschuwingen.

'George Tenet en ik hebben heel hard geprobeerd een sfeer van grote urgentie te creëren door erop toe te zien dat inlichtingenrapporten over de dreiging van al-Qaida geregeld aan de president en aan andere hoge functionarissen werden gegeven. En er was een proces gaande om al-Qaida aan te pakken. Maar hoewel ik bleef zeggen dat het een dringend probleem was, denk ik niet dat het ooit op die manier werd behandeld.'

Het was een van de eerste keren dat Tenet, die tijdens talrijke hoorzittingen in de afgelopen twee jaar opgetreden was als een soort hitteschild voor Bush en Rice, geprezen werd. Rice daarentegen werd afgeserveerd door Clark, die stelde dat zij in het voorjaar van 2001 de term 'al-Qaida' niet eens kende en dat ze de belangrijkste analyses altijd weghield bij Bush.

Wat het Amerikaanse publiek op dat moment miste was een kader, en enkele zeer relevante inzichten. Een daarvan was dat aan Bush was verteld dat de Nationale Veiligheidsraad niet goed functioneerde, en dat hem dat zelfs herhaaldelijk was verteld, onder andere door minister van Buitenlandse Zaken Collin Powell, de nationaal veiligheidsadviseur van zijn vader. Powell had Bush tijdens een bijeenkomst in 2003 verteld dat 'de raad slecht functioneert en dat Dr. Rice daar het middelpunt van vormt. En zonder een goed functionerend NSC-apparaat kan een president simpelweg niet weten wat hij moet weten, wanneer hij het iets echt moet weten.' Bush nam het voor kennisgeving aan. Er veranderde niets.

Afgezien van het functioneren van de NSC en de cruciale rol die deze speelde in voor de president het samenvatten van vraagstukken in een steeds complexere wereld, waren er de vragen met betrekking tot Rice zelf. De vragen lagen voor Powell en andere leden van de NSC-top in elkaars verlengde: rapporteerde Rice essentiële kwesties en de verschillende meningen daarover binnen de raad niet aan Bush, of bracht zij het compacte verslag van al het overleg naar behoren noordwaarts maar reageerde Bush niet op het meeste wat zij hem aanbood, of trad Cheney als een soort scherm op, een filter en tussenstation tussen Rice en de president?

Alle drie deze opties waren in zekere mate het geval. Wat Tenet en Rice allerlei begrepen was dat een sleutel tot de gedachtewereld van de president te vinden was in het door Cheney aan hem verschafte kader: de éénprocentdoctrine verminderde veel van de last van het werk, het beleidsvormingsproces zogezegd dat de NSC behoorde aan te sturen.

'Het gaat niet om onze analyse,' zoals Cheney had gezegd, in aanwezigheid van Rice en Tenet. 'Het gaat om onze reactie.'

De Cheney-doctrine bevrijdde George W. Bush van zijn zwakste punt – de analytische vaardigheden die zo op prijs gesteld worden onder Amerikaanse intellectuelen – en gaf hem de mogelijkheid om in zijn besluitvorming te werken met impulsen en improvisaties in een mate die zonder precedent was voor een moderne president. Cheney had in wezen een platform gebouwd, een bouwsel opgetrokken van waaruit Bush Bush kon zijn, en tegelijkertijd president blijven.

De problemen rond de implementatie van dit model komen voort uit een constante voorraad van niet van pas komende feiten – de vijanden van de strenge discipline die het uitdragen van de boodschap vereist – die door uitgebreide beleidssectoren van de overheid in grote hoeveelheden worden geproduceerd en dan geraffineerd voor consumptie door de president. Dat een president zo weinig trek had in een dergelijk product, was een schokkend gebeuren voor medewerkers op het niveau van kabinetsecretarissen. In de jaren nadat Bush tot president was gekozen lekten hints daarover stukje bij beetje uit via plekken als Financiën, de milieudienst EPA en Gezondheid en Welzijn. Veel vooraanstaande analisten en deskundigen in dienst van de overheid, hoog opgeleide briljante mensen, raakten ervan overtuigd dat het zelfs weinig zin had om rapporten via de hiërarchische keten naar de top te sturen. Ontevredenheid en ongerustheid over de irrelevantie van het beleidsvormingsproces leidde tot enkele schadelijke gevallen van afvalligheid en publieke uitspraken over de manier waarop de president zich van de gebruikelijke procedures distantieerde. Maar als serieuze ambtenaren en ijverige leden van de beschimpte 'bureaucratie', waren andersdenkenden een makkelijk doelwit voor een tegenaanval van het Witte Huis.

Toch was het cruciaal voor het Witte Huis dat dit portret van een op improvisaties en geloof gebaseerd presidentschap zich nooit zou uitbreiden tot de centrale gebieden met een hoge intensiteit, zoals de 'oorlog tegen terreur', of de oorlog in Irak, gebieden waarop jonge Amerikanen hun leven gaven en de hoogte van de inzet nauwelijks te schatten was. Dat een president zich in deze zaken zo distantieerde van het feitelijke beleidsapparaat kon paniek veroorzaken en een abrupte daling van het publieke vertrouwen in Amerika, en zelfs in de hele in rationaliteit gewortelde geïndustrialiseerde wereld.

De taak van het beveiligen of afschermen van de president voor zo'n neergang viel grotendeels toe aan Rice, in haar rol van doorgeefluik naar het establishment van het buitenlandse beleid. Met een top van het ministerie van Defensie dat vol zat met ideologische steun biedende neoconservatieven, onder Rumsfelds strakke controle, en een ministerie van Buitenlandse Zaken dat rond 2004 grotendeels buiten het beleidsvormingsproces werd gehouden, kwam alle druk nu op Tenet. Dat was het punt waarop in principe problemen konden ontstaan. Per slot van rekening was de CIA de bron van een heleboel analyses en getuigenissen van de wereld zoals die in elkaar stak, bestemd voor een president van wie verwacht werd dat hij vooral aandacht schonk aan deze heldere weergave van een breed scala aan vraagstukken, compleet met de werkelijke keuzes en consequenties. Maar als een president er in zijn woorden of daden blijk van geeft dat hij geen rekening houdt met die analyses, of aantoonbare bewijzen negeert, leidt dat tot vragen – dringende vragen over de competentie of de betrokkenheid van de president in tijden van gevaar, of de vraag of Cheney, of iemand anders, wie dan ook, werkelijk de touwtjes in handen heeft – vragen die door het overheidsapparaat gieren als een licht ontbrandbaar gas.

Dit gas moet 'onder de pet' worden gehouden, en als het toch ontsnapt, moet het onmiddellijk worden voorgesteld als een ongeluk, een afwijkend gebeuren waarvoor iemand de schuld op zich moet nemen: de president, een drukbezet man, was eenvoudig niet op de hoogte. Niemand zou het wagen om te zeggen dat de president aan zijn meest vertrouwde adjudanten duidelijk had gemaakt dat hij niet *op de hoogte wilde zijn*, vooral niet wanneer die informatie het vertrouwen dat hij in bepaalde meeslepende overtuigingen heeft onderuit zou kunnen halen.

En zo was het vaak Tenet die een analyse vanuit de CIA naar de top bracht, die in een positie was om ergens de schuld van te krijgen. Maar Rice was handig in het leggen van die schuld op de schouders van Tenet. De zestien woorden zijn slechts één sprekend voorbeeld. Rice had het samen met Hadley zo geregeld dat Tenet de zondebok zou worden voor de zestien woorden, een rol die Tenet op zich nam totdat zijn medewerkers bij de CIA, die woedend waren dat hun baas constant de kogel moest opvangen voor zijn superieuren, informatie lekten die Hadley dwong om de schuld met hem te delen.

Soortgelijke gevechten woedden op diverse fronten tussen de NSC en de CIA. Rice, die zo dicht bij de president stond dat de schuld die zij zou moeten dragen zou overslaan op hem, kwam gewoonlijk als de winnaar te voorschijn. Maar op het moment dat zij in nood verkeerde, nu het Witte Huis zich ertegen verzette om haar uit te leveren aan de 9/11 Commission, belde zij de laatste die je wel zou verwachten, namelijk George Tenet.

'Wat moet ik doen, George?' vroeg ze plotseling indringend.

'Condi, ik denk dat je geen keuze hebt,' zei Tenet. 'Ik denk dat je dit voor je eigen bestwil moet doen. Je hebt een goede naam op te houden. Jij bent wie je bent en het lijkt of je dit probeert te ontwijken. Als je iets te zeggen hebt, kun je het beter zeggen.'

Twee weken later, op 8 april, vormden zich groepjes kijkers rond enkele televisietoestellen op de zevende verdieping van de CIA toen Rice, in haar crèmekleurige pakje en met haar gouden ketting, haar hand opstak. Het was een getuigenverklaring onder ede, iets waar gouverneur Thomas Kean van New Jersey, een van de twee voorzitters van de commissie, op had aangedrongen.

Maar de druk om precies en genadig te zijn leek niet veel effect te hebben. Tenet keek toe toen Rice Clarke onder vuur nam, iemand die Tenet gesteund had, en zelfs enkele schoten richting CIA loste, met kritiek op de dienst vanwege zijn gebrekkige coördinatie en samenwerking met de FBI, en de weggelaten details bij het doorgeven van informatie over dreigingen voor 11 september 2001. Tenet, die alles gadesloeg, gaf tegen zijn medewerkers blijk van zijn verbazing over hoe 'ontzettend clever' ze was.

Rice was in feite bezig met het leiden van een van de fasen van een tegenaanval tegen critici en storend bewijsmateriaal in een verkiezingsjaar voor het Witte Huis.

Op zondagochtend 18 april verscheen het eerste van vijf uittreksels uit Woodwards boek *Plan of Attack* in *The Washington Post*.

In het uittreksel van de volgende dag zat een veelzeggende scène uit de bijeenkomst van 21 december 2002 in het Oval Office, met de uitdrukking 'kans voor open doel'.

Tenet las de passage en voelde het mes in zijn rug. Hij vroeg zich af hoe de president zich iets nog zo goed kon herinneren waarvan hij zelf niet eens meer wist dat hij het gezegd had. Hij dacht dat als de president zich die woorden herinnerde, ze voor hem wel een belangrijk moment in zijn denken moesten hebben gevormd, ook al ging de bijeenkomst – daar waren hij en McLaughlin het over eens – over het creëren van een gepolijste presentatie van de redenen om een oorlog te beginnen, en niet over het onderliggende bewijsmateriaal daarvoor.

Ongeveer een maand geleden liep Tenet even naar binnen bij zijn chef communicatie Bill Harlow, toen deze toevallig net aan het bellen was met Woodward. De veteraan van de journalistiek herinnerde Harlow eraan dat hij de bijeenkomst van december 2002 had beschreven – en Tenets gebruik van de woorden 'kans voor open doel' – aan Harlow en McLaughlin tijdens een bijeenkomst die de drie mannen hadden gehad in januari. Harlow kon zich dat van die 'kans voor open doel' niet goed meer herinneren, maar hij nam aan dat Woodward het dan wel in het voorbijgaan zou hebben vermeld. Omdat Tenet toevallig in de buurt was gaf Harlow Woodward aan hem, waarna deze de scène herhaalde voor Tenet en daarbij zei, zoals Tenet zich nog wel kon herinneren, dat het 'nou ook weer niet zó bijzonder was'.

Woodward kon of wilde zich naderhand desgevraagd niet uitlaten over wat hij wel of niet tegen Tenet had gezegd, maar hij memoreerde wel dat hij er zeker van was dat hij Harlow op een gegeven moment had verteld dat de scène niet als 'iets bijzonders' zou figureren in de uittreksels van het boek in *The Washington Post* dat voorjaar.

Nu hij de krant in zijn hand had, begon Tenet zich af te vragen of de sluimerende bezorgdheid van Moseman en Harlow en Krongard over de mogelijkheid dat het Witte Huis hem erin had laten lopen, als iemand die de rol van zondebok wel op zich zou kunnen nemen, misschien toch gerechtvaardigd was geweest.

Het jarenlange drama van het betrappen van Hussein op het bezit van massavernietigingswapens, als rechtvaardiging voor een al langer nagestreefde verandering van regime – een strijd die de CIA vaak in botsing bracht met de verzamelde strijdmacht van het ministerie van Defensie en de staf van de vice-president – was nu teruggebracht tot enkele woorden, misschien drie of vier, die Tenet zich totaal niet meer kon herinneren.

Tenet probeerde het van zich af te zetten. April was een drukke tijd. Zoals altijd was er meer dan genoeg dat zijn aandacht en energie opeiste. Er waren enkele doorbraken aan het bioterrorismefront. In Pakistan kwamen er enkele arrestaties aan. Dezelfde dag dat Woodwards eerste uittreksel verschenen was, kondigde Spanje officieel aan dat het inderdaad zijn troepen uit Irak zou terugtrekken, wat tot uitbarstingen van triomf in de hele Arabische wereld leidde, waarvan vele bijzonder onthullend, zoals werd geregistreerd door de CIA.

'Ik denk niet dat het hem direct heeft geraakt,' zei McLaughlin naderhand over de effecten van de 'kans voor open doel'.

'Vergeet niet dat je op een steigerend wild paard zit en mee wordt gesleurd naar andere urgente zaken. Het is net een soort tekenfilm. De hamer komt neer maar je beseft pas dat hij je geraakt als je daar plat als een dubbeltje ligt. Pas dan rijst Bugs Bunny op uit deze platte pannenkoek, kijkt naar zichzelf en zegt: hé, iemand heeft me net geraakt, iemand heeft me te grazen genomen.'

'Daarna,' zei McLaughlin, 'gingen er nog een week of twee voorbij en toen zeiden we: iemand heeft ons écht te grazen genomen.'

Pogingen om te besluiten wie die 'iemand' was, liepen voor Tenet op niets uit. Veel van zijn topmedewerkers hadden sterk de indruk dat het de president zelf was, omdat namelijk Rice, of Card, of Cheney, in dit geval net als vele anderen niet zouden handelen zonder enige sturing van de kant van hun baas. Tenet kon het niet over zijn hart verkrijgen om Bush de schuld te geven. Hij en de president hadden een goede relatie. De president had George na 11 september niet ontslagen en de directeur van de CIA had dat vertrouwen op overtuigende wijze beloond, door meer te doen dan alle anderen, had hij zelf het idee, om dit nieuwe type oorlog te voeren. Hij zou zijn waarde bewijzen. Hij zou die loyaliteit verdienen.

Maar toen april mei werd en 'kans voor open doel' een populaire uitdrukking begon te worden, leek het of Tenet opeens op apegapen lag. Hij was moe en praatte steeds meer met Stephanie, zijn vrouw. Haar wantrouwen jegens het clubje rond Bush leek nu geoorloofd te worden. Wat de president, of Cheney, Rumsfeld, Wolfowitz of Feith ook in deden of niet deden, wat de analytische afdeling van de CIA wel of niet onder druk wel of niet deed, wat de werkelijke rechtvaardigingen voor de oorlog waren of niet waren: Tenet droeg het brandmerk van de schuldige.

John Michael, de enige zoon van George en Stephanie, zou over drie maanden aan het laatste jaar van de high school beginnen, nog een jaar voordat hij naar de universiteit ging. Tenet, die uitgeput was en nu de rol van zondebok op zich had genomen waarvan hij indertijd, na 11 september, had gevreesd dat Bush hem ermee zou belasten, omhelsde zijn vrouw.

Vroeg in de morgen van woensdag 2 juni nam Tenet de ochtendkranten door aan zijn bureau.

The Washington Post opende met de installatie van de interimregering van Irak, een gebeuren dat even krachtiger werd uitgebazuind als het 'missie volbracht' van een jaar eerder, ook al gingen drie van de vijf topposities naar leden van de mislukte Iraakse bestuursraad, een entiteit met in feite geen enkele steun onder de Irakezen, en nam de burgerlijke onrust gestaag toe. Interessanter voor Tenet was een artikel op de voorpagina van *The New York Times* over de conclusies die de CIA zes weken geleden had getrokken. Ahmed Chalabi, de Iraakse dissident en oude vriend van neoconservatieven, vertelde een Iraanse functionaris dat de Verenigde Staten de geheime communicatiecode van Irans inlichtingendienst hadden gebroken. Met dat verraad werd een venster op de Iraanse inlichtingengemeenschap – met zijn cruciale onthullingen over de activiteiten van dat land in het door sjiieten gedomineerde Irak en zijn nucleaire ambities – dichtgeslagen.

Het was een slechte ontwikkeling op het inlichtingenfront – de Iraniërs waren het doelwit van zoveel operaties – maar een soort wraak voor de CIA, gezien Chalabi's belangrijke rol het doorgeven van gekleurde informatie via het Pentagon over Iraks projecten op het gebied van massavernietigingswapens, en voor diverse door de CIA onderschreven schattingen, inclusief de uiterst belangrijke NIE. Het reeds lang door de CIA gekoesterde wantrouwen jegens Chalabi was nooit als valide beschouwd. Het werd weggehoond door de neoconservatieven in het Pentagon en de staf van de vicepresident, die hoopten dat Chalabi zou worden geïnstalleerd als de leider van de nieuwe democratie. Chalabi van zijn kant hield staande dat de bewering van de CIA dat hij Amerikaanse geheimen had verraden een ongefundeerde smet op zijn blazoen was.

Wat Tenet en zijn topmedewerkers de afgelopen maanden had verbaasd was hoe hardnekkig het Pentagon aan Chalabi vasthield. In maart was er overleg geweest, toen interne rapporten aangaven dat het Iraakse Nationale Congres, de INC van Chalabi, de fondsen die het had ontvangen van de Amerikaanse regering wellicht had misbruikt, een en ander in eigen zak had gestoken en ook contant geld had gebruikt om leden van het Congres om te kopen. Bush had zijn geduld verloren en wenste niet langer steun te geven aan Chalabi – die tijdens de State of the Union van januari nog een zeer op prijs gestelde plaats naast Laura had gehad – en uitte zijn afkeuring tegenover de Rumsfeld tijdens een NSC-bijeenkomst, waarbij hij tegen de minister van Defensie zei dat hij de Amerikaanse relatie met de lichtvoetige Irakees moest verbreken. Rumsfeld zei dat het onmiddellijk zou gebeuren. Maar er gebeurde niets. Hetzelfde gebeurde tijdens bijeenkomsten in april en mei, toen Bush Wolfowitz aan een kruisverhoor onderwierp. 'Ik blijf zeggen dat ze moeten breken met Chalabi, en er gebeurt maar niets,' zei de president gefrustreerd. Daarna richtte hij zich tot Rice en keek haar streng aan. 'Handel jij dit alsjeblieft af!' Het gedrag van het Pentagon grensde aan insubordinatie. Grote genade, 'de man' had zijn handen vol met neoconservatieven aan alle kanten, en een gebrekkig functionerende NSC.

Als Tenet over al die dingen nadacht, voelde hij sympathie voor Bush, zoals vaak bij hem het geval was, ondanks die 'kans voor open doel' en de complicaties van hun relatie. Je kon er niet omheen: de president deed zijn stinkende best.

Maar van nu af aan zou hij het zonder Tenet moeten doen. Of dat was in ieder geval de bedoeling. Hij pakte de telefoon, vroeg aan Moseman of hij naar zijn kamer wilde komen en zei dat hij de deur dicht moest doen.

'Het is tijd,' zei Tenet.

Moseman, Tenets vertrouwde topmedewerker, al sinds de dagen op Capitol Hill zijn beste vriend, knikte. Ze hadden het hier al weken over gehad. Het was duidelijk dat Tenet eindelijk een beslissing had genomen.

De vraag, zei Moseman na een poosje, is: 'Zal de president het accepteren?'

De laatste keer dat Tenet het geprobeerd had, had Bush het geweigerd. Nu hielden de twee vrienden een korte generale repetitie: als Bush dit zegt, zeg ik dat... En daarna belde Moseman Andy Card. 'George wil de president vanavond spreken,' zei hij zonder nadere toelichting. Card zag geen gaatje, en Moseman bleef trouw aan Tenet. Na een paar minuten belde Card terug om te zeggen dat de president en de Director of Central Intelligence die avond samen zou dineren.

President Bush bracht een bezoek van twee dagen aan Colorado, een *swing state* in de komende verkiezingen. Die ochtend, aan het begin van dag twee, hield hij een toespraak over het buitenlands beleid tijdens de plechtige diploma-uitreiking aan de US Air Force Academy. 'We hebben hier met moordenaars te maken die de dood van Amerikanen tot de roeping van hun leven hebben gemaakt.

Maar Amerika heeft een besluit genomen over deze terroristen: in plaats van te wachten totdat ze opnieuw toeslaan in ons midden, zullen we deze strijd naar de vijand brengen,' zei Bush terwijl de 981 afgestudeerden van het jaar 2004 juichend opstonden en hem een staande ovatie brachten, te midden van spandoeken met *Parati ad Bellum – Klaar voor de oorlog*, het motto van de jaargroep. 'Wij zijn vol vertrouwen wat betreft onze zaak in Irak, maar de strijd die wij zijn aangegaan zal niet eindigen met succes in Irak. Het terrorisme overwinnen en grotere vrijheid brengen aan de naties van het Midden-Oosten, is het werk van tientallen jaren. Om zich staande te kunnen houden zal Amerika het snelle en vakkundige, getransformeerde leger nodig hebben dat jullie zullen helpen opbouwen en leiden. Amerika zal een nieuwe generatie Arabische taalkundigen nodig hebben, en deskundigen op het gebied van de geschiedenis en cultuur van het Midden-Oosten. Amerika zal een verbeterd vermogen tot het vergaren van informatie moeten opbouwen om dreigingen op te sporen en de plannen van ongeziene vijanden bloot te leggen. Bovenal zal Amerika doorzettingsvermogen nodig hebben.'

Na een lunch ging Bush aan boord van de Air Force One voor de reis terug naar Washington.

Tenet, gevolgd door zijn veiligheidsdetachement, arriveerde voor een vroeg diner in de residentie. De twee mannen gingen zitten en Tenet stak zijn ingestudeerde verhaal af: hij had gedaan wat hij van plan was om te doen, hij was moe, en na zeven jaar, de langste periode dat een CIA-directeur in deze tijd aan het roer had gestaan, was hij er klaar mee. Daarna zetten Bush en hij een boom op.

Terwijl de uren verstreken liep Moseman te ijsberen in de gangen van Langley. Die ochtend hadden Tenet en hij bedacht dat, als de ontmoeting wat langer duurde, dit betekende dat het niet goed ging, dat de president zou proberen hem over te halen om te blijven.

En daar had hij genoeg redenen voor. De meeste waarnemers zouden ervan uitgaan dat Bush Tenets vertrek zou verwelkomen, maar Moseman wist wel beter. Tenet had een buitengewoon strategisch nut voor Bush: hij gaf hem dekking en fungeerde als bliksemafleider in de zaak van de massavernietigingswapens, een zaak die, zoals Tenet wist, voor Bush en Cheney altijd iets van een met tegenzin uitgevoerde exercitie had. En tegelijkertijd stond hij aan het hoofd van het belangrijkste initiatief van deze regering, de campagne – 'vind ze, houd ze tegen' – tegen de terroristen, het allerbelangrijkste verkoopargument voor herverkiezing van de president. Uit een gecombineerde peiling van *The Washington Post* en ABC News bleek dat 58 procent van de Amerikanen afkeurend stond tegenover Bush' aanpak van Irak, een politiek riskant cijfer. De oorlog tegen terreur – die er bij gebrek aan beter steeds meer uit begon te zien als een electorale redding –, was het initiatief dat in wezen gerund werd door Tenet.

Wat Moseman ook begreep, net als McLaughlin, Harlow en de anderen, was hoe Tenets loyaliteitscode in elkaar zat. Iedereen die hem een gunst bewees, een echte gunst, liep grote kans in een pantheon te belanden waar de betrokkene geen enkel kwaad meer kon doen. Door Tenet na 11 september niet te ontslaan had de president zich een ereplaats verworven in dat domein. Maar de combinatie met de code van Bush zelf, een eenzijdig model van 'naar boven gerichte loyaliteit', gaf de president een heleboel bewegingsvrijheid, waarvan deze goed gebruik had gemaakt door zijn vele uiteenlopende verzoeken aan Tenet – van hemzelf en van zijn naaste medewerkers – in de loop van de afgelopen drie jaar. Moseman vroeg zich af of Bush opnieuw gebruik zou maken van die stilzwijgende afspraak met zijn vriend, of hij hem zou dwingen om te blijven, ook al had Tenet besloten dat het absoluut tijd was om weg te gaan. Mensen dwingen om dingen tegen hun wil te doen, was een hobby van de president en, als hij dat nu deed, zou dat Tenet in tweeën breken.

Om negen uur 's avonds belde Moseman het hoofd van de beveiligingsdienst. 'Zorg ervoor dat hij mij belt als het afgelopen is,' zei Moseman nadrukkelijk. 'Ik ben hier. Ik wacht.'

Een paar minuten later ging de telefoon.

'Het is voor elkaar, John,' zei Tenet, zijn stem hees van opluchting. 'Nu komt het er eindelijk van.'

De wereld draait door, ook die zomer terwijl de Verenigde Staten zich concentreerden op politiek en felle retoriek, op schuld en boodschapdiscipline en op het opdelven van de artefacten van veldslagen uit het verleden.

Net uit het zicht van de publieke strijd zochten zij die daadwerkelijk de 'oorlog tegen terreur' voerden, halfblind naar de volgende dreiging.

Op het onzichtbare slagveld was het front aan het verschuiven. Terwijl informatie op basis van financiële en gesproken signalen sterk afnam, werd het internet steeds meer de focus van werkers binnen de Amerikaanse inlichtingendiensten – net als voor horden van jonge islamitische radicalen, een 'basis' van mannen en vrouwen, opgepept door beelden van Amerikaanse troepen die vastliepen in Irak en Afghanistan en, sinds het voorjaar, door schokkende foto's van martelingen en vernederingen in Abu Ghraib.

De door computers verbonden planeet creëert allerlei soorten lussen, waarbij kennis aanzet tot actie, die geregistreerd wordt in beeld en woord en dan gerecycled: een tot leven gewekt mythisch *perpetuum mobile*. Er waren op dit moment duizenden gespierde jihadistische websites, ideale trefpunten voor wat je 'tot actie leidende' dialogen zou kunnen noemen, plekken die gemeenschappen creëerden rond ideologie en ondersteunende boodschappen die constant ververst werden maar ook opgeslagen en daardoor onderzoekbaar waren. En toch droeg dat bij tot een nivellering, tot een popularisering van enkele, door allen gebruikte woorden in blogs of chatrooms, woorden die voorgoed naast die van bin Laden en Bush belandden, zij aan zij, oproep en reactie.

Een grens trekken tussen het chatten van kennissen en communicatie van persoon tot persoon, tussen suggesties en instructies, zou al een overweldigende opgave zijn als alles in het Engels was en zou worden bekeken door steden vol pas gepromoveerde academici. Zet nu alles eens over naar het Arabisch of een andere taal uit het Nabije Oosten of Zuid-Azië, en je krijgt enig idee van de omvang van de uitdaging.

McLaughlin noemt het net als de voormalige NSA-chef Mike Hayden vaak 'de tredmolen' – ze gebruiken dezelfde uitdrukking, zonder enige glamour – en het is dan ook een en al geploeter, de hele dag door, elke dag, grotendeels uitgevoerd door, zoals McLaughlin graag mag opmerken, 'legers van zeer slimme, zeer intuïtieve vrouwen'.

Maar begin juni, ongeveer op het moment dat Tenet en Bush samen het avondmaal gebruikten, stootte een van deze datakrakers op een echte hit, voortkomend uit een kruisvuur van wat e-mail met een stukje sigint.

Het bleek afkomstig te zijn van Musaad Aruchi, de veertig jaar oude neef van Kahlid Shaikh Mohammed, tevens directe familie van Ramzi Ahmed Yousef, die in 1993 een bomaanslag had gepleegd op het World Trade Center en nu een levenslange gevangenisstraf uitzat in een Amerikaanse gevangenis. De onderschepte informatie werd snel doorgegeven aan de Pakistaanse inlichtingendienst, die Aruchi wisten te vinden in het krioelende Karachi. Op 12 juni arresteerden ze hem en hielden ze hem drie onaangename dagen vast op een luchtmachtbasis waarna ze hem overdroegen aan de CIA en een van hun ongemarkeerde vliegtuigen voor vervoer naar een 'zwarte locatie'.

Op dit moment waren buitenlandse diensten, of het nu de Pakistanen of de Saudi's of de Jemenieten waren, bijzonder bedreven in de onderzoeksprotocollen van hun Amerikaanse collega's: flats werden verzegeld met het oog op een zorgvuldig onderzoek, inclusief vingerafdrukken, computers en mobieltjes, en de resultaten werden afgestaan aan technologen voor een zorgvuldige analyse.

Aruchi's computer bevatte nog meer foto's, in dit geval verkenningen van locaties in New York en van opvallende punten in diverse andere grote steden. Er waren ook telefoonnummers en e-mailadressen, en één daarvan noopte de ondervragers om Aruchi nog eens flink aan de tand te voelen over een man met de naam Mohammed Naeem Noor Khan, een begaafde vijfentwintigjarige techneut, die in 1998 naar een van bin Ladens kampen was gegaan.

Enkele van dezelfde technieken die bijna twee jaar daarvoor waren gebruikt bij de undercoveroperatie in de storefront-bank van Pacha Wazir, werden nu gelanceerd in het nieuwe virtuele domein. Al snel bleek dat Khan vanuit Pakistan een soort internetcentrum voor al-Qaida runde. Half juni werd hij in een soort digitaal terrarium van intense surveillance geplaatst. In de kelders van CIA en NSA hielden de 'tredmolenaars' collectief de adem in terwijl elke e-mail, elk internetprotocolnummer op elke computer van elke compagnon van Khan het in duisternis gehulde slagveld begon te verlichten.

Rolf Mowatt-Larssen en CIA-medewerkers in de Golf vingen signalen op van activiteiten van de jihadistische cel in Bahrein – opnieuw. Bassam Bokhowa, die de oorspronkelijke schema's voor de mubtakar op zijn computer had gehad, was samen met zijn landgenoten eind 2003 vrijgelaten. Ze waren vrijgelaten omdat er te weinig concrete bewijzen waren om hen nog langer vast te houden, iets wat de Saudi's ook claimden. De Verenigde Staten zeiden dat ze allemaal weer als onkruid op zouden komen zetten. En dat deden ze ook, eind voorjaar 2004. Er werd iets voorbereid, misschien een aanslag op de Amerikaanse marinebasis in het land en de gemeenschap van enkele duizenden Amerikaanse burgers. Men vreesde dat het een aanslag met een mubtakar zou kunnen zijn.

De CIA vertrouwde zijn informatie: die had een krachtige humintbron binnen de gemeenschap van moslimradicalen in Bahrein. Toch waren de mannen uit Bahrein, wat zo vaak het geval was, bijvoorbeeld ook bij de de Saudi's of de Pakistani's, wel vrienden, maar geen echte vrienden die je kon vertrouwen. En daarom konden de Verenigde Staten hun bronnen niet bekendmaken aan de collega's in Bahrein. 'Vertrouw ons nou maar,' zeiden Mowatt-Larssen en de chef van de CIA-vestiging in Bahrein. Uiteraard vertrouwden zij ons evenmin, ondanks de miljoenen die we in apparatuur en training voor de inlichtingendienst van Bahrein hadden gepompt, als onderdeel van onze 'liaison'-relatie.

Mowatt-Larssen besprak de opties met zijn oude vriend Rob Richer, een topmedewerker bij de CIA en hoofd van de afdeling operaties in het Nabije Oosten. Misschien konden ze iets regelen; een paar privé-ontmoetingen met een paar hoofdrolspelers die de mensen in Bahrein ervan zouden overtuigen dat het 'in hun belang was' om handelend op te treden. Ze sloten liever informele overeenkomsten in de schemerzone dan dat ze bevelen, resoluties of sancties uitvaardigden.

Dat was per slot van rekening het waarmerk van Tenets CIA geweest in de periode na 11 september 2001. De beveiliging van het land was een intens persoonlijke onderneming, waarbij relaties in

tientallen landen vorm kregen als goed gefundeerde liaisondien-
sten, of CTIC's, en als openhartige banden tussen Tenet en wie er
ook maar aan de touwtjes trok: emir, koning, kroonprins of ijdele
generaal, die door Tenet allemaal bij hun voornaam werden genoemd. Zo werkt dat in talloze culturen en grote organisaties: als
men de indruk heeft dat de lieden aan de top vrienden zijn, richt
iedereen daaronder zich daarnaar, of doet daar in ieder geval zijn
best voor.

Natuurlijk was dit wel een tijd van snelle veranderingen bij de
dienst. Tenets ontslagname werd bekendgemaakt op 3 juni. Jim Pavitt trad de volgende dag af. De president kondigde aan dat John
McLaughlin zou fungeren als interimdirecteur, en de meeste waarnemers namen aan dat dit wel even zou duren. Steve Kappes schoof
op naar boven en zou Pavitts baan overnemen als hoofd van het
directoraat operaties. Mike Sulick zou Kappes' functie overnemen
als de nummer twee van operaties. En Rob Richer zou terechtkomen op de positie van nummer drie.

Tenet bereidde zich voor op een laatste tour door de regio, bij
wijze van afscheid. Het was 15 juni. Harlow met Richer en Mowatt-
Larssen zouden komen. Nog een rondje... en dan zouden ze alles
runnen zoals ze altijd al hadden gedaan.

Mowatt-Larssen, Richer en Tenet kwamen bijeen voor overleg.
De eerste telefoontjes waren met prins Bandar. Hij was een goede
vriend van Shaikh Hamad bin Isa al-Khalifa van Bahrein – en Khalifa zou de voornaamste speler zijn.

In een resolutie van het Huis werd Khalifa geprezen toen hij de
Verenigde Staten in februari 2003 bezocht: 'Gezien het feit' dat hij
de Amerikaanse troepen had gesteund met zijn marinebasis, 'gezien het feit' dat hij na zijn troonsbestijging in 1999 een gediversifieerde economie had helpen opbouwen, en 'gezien het feit' dat
hij de gemeenteverkiezingen in 2002 nieuw leven had ingeblazen,
waarbij vrouwen mochten stemmen en kandidaat zijn. Zoals wel
vaker het geval is bij heersers in deze regio waren er enkele feiten
die voor het gemak niet werden gezien, zoals het feit dat hij het
grootste deel van zijn tijd doorbracht met feestvieren in Marokko.

En zo had de volop levende Bandar de vijftigjarige koning beter
leren kennen.

Bandar belde hem. Khalifa moest zijn plannen, wat die ook waren, wijzigen en onmiddellijk een ontmoeting hebben met Tenet en zijn mannen. 'Het gaat om een ernstig veiligheidsprobleem,' drong Bandar bij de koning aan. 'Je moet echt komen.'

Twee dagen later zaten Tenet, Mowatt-Larssen en Richer in een glazen serre achter Khalifa's riante huis in Marokko.

Khalifa, vers uit Marrakesj, een mekka voor playboys, zat tussen Tenet en Richer in en vroeg wat er zo belangrijk was dat hij zijn plannen had moeten veranderen.

Tenet boog zich voorover, legde een hand op de knie van de koning en drukte zijn vlezige gezicht bijna tegen dat van Khalifa aan.

'Majesteit, dit is pure horror. Mijn mensen zullen u er alles over vertellen. U kent mijn mensen. U moet hiernaar luisteren. De president weet ervan. De Saudi's weten ervan. En het is een echte dreiging.'

Richer, die links van Khalifa zat, sloeg van de andere kant toe. 'Rolf zal u de details van het dreigende gevaar geven,' zei hij. 'En ik zal u de ingewikkelde consequenties duidelijk maken als u niet op deze dreiging reageert.'

Mowatt-Larssen, de grote man van het drietal, met zijn lengte van minstens een meter tachtig, zette uiteen waar de dreiging uit bestond: deze groep uit Bahrein had plannen voor een gemakkelijk in elkaar te zetten nachtmerrieachtig apparaat, een chemische bom. Hun doel was om de Verenigde Staten uit de Golf te verjagen, wat al-Qaida's voornaamste operationele focus was, en ze zouden dat doen door talrijke slachtoffers te maken onder de Amerikanen en de inwoners van Bahrein. Na een paar minuten van dit soort verhalen begon Richer de druk op te voeren.

'Het Witte Huis weet van deze dreiging, de Saudi's weten van deze dreiging, omdat er connecties zijn tussen deze groep en Saudi-Arabië. Andere Arabische leiders zijn op de hoogte van dit gevaar,' zei Richer. 'U moet actie ondernemen anders doen wij het.' Hij zweeg even. 'Kijk, majesteit. U hebt de Amerikaanse Vijfde Vloot. Zij vormen uw beveiliging. Zij zouden kunnen vertrekken.'

Het vertrek van de Vijfde Vloot was een rampscenario voor Khalifa.

'Ik zal in actie komen,' prevelde hij. 'Ik zal onmiddellijk een en ander regelen.'

Dat was het. Tenet stond op, en zijn mannen met hem. Het was een klassieke Tenet en Co.-operatie. Geen notities, maar voor de vuist weg. De relatie die Tenet met de betrokkene had, plus zijn barse houding vormden het kader. Zijn assistenten deden de harde punten en sloten de deal. Tenet zei tegen de koning dat hij en Richer een afspraak hadden met kroonprins Abdullah van Saudi-Arabië – een land dat enorm veel invloed had op Bahrein – en dat ze onmiddellijk weg moesten. Mowatt-Larssen ging met hem mee en zou dan morgen rechtstreeks naar Bahrein vliegen om de reactie van het land te helpen coördineren. Khalifa knikte, met een lijkbleek gezicht. Hij zei dat hij zijn zaakjes in Marokko snel zou regelen en zich dan over het probleem thuis zou buigen. 'Jullie hoeven je geen zorgen te maken.'

Een paar uur later had het groepje zich geïnstalleerd in de Saudi-Arabische havenstad Jeddah, bijna vijfduizend kilometer naar het zuidoosten.

Het was een avond die ze tevoren gepland hadden, een uitje, een feestje om Tenets laatste trip op te luisteren voordat hij zich terugtrok.

De betrouwbare Bandar – altijd klaar om geschenken aan te bieden, sommige met verborgen kosten – had het team voor een paar dagen zijn landgoed aangeboden. Zijn personeel zou hen verzorgen. Ze konden telefoneren, zelfs een vergadering of twee houden – een met Abdullah stond voor de volgende dag op het programma – maar verder was uitblazen de bedoeling.

En dat was wat ze die avond beslist deden, een moment even helemaal niets doen. Tenet, Richer en Mowatt-Larssen kregen gezelschap van Bill Harlow, Tenets vertrouwde directeur van publieke zaken sinds 1999 en nog een andere vriend van Tenet, een filiaalchef, nog steeds undercover, die een groot deel van de regio voor de CIA beheerde.

Algauw zaten ze in zwembroek rond het zwembad, met sigaren en cognac, en keken ze naar de zon die onderging boven de Rode Zee.

Dit alles zou spoedig voorbij zijn – zij zouden voorbij zijn, evenals dit specifieke tijdperk binnen een geweldige, vaak desperate campagne. Ze hadden die gevoerd in goede maar ook in slechte tijden. Dat konden niemand ze afnemen. Oorlogen van de toekomst zouden evenzeer gaan om *vinden* als om *vechten*, om het blootleggen van een slagveld, een vluchtig front dat verdween en dan elders weer opdook. Het zou gaan om het overtuigen van potentiële vijanden dat ze beter met tegenzin vrienden konden zijn.

Om dat voor elkaar te krijgen moet je *de ander* leren kennen, de onbekende wereldburger, hoewel zijn leven in een ver, stoffig land enorm verschilt van het onze, zijn referentiekader absoluut niet van deze, onze, wereld is. Dat gevoel is volkomen onmogelijk te krijgen als je eerste ontmoeting plaatsvindt vanuit de geschutskoepel van een tank. Op dit moment begonnen de traditionele strijders meer naar het oosten, in Irak, een paar honderd kilometer bij dit zwembad vandaan, daar achter te komen.

Zo zaten ze daar, en ze bezonnen ze zich, en ze dronken van Bandars cognac, behalve Harlow, die vroeg naar bed ging.

Tenet was de teamleider en in die hoedanigheid zou zelfs hij niet over bepaalde dingen zeggen wat hij vond, echt vond, zelfs met alle opschepperij en scheldpartijen, en momenten van gedeelde, verpletterende nood.

'Jullie weten dat ik altijd net als jullie heb willen zijn, dat ik jullie respect wilde verdienen,' zei hij kalm tegen de rokende mannen, allemaal al hun hele leven werkzaam bij de CIA, topmedewerkers, afgezien van de woordensmeder Harlow. 'Dat was belangrijk voor mij, echt heel belangrijk.'

Mowatt-Larssen, Richer, de undercover filiaalchef, allemaal knikten ze, geraakt door Tenets openhartigheid, een beetje erdoor verrast, hoewel ze begrepen – vooraanstaande *onzichtbaren* als ze waren – dat te midden van alle publieke figuren, de *notabelen*, Tenet iemand was die echt doorhad waar het werkelijke gevecht plaatsvond. Het vond niet plaats onder de schijnwerpers of in vergaderzalen, waar gevierde of officieel gekozen lieden neerstreken om te oreren, wat uiteindelijk misschien wel de reden was dat Tenet aan de verlieszijde van de grootboeken terecht was gekomen. Nee, dat ontvouwde zich in de schaduwen, buiten het licht van de schijnwerpers, waar je je tegenstander volgde, hem misschien ont-moette, je tegenhanger, en waar je zodoende het heilzame beginsel van 'ken uw vijand' in praktijk bracht. Dit is een degelijk advies, al heel oud in feite, dat de zaden herbergt van de overwinning en uiteindelijk van genade.

Ze bleven ze met zijn allen een ogenblik zwijgend zitten terwijl de zon onderging, blanke mannen van middelbare leeftijd, in deze lusthof boven de kolkende Arabische wereld. En allemaal kenden ze de risico's van dergelijke praktijken uit eerste hand, van het ken-nen van je vijand, in een stoffig koffiehuis in Karachi, of een paleis in Marokko, zonder te vergeten waarvoor je daar was, en wat maak-te dat je daar was. Meer dan een van de andere *notabelen* repte Tenet zich dag in dag uit door deze schimmige zones, waar hij weerspan-nige vrienden en potentiële vijanden ontmoette en leerde kennen, en deals met hen probeerden te sluiten die misschien – misschien – levens konden redden.

'We zijn zogezegd niet samen opgegroeid, maar wij hebben jou altijd als een van ons gezien,' zei Rolf na poosje. 'Jij stond achter ons. Jij stond voor ons op de bres. Weet je, samen hebben we een verschil gemaakt, denk ik.'

Tenet knikte. 'Ja, zo was het.'

En de werkwoorden waren al in de verleden tijd.

De volgende dag vloog Mowatt-Larssen naar Bahrein. De cel van de mannen uit Bahrein werd een week later opgerold; op 22 juni werden er zes arrestaties verricht. De huizen van alle mannen wer-den doorzocht. Er werd niets gevonden. Verschillende mollahs ap-pelleerden bij de overheid. Bokhowa had vrienden in hoge kringen onder de religieuze sjiitische bevolking van het land. Op 23 juni werden ze allemaal vrijgelaten.

In de maanden volgde een uitbarsting van onhandige stuur-manskunst toen het inlichtingenkanaal van de CIA – een verbin-ding die, ten goede of ten kwade, bedoeld was om open te blijven, wat er elders ook gebeurde – vervangen werd door het zogenaamde beleidskanaal, of politieke kanaal. De Verenigde Staten, woedend over de vrijlatingen, dreigden hun basis terug te trekken en alle Amerikaanse militairen en burgers te evacueren.

De leiders in Bahrein, die niet publiekelijk door de Verenigde Staten gedwongen wilden worden om tot actie over te gaan – zo'n beetje de minst voordelige stap die een Arabische natie van enig kaliber op dat moment kon zetten – verzetten zich.

Ten slotte begonnen de Verenigde Staten al hun militairen terug te trekken en sloten ze voorgoed de door het ministerie van Defensie gefinancierde school in Manama, een privéschool waar kinderen van de elite uit het hele land, inclusief kinderen van de koninklijke familie, onderwijs kregen. Uiteindelijk bleek alle politiek lokaal te zijn, precies zoals bij de geopolitiek. De zes mannen werden half juli opnieuw gearresteerd, hoewel je daaruit niet mocht opmaken dat in Khalifa's koninkrijk alles nu bij het oude was gebleven. De koning was in het openbaar bekritiseerd, nooit een positief resultaat voor een dictator – vooral niet voor een dictator die de Verenigde Staten behulpzaam was geweest –, en radicale islamitische facties in het land kwamen sterker dan ooit uit het incident te voorschijn.

Zouden de zes zo snel vrijgelaten zijn in juni als Tenet niet op punt van vertrekken had gestaan? Dat is een punt van discussie.

Wat geen punt van discussie is, is dat McLaughlin noch iemand anders binnen de overheid kon tippen aan Tenets arsenaal aan persoonlijke contacten met de voornaamste medespelers in de 'oorlog tegen terreur', van Musharraf tot Abdullah, tot minder centrale maar toch belangrijke figuren als Katars al-Thani of Bahreins Khalifa. Zelfs zijn zwakke plek, namelijk dat hij snel toegaf, een ernstig nadeel in diverse alom bekende disputen in de Verenigde Staten, was een cruciaal element als het erom ging buitenlandse dictators aan te sporen om in actie te komen. Met persoonlijkheid kom je een heel eind in deze wereld en Tenets persoonlijkheid was onmiskenbaar een sleutelelement in veel dingen die een positief effect hadden in de strijd tegen terroristen.

Hij was een rijk, niet makkelijk vervangbaar bezit, dat ze nog zouden gaan missen.

Op 29 juli stapte senator John Kerry van Massachusetts net na tien uur 's avonds het podium op tijdens de Democratische Nationale Conventie in Boston.

De conferentie had zich tot dat moment sterk gericht op Kerry's staat van dienst als held van de Vietnamoorlog, inclusief de getuigenissen van de mannen die onder hem gediend hadden en die zo vriendelijk waren geweest om mooie video's te produceren.

Net zoals de president in wezen zijn claim op herverkiezing naar voren had gebracht tijdens de State of the Union – namelijk dat Amerika constant gevaar liep, maar niet opnieuw was aangevallen – zo ook kwam Kerry na een half uur, in prime time, met zijn intentieverklaring voor de dag: 'Zeggen dat er massavernietigingswapens in Irak zijn maakt het nog niet zo. Zeggen dat we op een koopje een oorlog kunnen voeren, maakt het nog niet zo. En "missie volbracht" verkondigen, maakt het al helemaal niet zo,' riep hij uit onder gejuich van het publiek in de conventiehal. 'In deze gevaarlijke dagen is er een goede manier en een foute manier om sterk te zijn. Sterkte is meer dan harde woorden.'

Achthonderd kilometer zuidelijker keken CIA-analisten en technische deskundigen naar televisietoestellen in overvolle kamers naar Kerry's lange gezicht, zijn haardos en rode stropdas.

Weinig plekken waren meer geschikt dan deze kamers om het verband te zien tussen het wel en wee van de regering en de moeilijk te bespreken problemen van terrorisme, angst, en de respons van de natie. In de sfeer van de publieke strijd richtte Kerry zich voornamelijk op de vraag welke boodschap er verzonden moest worden naar het niet-stemgerechtigde wereldwijde publiek – inclusief al-Qaida en zijn mogelijke aanhangers. Hij was het met Bush eens dat die boodschap er een moest zijn van hardheid, van een harde leider die een harde natie leidde. Maar, zei hij, het zou wel méér moeten zijn dan 'harde woorden'.

Niemand dacht natuurlijk dat Bush niet hard was – of dat hij de Amerikanen niet dwong tot hard optreden, met die grote aantallen Amerikaanse strijdkrachten in twee verre landen. Maar waar Kerry in feite een beroep op deed, was een rationeel ideaal: op kennis van de kloof tussen iets zeggen en maken dat het zo is, het geloof dat je woorden en je daden moeten worden geschraagd door een degelijke analyse. Hij kreeg er niet echt de handen voor op elkaar. De code van Bush is dat je hard optreedt, of er nu een goede reden, slechte reden of geen reden voor is, en dat was de opstelling

– de boodschap – die mensen het liefste verzonden zagen naar de belangrijkste sector van de mondiale gemeenschap, het publiek dat het doelwit was: die vurige, bloeddorstige terroristen. Als we bin Laden niet konden bereiken met een paramilitair team, konden we hem in ieder geval bereiken met onze woorden.

De mensen bij de CIA dwaalden al gauw af van Kerry's toespraak omdat ze in beslag werden genomen door een fel gevecht op het terrein van het terrorisme, het eerste sinds enige tijd. Mohammed Naeem Noor Khan was twee weken eerder, op 13 juli, opgepakt in Lahore en door zijn Pakistaanse ondervragers, in samenwerking met de CIA, gedwongen een groot aantal e-mails te sturen naar allerlei activisten, van Indonesië tot in Engeland, die instructie kregen om hem onmiddellijk terug te mailen. Dat deden ze, waarmee ze hun locatie onthulden. Er was al een wereldwijde mensenjacht pas op gang gekomen om er zo veel mogelijk op te pakken. Tientallen werden gelokaliseerd, onder andere Ahmed Khalfan Ghailani, sinds 1998 gezocht voor zijn rol in de bomaanslag op de Amerikaanse ambassade in zijn vaderland Tanzania. Ghailani werd met zijn al-Qaida-trawanten klemgezet in een huis in de Pakistaanse stad Gujrat. Nadat hij en enkele al-Qaida-strijders en hun gezinnen zich hadden overgegeven, na een zestien uur durend vuurgevecht, vonden Pakistaanse paramilitaire eenheden een verbijsterende schat. Computers en diskettes, met uiterst gedetailleerde verkennende studies van vijf gebouwen: het hoofdkwartier van Citicorp te New York, en ook de effectenbeurs in Wall Street, de Prudential Tower in Newark, New Jersey, en het hoofdkwartier van de Wereldbank en het gebouw van het Internationale Monetaire Fonds in Washington.

In een serie bijeenkomsten, het hele weekend door, werden de plannen bestudeerd. Zij die zich nog goed de dreiging rond Kerstmis konden herinneren, die gebaseerd was op getallen en een paniek veroorzaakte die uiteindelijk nergens op gebaseerd was, keken nu naar een verbijsterend exact nihilistisch draaiboek. Twintig pagina's met foto's en details – hellingshoeken, draagkracht van balken, verkeersstromen – voor elk van de gebouwen.

Ze debatteerden er het hele weekend over of dit een actieve dreiging was. De brandende waren opgesteld in 2000 en 2001, hoewel een van de vijf plannen het afgelopen jaar enigszins bijgesteld was.

Maar nu werd iedere verhulde dreiging op grond van geruchten of verhoren of humint – waarvan sommige pure fantasie – bekeken met strikte toepassing van de Cheney-doctrine. Is er ook maar één procent kans? Uiteraard.

Op zondag 1 augustus luidde de chef van Binnenlandse Veiligheid Tom Ridge de alarmklok en verhoogde hij het alarmniveau naar oranje voor de zones rond de gebouwen. Op de persconferentie vergat hij te vermelden dat de diskettes uit 2000 en 2001 stamden, maar hij vergat niet om de ontdekking van de informatie toe te schrijven aan 'het leiderschap van de president'.

De datum van de diskettes werd de volgende dag onthuld, ook al hadden functionarissen toen al bevolen dat de betreffende gebouwen moesten worden geëvacueerd. 'We hadden er niet pas de volgende dag achter moeten komen dat de verkenning vier jaar geleden uitgevoerd was,' klaagde medevoorzitter van de 9/11 Commission Tom Kean. 'Hier hadden we niet veel aan.'

Democraten waren voor het merendeel ernstig geschokt. Howard Dean gaf uiting aan een wijdverbreide verdenking met de woorden: 'Het is gewoon onmogelijk om te weten hoeveel hiervan echt is en hoeveel hiervan politiek is.'

Die twee elementen van elkaar scheiden in een verkiezingsjaar waarin het voeren van een grotendeels geheime oorlog een centraal thema was, was allerminst futiel. Wat echter duidelijk werd uit de peilingen in het weekend was dat Kerry er niet in geslaagd was zijn waarderingscijfers na de conferentie omhoog te krijgen, ook niet vóór de aankondiging van Ridge. In feite daalden de cijfers lichtelijk. Niet dat de herbevestiging van angst geen extra schade opleverde.

Intussen draaiden de vangmachines voor de terroristen door.

Op 3 augustus werd een twaalftal mannen opgepakt in Engeland, onder wie Esa al-Hindi, de auteur van de fraai geschreven rapporten die in Pakistan waren gevonden, en het hoofd van al-Qaida in Groot-Brittannië. De CIA maakten al jacht op hem sinds KSM zijn naam zestien maanden eerder had opgehoest als een van de weinige voortbrengselen van zijn brute verhoor.

Speciale televisiereportages, koppen in de kranten en lange artikelen in tijdschriften waren de producten van de eerste week van augustus. De vijand was present, maar de legers van gerechtigheid waren onderweg: angst en actie, linkerhand en rechterhand in elkaar gestrengeld.

Dit alles, waarvan veel te danken was aan de CIA, pakte voortreffelijk uit voor de president. Zijn waarderingscijfers zaten in de lift. Hij kon voor een campagne door het Midwesten van die week nieuwe verse zinnen toevoegen aan de oude over de preventie van verdere aanvallen op de Verenigde Staten en de overgave van Libië.

Toch bracht dit alles weinig verandering in de visie van Karl Rove, zijn assistenten bij de politieke staf van de president en vrijwel iedereen rond de vice-president, namelijk dat de CIA zich – net als het ministerie van Buitenlandse Zaken – tegen de president keerde. Dit oordeel berustte voornamelijk op de opeenvolgende lekken die zich de afgelopen maanden hadden voorgedaan vanuit beide takken van de overheid. Het bureau voor analyse van inlichtingen van het ministerie van Buitenlandse Zaken had vóór de oorlog in Irak een grote verscheidenheid aan rapporten geproduceerd, waarin het explosieve mengsel van opstandigheid en inertie dat bepalend was geweest voor het eerste jaar van de Amerikaanse bezetting al grotendeels werd voorspeld. De CIA had ook zijn bijdrage geleverd met sombere inschattingen over hoe een Amerikaanse invasie wereldwijd de jihadistische woede zou opwekken en voedsel zou geven aan een zich steeds verder uitbreidende basis van tot geweld geneigde nieuwe rekruten.

CIA-analisten – nu ook geëtiketteerd met Tenets uit vier woorden bestaande conclusie – voelden zich geroepen om te laten zien dat hun beleidsadviezen op andere gebieden niet fout waren geweest. 'Het was moeilijk,' zei een voormalige CIA-manager. 'We waren allemaal tegen het idee van Irak, we gaven die analyse door, en nu kregen wij de schuld vanwege die massavernietigingswapens.'

Het idee dat Buitenlandse Zaken en CIA samenzwoeren om de herverkiezing van de president te dwarsbomen, sloeg de plank op een subtiele manier mis. Hun reacties waren niet politiek, ze waren structureel. Wat de mensen in beide beleidssectoren wisten – net als heel veel generaals bij Defensie – was dat zelfs op gebieden van de buitenlandse politiek met een zeer hoge inzet de elementaire beginselen van analytische grondigheid in feite waren genegeerd, of alleen toegepast als er een 'product' nodig was om een beleid te ondersteunen waar het Witte Huis zich al op had vastgelegd. Hun conclusie, die grotendeels werd gedeeld door O'Neill, een conservatieve Republikein, of Clarke, een lid van de Republikeinse Partij, die zich lange tijd zeer streng aan een zwijgcode hadden gehouden, was dat dit institutionele gevaren opleverde voor de regering en voor het land.

In plaats van het onderliggende probleem aan te pakken en enige aanpassingen aan te brengen in het zogenaamde 'proces', wat een vrij eenvoudige manier was om het misnoegen te dempen, was de reactie van het Witte Huis tactisch: men intensiveerde de speurtocht naar mensen die gelekt hadden met continue rondes van leugendetectortesten bij de CIA en onder topfunctionarissen bij Buitenlandse Zaken en elders (een primaire vraag daarbij was: hebt u ooit zonder toestemming met een journalist gesproken?). Voorts werden de communicatielijnen van de uitvoerende sector geregeld geïnspecteerd, inclusief federaal verstrekte mobieltjes. Zulk bruut vertoon van uitvoerende macht creëerde uiteindelijk angst, met het traditionele nevenproduct van wederzijds wantrouwen, en een nieuwe les naast de vele andere waar dit overheidsapparaat aanleiding toe gaf, namelijk dat weinig doelen, en misschien wel geen enkel doel, de norm van 'met elk noodzakelijk middel na te streven' rechtvaardigen.

En de CIA, zo beseften de resterende chefs van de dienst, had nu zijn dekmantel verloren. De complexe band tussen Bush en Tenet – jovialiteit vermengd met zure opmerkingen, een taart met afwisselende laagjes van afhankelijkheid, had een onverwachte bescherming geboden. George kon altijd een praatje houden met George en een zaak bepleiten of een klap incasseren. De mannen aan de top hadden een relatie, de mensen onder hen hadden hun kruit droog kunnen houden, althans een beetje.

Dat was voorbij. De degelijke en serieuze McLaughlin zou met zijn tweeëndertig jaren bij de CIA en zijn 'klassieke' opleiding in de voorgaande jaren een voor de hand liggende keuze voor het directeurschap geweest zijn. Maar hij had niet veel contact met Bush, in een regering waar zulke dingen van belang waren.

En zo ging het ook in de politiek. Kerry had in juli enig terrein gewonnen door te zeggen dat hij alle aanbevelingen van de 9/11 Commission zou overnemen. Hij bekritiseerde Bush, en niet zozeer Tenet en de CIA, voor het falend inlichtingenwerk, en daagde de president uit om ook volledig de aanbevelingen van de commissie te accepteren.

De reactie kwam op 10 augustus, toen de president aankondigde dat de afgevaardigde Porter Goss, de Republikein uit Florida, die voorzitter was van het House Intelligence Committee, en die samen met de Democratische senator Bob Graham uit Florida het onderzoek naar 11 september van de Joint Intelligence Committees, of JIC leidde, de leiding van de CIA op zich zou nemen. Hij zou de voorstellen van de commissie met frisse blik bestuderen.

Goss' unieke kwaliteit was dat hij ooit een jonge *case officer* bij de CIA was geweest. In de jaren zestig had hij spionnen gerekruteerd in West-Europa en Midden-Amerika, voordat hij zich in 1972 om medische redenen terugtrok, een dagblad begon op Sanibel Island en vervolgens de politiek in ging.

Goss, die in 1988 voor het eerst in het Congres werd gekozen en in 1997 voorzitter van de inlichtingencommissie werd, kon kritisch zijn ten opzichte van de dienst – hij noemde de dienst 'disfunctioneel' tijdens de JIC-hoorzittingen – maar werd vanuit Langley aanvankelijk met een behoedzaam goed humeur bezien. Als agent had hij niet veel voorgesteld en topmanagers namen aan dat de interne meritocratie van de CIA, die het opklimmen van iedere man of vrouw naar een toppositie van oudsher reguleerde, ook nu toch minstens enigszins van toepassing zou zijn. Of in ieder geval hoopten ze dat.

Hoewel Tenet vertrokken was, werd McLaughlin niet bevorderd. Het was duidelijk dat het Witte Huis wilde laten zien dat het het inlichtingenwerk onder controle had. Analisten en operatoren bij de CIA gingen verder met hun werk, onaangedaan, alsof er weinig gebeurd was. Paul Pillar, die de analyse van informatie over het nabije Oosten en Zuid-Azië coördineerde, was op dit moment bezig met het afronden van een rapport met een evaluatie van het Irak van na de invasie waarvoor Cheney hem in het voorjaar opdracht had gegeven. Het rapport was bijzonder scherp. Het waarschuwde dat de opstand in Irak zich kon ontwikkelen tot een complete guerrillaoorlog of, wat misschien nog erger was, een burgeroorlog.

In september werd dit naar de media gelekt. Bush, die midden in zijn campagne zat, was woedend. Hij werd terwijl hij door het land trok overspoeld met vragen. Eerst werd de boodschap van de ene dag en dan die van de volgende dag weggevaagd door de 'ruis' van dingen die niets met de boodschap te maken hadden, terwijl er nog maar enkele tientallen kostbare dagen tot de verkiezingen restten. Geprikkeld wuifde hij het rapport, dat hij niet had gelezen, weg met de woorden dat de conclusie neerkwam op 'gewoon raden'.

Een paar dagen later werd Pillar in een column van Robert Novak genoemd als degene die het uitgelekte rapport had geschreven. Novak schreef dat Pillar *off the record* een toespraak had gehouden tijdens een privédiner in Californië, waarbij ook Condoleezza Rice aanwezig was geweest.

Dit kon dienen als bewijslast, het bewijs van een reeds lang vermoed gebrek aan loyaliteit, waar het Witte Huis naar had gezocht.

Medewerkers van het Witte Huis begonnen privé, en publiekelijk via tussenpersonen, te verkondigen dat de CIA de regering daadwerkelijk probeerde te ondermijnen.

John McLaughlin, nog steeds interimdirecteur tot Goss' komst, keek naar dit alles met groeiend afgrijzen.

Hij belde het bureau van Andy Card om een gesprek met Bush te regelen.

Dat gebeurde per telefoon.

'Meneer de president,' zei McLaughlin. 'Wij bij de CIA proberen u niet omlaag te halen.'

'Ik stel het op prijs dat u dat zegt,' antwoordde Bush. De president stelde met klem dat de spanningen nu eenmaal hoog op konden lopen in een politiek seizoen.

Het gesprek was afgelopen. Onderliggende problemen die meespeelden in het conflict tussen een president en zijn inlichtingendienst, op een moment waarop inlichtingen het equivalent zijn van geweren en munitie, werden niet besproken.

Een paar dagen later, op 30 september, arriveerde Goss als de nieuwe directeur. Hij kondigde aan dat vier van zijn topbenoemingen rechtstreeks zouden worden ingevuld vanuit zijn staf bij het Huis. Het kwartet zou grotendeels optreden als een superstructuur rond Goss, een staf die hem rechtstreeks moest adviseren over alle operaties van de dienst. De uitzondering zou een CIA-man zijn, Kyle 'Dusty' Foggo, die een vriend en bondgenoot was van Goss tijdens zijn lidmaatschap van het Congres. Goss gaf Foggo de baan van Executive director, op de positie van nummer drie, ter vervanging van Buzzy Krongard.

De schoonmaakactie was officieel begonnen.

Er bestaat geen gewelddadige verandering van regime in Amerika.

Geen groepen rebellen die wapens verzamelen om de regeringstroepen te belagen. Geen noodtoestand waardoor verkiezingen worden uitgesteld totdat de machthebbers besluiten dat het veilig is. Geen dreigende burgeroorlog.

Er is hier een proces waarbij 125 miljoen volwassenen proberen te weten wat ze kunnen weten en beslissingen nemen over de toekomst van de natie, hún natie.

Maar voor degenen die betrokken waren bij de centrale strijd van dit tijdperk, de strijd om de 'hoofden en de harten' met een nieuw soort vijand, was de maand die voorafging aan de verkiezingsdag een vreemde en vervreemdende tijd.

Met kennis komen ook de lasten ervan, samen met de vreugden en de verantwoordelijkheden. Er zijn in deze hete, droge, geïoniseerde periode – deze jaren waarin brandende gebouwen en een oprijzende stofwolken nog steeds in het geheugen hangen, waarin de ogen nog steeds knipperen bij een glimp van de torens van het Trade Center in een of andere oude film – slechts een paar plekken waar vandaan je bijna alles kunt zien. Misschien te veel. Niet dat onze leiders geen unieke uitkijkpost te hebben. Die hebben ze wel. Maar zij hebben ook de zorgen over wat al die mensen, die ontelbare, gezichtsloze *wij*, die hún beroemdheid creëren met zijn vriendelijke attenties, van hen zullen denken. Ze moeten alert zijn op hun presentatie. Dit geldt niet alleen voor presidenten of herkenbare senatoren, maar ook voor de George Tenets en Bob Muellers, de Rumsfelds en de Powells. Zij zijn de notabelen.

Vlak onder hen bevinden zich echter 'de onzichtbaren', de leidende spelers in een wereldwijd gevecht, in veel opzichten even onzichtbaar als hun moorddadige tegenstanders. Het zijn overheidsdienaren die zich alleen zorgen hoeven te maken over het gevecht en het winnen daarvan. Gewoonlijk is deze groep niet echt klein. Bij de meeste grote conflicten is er grote aandacht van de massa. Een bevolking leest over de dagelijkse veldslagen, en het is duidelijk of we die dag hebben gewonnen of verloren, en waarom. Een belangrijke reden waarom 'Irak', afgezien van de schokkende details van gedode en verminkte Amerikanen en Irakezen, zo sterk de aandacht heeft getrokken, is dat het deze traditionele voordelen van zichtbaarheid heeft. Niet in het nieuwe soort oorlog. Een verschuiving van woedend naar woedend én gewelddadig, in een bepaalde stad waarvan je de naam niet kunt uitspreken, staat gelijk met het verzamelen van legers. De dag dat de bom ontploft en de psyche van een natie verbrijzelt en onschuldigen slachtoffert, markeert het einde van de jaren van heen-en-weer, van kleine overwinningen en stille nederlagen. Er is niemand in de strijd die eraan twijfelt dat die dag zal komen, of dat die zal leiden tot een collectieve urgente vraag: wat doen onze soldaten nu eigenlijk ook alweer in Irak?

In oktober 2004 kamden FBI-agenten het land uit op zoek naar dreigingen en kwamen ze over het algemeen terug met handenvol zand. Er waren enkele contacten via de Pakistaanse cellen die in de zomer gekoppeld konden worden aan Amerikaanse e-mailadressen, maar dat leverde niets op. Dat, nadat duizenden mensen waren ondervraagd.

Er had in feite slechts een handvol zwaarwegende veroordelingen plaatsgevonden, drie jaar na de schokkende aanslagen, en die waren voornamelijk vanwege 'materiële steun', een weinig zeggende beschuldiging die wordt gebruikt als het bewijs voor een overtreding uitermate schamel is. De president vroeg nog steeds of er actieve cellen, klaar voor operaties in Amerika waren. Het antwoord: nog geen een gevonden.

Dan Coleman ging weg bij het bureau, officieel om medische redenen. Als 'de man die bin Laden in Amerika introduceerde', zoals hij zelf gewoonlijk werd geïntroduceerd, was er de afgelopen jaren geregeld een beroep op hem gedaan vanwege zijn ongebruikelijk openhartige adviezen. Maar hoe kwader hij zich maakte over de lessen over de vijand die we steeds weer opnieuw moesten leren, iedere keer als er een nieuwe manager kwam, hoe meer zijn astma hem benauwde. Hij ging op zijn drieënvijftigste met pensioen, en ging naar huis, naar Maureen. Ergens bij hem op zolder staat een blikken trommel waar ooit Zawahiri's hoofd in zat. Daarin zit nog wat opgedroogde en verkorrelde modder uit een rivierbedding aan de andere kant van de wereld. Hij vond het wel leuk om te bewaren voor de kleinkinderen.

Het bedrijfsleven viel Dennis Lormel totaal niet. Dat was niet echt een verrassing. Hij vond het geld prima, maar AES had net als een heleboel andere zeer grote ondernemingen een uiterst beperk-te, strikt zakelijke visie op wat Dennis te bieden had. Hij vertrok na zes maanden naar een adviesbureau, Corporate Risk International, dat overheden en grote ondernemingen advies geeft over de manier waarop geld, inclusief fondsen die bestemd zijn voor destructieve doeleinden, zich over de wereld verplaatst. Zijn kelder kreeg hij in ieder geval af. Een echt sportcafé, een eerbetoon aan wedstrijden die gevochten en gewonnen werden en waarvan de score godzij-dank werd bijgehouden.

En daar zat hij, met vijf televisietoestellen aan, met ESPN, ESPN2, ESPN Classic en minder bekende sportzenders, toen hij op 20 okto-ber The Wall Street Journal las. Het was een artikel van Glenn Simp-son, op de voorpagina, bij deze krant dé crack op het gebied van de onderzoeksjournalistiek, over Western Union. Het gaf meer dan genoeg details, onder andere een over de mondiale actieradius van Western Union, de concentratie van activiteiten in bepaalde gebie-den zoals Pakistan, waar terroristen vrij spel hadden, en hoe moei-lijk het was voor het bedrijf of voor ieder ander om in de gaten te houden wie er geld stuurde naar wie.

Lormel las de inleiding tot het artikel van een van zijn oude col-lega's – ja, dat was hem, op de voorpagina van de Journal, die onge-veer 6 miljoen lezers heeft –, William Fox, hoofd van het Financial Crimes Enforcement Network van het ministerie van Financiën.

'We zijn gaan inzien dat buitenlandse filialen en agenten van financiële dienstverleners een reden voor ernstige ongerustheid zijn,' zei Fox. 'Onze zorg is: weten de financiële dienstverleners hier werkelijk met wie ze in het buitenland zakendoen, ook al zijn het hun eigen agenten? In zoverre ze dat niet weten, is dat een ernstig zwak punt.'

Daarna vertelde Fox aan *The Wall Street Journal* dat hij van plan was om 'Western Union te dwingen tot een beter toezicht op zijn agenten door een regelgeving die bekendstaat als "branchebegeleiding" die binnenkort van kracht zal worden.'

Lormel glimlachte.

'Ze proberen natuurlijk wat nieuwe terroristische business op te trommelen voor Western Union,' mijmerde hij. 'Dat zal niet gauw lukken.'

Hij wist dat de terroristen geld verplaatsten via onnaspeurbare hawala's en face-to-face transacties. 'Als we aannemen dat het idioten zijn,' zei hij een poosje later, 'zullen we teleurgesteld worden. Dat zijn ze niet. We zitten in een spel dat meer op schaken lijkt, met de hele planeet als schaakbord. Maar met rare regels. Onze tegenstanders schijnen een ongelimiteerde voorraad aan stukken te hebben. Als je een pion of een loper slaat, steken ze hun hand in een grote doos en vervangen ze hem. Als je niet hetzelfde kunt doen, zul je na een poosje erg veel moeite krijgen met het beveiligen van je koning. Wat een rotspel.'

Aan de overkant van de Potomac, in het hoofdkwartier van de CIA, werden er minder geregeld vijfuur-bijeenkomsten gehouden.

Goss' mensen, die 'de Goslings' werden genoemd, hielden loyaliteitstests. Goss liet zijn topmensen duidelijk weten, wat hij later in een memo, bestemd voor de hele dienst zou schrijven, dat de CIA er is om het beleid van de regering te steunen. Punt uit.

Maar met John McLaughlin aan het roer kwamen ze, omdat dat nu eenmaal een traditie was, nog steeds wel om vijf uur 's middags bijeen en probeerden ze tastend de weg te vinden, net als andere strijders in deze nieuwe versie van een 'oorlog' hadden gedaan in de jaren na 11 september 2001, met als uitgangspunt de grootste beloften die hen werden gedaan door de notabelen, waarna ze probeerden uit te dokteren hoe ze daar in hemelsnaam chocola van zouden kunnen maken.

'Het was zo triest,' zei Rolf. 'We kwamen nog steeds bijeen, maar John zonder George – het was niet meer hetzelfde. We wisten dat er een eind was gekomen aan onze tijd, de tijd waarin we rond de wereld raceten en alles deden wat menselijkerwijs gesproken mogelijk was. Het deed de dagen van weleer een Eeuw van Pericles lijken.'

Allemaal hadden ze hun cv's klaar en hingen ze voortdurend aan de telefoon. Iedereen zat nu tot aan zijn nek in de inlichtingenbusiness, en bijna iedereen verkeerde op dat gebied in opperste verwarring. Departementen van alle politieke kleuren hadden een desperate behoefte aan 'trainingsagenten' om hun te leren hoe het allemaal werkte.

Rolf maakte zich klaar om te vertrekken, over een paar maanden, naar een soortgelijke baan bij het ministerie van Energie. De vrijelijk stromende vloed van uranium en nucleaire technologie hield hem 's nachts uit zijn slaap. Charlie Allen werd op zijn tweeenzeventigste nog hoofd inlichtingen bij Binnenlandse Veiligheid, een taak waarvoor Atlas zou zijn teruggedeinsd. Hank Crumpton ging hetzelfde doen bij Buitenlandse Zaken. In feite zouden bijna alle ongeveer tien mensen op deze bijeenkomst spoedig verdwenen zijn, evenals de mensen die hen vervangen hadden, zelfs die bijzondere waardevolle operationele chefs die persoonlijke relaties hadden opgebouwd met weerspannige vrienden over de hele wereld. De rol van de dienst zou nu net als die van een groot deel van de rest van de overheid bestaan uit het dienen en ondersteunen van het beleid en niet uit het helpen creëren ervan.

Terwijl de zon op vrijdag 29 oktober onderging, verzamelden ze zich op de zevende verdieping. Het nieuws van die dag was een zogeheten 'oktober-surprise', uitgezonden door bin Laden. Hij had zich al bijna een jaar niet laten zien. Maar nu, vier dagen voor de verkiezingen, echode zijn spookachtige aanwezigheid door iedere Amerikaanse woning. Hij prees Allah en viel het grootste deel van de achttien minuten Bush aan, tappend uit verscheidene bronnen, van Michael Moores film *Fahrenheit 9/11* tot en met uitspraken die hij had gedaan op CNN, in *Time*, verscheidene veelvuldig door de regering beschimpte *mainstream* media, en interviews met liberale journalisten. Hij maakte zich vrolijk over het feit dat Bush zo stom was, en leugenachtig, en gecorrumpeerd door zijn diepge-wortelde betrokkenheid bij de *big oil* en de *big business*, zoals Hal-liburton. Aan het eind slaagde hij er nog in om iets minachtends te zeggen over Kerry, maar dat was meer een voetnoot bij zijn 'ieder-een behalve Bush'-verhandeling.

Enkele minuten na de uitzending, rond het middaguur, sloe-gen beide campagnes dezelfde weg in met uitingen van afkeer over bin Ladens poging de verkiezingen te beïnvloeden: Kerry als eerste met 'als Amerikanen zijn wij absoluut verenigd in onze vastbeslotenheid om Osama bin Laden op te sporen en te vernie-tigen'. Daarna Bush met 'Amerikanen zullen zich niet laten in-timideren of beïnvloeden door een vijand van ons land. Ik weet zeker dat senator Kerry het daarmee eens is.' Het was een kwestie waar vrij nonchalant op werd gereageerd, zelfs door commenta-toren die in de uren na de toespraak bijna automatisch probeer-den vast te stellen welke campagne er het meest van zou profi-teren. Toegeven dat deze massamoordenaar de Amerikaanse verkiezingen kon beïnvloeden kwam in wezen neer op toegeven aan de terreur.

Binnen de CIA bewoog de analyse zich uiteraard over een ander spoor. Net als eenzelfde bin Laden-eenheid bij de FBI hadden ze jaren doorgebracht met het ontleden van elk woord van de leider van al-Qaida en zijn plaatsvervanger, Zawahiri. Wat ze in de loop van bijna een decennium geleerd hadden is dat bin Laden alleen maar spreekt om strategische redenen, en over die redenen wordt vaak met op-vallende diepgang gediscussieerd binnen het leiderschap van de organisatie. Hun uiteindelijke conclusies zijn een neerslag van het soort geheime, interne conversaties die het Amerikaanse publiek, en in het verlengde daarvan de gehele wereldgemeenschap, niet te horen mocht krijgen: strategisch analyse.

De conclusie van vandaag: de boodschap van bin Laden was dui-delijk bedoeld om een bijdrage te leveren aan de herverkiezing van de president.

Nadat op de bijeenkomst om vijf uur diverse meldingen over de laatste dreigingen waren gedaan, opende John McLaughlin de dis-cussie met de visie waarover men het eens was: 'Bin Laden heeft de president vandaag beslist een heel aardige gunst bewezen.'

Rond de tafel werd er geknikt. Er werd gespeculeerd over de redenen waarom hij dit gedaan zou hebben, in het besef dat bin Laden handelde uit rationele, strategische motieven. Mowatt-Larssen, die het gesprek aandachtig volgde, moest denken aan soortgelijke speculaties over de vraag waarom de Sovjets bepaalde Amerikaanse leiders zoals Nixon graag mochten. En het antwoord: omdat ze consistent en voorspelbaar waren. Jami Miscik vertelde hoe bin Laden, die werd bedreigd door Zarqawi's opkomst, goed besefte dat zijn positie als leider van al-Qaida werd verstevigd door zijn krachtmetingen met Bush. 'En natuurlijk,' zei ze, 'zou hij willen dat Bush nog een paar jaar langer bleef doen wat hij nu doet.'

Maar de oceaan van harde waarheden die zich voor hen uitstrekte, zoals wat dit zei over het Amerikaanse beleid dat bin Laden wilde dat Bush herkozen werd, bleef onaangeroerd.

'Het was triest,' herinnerde Mowatt-Larssen zich. 'We zaten daar gewoon maar wat te kletsen. We waren ontmoedigd. We hadden op dat moment niets meer over.'

Misschien zouden ze er op een andere dag aan toe komen.

Er waren mensen in de top van de regering die al een heel eind verder waren. Terwijl de CIA een blik wierp op het vraagstuk van bin Ladens drijfveren en de andere kant op keek, waren er mensen die begrepen dat deze verhitte wereldwijde dialoog over ideeën en boodschappen en het behoud van macht, over wij en zij, een spiegelend spel was, een straat met tweerichtingsverkeer. Wat dat aangaat zouden alle NSC-directeuren je iets kunnen vertellen, zo duizelingwekkend dat zelfs zij het niet wilden aanroeren: dat de waarderingscijfers voor Bush gelijk op gingen met de waarderingscijfers voor bin Laden in de Arabische wereld.

Niemand twijfelt eraan dat George W. Bush serieus is als hij denkt aan de slachtoffers van 11 september en spreekt van zijn verlangen om de schuldigen te berechten. Niettemin is hij een ambitieus man, aan de top van een natie met ambitieuze en complexe verlangens, een man die weet dat als de leider van al-Qaida zijn krachtige aanwezigheid tentoonspreidt zijn eigen waarderingscijfers stijgen, en omgekeerd.

Niemand heeft ooit gezegd dat het eenvoudig zou zijn.

En zo trekken we blindelings verder, zoals zo vele mensen doen en altijd al deden, door het tijdperk van terreur.

NAWOORD

Iedere oorlog begint met een campagne waarin veronderstellingen worden getest in het veld, de kracht en het karakter van de vijand worden bepaald en de aard van het conflict geleidelijk duidelijk wordt.

De eerste drie jaar van de Amerikaanse reactie op de aanslagen door al-Qaida op 11 september 2001 zou je met recht en reden de 'eerste campagne' van een blijvend conflict kunnen noemen.

De omtrekken van een belangrijk dilemma hebben al vorm aangenomen: kan Amerika zegevieren in deze strijd en tegelijkertijd trouw blijven aan zijn grondbeginselen? Het vraagstuk is niet nieuw. Het land heeft in het verleden in oorlogstijd zijn hulpbronnen en energieën gemobiliseerd om brede, strategisch doelen te ondersteunen, waarvan sommige gekenmerkt werden door destructieve afwijkingen van het Amerikaanse karakter. Maar altijd was er het besef van een begrensde crisisperiode met acute noden, een tijd die deo volente spoedig voorbij zou zijn.

Zo is het niet in deze nieuwe strijd tegen een onzichtbaar leger van terroristen, een feit dat zij ongetwijfeld als een krachtig element van hun tactische positie zien.

Ieder moment waarin zij zich weten te handhaven en kunnen spreken van de droom van de jihad, en wij moeten leven met een bevreesd gemoed en beklemde vrijheden, is in hun boekhouding een moment van victorie. Die momenten zullen in hun grootboeken bij elkaar worden opgeteld.

Wat eind 2004 duidelijk begon te worden voor bijna alle mensen – een veelvoud aan Mowatt-Larssens en Lormels – die 'de strijd' streden, was dat wij tijd te kort kwamen. Het model van de moderne islamitische terrorist – doordrenkt van een gewelddadige ideologie en frustraties, ondersteund door een gemakkelijke toegang tot informatie en vernietigingsmiddelen, gedreven in de richting van het doel van het martelaarschap – is een elegante constructie, makkelijk te repliceren, moeilijk te bestrijden.

Die operatoren en analisten, de jagers en verzamelaars van wie velen bij de CIA en de FBI werkten, die in de schoenen van de vijand waren gaan staan, kwamen er heet en beroet en met ogen woest van bezorgdheid uit. Zij die verantwoordelijk waren voor veel van de tactische triomfen van de 'eerste campagne' waren degenen die het minst bemoedigd werden door wat die overwinningen betekenden en zich afvroegen of het effect wel blijvend zou zijn. Als ze zulke zorgen deelden met hun collega's aan de top kregen ze niet altijd de gehoopte respons, namelijk extra stimulansen en goed onderbouwde informatie voor het creëren van een zinvolle strategie.

Wat duidelijk werd, dag na dag, in de beginjaren van de campagne is dat die twee groepen een gemeenschappelijk doel hadden, maar niet altijd gedeelde belangen. De mensen hogerop waren bezorgd over hun publieke status en de mensen helemaal aan de top over acute politieke noden.

Er zijn op dit punt nog enkele slotopmerkingen te maken. Een heeft betrekking op Jami Miscik, hoofd 'analyse' bij de CIA in het grootste deel van het eerste hoofdstuk van de strijd tegen terroristen.

Half november 2004, een paar weken na de herverkiezing van de president, keerde een van Misciks assistenten terug van een briefing van de vice-president. Hij had een verzoek aan haar. Cheney wilde dat een deel van een bepaald CIA-rapport niet langer geheim zou zijn en openbaar mocht worden gemaakt. Miscik kende het rapport: het ging over de complexe, vaak katalytische connecties tussen de oorlog in Irak en de bredere oorlog tegen het terrorisme. Het onderdeel waarvan de vice-president wilde dat het niet meer geheim zou zijn was een klein stukje waaruit men zou kunnen opmaken dat de oorlog bijdroeg aan de bredere campagne tegen gewelddadige jihadisten. Zij wist dat een dergelijke conclusie op zich totaal niet werd getrokken in het rapport. Veel conclusies van het rapport wezen juist de andere kant op. Dat kleine segment eruit losmaken zou opzettelijke misleiding zijn. Ze zei tegen de assistent dat hij tegen Cheney moest zeggen dat haar dit geen erg goed idee leek.

De vice-president gaf uiting aan zijn woede in het bijzijn van Porter Goss. Een paar dagen later kwam er een telefoontje van het bureau van Goss. Het telefoontje werd gepleegd door een van de bureaumedewerkers van Goss. Dat Goss niet zelf belde gaf goed aan hoe disfunctioneel de relaties in de top van de CIA waren geworden. De medewerker gaf uitdrukking aan het ongenoegen van de directeur van de CIA. Hij drong er bij Miscik op aan om een en ander te heroverwegen. Hij gaf een beknopte omschrijving van Goss' standpunt: 'Nee zeggen tegen de vice-president is het verkeerde antwoord.'

Taal heeft een merkwaardig soort macht. Per slot van rekening draait het alleen maar om woorden, in een wereld vol geluid. Maar bepaalde combinaties van woorden kunnen bergen verplaatsen en levens veranderen. Dit zinnetje deed dat voor Miscik, zelfs na alles wat ze net als vele anderen in de van strijd vergeven sectoren van de overheid had doorstaan, bij pogingen de elementaire beginselen van analyse en grondig onderzoek te handhaven ten overstaan van een eenprocentdoctrine, die als het moest ook kon stellen zonder dit soort zaken – een doctrine die vooral je 'reactie' hoog in het vaandel had staan.

'In feite,' antwoordde ze, 'worden we ervoor betaald om soms nee te zeggen tegen de vice-president.'

Ze hing op en vuurde een memo op Goss af waarin ze zei, zoals ze zich naderhand herinnerde, dat 'dit nu net het soort dingen waren waardoor wij in moeilijkheden zijn geraakt, steeds opnieuw, in de afgelopen paar jaar. Alleen maar de helft van het verhaal vertellen, het deel dat maakt dat we er goed uitzien, en de rest geheim houden. Ten slotte komt het uit en ziet alles er opeens slecht uit, heel erg slecht, en verliezen we moreel kapitaal.'

Een paar dagen later kreeg Miscik van – opnieuw – een medewerker van Goss te horen dat de directeur haar besluit ondanks enige aarzelingen steunde. Een paar weken later was ze verdwenen. 'Het was alleen een kwestie van tijd op dat moment,' herinnert ze zich.

Haar memo, met de neerslag van een oude denkrichting waarvan zij een van de talloze adepten is, is uiteraard geheim. Dat wil zeggen dat op grond van de geaccepteerde definities van zulke dingen openbaarmaking ervan de veiligheid van de natie zou kunnen schaden. Inderdaad.

Een tweede korte slotopmerkingen heeft betrekking op Tenet, zelf een man die het op T-shirts voorkomende parool 'mind the gap' (let op de kloof) tot het zijne had gemaakt. Daarbij ging het om de kloof tussen de zich snel van elkaar verwijderende continenten van 'onze analyse' en 'onze reactie'.

Zijn missie was in feite onuitvoerbaar, en daar zou hij fors voor moeten betalen.

Nadat hij bij weggegaan was bij de CIA, deed hij het een poosje rustig aan, en eigenlijk moest hij ook herstellen van de uitputtingen van de furieuze 'vind ze, houd ze tegen'-strijd die hij had gevoerd tijdens dit eerste hoofdstuk van de 'oorlog tegen terreur'. Hij droeg vrijetijdskleding, vaak een spijkerbroek en een zijden jack van de New York Giants, een heerlijk trainingsjack, en bracht veel tijd door met zijn knappe zoon en mooie vrouw, terwijl hij zich af en toe in een net pak hees om voor goed geld een toespraak te houden. Interessant is dat Tenets verhaal dezer dagen een omhelzing inhoudt van transparantie, een verlangen om het publiek op te voeden, een positie die hij op een dag door de telefoon aardig samenvatte.

'Dit gaat over data, niet over structuur,' begon hij, verwijzend naar enkele institutionele remedies van Washington om het inlichtingenwerk te verbeteren. 'Dit gaat erover dat de agent die zijn ronde doet in Redmond, Oregon, en die abnormale surveillance-activiteiten waarneemt buiten het hoofdkwartier van Microsoft, in staat is om die gegevens in een digitaal communicatiesysteem te pluggen om erachter te komen of we dit hebben waargenomen in Abu Dhabi, in Ankara, in Indianapolis, in Detroit, en wat we er toen aan hebben gedaan. Hoe moet ik erover denken en wat voor maatregelen moet ik nemen. De overheid beweegt zich op extreem gecentraliseerde wijze terwijl je juist overal in het land gedecentraliseerde datagebiedjes moet hebben met een gemeenschappelijke communicatieruggengraat. Dat geeft mensen, die baas zijn in hun eigen gemeenschap die ze beter dan wie dan ook in Washington kennen, de mogelijkheid om uit te zoeken wat er aan de hand is en daar dan tegen op te treden.'

Dan haalt hij diep adem en gaat op een hogere versnelling over.

'Het is nu bijna vijf jaar na elf september, en het land heeft nog steeds geen digitale communicatiearchitectuur... om data op de laagste, bij voorkeur niet aan geheimhouding onderworpen niveaus te verplaatsen, om iedereen te vertellen wat we weten over al-Qaida's doctrine van de strategische doelen, en we weten een heleboel. Iedere keer als je iets met een ondergrondse hebt, moet dat weer niet helemaal opnieuw... het staat in hun tactiekboekje... het gaat niet om datum, tijdstip en plaats van de gebeurtenis... omdat dat zoiets vinden mazzel is, boffen, toeval, en heel moeilijk. Het gaat om het bouwen van een beveiligingssysteem gebaseerd op data... Het gaat niet om deze omvangrijke, uit heel veel lagen bestaande vervloekte structuur die we geconstrueerd... Het gaat om snelheid en beweeglijkheid, snelheid en beweeglijkheid, en een stroom van data naar mensen die vechten kunnen. De revolutie in het inlichtingenwerk die plaatsvond na 1991, na de Golfoorlog, was substantieel in die zin dat een militaire commandant aan het verste eind van de strijd de mogelijkheid had om zowel aan de data te trekken als er tegen te duwen, zodat hij kon zien wat er op het slagveld werkelijk gaande was. Diezelfde snelheid en beweeglijkheid moet gerepliceerd worden binnen het hele land. Dat bedoel ik! Zie je, ze zeggen allemaal, maar ja, dit is een buitenlandse dreiging. Ja, zeker weten, behalve, dames en heren, dat die hier is. De Britten mogen zeggen dat het een buitenlandse dreiging is, maar hij leeft daar. Hij lééft in de Verenigde Staten, of je dat nou leuk vindt of niet.'

Later, in een ander gesprek, bracht hij de massavernietigingswapens van Irak nog ter sprake. 'We deden het fout,' zei hij, bijna bij zichzelf. 'We waren niet corrupt.'

Tenet gaat op dat punt niet op een hogere versnelling over. Slimme jongen die hij is, weet hij dat het het resultaat van een bijzondere succesvolle strategie van het Witte Huis is dat hij nu een bordje met KANS VOOR OPEN DOEL om zijn nek heeft hangen.

Het hangt vlak naast de Medal of Freedom die Bush daar heeft opgehangen – tegelijk met identieke medailles voor L. Paul Bremer en Tommy Franks – nadat hij het drietal verzocht had om te gaan staan tijdens een ceremonie in het najaar van 2004.

Als halsketting is het geen goede combinatie. Een gemeenschappelijk kenmerk van tragedies, is dat kracht het zaad van zwakte kan bevatten – een zwakte die kan worden geëxploiteerd door iemand die die zwakke plek heeft gevonden. Tenet mag Bush graag, hij vertrouwt hem en hij is dankbaar dat de Texaan de New Yorker de kans gaf het goed te maken na 11 september. Tenet, vermoedelijk de man die er het meest verantwoordelijk voor is dat Amerika niet opnieuw is aangevallen, hield zich aan zijn persoonlijke loyaliteitscode dat hij nooit een ten behoeve van hem verrichte goede daad mocht vergeten. Hij meende dat hij de hem verleende gunst had beantwoord door alles te doen wat hij maar kon om het land te beveiligen. Maar Bush heeft een zakelijker kijk op loyaliteit dan Tenet die er veeleer op neerkomt dat mensen hun loyaliteit bewijzen door alles te doen wat je ze zegt dat ze moeten doen. Die twee modellen passen slecht bij elkaar.

En zo hing Bush hing een medaille rond Tenets nek en enkele dagen later liet het Witte Huis de hellehonden los, van anonieme topfunctionarissen tot doelgerichte lekken, om Tenet naar het scheen overal de schuld van te geven, van de oorlog in Irak tot de stijging van de hypotheekrente. Daarbij werd Tenet, wiens handelingen en inspanningen als DI, de Director of Central Intelligence, veilig opgeborgen zijn in de kluis met daarop 'Geheim', op het dorpsplein neergezet waar de honden het vlees van zijn botten rukten en hem als enige houvast het bewijs van zijn band met de president restte: een medaille die met de dag minder waard wordt.

Tenet, die zijn mond heeft gehouden, zal zich misschien op zekere dag zelf hierover uitspreken. Hij werkt af en toe aan zijn memoires, die misschien op zekere dag gepubliceerd zullen worden. Maar het staat vast dat het hem pijn doet dat het Witte Huis alle schuld – ofwel voor de verrassende aanslagen van 11 september of voor het vermoeden van massavernietigingswapens in Irak – alleen maar wenste te ontwijken en die op de CIA wilde laden. Het deed hem vooral pijn omdat dit betekende dat de dienst daaronder leed en werd uitgehold, waardoor het land vermoedelijk kwetsbaarder zou worden gemaakt – zo te zien de prijs voor het politieke mandaat in tijden van crisis. De meer persoonlijke kant van de prijs van de loyaliteit kan in dit geval uiteindelijk worden gekenschetst door de bittere overweging van kardinaal Wolsey in Shakespeares *Henry III*. Wachtend op zijn executie, in de derde akte, richt hij zich tot zijn trouwe dienaar Cromwell en zegt: 'Had ik maar mijn God gediend met slechts half de ijver waarmee ik mijn koning diende, dan had Hij mij niet blootgesteld aan mijn vijanden.'

Aan het eind van het najaar van 2005 bracht ik een dag door met John McLaughlin. Hij was naar Dartmouth College gekomen voor een al maanden eerder geplande toespraak, die toevallig plaatsvond een paar dagen nadat Dana Priest, eminent journaliste van *The Washington Post* die kort daarna een Pulitzerprijs zou winnen, naar buiten kwam met het verhaal over martelingen die zouden plaatsvinden op 'zwarte locaties' van de CIA, verborgen in diverse Oost-Europese landen. McLaughlin deelde het spreekgestoelte in Dartmouth met rechter Larry Silberman, een loyaal bondgenoot van Cheney die zojuist het Robb-Silberman-rapport had voltooid, waarin de CIA de schuld krijgt van alle mislukkingen van het naoorlogse inlichtingenwerk, terwijl geen melding wordt gemaakt van enige problematische rol voor het Witte Huis.

In de stampvolle aula van Dartmouth eiste een geprikkeld publiek van zo'n vijfhonderd man uitleg. Silberman reageerde nonchalant op vragen over de mogelijke rol van de regering in het misleiden van het publiek ten aanzien van Irak of het aanmoedigen van martelingen.

McLaughlin was nuchter, hij verzachtte de venijnige opmerkingen en vragen met een openhartigheid die zijn gehoor verraste. 'Het gaat er niet om of je vóór martelen of tegen martelen bent,' zei hij meerdere keren, op een sluwe manier. 'Het was een moeilijke tijd, en we deden sommige dingen waarvan we al gauw beseften dat we er later spijt van konden krijgen.'

Later die avond dronken hij en ik Glenlivet met ijs in de Hanover Inn.

We spraken over allerlei dingen, over hoe vervuld van boosheid en hoe disfunctioneel een openbare dialoog kan zijn in deze tijd, en hoe het uithollen van de CIA 'ons kwetsbaar achterlaat'. Terwijl het toch de enige instelling is die door ervaring en opzet in een positie was om het land te beveiligen tegen een volgende aanval, een aanval die naar zijn mening, en die van ieder ander in dit boek, een zaak is van wanneer, niet van áls.

En daarna, terwijl de tijd verstreek en de whiskyglazen besloegen, begon hij over zijn vriend Tenet.

Nadat McLaughlin een poosje geprobeerd had greep te krijgen op de hele lange sage van de twee Georges, keek hij een ogenblik zwijgend voor zich uit. Ten slotte schudde hij zijn hoofd.

'Ik weet dat hij wou dat hij die verdomde medaille terug kon geven.'

Een waanbeeld dat ingegeven wordt door fanatieke partijdigheid, is de visie dat het een politieke tegenstanders volstrekt zal ontbreken aan gezond verstand en basale menselijke gevoelens, en dat door zo iemand verslagen te worden niet alleen een verzwakking van jezelf betekent, maar een ramp voor een land dat van niets weet.

Het van de daken geschreeuwde standpunt van zelfverdediging dat voortkomt uit dit idee van moorden of vermoord worden gaat naadloos over in de valstrik van onfeilbaarheid. Fouten kunnen niet publiekelijk erkend worden; *zekerheid*, zelfs in het aangezicht van bewijzen van het tegenovergestelde, wordt een surrogaat voor moed. En de *wil* neemt de plaats in van een geleidelijk verworven en regelmatig geteste overtuiging.

De vraag die ten grondslag ligt aan dit boek is of de politieke dialoog in het land alert genoeg kan reageren op de uitdagingen van de komende campagne, de volgende hoofdstukken in de strijd tegen vurige en capabele vijanden die zich wellicht zullen verheffen op een opstijgende luchtstroom van de geschiedenis. De conflicten die in de eerste campagne steeds intenser woedden zijn geen sterke indicatie voor toekomstig succes.

De onzichtbaren, die doorgaans geloofden in het ouderwetse credo van de neutrale bemiddelaar, botsten met geweld op deze subtiele verordeningen van de onfeilbaarheid. Hoewel ze hun moed in de strijd hadden bewezen, in het concrete gevecht, dag en nacht, brachten een groeiende bezorgdheid dat deze inspanningen meer een tactische *scramble* waren dan een samenhangende strategie – een scramble die nog bemoeilijkt werd door woorden en daden van boven af, inclusief de oorlog in Irak – hen in conflict met een eigentijdse versie van de manier waarop de presidentiële bevoegdheden worden uitgeoefend.

Zelfs tegen het eind van de 2004 waren de kansen in de strijd tussen deze twee groepen, de een in de schijnwerpers, de ander in de schaduwen, aan het keren ten voordele van de eerste groep. Zij die erbij waren op 11 september 2001 en die de eerste strijd hadden gestreden, verlieten de overheid met hele horden. Hun vervangers, die even betrokken waren als hun voorgangers, kregen te maken met een gewijzigd stel regels: zij die zich midden in het strijdgewoel bevinden, en dus dichter staan bij de actie en de waarheden die zich op grond van zulke ervaringen aandienen, zijn waardevol om wat ze doen en niet om wat ze denken.

Het is hun taak om verder te gaan met alle mogelijke middelen, ook al kunnen middelen zonder een duidelijk doel mensen vaak aanzetten tot bandeloosheid. De traditionele waarschuwing tegen 'doelen die de middelen rechtvaardigen' heeft een logisch uitvloeisel. Zonder duidelijke haalbare doelen hebben middelen de neiging bandeloos te worden, geïmproviseerd, geboren uit dictaten van de 'onderbuik' en niet nader onderzochte aannames.

De martelingen in Abu Ghraib en Guantánamo Bay, de oprichting van de grote terroristenvangmachine met zijn communicatiehoofd en zijn financiële lijf, het op eigenbelang gebaseerde gebruik van geheime materialen om politieke doelen te verwezenlijken, het verbergen van de ware aard van wat er is gebeurd sinds 11 september ten gunste van een opgeschoonde versie met de 'niet meer dan noodzakelijke informatie', zijn allemaal middelen die, wat hun door de reclame voorgespiegelde waarde ook moge zijn, de identiteit van de natie in het hart raken.

En het onze vijanden helaas bijzonder makkelijk maken en hun meer wervingsinstrumenten in handen spelen dan ze hadden durven hopen.

De sensatie van het nieuwe die 11 september met zich meebracht, en onze reactie daarop, hield eerlijk gezegd in dat we aanvankelijk struikelden over dit yin-yang van doelen versus middelen, alsof we daar nog nooit eerder mee te maken hadden gehad.

Aan die periode komt nu gelukkig een eind. We kunnen dit eeuwenoude ondergeschoven kind nu duidelijk zien, altijd aan onze zijde, met twee gezichten, schouderophalend, schuldvrij.

Daarom doe ik aan het eind van dit boek – dat vooral gaat over de middelen, over wat we vonden dat we in een tijd van crisis moesten doen en wat we toen hebben geprobeerd, twee verschillende suggesties.

Een eindje terug in de tijd zien we hoe de unieke twintigste-eeuwse denker en beoefenaar van geopolitiek pragmatisme George Kennan, precies dezelfde knoop probeert te ontwarren. Toen Kennan in 1947 naar een verwoest Hamburg staarde waar tijdens de Tweede Wereldoorlog 40.000 burgers door geallieerde bommenwerpers waren omgebracht, schreef de jongeman in zijn dagboek dat

als de westerse wereld werkelijk een geldige aanspraak zou willen maken op een hoger moreel vertrekpunt – van een grotere sympathie en begrip voor de mens zoals God hem heeft gemaakt, zoals uitgedrukt niet alleen in hemzelf maar ook in de dingen die hij heeft gemaakt en die hem dierbaar zijn – dan moest deze leren zijn oorlogen zowel moreel als militair te voeren, of ze helemaal niet voeren. Immers, morele beginselen waren onderdeel van zijn kracht. Zonder deze kracht was hij niet langer zichzelf, waren zijn overwinningen geen echte overwinningen... Militairen zouden dit zien als naïef, ze zouden zeggen dat een oorlog een oorlog is en dat je, als je in oorlog bent, vecht met alles wat je hebt of anders een nederlaag moet leiden. Maar als dit het geval is, dan rust op de westerse beschaving, hoe bitter dat ook mag zijn, de verplichting om militair net iets sterker te zijn dan haar tegenstanders, en wel met een marge die voldoende is om haar in staat te stellen af te zien van die middelen die een nederlaag alleen kunnen afwenden tegen de prijs van het ondermijnen van de overwinning.

Niet lang nadat hij dit geschreven had, begon Kennan diep en intensief na te denken over de ideologie van de tegenpartij van zijn dagen – het communisme – en de zwakheden daarvan. In die tijd gaven veel krachtige en met heldere blik uitgeruste Amerikanen af op dit 'argeloze monster' en adviseerden ze een frontale aanval op de Sovjet-Unie, en ook op China. Kennan, een grotendeels onzichtbare figuur in zijn dagen, hoewel als diplomaat vaak 'in gevecht', slaagde erin zijn visie door te drukken door een lang artikel te schrijven onder de schuilnaam 'Mr. X'. In het artikel, dat verscheen in het tijdschrift *Foreign Affairs*, schetste hij een beleid dat al spoedig de naam van *containment*, 'indamming', zou krijgen, dat werd overgenomen door de Verenigde Staten. Kennan, die enige tijd in Rusland had doorgebracht, kende de vijand, stond in zijn schoenen en kreeg het niet voor elkaar hem te demoniseren. Hij deed de juiste voorspelling dat als onze tegenstander werd 'ingedamd', zijn stelsel van bestuursparticipatie dat lang niet zo goed als het onze op menselijke vermogens en groeimogelijkheden was afgestemd, het uiteindelijk van binnenuit zou begeven. Het was een harde keuze, en een keuze waar mensen die veertig jaren communisme hebben meegemaakt het misschien niet mee eens zijn, maar hij was wel gebaseerd op een inspannend en nederig makend nadenken over de situatie, alvorens een besluit over het juiste beleid te nemen. De Verenigde Staten brachten in ieder geval niet hun uitzonderlijke, door atoomwapens versterkte macht in het geweer tegen hun tegenhanger – een zet die een duizendvoudig 'Hamburg' zou hebben gecreëerd – en slaagden er al doende in hun 'hogere morele vertrekpunt' een groot deel van de periode na de Tweede Wereldoorlog te handhaven.

Dezer dagen, in een tijd waarin zo velen in Amerika en overal op de aardbol doordrenkt zijn van godsdienstige zekerheid – uitgeput als velen zijn door het tempo van veranderingen en de uitdaging van het onder de knie krijgen van een empirisme in de stijl van Kennan – presenteer ik hier een zeer oude tekst die ten grondslag ligt aan christendom en islam.

In Deuteronomium 16:20 lezen we: 'Gerechtigheid, gerechtigheid zult u najagen.' Gerechtigheid, een dezer dagen overmatig gebruikt woord, wordt echter niet tweemaal genoemd om het te benadrukken. Op dit punt zijn de geleerden in het Hebreeuws het eens (en ze zijn het over niet veel dingen eens): het is één keer voor de doelen en één keer voor de middelen.

Goede strijd. En ga met God.

NOOT VAN DE AUTEUR

In oktober 2005 kwam ik als een vallend blad een woonkamer in Vermont binnen dwarrelen met William Sloane Coffin. De radicale eerwaarde, eens predikant van Manhattans Riverside Church en Yale University, verkeerde op zijn eenentachtigste nog in een uitstekende conditie. Hij had zojuist een preek gehouden in de kerk van zijn woonplaats Strafford en installeerde zich nu in een kamer met warme thee, snacks en bewonderaars. Ik had hem nog nooit ontmoet, maar natuurlijk wel van hem gehoord en van zijn luidruchtig naar buiten gebrachte kijk op een verantwoordelijke publieke moraal. Nu sprak ik met hem over deze interessante tijden, samen met diverse professoren van universiteiten in New England en Tom Wicker, voormalig verslaggever en columnist van *The New York Times*. Sloane Coffin hield een betoog over 'de prerogatieven van de macht' en hoe 'doeltreffend angst is benut om het politieke ideaal te verwezenlijken'. Hij wist ongeveer waar ik mee bezig was, hoorde me uit over enkele specifieke details en keek me toen onderzoekend aan. 'Ik had nooit gedacht dat ik nog zou meemaken dat gewone ouderwetse journalistiek een vorm van burgerlijke ongehoorzaamheid zou zijn.'

Sloane Coffin, die zeven maanden later zou overlijden, overdreef misschien een beetje – een van zijn talenten –, maar ver zat hij er niet naast.

Schrijven over nationale zaken, en vooral over nationale veiligheid, vereist in deze polemisch ingestelde periode op zijn minst een eetlepel ongehoorzaamheid, een tegenmaatregel tegen al te krachtige verzekeringen van de machthebbers dat gehoorzame mensen beloond zullen worden of zich in ieder geval nergens zorgen over hoeven te maken.

In de twee jaren waarin ik me documenteerde en aan dit boek schreef, merkte ik dat ik me meer om mijn informanten bekommerde en ze beter afschermde dan ik in mijn twintig jaren als journalist ooit had gedaan. Geen van hen, niet één, had in legaal of ethisch opzicht iets onbehoorlijks gedaan. Maar ze hadden wel allemaal bescheiden daden van ongehoorzaamheid gepleegd. Bijvoorbeeld ideologisch niet in het gareel lopen, maar in de harde lessen die ze geleerd hadden juist zoeken naar ideeën over hoe Amerika zou kunnen reageren op de veelvormige uitdagingen waarmee het werd geconfronteerd, in de overtuiging dat transparantie en verantwoordelijkheid in een democratie geen zaken zijn die je naar believen al dan niet kunt omarmen – nooit.

Nu nog enkele huishoudelijke mededelingen. Een ervan heeft betrekking op Yosri Fouda, de correspondent van Al Jazeera. Fouda en ik troffen elkaar in Washington en in Londen, waar hij mij deelgenoot maakte van zijn verbluffende verhaal, dat ook vakkundig is weergegeven in het boek *Masterminds of Terror*, dat hij samen met Nick Fielding heeft geschreven. Uit onze gesprekken wist ik zeker dat Fouda niet wist dat de emir van Katar details uit zijn exclusieve verslag had doorgegeven aan de CIA. Ik ben ervan overtuigd dat dit voor Fouda verborgen werd gehouden.

Evenzo ploeterden velen van de bijna honderd goed geïnformeerde bronnen die ik voor dit boek heb gebruikt sinds de aanslagen van 11 september 2001 in hun werk voort op een smalle basis van 'uitsluitend de hoogst noodzakelijke informatie'. Zij kenden een deel van dit of dat initiatief, niet het geheel (en als ze toevallig het hele plaatje kenden, zouden ze dat beslist niet hebben onthuld). Vaak was het aan mij om de zaken aan elkaar te lijmen, puttend uit dit veelomvattend amalgaam.

De voorafgaande pagina's zijn in ieder geval het product van hun gemeenschappelijke herinneringen en verzamelde wijsheid. Velen zijn voormalige medewerkers van de CIA, de FBI en het Witte Huis, en ook van de Nationale Veiligheidsraad NSC (National Security Counsel), het ministerie van Buitenlandse Zaken, Defensie en Financiën, en diverse andere instellingen. Daarnaast is een groot aantal van mijn informanten nog binnen de overheid werkzaam.

Deze laatste groep omvat functionarissen op diverse departementen die toestemming kregen om mijn vragen te beantwoorden. Ik zou graag hun namen noemen en ze openlijk mijn dank betuigen, maar volgens mij hebben ze liever niet dat ik dat doe.

Voor hen en voor allen die hun medewerking hebben verleend was meedoen een daad van vertrouwen, het vertrouwen dat dit project een accurate en doordachte weergave zou opleveren van wat er voorgevallen is in deze dynamische periode van onze nationale geschiedenis. Ik voel me vereerd door dit vertrouwen en ik hoop dat zij – net als de lezers, ten dienste van wie ik sta, zoals iedere schrijver – niet teleurgesteld zullen zijn in het resultaat.

DANKBETUIGING

Talloze mensen verdienen dank voor hun bijdragen aan de voltooiing van dit boek.

Laat ik er een paar noemen. Mijn redacteur bij Simon & Schuster, Alice Mayhew, was immer streng, spitsvondig en scherpziend ten aanzien van dit project. Ze houdt het oog altijd gericht op de felbegeerde prijs, namelijk een boek dat een verschil zal maken, en helpt om dit ook waar te maken.

David Rosenthal, de uitgever bij Simon & Schuster, had van begin tot eind een bijzondere aandacht voor deze onderneming en de bijbehorende beproevingen. Hij en Alice, haar medewerker Roger Labrie, en het hele team bij Simon & Schuster, hielden bij het snelle assemblageproces de touwtjes strak in handen en legden van het manuscript tot en met de lancering een intensiteit en een precisie aan de dag die een Formule 1-team niet zou hebben misstaan.

Andrew Wylie, mijn agent, was een constante voorwaarts stuwende kracht en leverancier van diepgaande inzichten. Hij maakt me ook aan het lachen, iets wat van grote waarde is als je onder druk staat.

Kurt Wimmer, partner bij de in Washington gevestigde firma Covington and Burling, nam het op zich om mij juridische bijstand te verlenen in 2004, toen mijn bezit van 19.000 interne documenten van het ministerie van Financiën en andere instituties tot een diepgaand onderzoek van de kant van de overheid leidde. Hij heeft mij daar behendig doorheen geloodst en is ook verder een uitzonderlijk goede juridische gids geweest tijdens het hele project. Ik vind het bezwaarlijk dat een journalist een jurist nodig heeft om zijn werk te kunnen doen; ik vind het te bemoedigend dat ik zo'n een getalenteerde advocaat van deze prestigieuze firma heb.

Ook was er mijn vertrouwde onderzoeker voor dit boek, Patrick Cliff, die vakkundig de omvangrijke dossiers en bestanden, talloze clips, eindeloze kopieën doorspitte en enkele cruciale documentatieopdrachten uitvoerde. Ik dank hem van harte, net als mijn oude vriend Alan Wirzbicki, op wie ik een beroep deed om met zijn frisse blik en analytische vermogens alle gegevens nog eens extra te checken.

Mijn vrienden op het Rockefeller Center van Dartmouth College bieden mij al heel lang een zomerverblijf en het genoegen van hun intelligente, aangename gezelschap. Het is een bewijs van hun grote waardering voor het vrije onderzoek dat ze mij ieder jaar weer welkom heten, ongeacht de controverses die ik heb opgeroepen tijdens mijn afwezigheid.

Dit was een bijzonder moeilijke klus qua documentatie en schrijfwerk, onhandelbaar en glibberig, en vaak onredelijk in wat het allemaal vergde. En dat is de reden waarom ik vooral mijn gezin graag heel bijzonder wil bedanken. Gedurende dit project hebben mijn zoons Walter (17) en Owen (15) een paar belangrijke jaren van volwassenwording doorgemaakt. Het inspireert me om daar getuige van te zijn – een bescheiden rol te mogen spelen in dat dagelijkse wonder – en het houdt het me terecht nederig wat betreft het betrekkelijke belang van mijn harde beroepsmatige zwoegen. Die jongens geven me hoop en kracht.

Dit was een bijzonder moeilijke klus qua documentatie en schrijfwerk, onhandelbaar en glibberig, en vaak onredelijk in de eisen die het stelde. En dat is de reden waarom ik mijn gezin graag bijzonder wil bedanken. Gedurende dit project zijn mijn zoons Walter (17) en Owen (15), door enkele belangrijke jaren van volwassenwording heen gegaan. Terwijl het me inspireert om daar getuige van te zijn en een bescheiden rol te mogen spelen in dat dagelijkse wonder, houdt het me ook naar behoren nederig wat betreft het betrekkelijke belang van mijn harde beroepsmatige zwoegen. Zij zijn mijn inspiratiebron.

Mijn vrouw Cornelia heeft er intussen voor gepleit dat ik met dit derde boek in acht jaar moet ophouden haar te bedanken voor haar welwillendheid en wijsheid en opofferingsgezindheid gedurende het altijd moeizame proces van pogen iets te produceren dat de moeite van het lezen waard is. Hoewel ik haar standpunt, verstandig als het is, respecteer, heb ik uiteindelijk toch gekozen kiezen voor enige extreem burgerlijke ongehoorzaamheid: bedankt, Corn, voor alles.

REGISTER